S0-BZN-851

Lambacher Schweizer 4

Mathematik für Gymnasien

Baden-Württemberg

erarbeitet von
Dieter Brandt
Dieter Greulich
Thorsten Jürgensen
Rolf Reimer
Reinhard Schmitt-Hartmann
Peter Zimmermann

Ernst Klett Verlag
Stuttgart · Leipzig

Begleitmaterial:
Zu diesem Buch gibt es ein Lösungsheft (ISBN-10: 3-12-734383-3, ISBN-13: 978-3-12-734383-0)

1. Auflage 1 7 6 5 4 | 2015 14 13 12 11

Alle Drucke dieser Auflage können im Unterricht nebeneinander verwendet werden. Ab dem 3. Druck befindet sich im Anhang ein Selbsttraining mit Lösungen. Die letzten Zahlen bezeichnen jeweils die Auflage und das Jahr des Druckes.

www.klett.de

Autoren: Dr. Dieter Brandt, Dieter Greulich, Thorsten Jürgensen, Rolf Reimer, Reinhard Schmitt-Hartmann, Dr. Peter Zimmermann
Unter Mitarbeit von: Bärbel Barzel, Manfred Baum, Martin Bellstedt, Heidi Buck, Prof. Rolf Dürr, Hans Freudigmann, Dr. Frieder Haug, Dr. Heike Tomaschek
Redaktion: Rainer Geiger

Gestaltung: Nadine Yeşil, Stuttgart; Andreas Staiger, Stuttgart
Zeichnungen/Illustrationen: Uwe Alfer, Waldbreitbach
Bildkonzept Umschlag: SoldanKommunikation, Stuttgart
Titelbild: Getty Images, The Image Bank Stockbyte

DTP/Satz: topset Computersatz, Nürtingen
Reproduktion: Meyle + Müller Medien-Management, Pforzheim
Druck: Stürtz GmbH, Würzburg

Printed in Germany
ISBN 978-3-12-734381-6

Moderner Mathematikunterricht mit dem Lambacher Schweizer

Mathematik – vielseitig und schülerorientiert
Der heutige Mathematikunterricht soll den Kindern und Jugendlichen neben Rechenfertigkeiten auch zahlreiche weitere Fähigkeiten, die für die Allgemeinbildung grundlegend sind, vermitteln.
Im Lambacher Schweizer wird das Erlernen solcher mathematischer und nichtmathematischer **Basisfähigkeiten** in einem vielfältigen Aufgabenangebot für die Schülerinnen und Schüler ermöglicht. Auf den Seiten Wiederholen – Vertiefen – Vernetzen und in den Sachthemen werden zudem die Inhalte der Kapitel bzw. des Buches noch einmal für integriertes und vernetztes Lernen aufbereitet. Die Sachthemen behandeln unter einem Oberthema Inhalte aus allen Kapiteln des Buches. Sie lassen sich sowohl nutzen, um über sie in die Kapitel einzusteigen, als auch zur Wiederholung und Festigung im Anschluss an die Kapitel.
Die Inhalte des Mathematikunterrichts zentralen Ideen zuzuordnen, bietet für die Schülerinnen und Schüler die Chance, Zusammenhänge über die Kapitel hinaus herzustellen und damit ein größeres Verständnis für die Mathematik zu erlangen. Aus diesem Grund werden die Kapitel insgesamt sechs schülerverständlichen **Leitideen** zugeordnet, die über die achtjährige Schulzeit hin Bestand haben: Zahl und Maß, Form und Raum, Beziehung und Änderung, Daten und Zufall, Muster und Struktur, Modell und Simulation.
Um grundlegende Fertigkeiten und Inhalte, so genanntes **Basiswissen**, bei den Schülerinnen und Schülern abzusichern, werden Aufgaben zu früheren Themen eingestreut. Außerdem ist die Möglichkeit zu selbstkontrolliertem Üben gegeben, innerhalb der Lerneinheiten mit den Aufgaben zu „Bist du sicher?“ und am Ende des Kapitels in den Trainingsrunden.

Das achtjährige Gymnasium
Die Verkürzung der gymnasialen Schulzeit und die Förderung von Kompetenzen erfordert eine Straffung der Lerninhalte. Die im Bildungsplan geforderten Änderungen müssen im Schulbuch sinnvoll umgesetzt werden.
Im Kapitel zur Kongruenz wird das geometrische Wissen erweitert und vertieft. Der mathematische Kern, die Kongruenzsätze, wird kompakt in einer Lerneinheit dargestellt. Wie bereits in den vorhergehenden Klassen wird das Begründen von Vorgehensweisen und Sachverhalten eingefordert. Die Formalisierung des Begründens durch mathematische Beweise und die Präzisierung mathematischer Sachverhalte mithilfe von Definitionen und Sätzen wird in Kapitel V behandelt. Hier lernen die Schülerinnen und Schüler auch Strategien für das Führen von Beweisen und für das Entdecken von Sätzen kennen.
Das Kapitel II ist der Leitidee Zahl und Maß zugeordnet. Ausgehend von den bekannten rationalen Zahlen wird die Erweiterung zu den reellen Zahlen motiviert und induktiv vorgestellt.
Neben den in Klasse 7 unter der Leitidee Beziehung und Änderung behandelten lineare Formen und Zuordnungen treten in Klasse 8 die quadratischen Formen und Funktionen ins Zentrum. Kapitel III ist bestimmten Funktionstypen, deren Eigenschaften und Verwendung in anwendungsbezogenen Aufgaben gewidmet. Das Gelernte wird in Kapitel IV mithilfe von Parametern verallgemeinert. Hierbei erhalten die Schülerinnen und Schüler Kenntnisse grundlegender Verfahren zum Problemlösen. Das Lösen von Problemen, das oft eingefordert wird, wird in einer eigenen Lerneinheit nochmals gezielt thematisiert.
Mit dem spiraligen Aufgreifen und Vertiefen der Methoden und Inhalte der Wahrscheinlichkeitsrechnung aus Klasse 7 wird die Stochastik in Kapitel VI weitergeführt. Dazu gehören elementare Hilfsmittel zum Berechnen von Wahrscheinlichkeiten und Simulationen.

Computer- und grafikfähiger Taschenrechner-Einsatz
Der Einsatz von grafikfähigen Taschenrechnern wird in vielen Aufgaben gefordert ( ). Im Bereich der Geometrie wird an geeigneten Stellen der Einsatz eines dynamischen Geometriesystems (Geo) angeregt, das einen besonderen Wert beim Entdecken von geometrischen Sätzen erhält. Der nützliche Einsatz eines Tabellenkalkulationsprogramms wird bei der Simulation von Wahrscheinlichkeiten aufgezeigt.

Inhaltsverzeichnis

A
A
A
A

Lernen mit dem Lambacher Schweizer

Liebe Schülerinnen und Schüler,

auf diesen zwei Seiten stellen wir euer neues Mathematikbuch vor, das euch im Mathematikunterricht begleiten und unterstützen soll.

Wie ihr im Inhaltsverzeichnis sehen könnt, besteht das Buch aus sechs **Kapiteln** und zwei **Sachthemen**. In den Kapiteln lernt ihr nacheinander neue mathematische Inhalte kennen. In den Sachthemen trefft ihr wieder auf die Inhalte aller Kapitel, allerdings versteckt in Themen, die mit eurem Alltag zu tun haben und in einem Krimi. Ihr seht also, der Mathematik begegnet man nicht nur im Mathematikunterricht.

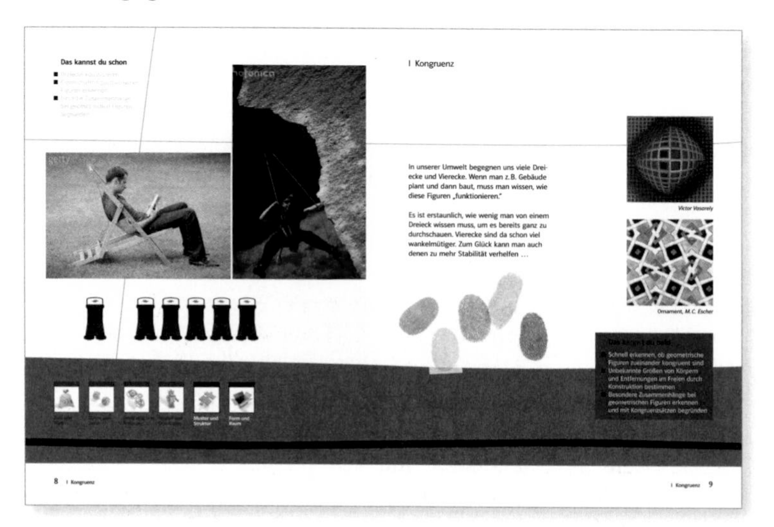
Das kannst du schon

I Kongruenz

In unserer Umwelt begegnen uns viele Dreiecke und Vierecke. Wenn man z.B. Gebäude plant und dann baut, muss man wissen, wie diese Figuren „funktionieren."

Es ist erstaunlich, wie wenig man von einem Dreieck wissen muss, um es bereits ganz zu durchschauen. Vierecke sind da schon viel wankelmütiger. Zum Glück kann man auch denen zu mehr Stabilität verhelfen …

- Schnell erkennen, ob geometrische Figuren zueinander kongruent sind
- Unbekannte Größen von Körpern und Entfernungen im Freien durch Konstruktion bestimmen
- Besondere Zusammenhänge bei geometrischen Figuren erkennen und mit Kongruenzsätzen begründen

8 I Kongruenz

I Kongruenz 9

In den Kapiteln geht es darum, neue Inhalte kennen zu lernen, zu verstehen, zu üben und zu vertiefen.
Sie beginnen mit einer **Auftaktseite**, auf der ihr entdecken und lesen könnt, was euch in dem Kapitel erwartet.

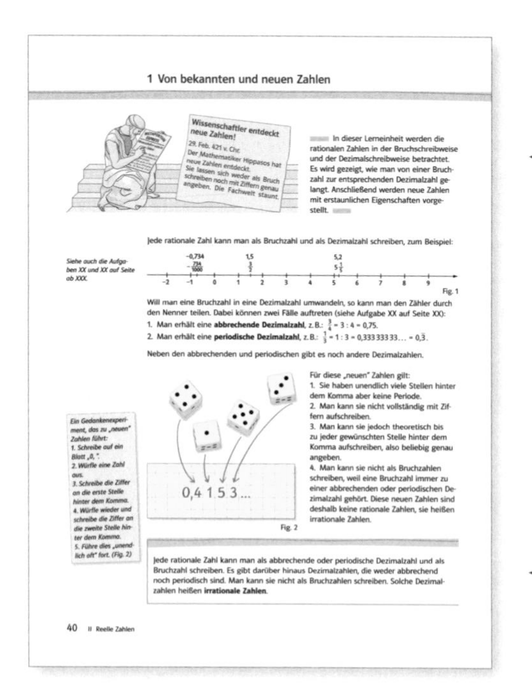
1 Von bekannten und neuen Zahlen

In dieser Lerneinheit werden die rationalen Zahlen in der Bruchschreibweise und der Dezimalschreibweise betrachtet. Es wird gezeigt, wie man von einer Bruchzahl zur entsprechenden Dezimalzahl gelangt. Anschließend werden neue Zahlen mit erstaunlichen Eigenschaften vorgestellt.

Jede rationale Zahl kann man als Bruchzahl und als Dezimalzahl schreiben, zum Beispiel:

Siehe auch die Aufgaben XX und XX auf Seite ab XXX.

Fig. 1

Will man eine Bruchzahl in eine Dezimalzahl umwandeln, so kann man den Zähler durch den Nenner teilen. Dabei können zwei Fälle auftreten (siehe Aufgabe XX auf Seite XX):
1. Man erhält eine **abbrechende Dezimalzahl**, z.B.: $\frac{3}{4} = 3 : 4 = 0{,}75$.
2. Man erhält eine **periodische Dezimalzahl**, z.B.: $\frac{1}{3} = 1 : 3 = 0{,}33333333\ldots = 0{,}\overline{3}$.

Neben den abbrechenden und periodischen gibt es noch andere Dezimalzahlen.

Ein Gedankenexperiment, das zu „neuen" Zahlen führt:
1. Schreibe auf ein Blatt „0,".
2. Würfle eine Zahl aus.
3. Schreibe die Ziffer an die erste Stelle hinter dem Komma.
4. Würfle wieder und schreibe die Ziffer an die zweite Stelle hinter dem Komma.
5. Führe dies „unendlich oft" fort. (Fig. 2)

Fig. 2

Für diese „neuen" Zahlen gilt:
1. Sie haben unendlich viele Stellen hinter dem Komma aber keine Periode.
2. Man kann sie nicht vollständig mit Ziffern aufschreiben.
3. Man kann sie jedoch theoretisch bis zu jeder gewünschten Stelle hinter dem Komma aufschreiben, also beliebig genau angeben.
4. Man kann sie nicht als Bruchzahlen schreiben, weil eine Bruchzahl immer zu einer abbrechenden oder periodischen Dezimalzahl gehört. Diese neuen Zahlen sind deshalb keine rationale Zahlen, sie heißen irrationale Zahlen.

Jede rationale Zahl kann man als abbrechende oder periodische Dezimalzahl und als Bruchzahl schreiben. Es gibt darüber hinaus Dezimalzahlen, die weder abbrechend noch periodisch sind. Man kann sie nicht als Bruchzahlen schreiben. Solche Dezimalzahlen heißen **irrationale Zahlen**.

40 II Reelle Zahlen

Die Kapitel sind in **Lerneinheiten** unterteilt, die euch immer einen mathematischen Schritt voranbringen. Zum **Einstieg** findet ihr stets eine Anregung oder eine Frage zu dem Thema. Ihr könnt euch dazu alleine Gedanken machen, es in der Gruppe besprechen oder mit der ganzen Klasse gemeinsam mit eurer Lehrerin oder eurem Lehrer diskutieren.

Im **Merkkasten** findet ihr die wichtigsten Inhalte der Lerneinheit zusammengefasst. Ihr solltet ihn deshalb sehr aufmerksam lesen.

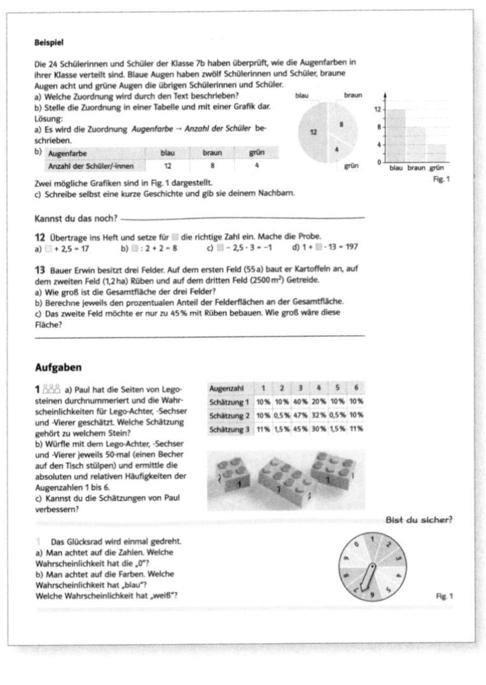

Beispiel

Die 24 Schülerinnen und Schüler der Klasse 7b haben überprüft, wie die Augenfarben in ihrer Klasse verteilt sind. Blaue Augen haben zwölf Schülerinnen und Schüler, braune Augen acht und grüne Augen die übrigen Schülerinnen und Schüler.
a) Welche Zuordnung wird durch den Text beschrieben?
b) Stelle die Zuordnung in einer Tabelle und mit einer Grafik dar.
Lösung:
a) Es wird die Zuordnung *Augenfarbe → Anzahl der Schüler* beschrieben.
b)

Augenfarbe	blau	braun	grün
Anzahl der Schüler/-innen	12	8	4

Fig. 1

Zwei mögliche Grafiken sind in Fig. 1 dargestellt.
c) Schreibe selbst eine kurze Geschichte und gib sie deinem Nachbarn.

Kannst du das noch?

12 Übertrage ins Heft und setze für □ die richtige Zahl ein. Mache die Probe.
a) □ + 2,5 = 17 b) □ : 2 + 2 = 8 c) □ − 2,5 · 3 = −1 d) 1 + □ · 13 = 197

13 Bauer Erwin besitzt drei Felder. Auf dem ersten Feld (55 a) baut er Kartoffeln an, auf dem zweiten Feld (1,2 ha) Rüben und auf dem dritten Feld (2500 m²) Getreide.
a) Wie groß ist die Gesamtfläche der drei Felder?
b) Berechne jeweils den prozentualen Anteil der Felderflächen an der Gesamtfläche.
c) Das zweite Feld möchte er nur zu 45 % mit Rüben bebauen. Wie groß wäre diese Fläche?

Aufgaben

1 a) Paul hat die Seiten von Legosteinen durchnummeriert und die Wahrscheinlichkeiten für Lego-Achter, -Sechser und -Vierer geschätzt. Welche Schätzung gehört zu welchem Stein?
b) Würfle mit dem Lego-Achter, -Sechser und -Vierer jeweils 50-mal (einen Becher auf den Tisch stülpen) und ermittle die absoluten und relativen Häufigkeiten der Augenzahlen 1 bis 6.
c) Kannst du die Schätzungen von Paul verbessern?

Augenzahl	1	2	3	4	5	6
Schätzung 1	10 %	10 %	40 %	20 %	10 %	10 %
Schätzung 2	10 %	0,5 %	47 %	32 %	0,5 %	10 %
Schätzung 3	11 %	1,5 %	45 %	30 %	1,5 %	11 %

Bist du sicher?

1 Das Glücksrad wird einmal gedreht.
a) Man achtet auf die Zahlen. Welche Wahrscheinlichkeit hat die „0"?
b) Man achtet auf die Farben. Welche Wahrscheinlichkeit hat „blau"?
Welche Wahrscheinlichkeit hat „weiß"?

Fig. 1

Vor den Aufgaben findet ihr **Beispiel**aufgaben. Sie führen euch vor, wie ihr die nachfolgenden Aufgaben lösen sollt. Hilfreiche Hinweise sind in kursiver Schrift ergänzt.

Mit den **Kannst-du-das-noch?**-Aufgaben könnt ihr altes Wissen wiederholen. Oft bereiten diese Aufgaben euch auf das nächste Kapitel vor.

Immer wieder gibt es Aufgaben, die mit 👥 oder 👥👤 gekennzeichnet sind. Hier bietet es sich besonders an, mit einem Partner oder einer Gruppe zu arbeiten.

In dem Aufgabenblock **Bist du sicher?** könnt ihr alleine testen, ob ihr die grundlegenden Aufgaben zu dem neu gelernten Stoff lösen könnt. Die Lösungen dazu findet ihr hinten im Buch.

Wiederholen – Vertiefen – Vernetzen

Auf den Seiten **Wiederholen – Vertiefen – Vernetzen** findet ihr Aufgaben, die den Lernstoff verschiedener Lerneinheiten und manchmal auch der Kapitel miteinander verbinden.

Rückblick

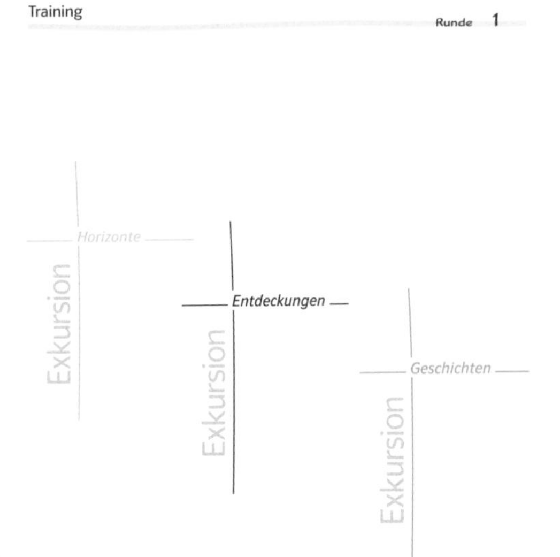

Am Ende des Kapitels findet ihr jeweils zwei Seiten, die euch helfen, das Gelernte abzusichern. Auf den **Rückblick**seiten sind die wichtigsten Inhalte des Kapitels zusammengefasst. Und in den **Trainingsrunden** könnt ihr noch einmal üben, was ihr im Kapitel gelernt habt. Sie eignen sich auch gut als Vorbereitung für Klassenarbeiten. Die Lösungen dazu findet ihr auf den hinteren Seiten des Buches.

Besonders viel Spaß wünschen wir euch bei den **Exkursionen**: Horizonte, Entdeckungen, Geschichten am Ende der Kapitel. Auf den **Horizonte**-Seiten könnt ihr beispielsweise Interessantes über einen Geheimbund der Antike erfahren und über Menschen, die unser heutiges Denken maßgeblich geprägt haben. Bei den **Entdeckungen** geht es um Fußbälle, um verfälschte Diagramme und um das berühmte Ziegenproblem, das es wirklich in sich hat. Schöne **Geschichten**, die immer einen interessanten Bezug zum Thema haben, gibt es über Zwillinge, Reptilien und Verwandtschaftsbesuche.

Ihr könnt euch also auf euer Mathematikbuch verlassen. Es gibt euch viele Hilfestellungen für den Unterricht und die Klassenarbeiten und vor allem möchte es euch zeigen: Mathematik ist sinnvoll und kann Freude machen.

Wir wünschen euch viel Erfolg!
Das Autorenteam und der Verlag

Das kannst du schon

- Dreiecke konstruieren
- Eigenschaften geometrischer Figuren erkennen
- Einfache Zusammenhänge bei geometrischen Figuren begründen

Zahl und Maß

Daten und Zufall

Beziehung und Änderung

Modell und Simulation

Muster und Struktur

Form und Raum

Das Gleichheitszeichen der Geometrie

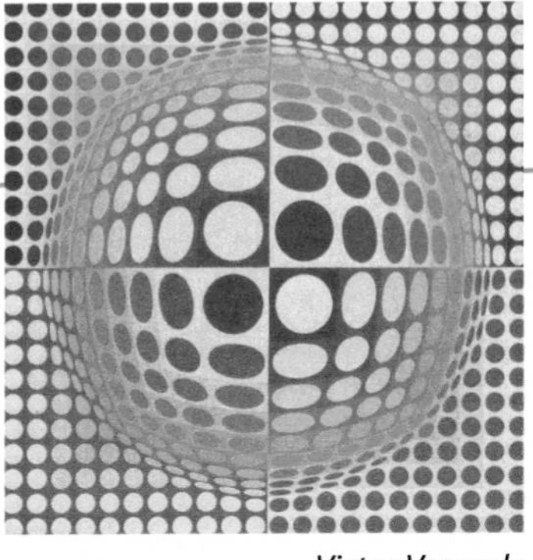

Victor Vasarely

In unserer Umwelt begegnen uns viele Dreiecke und Vierecke. Wenn man z. B. Gebäude plant und dann baut, muss man wissen, wie diese Figuren „funktionieren."

Es ist erstaunlich, wie wenig man von einem Dreieck wissen muss, um es bereits ganz zu durchschauen. Vierecke sind da schon viel wankelmütiger. Zum Glück kann man auch denen zu mehr Stabilität verhelfen ...

Ornament, *M. C. Escher*

Das kannst du bald

- Schnell erkennen, ob geometrische Figuren zueinander kongruent sind
- Unbekannte Größen von Körpern und Entfernungen im Freien durch Konstruktion bestimmen
- Besondere Zusammenhänge bei geometrischen Figuren erkennen und mit Kongruenzsätzen begründen

1 Kongruente Figuren

Nur zwei der fünf Teile gehören zum Puzzle.

Die Gleichheit von Mustern und Figuren spielt nicht nur bei Fingerabdrücken oder in der Kunst eine große Rolle, sondern auch in der Geometrie. Zwei Figuren sind gleich, wenn man sie ausgeschnitten so übereinander legen kann, dass es keine Überstände gibt. Man sagt dann, die Figuren sind **kongruent**.

congruere (lat.) übereinstimmen

nicht zueinander kongruent

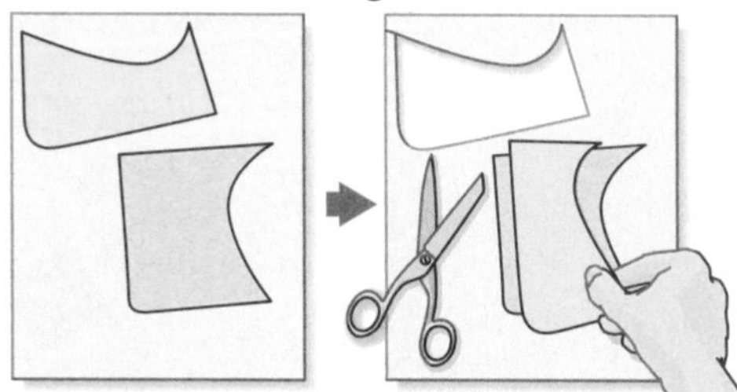

Fig. 1

zueinander kongruent

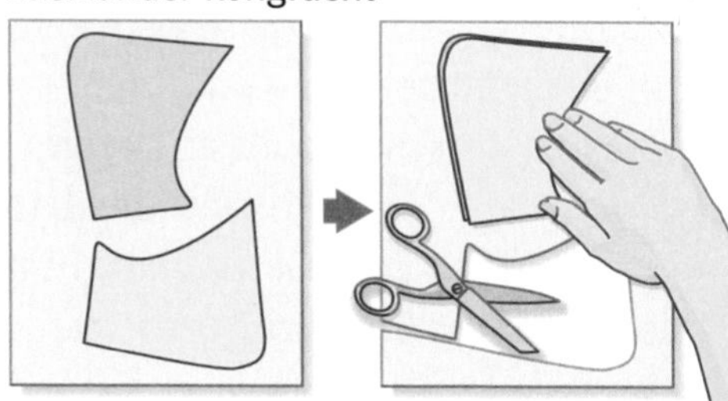

Fig. 2

Zwei Figuren sind zueinander kongruent, wenn man sie ausgeschnitten so übereinander legen kann, dass es keine Überstände gibt.

Zur Überprüfung der Kongruenz kann man Transparentfolie benutzen.
Bei Vielecken kann man auch alle entsprechenden Seiten und Winkel miteinander vergleichen.

Dein Handwerkszeug für dieses Kapitel:

Transparentfolie oder Kopierfolie (Größe ca. DIN A5) Folienschreiber (wasserlöslich)

Beispiel
Untersuche, welche der Vielecke zueinander kongruent sind.

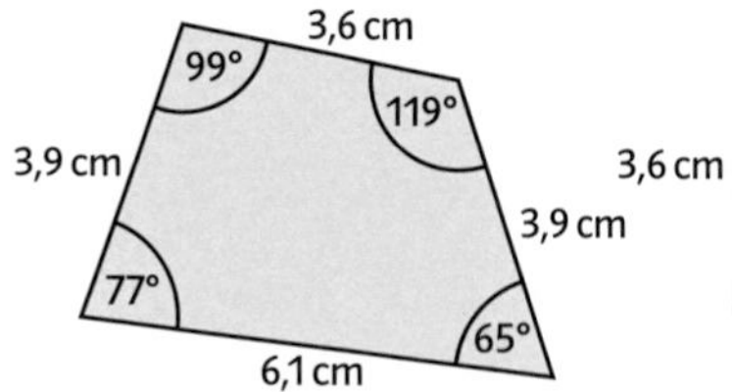

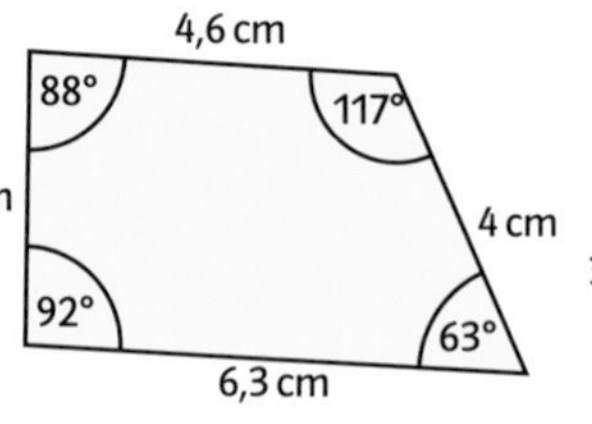

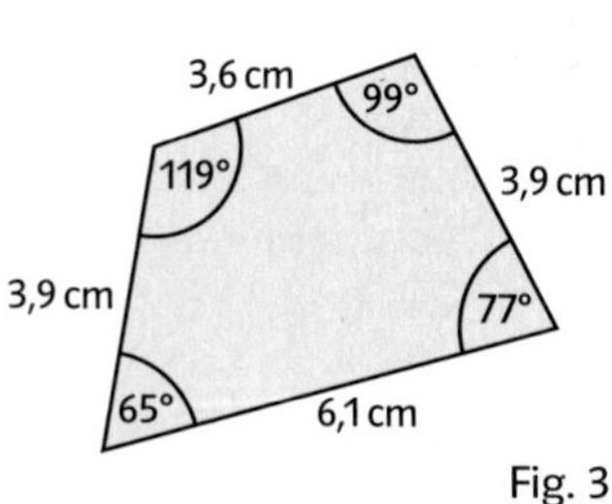

Fig. 3

Lösung:
Das blaue und das orange Viereck sind zueinander kongruent.
1. Möglichkeit: *Man überträgt die Umrisse der Figur auf Transparentfolie und vergleicht.*
2. Möglichkeit: *Man misst alle Winkel und Seiten der drei Figuren und vergleicht.*

Aufgaben

1 a) Beschreibe die zueinander kongruenten Figuren, die du in den abgebildeten Zeichen entdeckst.

Fig. 1

b) Suche weitere Zeichen, die aus zueinander kongruenten Figuren bestehen. Tausche dich mit deinem Nachbarn über die gefundenen Figuren aus.
c) Erstelle selbst ein Zeichen oder Logo, das sich aus zueinander kongruenten Figuren zusammensetzt.

2 a) Welche Figuren in Fig. 2 sind zueinander kongruent?

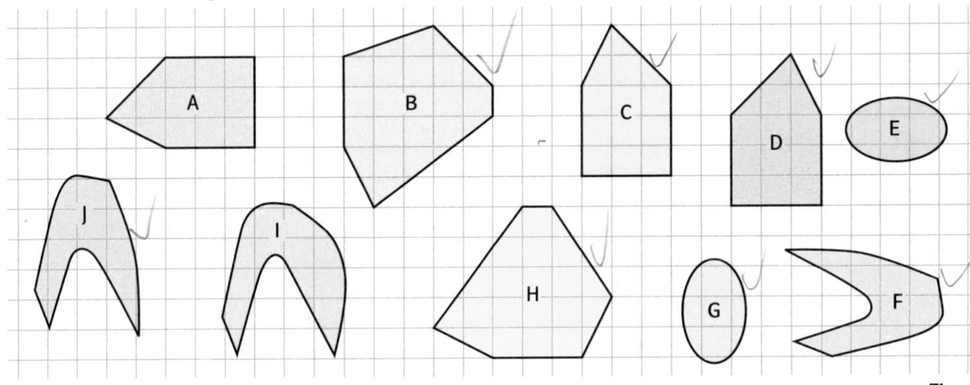

Fig. 2

Du kannst solche Figuren auch mit einem Zeichenprogramm erzeugen. Kongruente Figuren erhältst du mit der Kopier-Funktion.

b) Fertige selbst fünf Figuren an, von denen einige zueinander kongruent sind und gib sie deinem Nachbarn zur Überprüfung auf Kongruenz.

3 a) Wo überall kann der vierte Punkt H in Fig. 3 liegen, damit ein zum Viereck ABCD kongruentes Viereck entsteht?
b) Gegeben sind die Punkte A(1|1), B(7|1), C(5|4), D(2|3) und E(8|3). Gib die Koordinaten von Punkten F_1, F_2, F_3 und F_4 an, so dass die Dreiecke DEF_1, DEF_2 usw. kongruent sind zum Dreieck ABC.

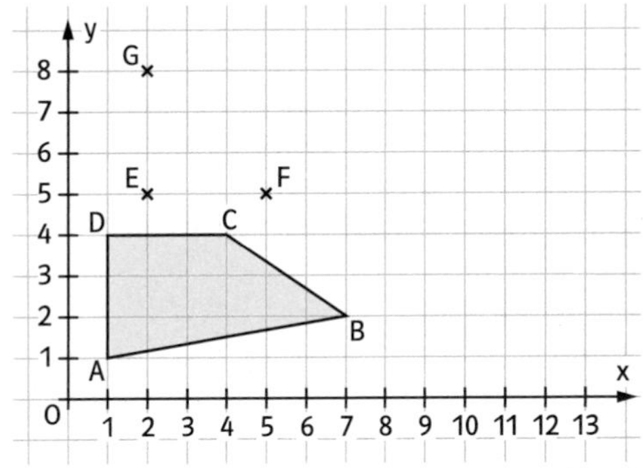

Fig. 3

Hier kannst du rechnen oder konstruieren.

4 **„Dreiecke versenken"**
a) Jeder überlegt sich Koordinaten zweier Dreiecke ABC und DEF, welche zueinander kongruent sind. Die Koordinaten der Punkte A bis E werden auf einen Zettel geschrieben, den der Nachbar erhält. Dieser muss dann die Koordinaten von F richtig herausfinden.
b) Spielt in zwei Gruppen zu je zwei Personen: Gegeben ist ein Dreieck ABC mit A(1|1), B(5|2) und C(5|5). Gesucht ist ein Dreieck $P_1P_2P_3$, welches kongruent ist zum Dreieck ABC. Gruppe 1 nennt die Koordinaten eines beliebigen Punktes P_1. Gruppe 2 sucht einen passenden Punkt P_2, dann nennt Gruppe 1 die Koordinaten des fehlenden Punktes P_3. Danach werden die Rollen vertauscht und Gruppe 2 beginnt.

Bist du sicher?

1 Welche der Dreiecke sind zueinander kongruent?
Dreieck ABC mit A(1|0); B(4|0); C(3|2)
Dreieck DEF mit D(5|5); E(2|5); F(3|3)
Dreieck GHI mit G(−2|1); H(2|1); I(1|−1)

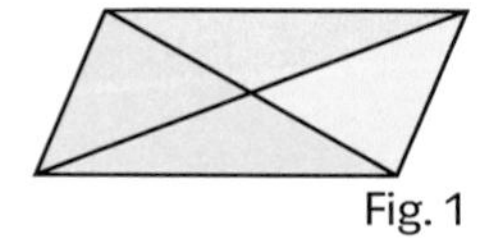
Fig. 1

2 Das Parallelogramm in Fig. 1 ist durch zwei Schnitte in vier Teildreiecke zerlegt worden.
a) Welche der entstandenen Teildreiecke sind zueinander kongruent?
b) Gibt es ein entsprechend unterteiltes Viereck, bei dem alle vier Dreiecke zueinander kongruent sind?
c) Zeichne ein Parallelogramm und zerlege es durch zwei Schnitte in vier Teilfiguren, die alle zueinander kongruent sind.

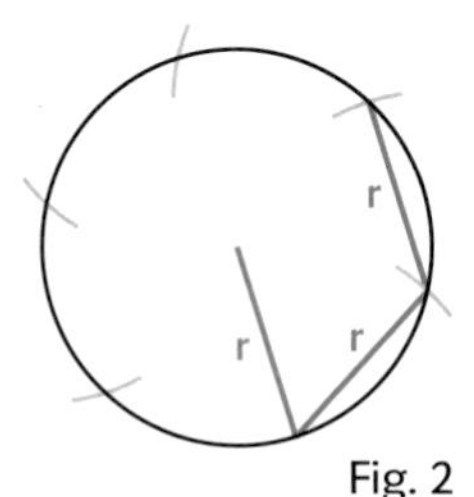

Fig. 2

So konstruiert man ein regelmäßiges Sechseck.

5 Zeichne ein regelmäßiges Sechseck mit der Seitenlänge 4 cm und zerlege es in zwei, drei bzw. sechs zueinander kongruente Teilfiguren. Um welche Figuren handelt es sich jeweils?

6 a) Zeichne ein Quadrat und zerlege es auf zwei verschiedene Arten in vier zueinander kongruente Teilfiguren.
b) Zeichne ein Rechteck und zerlege es in möglichst viele zueinander kongruente Dreiecke.
c) Zeichne ein Trapez, das man in drei zueinander kongruente gleichseitige Dreiecke zerlegen kann.

7 Kongruenz ist eine Kunst
a) Schreibe zu den Bildern von Escher und Vasarely einen kurzen Text, in dem du erklärst, ob bzw. aus welchen zueinander kongruenten Figuren die Bilder entstanden sind.

Escher

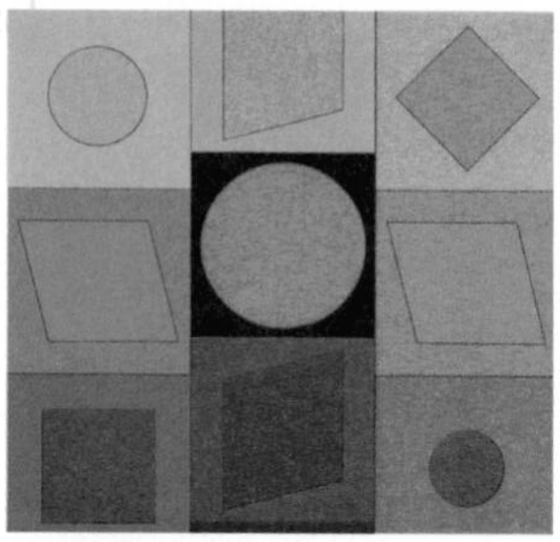
Vasarely

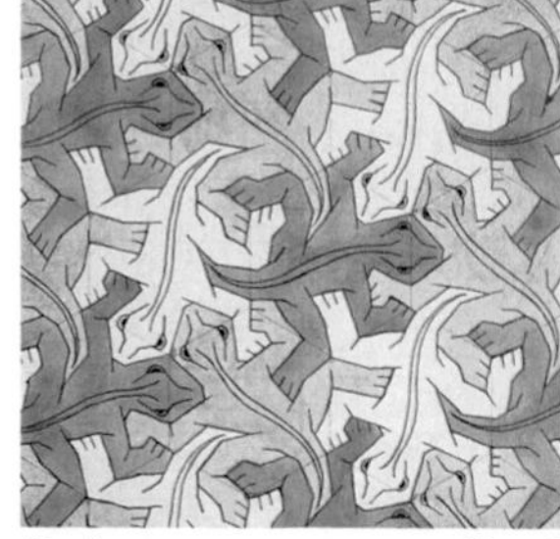
Escher

Fig. 3

Victor Vasarely, 1908–1997

Maurits Cornelis Escher, 1898–1972

b) Das Bild von M.C. Escher auf Seite 9 ist ein Stempelbild. Es ist entstanden durch wiederholtes Stempeln mit den unten abgebildeten Stempeln und ihren Spiegelbildern und anschließendes Einfärben. Zeichne ein Gitter und trage dort in die rechte Hälfte mit einem roten und einem blauen Balken ein, wie die Stempel gedreht werden müssen, damit mit anschließender Spiegelung der Bildausschnitt links entsteht.

Suche im Internet nach zueinander kongruenten Figuren in Bildern von Paul Klee, Wassily Kandinsky oder Josef Albers.

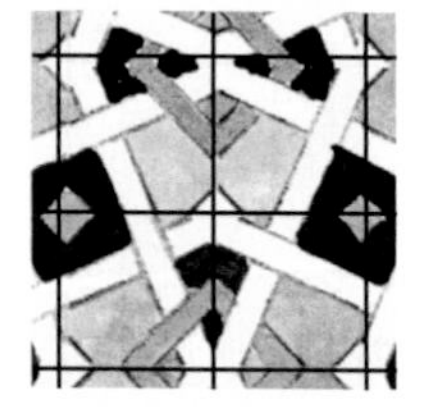
Bildausschnitt

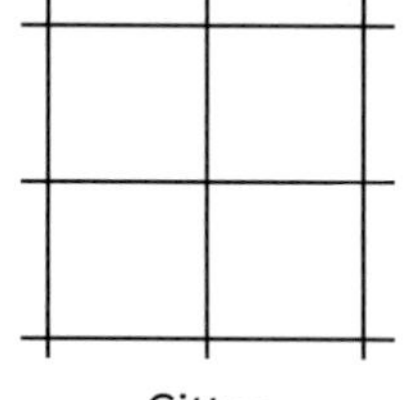
Gitter

Stempel 1 und 2

Fig. 4

Info

Spiegeln statt Schnipseln
Man kann auch ohne Transparentfolie oder Schere überprüfen, ob zwei beliebige Figuren zueinander kongruent sind.
Man weiß, dass bei einer Achsenspiegelung oder einer Punktspiegelung Bild und Spiegelbild zueinander kongruent sind.
Will man also zeigen, dass zwei Figuren zueinander kongruent sind, so kann man nach einer Spiegelachse oder einem Spiegelpunkt suchen, so dass die eine Figur das Spiegelbild der anderen ist.
In Fig. 1 ist das rote Dreieck kongruent zum blauen Dreieck, weil das blaue Dreieck gerade das Spiegelbild des roten Dreiecks ist, wenn man es an der eingezeichneten Achse spiegelt.

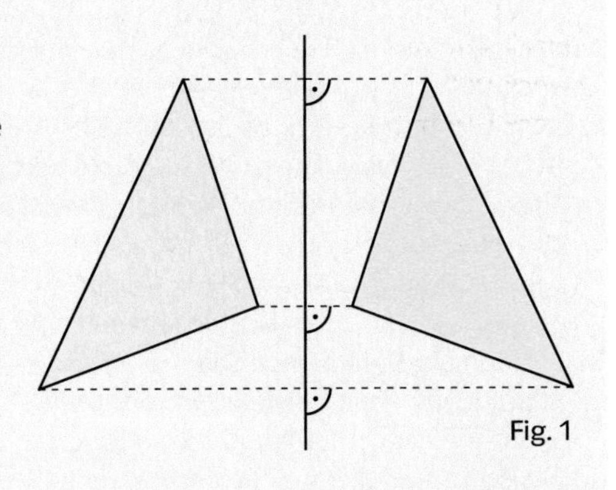
Fig. 1

8 a) Trage die Punkte A(1|1), B(4|1), C(6|3), D(4|5), E(4|3), F(1|3), P(6|7), Q(8|5), R(10|7), S(10|10), T(8|10) und U(8|7) in ein geeignetes Koordinatensystem ein. Zeige, dass das Sechseck ABCDEF kongruent ist zum Sechseck PQRSTU, indem du eine Spiegelachse so einzeichnest, dass das eine Sechseck gerade das Spiegelbild des anderen ist.
b) Trage die Punkte A(1|1), B(4|4), C(4|7), D(1|7), P(6|3), Q(9|3), R(9|9) und S(6|6) in ein geeignetes Koordinatensystem ein. Zeige, dass das Viereck ABCD kongruent ist zum Viereck PQRS, indem du einen Spiegelpunkt so einzeichnest, dass das eine Viereck gerade das Spiegelbild des anderen ist.

9 a) Die vier F in Fig. 2 sind alle zueinander kongruent. Suche jeweils einen Symmetriepunkt oder eine Symmetrieachse, so dass das rote F auf eines der blauen abgebildet wird.

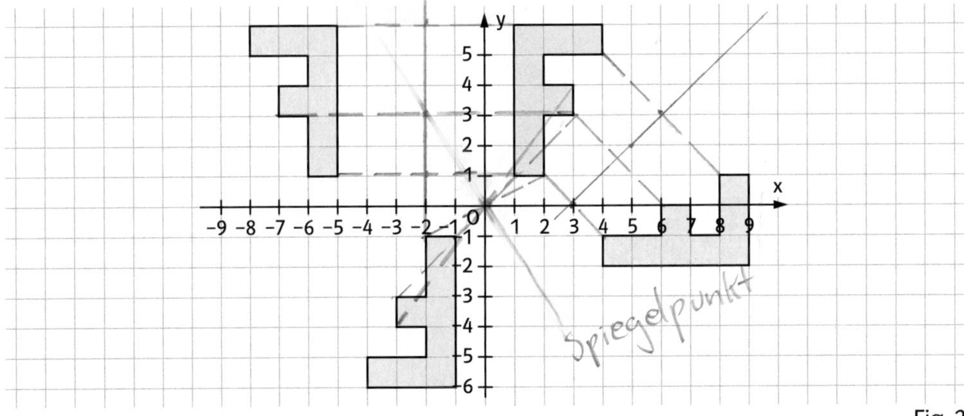

Fig. 2

b) Beim Arbeiten mit Transparentfolie ist dir sicher aufgefallen, dass du manchmal die Folie wenden musstest. Bei welchen F aus Teil a) wäre ein Wenden erforderlich? Welche Spiegelung entspricht also dem Wenden der Folie?

2 Kongruente Dreiecke

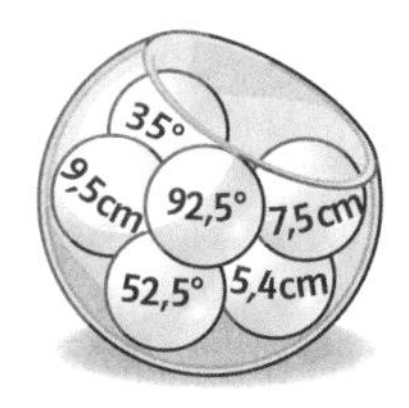

Bei einem Dreieck kannst du sechs Größen messen; drei Seiten und drei Winkel. Karla hat ein Dreieck konstruiert und die sechs Größen auf Bälle geschrieben. Louis zieht vier Bälle und konstruiert ein Dreieck zu den Angaben. Jonas zieht drei Bälle.

Wenn man z.B. aus drei verschiedenen Buntstiften ein Dreieck legt, so erhält man – gleichgültig wie man beginnt – immer Dreiecke, die zueinander kongruent sind. Durch die Bleistifte sind die drei Seitenlängen des Dreiecks festgelegt und damit ist das Dreieck **eindeutig konstruierbar**. Auch wenn man drei andere geeignete Größen vorgibt, kann es dazu oft nur ein Dreieck geben.

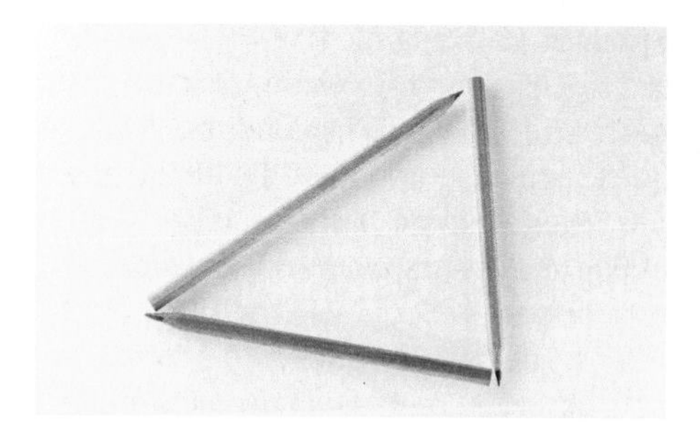

In Fig. 3 ist es wichtig, dass die Seite, welche dem gegebenen Winkel gegenüber liegt größer ist als die andere gegebene Seite. Andernfalls kann es zwei verschiedene Dreiecke geben. (siehe Fig. 5).

Vergleiche dazu auch Aufgabe 5.

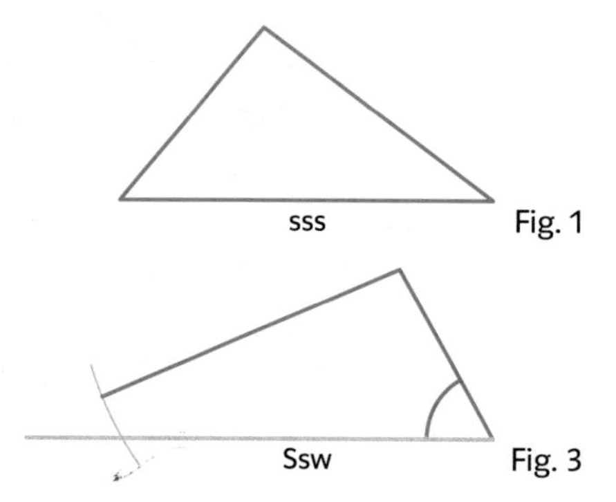

Fig. 1

Fig. 3

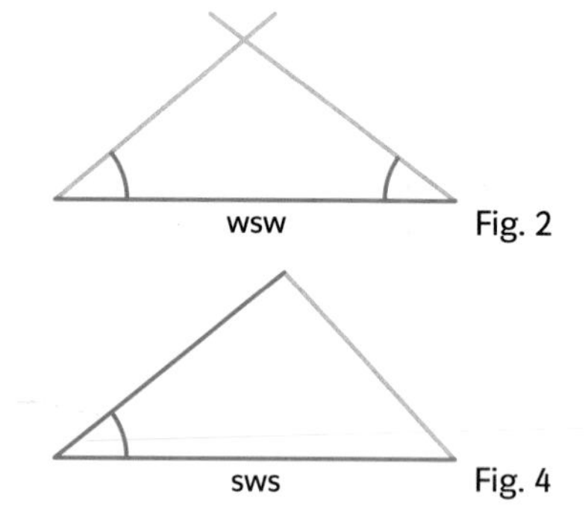

Fig. 2

Fig. 4

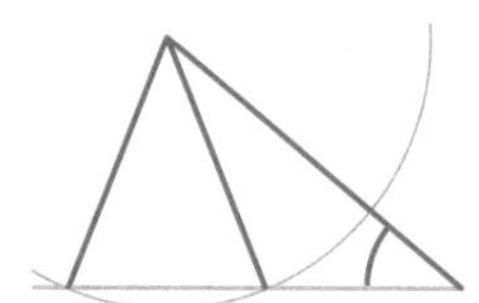

Fig. 5

Kennt man von einem Dreieck drei geeignete Größen, so kennt man bereits das ganze Dreieck!

Kongruenzsätze für Dreiecke
Zwei Dreiecke sind zueinander kongruent, wenn sie in folgenden Größen übereinstimmen:
- drei Seiten (sss)
- einer Seite und zwei Winkeln (wsw)
- zwei Seiten und dem der längeren Seite (S) gegenüberliegenden Winkel (Ssw)
- zwei Seiten und dem eingeschlossenen Winkel (sws).

Beispiel 1 Nachweis der Kongruenz
Welche der Dreiecke in Fig. 6 sind zueinander kongruent? Begründe.
Lösung:
Das blaue und das grüne Dreieck sind nach dem Kongruenzsatz sws zueinander kongruent, weil sie in zwei Seiten und dem eingeschlossenen Winkel übereinstimmen.

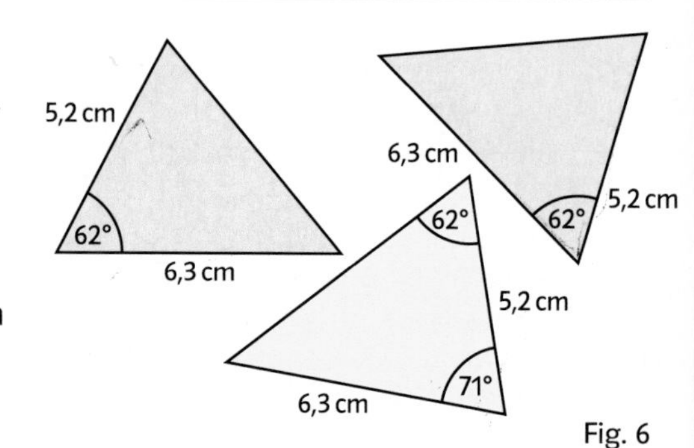

Fig. 6

Beispiel 2 Konstruktion mithilfe des Kongruenzsatzes wsw
Konstruiere ein Dreieck, bei dem eine Seite 6 cm misst, ein anliegender Winkel 41° und der gegenüberliegende Winkel 73°. Beschreibe die Konstruktion.
Lösung:
Für den zweiten anliegenden Winkel erhält man: $180° - 41° - 73° = 66°$.
Man zeichnet eine Strecke der Länge 6 cm und trägt dort die beiden anliegenden Winkel ab (vier Möglichkeiten). Dort, wo sich die Schenkel schneiden, befindet sich der dritte Punkt des Dreiecks. Alle vier Lösungen sind zueinander kongruent.

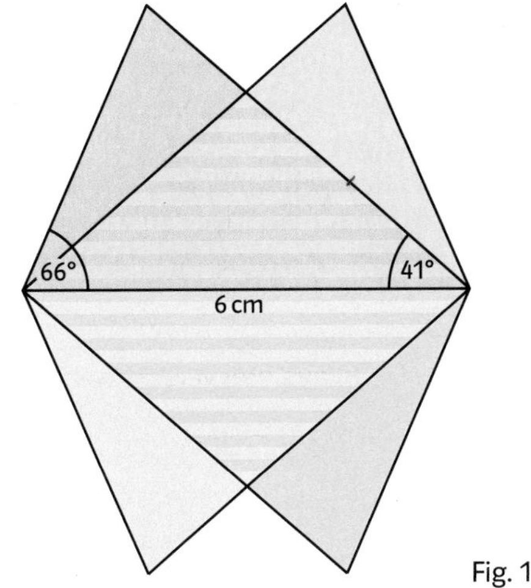

Fig. 1

Aufgaben

1 Kann man aus den Angaben schließen, dass die Dreiecke ABC und A'B'C' zueinander kongruent sind? Gib an, mit welchem Kongruenzsatz du argumentierst.
a) $c = 4\,cm$; $\alpha = 70°$; $\beta = 65°$ und $c' = 4\,cm$; $\alpha' = 70°$; $\gamma' = 45°$
b) $c = 8{,}7\,cm$; $\beta = 45°$; $\gamma = 67°$ und $c' = 8{,}7\,cm$; $\alpha' = 45°$; $\beta' = 67°$
c) $a = 7{,}8\,cm$; $c = 8{,}7\,cm$; $\alpha = 45°$ und $a' = 7{,}8\,cm$; $c' = 8{,}7\,cm$; $\alpha' = 45°$
d) $c = 4\,cm$; $b = 7\,cm$; $\alpha = 70°$ und $c' = 4\,cm$; $b' = 7\,cm$; $\alpha' = 70°$
e) $c = 7\,cm$; $b = 4\,cm$; $a = 5\,cm$ und $c' = 4\,cm$; $b' = 7\,cm$; $a' = 5\,cm$
f) Überlege dir selbst eine ähnliche Aufgabe und gib sie deinem Nachbarn zur Lösung.

Diese Bezeichnungen sind in einem Dreieck ABC üblich:

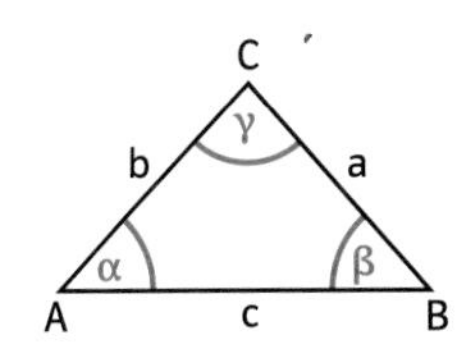

2 Welcher Kongruenzsatz garantiert die eindeutige Konstruierbarkeit des Dreiecks ABC? Konstruiere das Dreieck und beschreibe die Konstruktion. Entnimm der Zeichnung die restlichen Seiten und Winkel.
a) $a = 7{,}0\,cm$; $b = 4{,}8\,cm$; $c = 8{,}4\,cm$
b) $b = 3{,}8\,cm$; $\alpha = 35°$; $\gamma = 125°$
c) $a = 5{,}5\,cm$; $\alpha = 52°$; $\beta = 63°$
d) $a = 5{,}3\,cm$; $c = 3{,}9\,cm$; $\alpha = 40°$

Aufgabe 2 kannst du auch mit einem Geo-Programm bearbeiten.

3 Von einem Dreieck ABC sind die Seite $b = 5{,}3\,cm$ und der Winkel $\alpha = 30°$ gegeben.
a) Zeichne zwei Dreiecke mit diesen Angaben, die nicht zueinander kongruent sind.
b) Ergänze eine Angabe, so dass eine Aufgabe zum Kongruenzsatz wsw entsteht und konstruiere das Dreieck.
c) Ergänze eine Angabe, so dass eine Aufgabe zum Kongruenzsatz sws entsteht und konstruiere das Dreieck.

4 Formuliere eine Konstruktionsaufgabe zum Kongruenzsatz sws. Gib die Aufgabe deinem Nachbarn. Er soll das Dreieck konstruieren und seine Konstruktion beschreiben. Überprüfe dann, ob die Konstruktion richtig ist.

5 a) Konstruiere ein Dreieck, mit einer Seite der Länge 7,5 cm, einer weiteren Seite der Länge 6 cm sowie einem Winkel von 48°, welcher der zweiten Seite gegenüberliegt.
b) Erkläre, warum man zwei nicht kongruente Dreiecke erhält, welche die Bedingung erfüllen, obwohl doch zwei Seiten und ein Winkel sowie deren Lage vorgegeben sind.
c) Verändere bei der Aufgabe aus a) eine Angabe so, dass die Konstruktion eindeutig wird.

6 Das Dreieck ABC in Fig. 1 ist gleichschenklig. Die beiden Dreiecke ADC und DBC stimmen in zwei Seiten und einem Winkel überein.

a) Welche Seiten und Winkel sind dies?
b) Warum kann man hier den Kongruenzsatz Ssw nicht anwenden?

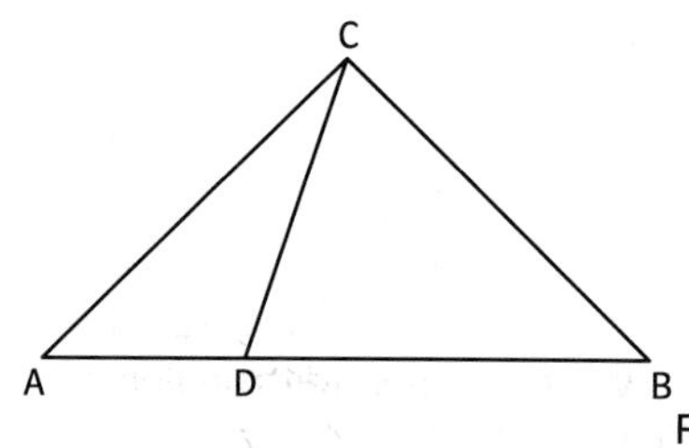

Fig. 1

7 Bei einem Dreieck ist eine Seite 7 cm lang. Ein an dieser Seite anliegender Winkel misst 50°. Welche Längen sind möglich für die Seite, welche diesem Winkel gegenüberliegt, damit man genau ein Dreieck konstruieren kann? Konstruiere.

8 Zeichne drei nicht zueinander kongruente Dreiecke, bei denen eine Seite 2,5 cm misst, ein Winkel 45° und ein anderer Winkel 82°.

Bist du sicher?

1 In Fig. 2 ist w die Winkelhalbierende von α. Begründe mithilfe eines Kongruenzsatzes, dass die Dreiecke STU und SUV zueinander kongruent sind.

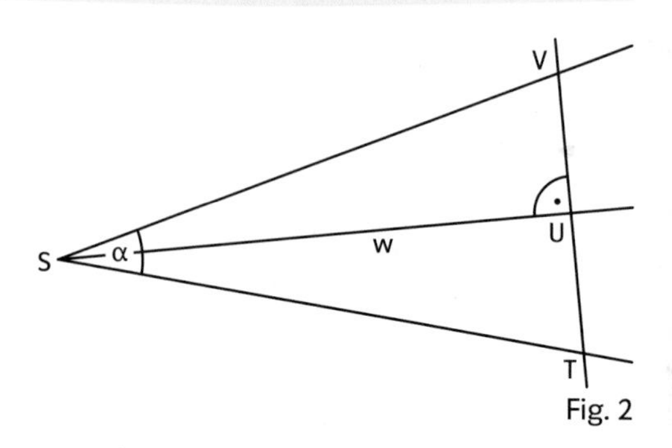

Fig. 2

2 Welcher Kongruenzsatz garantiert die eindeutige Konstruierbarkeit des Dreiecks ABC? Konstruiere das Dreieck und beschreibe die Konstruktion. Entnimm der Zeichnung die restlichen Seiten und Winkel.
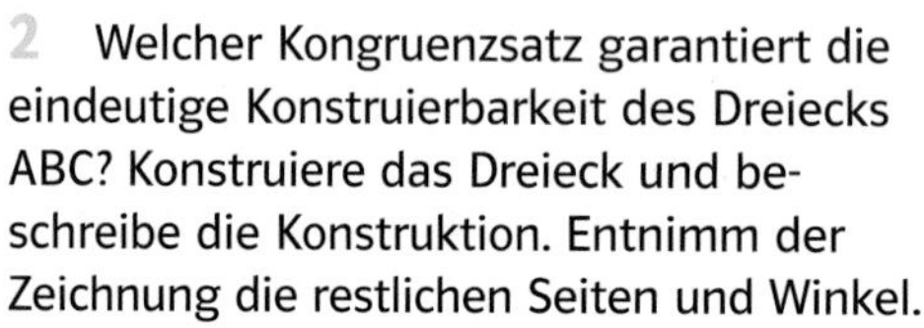
a) $a = 3{,}5\,cm;\ b = 5{,}4\,cm;\ c = 7\,cm$
b) $c = 6\,cm;\ \beta = 42°;\ \gamma = 61°$

3 Zeichne zwei nicht kongruente Dreiecke mit $a = 5\,cm;\ b = 4\,cm$ und $\beta = 48°$.

Satz des Thales

9 Rechtwinklige Dreiecke
Konstruiere ein rechtwinkliges Dreieck mit den gewünschten Eigenschaften. Bei welchen dieser Aufgaben gibt es verschiedene nicht kongruente Dreiecke als Lösung?
a) Eine Seite ist 3 cm lang und eine weitere 5 cm.
b) Der Thaleskreis hat einen Radius von 5 cm und ein Winkel misst 30°.
c) Eine Seite ist 5 cm lang und der Flächeninhalt beträgt $10\,cm^2$.
d) Eine Seite ist 5 cm lang und der Flächeninhalt beträgt $5\,cm^2$.

Bezeichnungen im gleichschenkligen Dreieck:

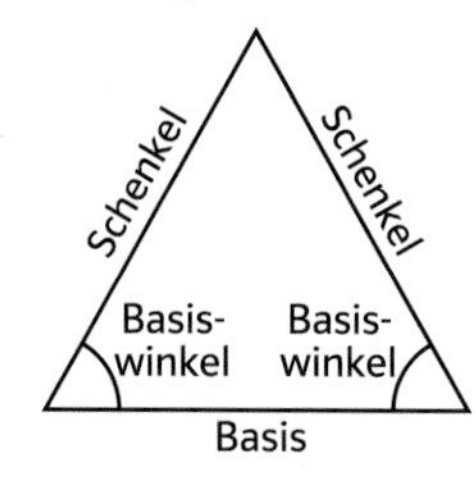

10 Gleichschenklige Dreiecke
a) Moritz behauptet: „Bei einem gleichschenkligen Dreieck muss ich nur zwei Größen kennen, um es eindeutig konstruieren zu können." Was meinst du dazu?
b) Moritz unterstreicht seine Behauptung, indem er drei „Kongruenzsätze für gleichschenklige Dreiecke" formuliert. Wie könnten die lauten?
c) Erfinde drei Konstruktionsaufgaben für gleichschenklige Dreiecke und gib sie deinem Nachbarn zur Lösung
d) Welche Angaben muss man kennen, um ein gleichseitiges Dreieck eindeutig konstruieren zu können?

In Ulm und um Ulm herum mit Theo Dolit

11 Auf dem Münsterplatz findet Theo im Boden vor dem Haupteingang des Münsters eine Tafel eingelassen, welche die Richtung und die Entfernung (Luftlinie) von Ulm zu verschiedenen Metropolen angibt. Er möchte mithilfe der Angaben auf der Tafel durch Konstruktion geeigneter Dreiecke folgende Entfernungen bestimmen.
a) London–Zürich
b) Amsterdam–Paris

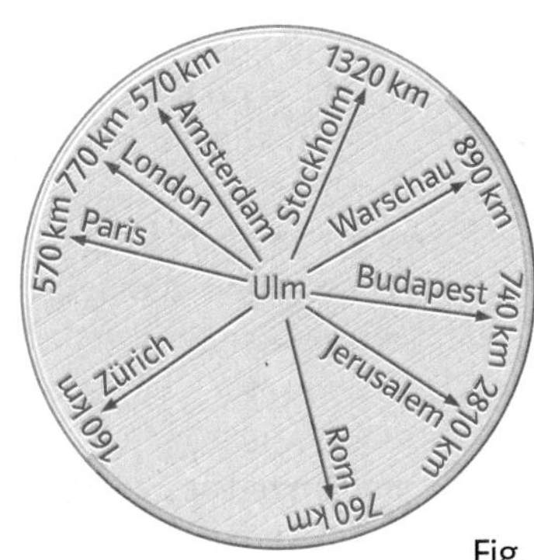

Fig. 1

Info

Winkelmessung im Gelände: der Theodolit
Möchte man den Winkel zwischen zwei markanten Punkten im Gelände messen, so verwendet man einen Theodoliten. Ein einfacher Theodolit, wie er auch an vielen Schulen vorhanden ist (Fig. 2), besteht aus einem Stativ, einer Peilvorrichtung und je einer horizontalen und einer vertikalen Winkelskala. Ein Theodolit zur Messung horizontaler Winkel kann auch selbst gebastelt werden (Fig. 3).

Fig. 2

Fig. 3

12 Um die Höhe des Münsterturms zu bestimmen, markiert Theo auf dem Münsterplatz eine 20 m lange Standlinie AB und peilt dann die Turmspitze mit einem Theodoliten von den Punkten A und B aus an. So ergeben sich die Höhenwinkel $\alpha = 69{,}5°$ und $\beta = 76°$. Bestimme durch Zeichnung in geeignetem Maßstab die Höhe des Münsterturms.

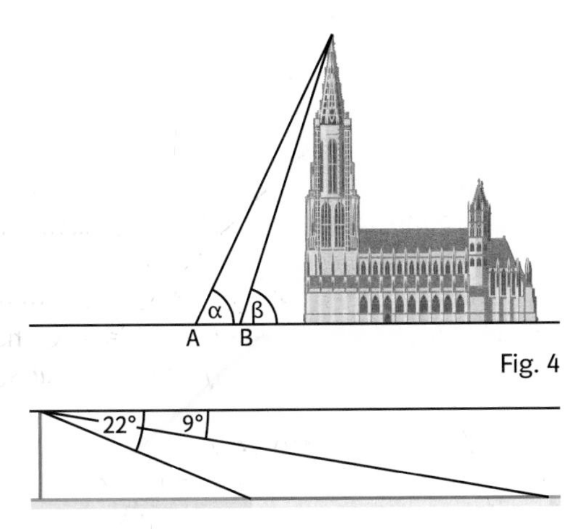

Fig. 4

Fig. 5

13 a) Theo blickt von der Stadtmauer auf die Donau. Er weiß, dass die Stadtmauer 20 m höher als der Wasserspiegel der Donau liegt. Nun peilt er die beiden Flussufer an und möchte damit die Breite der Donau bestimmen (Fig. 5).
b) Auf der Donau fährt ein Ausflugsboot. Es ist 150 m von Theos Standpunkt auf der Stadtmauer entfernt. Der Winkel zwischen der Fahrtrichtung und der Richtung zum Standpunkt beträgt 68°. Zwei Minuten später beträgt der entsprechende Winkel 138° (Fig. 6). Bestimme daraus die zurückgelegte Strecke und die Geschwindigkeit des Bootes.

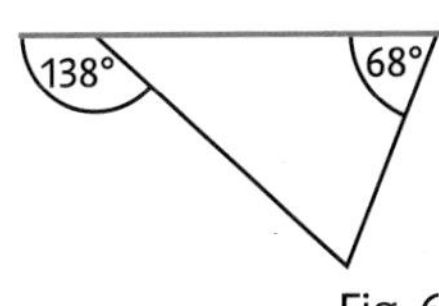

Fig. 6

14 In Ulm startet Theo zu einer Ballonfahrt durch das Blautal und das Schmiechtal nach Ehingen. Um herauszufinden, in welcher Höhe sich der Ballon gerade befindet, peilt Theo vom Ballon aus die Kirchtürme von Allmendingen und dem noch 7km davon entfernt liegenden Ehingen an. Es ergeben sich die Winkel $\alpha = 50°$ und $\beta = 8°$.

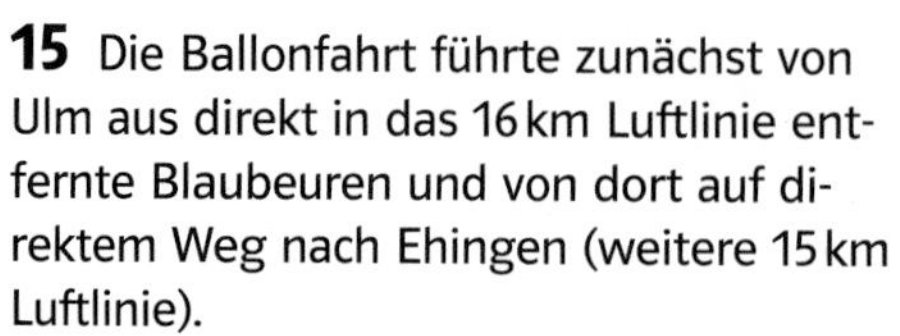

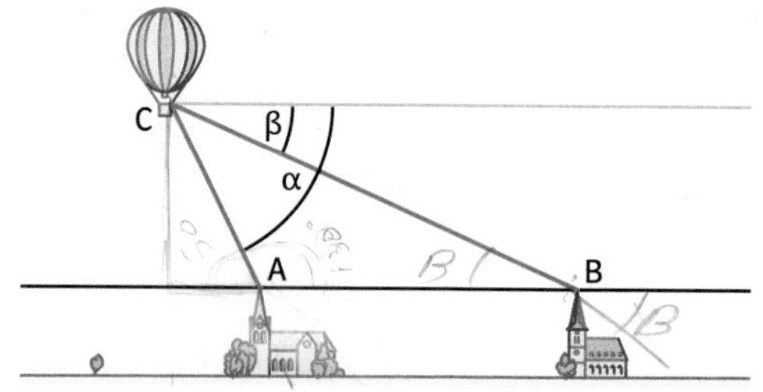

Fig. 1

15 Die Ballonfahrt führte zunächst von Ulm aus direkt in das 16km Luftlinie entfernte Blaubeuren und von dort auf direktem Weg nach Ehingen (weitere 15km Luftlinie).
Nach der Landung auf dem Ehinger Marktplatz ist das Auto mit Ballon im Hänger zurück zum Ulmer Münsterplatz gefahren, laut Tacho eine Strecke von 28km. Untersuche durch Konstruktion eines geeigneten Dreiecks, um wie viel die Strecke von Ehingen nach Ulm mit dem Ballon (also Luftlinie) kürzer wäre als die Fahrt auf der Straße. Gib den Unterschied auch in Prozent an.

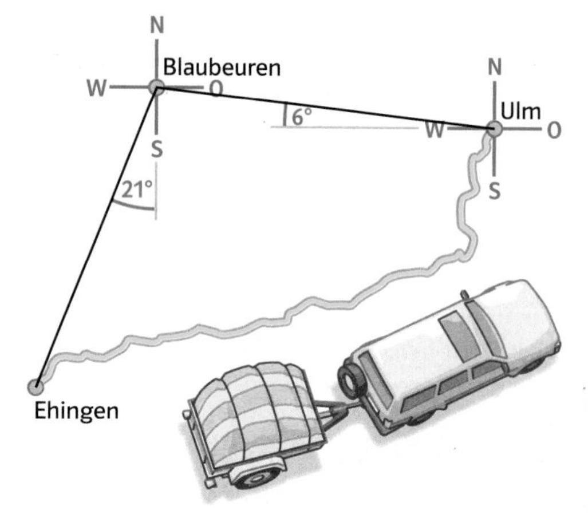

Fig. 2

Kleines Projekt

16 Nehmt euch ein Beispiel an Theo und geht auf Entdeckungsreise in eurer Stadt. Die Notizzettel helfen euch, eure Arbeit zu planen und aufzuteilen.

Gehe von der Mündung an der Iller entlang 100m flussaufwärts. Die Ersparnisse sind von dort genau 80m entfernt am Ufer der Donau vergraben.

17 Ach ja, und dann war da noch Theos Erbonkel. Der hatte seine ganzen Ersparnisse am Ufer der Donau in der Nähe der Illermündung vergraben. Ordentlich wie er war, hat er eine korrekte Lagebeschreibung hinterlassen. Trotzdem finden seine Erben das Geld nicht. Woran kann das liegen? Konstruiere in geeignetem Maßstab und beachte dabei, dass die Iller unter einem Winkel von 34° in die Donau mündet.

Kannst du das noch?

18 a) Beschreibe, wie man vorgeht, wenn man die Brüche $\frac{2}{3}$ und $\frac{8}{7}$ addiert.
b) Hannah hat auf dem Markt $\frac{1}{4}$kg Erdbeeren, 600g Zwetschgen und ein halbes Kilogramm Äpfel eingekauft. Wie schwer sind ihre Einkäufe insgesamt?

19 a) Ordne die folgenden Bruchzahlen der Größe nach: $\frac{7}{11}$; $\frac{5}{8}$; $\frac{2}{3}$; $\frac{3}{5}$.
b) Gib fünf Bruchzahlen an, die zwischen 0,2 und 0,3 liegen.

3 Figuren im Raum

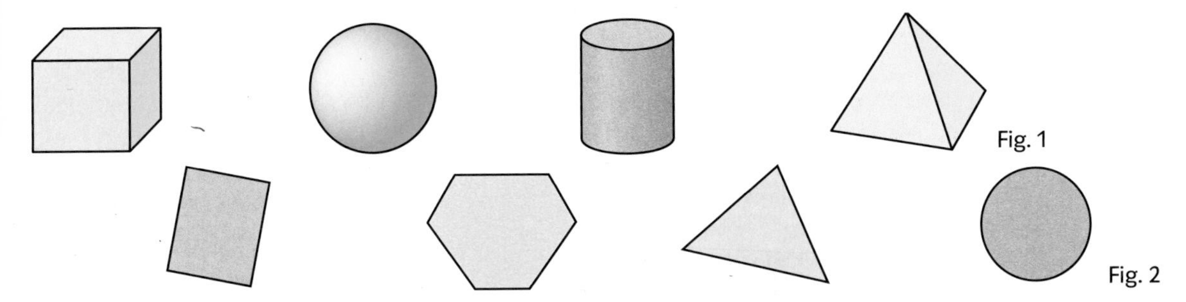

Fig. 1

Fig. 2

Wenn man die abgebildeten Körper durchschneidet, so entstehen – je nach dem, wie man den Schnitt ansetzt – die unterschiedlichsten Schnittflächen (Fig. 2). Du lernst nun, wie man durch geschicktes Erkennen solcher Schnittflächen schwer zugängliche Größen im Raum auf einem Blatt Papier bestimmen kann.

Ein Autovermieter gibt für den quaderförmigen Laderaum seines Kleinlasters folgende Maße an: L 4,56 m; B 1,80 m; H 1,90 m.
Es soll untersucht werden, ob ein Stabhochspringer in diesem Auto problemlos seinen 5,10 m langen Stab unterbringen könnte. Dazu geht man in vier Schritten vor.

1. Skizze anfertigen
Der Laderaum ist ein Quader. Ein Stab, der im Laderaum transportiert werden soll, darf höchstens so lang sein wie die Raumdiagonale des Quaders.

2. Schnittfläche und geeignetes Dreieck finden
Das blaue Dreieck enthält die gesuchte Raumdiagonale d (rot). Um dieses Dreieck konstruieren zu können, muss man aber erst die Länge der Bodendiagonale d_1 (orange) kennen.

3. Maßstab wählen, Dreieck(e) konstruieren
Es ergeben sich vernünftige Längen in cm, wenn man die gegebenen Maßzahlen mit 2 multipliziert (z. B. $4{,}56 \cdot 2 \approx 9{,}1$). Das entspricht einem Maßstab von 1:50. Dann kann man zunächst das grüne Dreieck und dann das blaue Dreieck konstruieren.

4. Gesuchte Größe messen, umrechnen und überprüfen
Die Länge der roten Strecke beträgt etwa 10,5 cm. Bei dem gewählten Maßstab ergibt sich für die Raumdiagonale eine Länge von $10{,}5\,\text{cm} \cdot 50 = 5{,}25\,\text{m}$. Der Wert scheint plausibel; damit passt der Stab in den Kleinlaster.

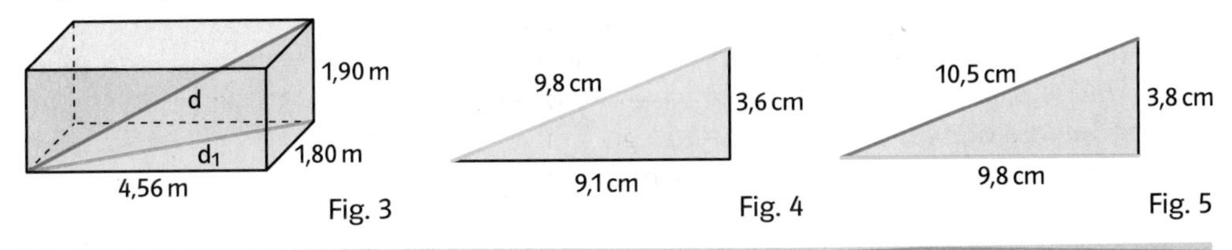

Fig. 3 Fig. 4 Fig. 5

So kann man schwer zugängliche Größen im Raum bestimmen:
1. Man fertigt eine Skizze der Situation an.
2. Man sucht eine Schnittfläche mit einem Dreieck, das die gesuchte Größe enthält.
3. Man wählt einen geeigneten Maßstab und konstruiert das Dreieck.
4. Man misst die konstruierte Länge, rechnet sie anhand des Maßstabs um und überprüft, ob sich ein sinnvoller Wert ergibt.

Beispiel (geeignete Dreiecke betrachten)
Die Cheopspyramide in Ägypten besitzt eine quadratische Grundfläche mit der Seitenlänge a = 230 m. Die Kantenlänge beträgt 219 m. Bestimme ihre Höhe.
Lösung:
Die gesuchte Höhe entspricht der Strecke $\overline{MS}$ in Fig. 1. Sie ist z. B. im Dreieck AMS enthalten. Wählt man den Maßstab 1 : 2000, so entsprechen 230 m 11,5 cm und 219 m 10,95 cm. Zunächst bestimmt man die Strecke $\overline{AM}$, indem man die Grundfläche maßstabsgetreu konstruiert (Fig. 2). Damit konstruiert man das Dreieck AMS (Fig. 3) und erhält für die Strecke $\overline{MS}$ 7,4 cm; das entspricht 148 m.
Die Cheopspyramide ist etwa 148 m hoch.

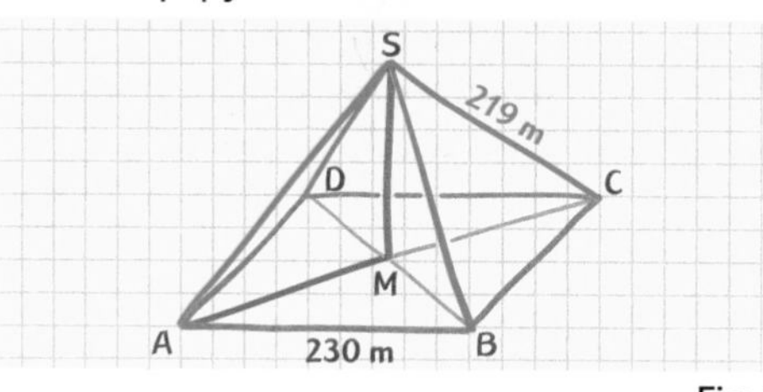

Fig. 1

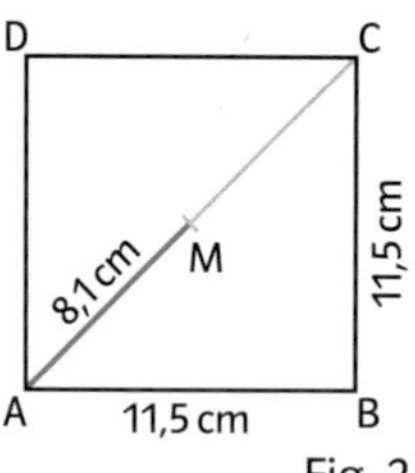

Fig. 2

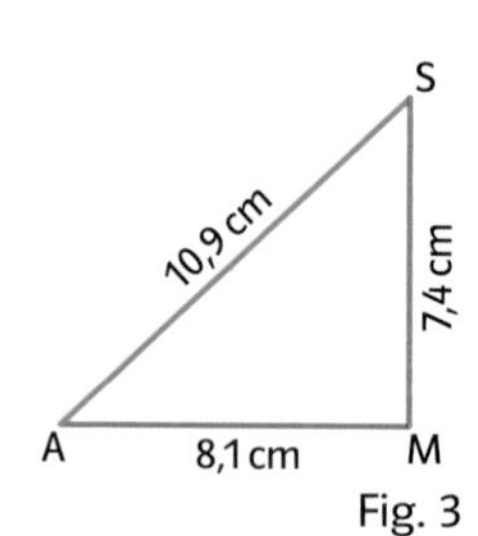

Fig. 3

Aufgaben

1 Der Zauberer Agnus Rivus hat einen 30 cm hohen Zylinder mit einem Innendurchmesser von 26 cm. Kann er darin seinen 14 Zoll langen Zauberstab verschwinden lassen?

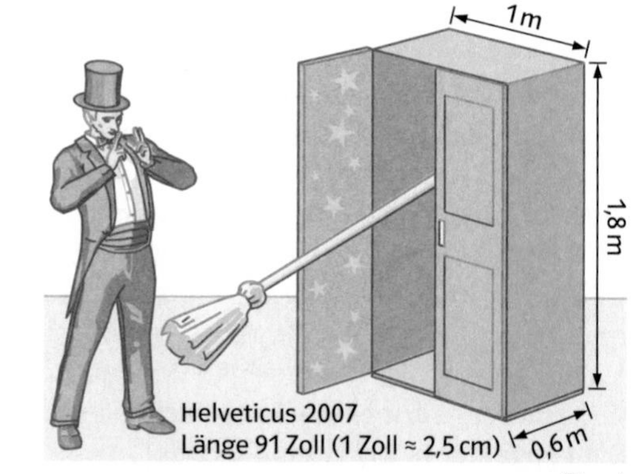

Fig. 4

2 a) Zeige, dass der Besen von Agnus Rivus nicht in den abgebildeten Schrank passt.
b) Wie hoch müsste der Schrank sein, damit Agnus darin seinen Besen verstauen kann?

Für einen solchen Trichter gilt die Volumenformel:

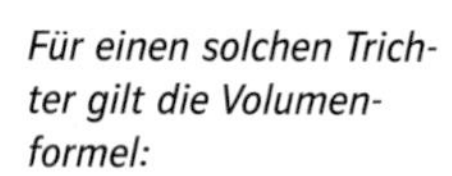
$V = \frac{1}{3} \cdot G \cdot h$.
G = Grundfläche
h = Höhe

3 Der abgebildete Trichter ist 1 m hoch und besitzt eine quadratische Grundfläche mit ebenfalls 1 m Seitenlänge.
a) Wie viel Flüssigkeit befindet sich im Trichter, wenn dieser bis zum oberen Rand gefüllt ist?
b) Wie viel Flüssigkeit befindet sich im Trichter, wenn er nur bis zur halben Höhe gefüllt ist? Welchem Anteil (in %) entspricht dies?

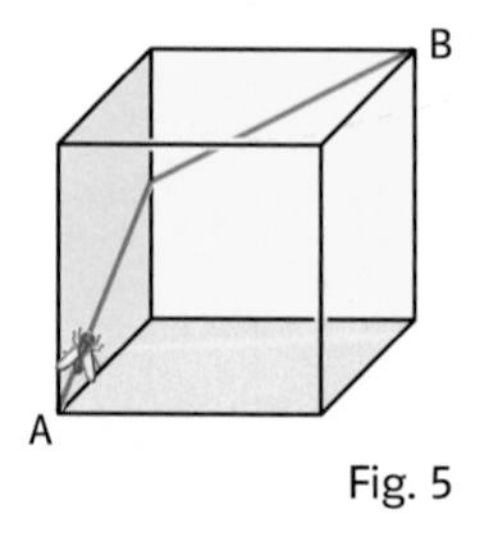

Fig. 5

4 Eine Fliege kann vom Punkt A zum Punkt B in einer würfelförmigen Schachtel der Kantenlänge 50 cm entweder krabbeln oder auf direktem Weg fliegen (Fig. 5).
a) Ermittle durch Konstruktion in geeignetem Maßstab die Länge beider Strecken.
b) Gib an, um wie viel Prozent die eingezeichnete Krabbelstrecke länger ist als die kürzeste Flugstrecke.

Bist du sicher?

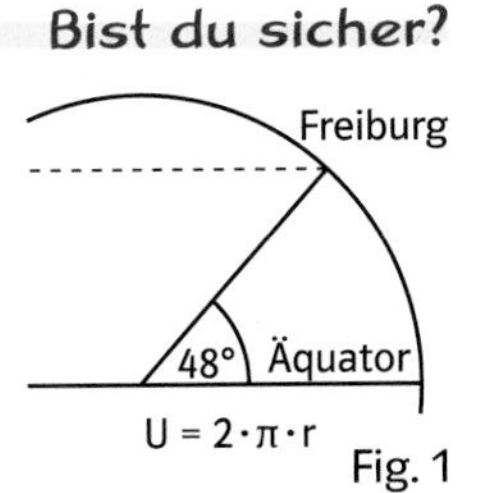

Fig. 1

1 Ein Aufzug ist 1,50 m breit, 1,80 m tief und 2,30 m hoch. Wie lang können Gegenstände maximal sein, wenn man sie mit dem Aufzug transportieren möchte?

2 Am Äquator beträgt der Radius der Erde 6378 km. Wenn man die Erde auf Höhe des Äquators umrunden möchte, legt man rund $2 \cdot 3{,}14 \cdot 6378\,\text{km} \approx 40\,000\,\text{km}$ zurück. Freiburg liegt auf dem 48. Breitengrad. Welchen Weg muss man zurücklegen, um die Erde längs des 48. Breitengrads zu umrunden?

5 Zu den Pyramiden von Gizeh zählen neben der Cheops-Pyramide noch die Chepren-Pyramide und die Mykerinos-Pyramide.
a) Die Mykerinos-Pyramide hat eine quadratische Grundfläche mit einer Seitenlänge von 108 m. Ihr Neigungswinkel beträgt 51,3° (vgl. Fig. 2). Bestimme aus diesen Angaben die Höhe der Pyramide.
b) Im Beispiel auf der vorherigen Seite wurde zur Ermittlung der Höhe der Cheops-Pyramide ein Dreieck betrachtet, das beim Schnitt durch die Pyramide längs einer Bodendiagonalen entsteht. Bestimme erneut die Höhe der Cheops-Pyramide, indem du die Schnittfläche betrachtest, die entsteht, wenn man längs einer Seitenhalbierenden schneidet (vgl. Fig. 2)
c) Die Chepren-Pyramide besitzt die gleiche Grundfläche wie die Cheops-Pyramide, war aber ursprünglich nur 143,5 m hoch. Bestimme die Kantenlänge und den Neigungswinkel der Pyramide.

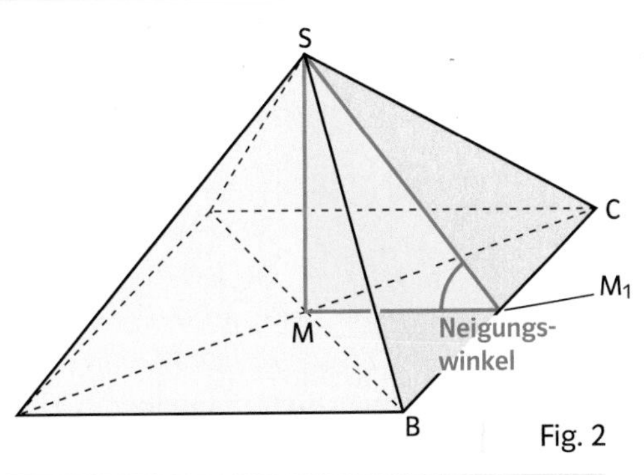

Fig. 2

Die Pyramiden von Gizeh sind eines der sieben Weltwunder der Antike.

6 Die Glaspyramide vor dem Louvre ist quadratisch mit einer Grundseitenlänge von 34,2 m und einer Höhe von 21,6 m.
a) Bestimme die Kantenlänge der Pyramide.
b) Ermittle durch Konstruktion und Rechnung, wie viele Quadratmeter Glas für die Pyramide benötigt wurden.
c) Wie schwer ist die Pyramide, wenn das verwendete Glas 42,5 kg pro m^2 wiegt?
d) Die Pyramide vor dem Louvre soll, was die Maße angeht, nur eine Miniaturausgabe der Cheopspyramide sein. Überprüfe.
e) Auch die kleine Pyramide hat dieselben Proportionen wie ihre großen Vorbilder. Die Seiten dieser Pyramide sind 7,6 m lang. Berechne ihre Höhe.

Die Metallkonstruktion der Pyramide wiegt 100 t. Wie groß ist der Glasanteil am Gesamtgewicht?

Grundseite: 6,8 cm
Schenkel: 9,7 cm

Seitenlänge: 6,8 cm

Seitenlänge 6,8 cm

Seitenlänge 6,8 cm

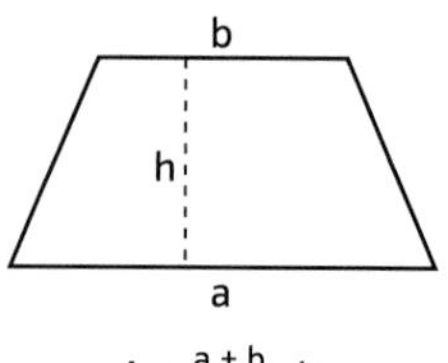

$A = \frac{a+b}{2} \cdot h$

7 Mit einem Geometriebaukasten kann man viele interessante Körper bauen. Die einzelnen Bauteile haben die auf dem Rand angegebenen Maße.
Bestimme damit jeweils die Höhe der unten abgebildeten Körper.

Oktaeder

Tetraeder

Würfel mit aufgesetzter Pyramide

Fünfeckspyramide

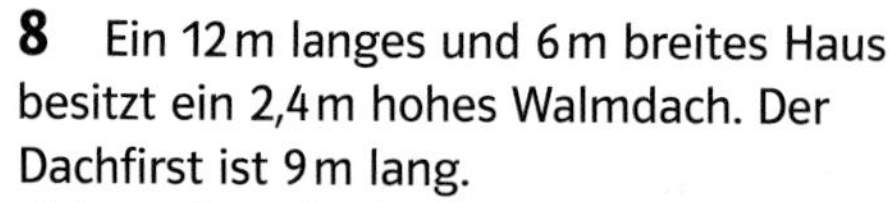

8 Ein 12 m langes und 6 m breites Haus besitzt ein 2,4 m hohes Walmdach. Der Dachfirst ist 9 m lang.
a) Berechne die Oberfläche des Daches, nachdem du die benötigten Größen konstruiert hast.
b) Wie viele Ziegel werden benötigt, wenn ein Ziegel eine Fläche von rund 34 cm x 20 cm bedeckt und mit einem Verschnitt von ca. 12 % gerechnet werden muss, weil die Dachflächen nicht rechteckig sind.

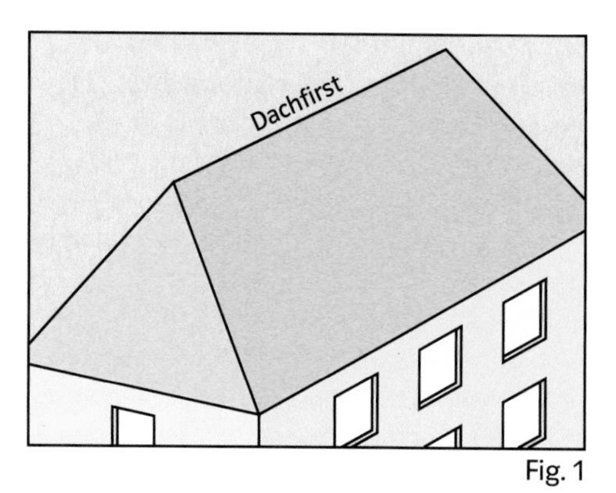

Fig. 1

9 Wie lang müssen die Stangen eines Zeltes sein, das als Grundfläche ein regelmäßiges Sechseck mit der Seitenlänge 2 m hat, wenn es in der Mitte 2,5 m hoch sein soll?

Kannst du das noch?

10 Physiker geben die Temperatur statt in °Celsius oft in Kelvin an. Die Kelvinskala ist wie die Celsiusskala eingeteilt, das heißt, ein Temperaturunterschied von 19 °C ist identisch mit einem Temperaturunterschied von 19 K. 0 K entsprechen −273,15 °C. Diese Temperatur wird als absoluter Nullpunkt bezeichnet, da eine tiefere Temperatur nicht möglich ist.
a) Der kälteste Ort der Erde ist Ojmjakon in Sibirien. Der Temperaturrekord dort steht bei 195,3 K. Wie viel °C sind das?
b) Am wärmsten wird es im Death Valley in Kalifornien. Dort wurden schon einmal 56 °C gemessen. Welcher Temperatur in Kelvin entspricht dies?
c) Gib jeweils eine Formel an, mit der man Kelvin in °C umrechnen kann und umgekehrt.
d) Welchen Vorteil bietet die Kelvinskala beim Berechnen von Temperaturunterschieden?

4 Konstruktion von Vierecken

Du weißt inzwischen, dass Dreiecke sich eindeutig konstruieren lassen, wenn man nur drei geeignete Größen (Seitenlängen oder Winkel) kennt. Wir untersuchen nun, ob es für allgemeine oder spezielle Vierecke ebenfalls solche Kongruenzsätze gibt.

Wenn man aus vier verschiedenen Buntstiften ein Viereck legen möchte, so stellt man fest, dass es – anders als bei Dreiecken – viele verschiedene Möglichkeiten gibt.

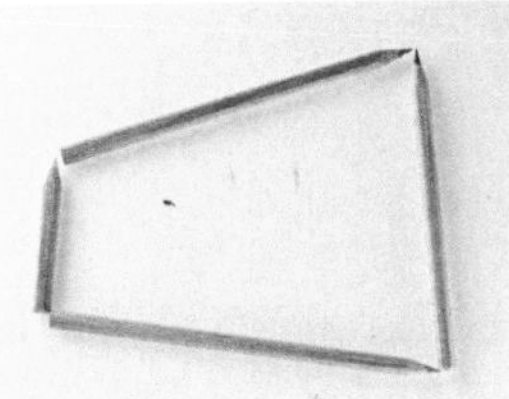

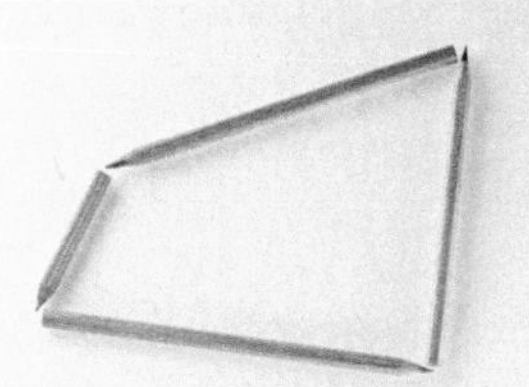

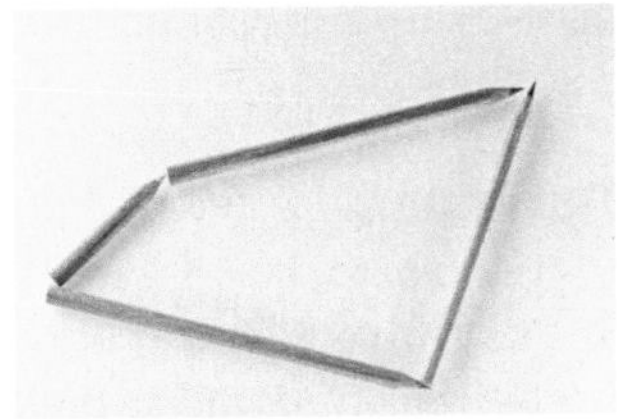

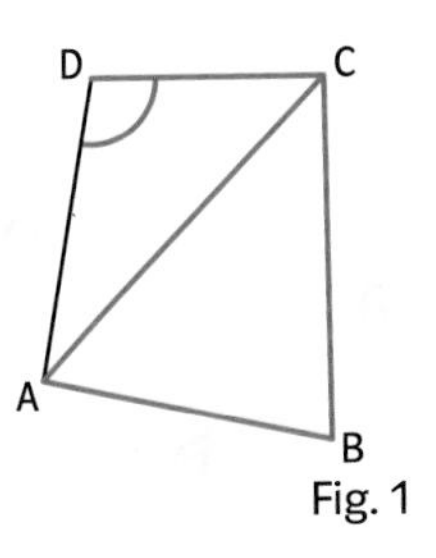

Fig. 1

Das Viereck ABCD in Fig. 1 ist dagegen durch die fünf rot markierten Angaben eindeutig festgelegt. Man kann dies mit den Kongruenzsätzen für Dreiecke begründen: Die Diagonale AC zerlegt das Viereck in die Dreiecke ABC und ACD. Das Dreieck ABC ist nach dem Kongruenzsatz sss eindeutig konstruierbar, das Dreieck ACD ist nach dem Kongruenzsatz Ssw eindeutig konstruierbar. Also sind zwei Vierecke, die in diesen Angaben übereinstimmen, zueinander kongruent.

Andererseits gibt es auch Vierecke, die in 5 oder mehr Stücken übereinstimmen und nicht zueinander kongruent sind:

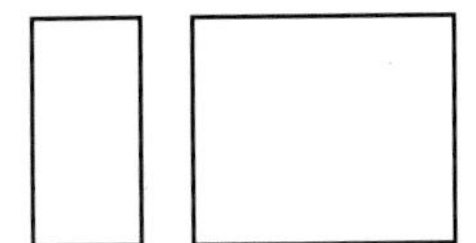

Zum Nachweis der Kongruenz bei Vierecken sind fünf geeignete Angaben notwendig.

Beispiel 1 Eindeutige Konstruktion
Konstruiere ein Viereck mit den angegebenen Seiten und Winkeln. Beschreibe die Konstruktion und begründe mithilfe der Kongruenzsätze für Dreiecke, dass die Lösung eindeutig ist.
$a = 6\,cm$; $b = 4{,}5\,cm$; $d = 6{,}8\,cm$; $\alpha = 110°$; $\beta = 78°$
Lösung:
Zeichne die Strecke $\overline{AB} = 6\,cm$. In A trägt man die Strecke $\overline{AD} = 6{,}8\,cm$ unter einem Winkel von $\alpha = 110°$ ab. In B trägt man die Strecke $\overline{BC} = 4{,}5\,cm$ unter einem Winkel von $\beta = 78°$ ab. Dann verbindet man die Punkte C und D.
Die Dreiecke ABD und ABC sind nach dem Kongruenzsatz sws eindeutig konstruierbar. Damit sind auch alle Eckpunkte des Vierecks eindeutig festgelegt.

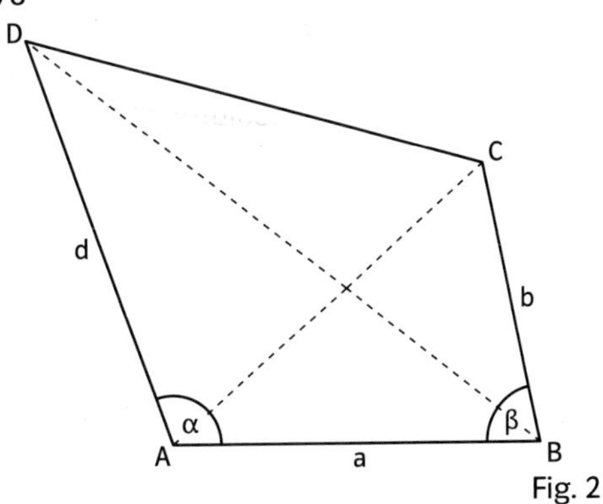

Fig. 2

Bezeichnungen im Viereck:

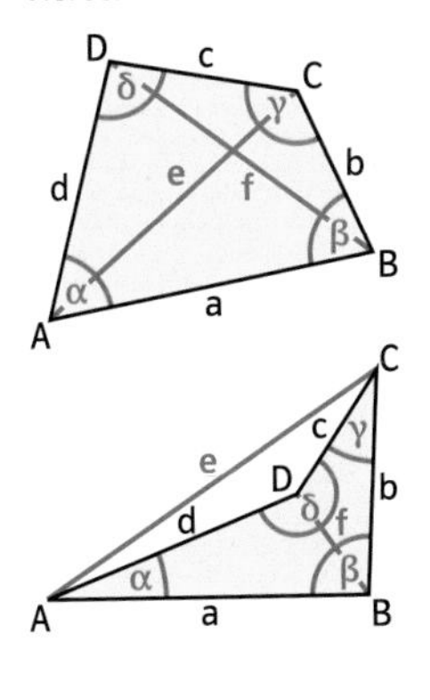

Beispiel 2 Spezielle Vierecke: Parallelogramme
Wie viele Angaben (Seiten, Winkel, Diagonalen) benötigt man, um ein Parallelogramm eindeutig konstruieren zu können? Finde zwei Kongruenzsätze für Parallelogramme und begründe sie mithilfe der Kongruenzsätze für Dreiecke.
Lösung:
Ein Parallelogramm ist eindeutig konstruierbar, wenn man drei geeignete Größen kennt.
Zwei Parallelogramme sind kongruent, wenn sie in folgenden Größen übereinstimmen:
- zwei Seiten und dem eingeschlossenen Winkel (sws)
- zwei Seiten und einer Diagonalen (sds)

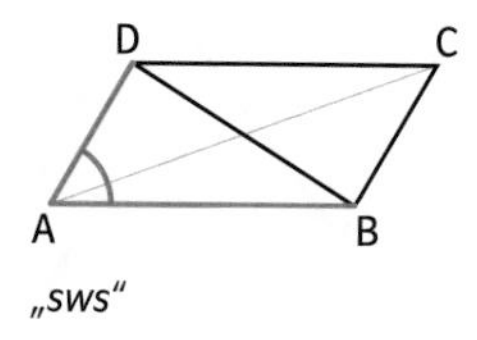

„sws"

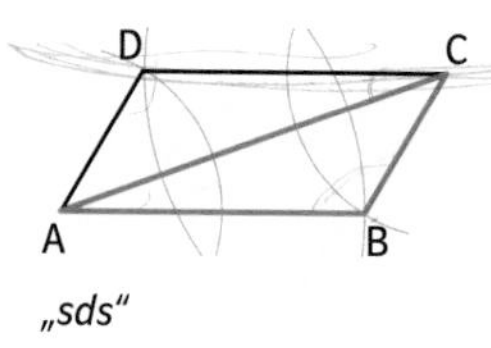

„sds"

Begründung für den Kongruenzsatz sws:
Nach dem gleichnamigen Kongruenzsatz für Dreiecke ist das Teildreieck ABD eindeutig konstruierbar. Den Punkt C erhält man, indem man den Punkt A an der Mitte der Strecke BD spiegelt. Damit ist auch dieser Punkt eindeutig konstruiert.
Begründung für den Kongruenzsatz sds:
Nach dem Kongruenzsatz sss für Dreiecke sind die beiden Teildreiecke ABC und ACD eindeutig konstruierbar und somit auch das gesamte Parallelogramm.

Aufgaben

1 Konstruiere ein Viereck mit den angegebenen Seiten und Winkeln. Begründe mithilfe der Kongruenzsätze für Dreiecke, dass die Lösung eindeutig ist.
a) $\alpha = 32°$; $a = 6\,cm$; $b = 1{,}5\,cm$; $d = 4\,cm$; $e = 5{,}5\,cm$
b) $\alpha = 68°$; $\beta = 80°$; $\delta = 98°$; $b = 3\,cm$; $f = 4{,}5\,cm$
c) $a = 3\,cm$; $b = 4{,}5\,cm$; $\beta = 118°$; $\gamma = 20°$; $\delta = 190°$

2 a) Konstruiere beide möglichen Vierecke aus den Stücken $a = 4{,}4\,cm$; $b = 2{,}3\,cm$; $c = 3{,}3\,cm$; $\alpha = 60°$; $e = 4{,}9\,cm$. Wie muss man die Angabe für c bzw. e abändern, damit die Konstruktion eindeutig wird? Argumentiere mit einem der Kongruenzsätze für Dreiecke.
b) Es gibt zwei Vierecke mit $a = 6{,}2\,cm$; $b = 2{,}1\,cm$; $c = 3{,}8\,cm$; $d = 3{,}9\,cm$ und $f = 5{,}8\,cm$. Konstruiere sie und erkläre warum es zwei Lösungen gibt, obwohl die Teildreiecke BCD und ABD durch den Kongruenzsatz sss eindeutig festgelegt sind.
c) Konstruiere alle vier möglichen Vierecke mit $a = 7\,cm$; $b = 3{,}6\,cm$; $c = 1{,}6\,cm$; $f = 4{,}5\,cm$ und $\alpha = 35°$. Erkläre, wie es zu den vier Fällen kommt, indem du die Teildreiecke ABD und BCD betrachtest.

3 Beim Viereck ABCD in Fig. 1 sind alle Stücke gegeben.
a) Suche fünf geeignete Stücke heraus, durch die das Viereck eindeutig bestimmt ist. Konstruiere das Viereck aus diesen fünf Stücken und begründe, warum die Konstruktion eindeutig ist.
b) Suche fünf Stücke heraus, durch die das Viereck nicht eindeutig bestimmt ist. Konstruiere zwei nicht kongruente Vierecke, die in diesen fünf Stücken übereinstimmen und erkläre, warum das Viereck in diesem Fall nicht eindeutig bestimmt ist.

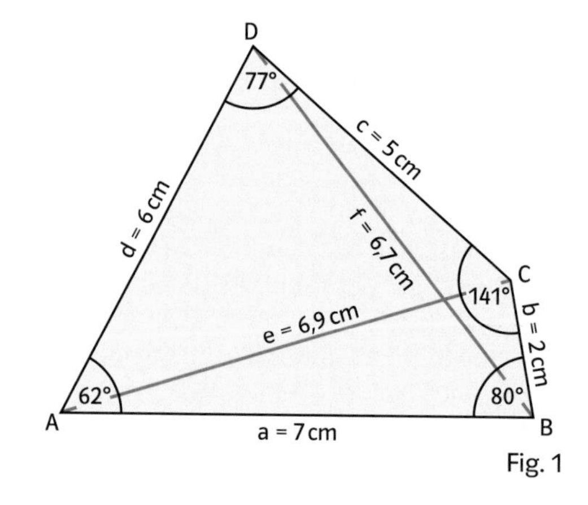

Fig. 1

4 Welche der folgenden „Kongruenzsätze für Vierecke“ sind richtig? Finde Gegenbeispiele oder begründe, warum die Sätze stimmen.
Zwei Vierecke sind zueinander kongruent, wenn sie übereinstimmen in
a) vier Winkeln und einer Seite
b) drei Seiten und den eingeschlossenen Winkeln
c) zwei Seiten, dem eingeschlossenen Winkel und den beiden anliegenden Winkeln
d) allen vier Seiten und einer Diagonalen.

5 Erfindet selbst „richtige und falsche Kongruenzsätze“ wie in Aufgabe 4 und überprüft gegenseitig eure Vorschläge.

Bist du sicher?

1 Ein Viereck besitzt die Seitenlängen $a = 7\,cm$; $b = 4{,}5\,cm$; $c = 6\,cm$ und $d = 5\,cm$.
a) Konstruiere zwei nicht kongruente Vierecke mit diesen Maßen.
b) Ergänze die gegebenen Seitenlängen um eine weitere Angabe (Länge einer Diagonalen oder Weite eines Winkels). Untersuche, ob die Konstruktion damit eindeutig wird.
c) Variiere die zusätzliche Größe so lange, bis du jeweils zwei nicht zueinander kongruente Lösungen erhältst.

Diese Aufgabe eignet sich zum Experimentieren mit einem Geo-Programm.

6 Bei speziellen Vierecken genügen weniger als fünf Angaben, um eine eindeutige Konstruierbarkeit zu gewährleisten.
a) Eine Raute ist ein Parallelogramm, bei dem alle Seiten gleich lang sind. Überlege, wie viele Angaben notwendig sind, um eine Raute eindeutig festzulegen. Formuliere einen Kongruenzsatz für Rauten und stelle deinem Nachbarn zwei Konstruktionsaufgaben zu diesem Satz.
b) Weil bei einem Trapez mindestens ein Seitenpaar parallel zueinander ist, genügen vier geeignete Stücke, um ein Trapez eindeutig zu bestimmen. Formuliere einen Kongruenzsatz und löse eine Konstruktionsaufgabe dazu, die du dir selbst ausgedacht hast.

Wie würde ein Kongruenzsatz für Quadrate lauten?

7 Konstruiere, falls möglich, aus $a = 5\,cm$; $b = 4\,cm$ und $e = 7\,cm$
a) ein Parallelogramm
b) einen Drachen
c) ein Rechteck
d) ein Trapez.
In welchen Fällen ist die Konstruktion eindeutig?

Bei einem Drachen ist eine Diagonale Symmetrieachse.

8 Konstruiere jeweils den Querschnitt des Dammes (Fig. 1) im Maßstab 1 : 200.
a) Dammsohle 16 m; Dammkrone 6 m; Dammhöhe 3,8 m
b) Dammsohle 14 m; Dammhöhe 3,2 m; Böschungswinkel 35°
c) Böschungslänge 7 m; Dammkrone 4,5 m; Böschungswinkel 40°

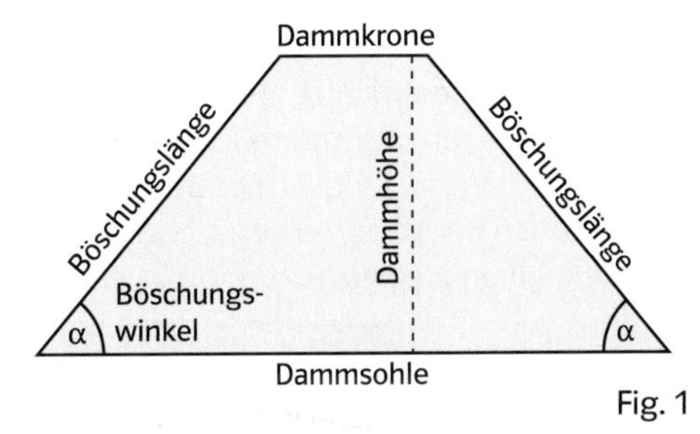

Fig. 1

Kannst du das noch?

9 a) Zeichne einen beliebigen Winkel mit dem Scheitel S und den Schenkeln g und h. Konstruiere die Winkelhalbierende w und zeichne durch einen beliebigen Punkt P auf g die Parallele zu h. Der Schnittpunkt mit w sei Q.
b) Betrachte das Dreieck SPQ. Um welches spezielle Dreieck handelt es sich dabei?
c) Begründe, warum bei dieser Konstruktion immer ein solches spezielles Dreieck entsteht.
d) Wie muss man den Winkel in a) wählen, damit ein rechtwinkliges Dreieck entsteht?

10 Bei einer Schaukel – wie auf dem Bild – kann man das Sitzbrett seitlich hin- und herbewegen. Es ist 3,20 m lang; im Ruhezustand hängt es 2 m unter der oberen Querstange und 0,5 m über dem Boden.
a) Zeichne die Schaukel mit dem Boden im Maßstab 1:50 in der Ruhestellung.
b) Trage in die Zeichnung den Gefahrenbereich ein, in dem man von der schwingenden Schaukel getroffen werden kann.
c) Konstruiere eine Schaukelstellung, bei der das Sitzbrett 1 m seitlich ausschwenkt. Wie weit befindet sich dann das Sitzbrett über dem Boden?

Fig. 1

1 Knoten = 1 Seemeile pro Stunde

1 Seemeile = 1852 m

11 Ein Dampfer fährt parallel zur geradlinigen, 6 km entfernten Nordseeküste mit einer Geschwindigkeit von 12 Knoten. Der Winkel zwischen Fahrtrichtung und dem Leuchtturm „Blink Fuer" beträgt 70°. Einige Zeit später kommt der Leuchtturm „Üs Küs" in Sicht. Der Winkel zwischen Fahrtrichtung und „Üs Küs" beträgt nach genau einer halben Stunde Fahrt 82°. Wie weit sind die beiden Leuchttürme voneinander entfernt? Konstruiere.

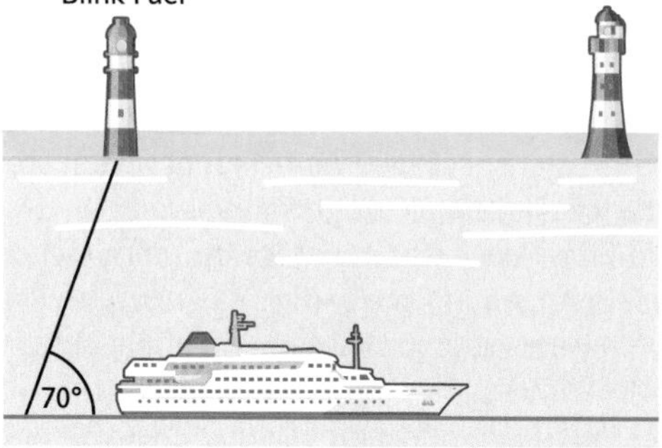

Blink Fuer

Üs Küs

70°

Fig. 2

12 Die Kurbel des Wagenhebers kann so lange gedreht werden, bis das Stück d nur noch 10 cm lang ist (Fig. 3).
Welche Höhe vom Boden aus kann der Punkt C höchstens erreichen?
Zeichne.

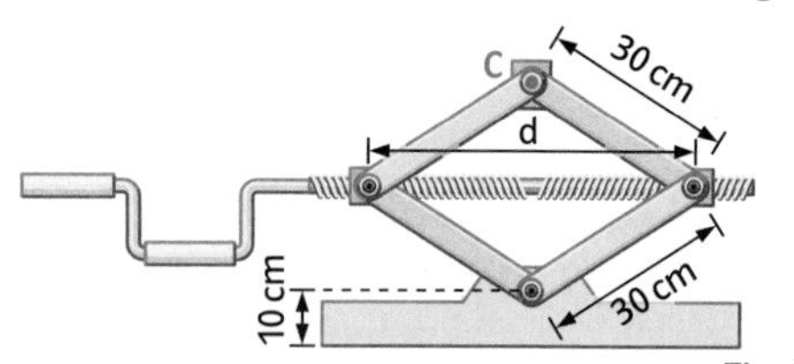

Fig. 3

13 Oft ist es wichtig, dass Vierecke stabil sind, umgekehrt kann es aber auch sein, dass Vierecke für bestimmte Zwecke gerade beweglich sein sollten.
a) Für welche Zwecke benötigt man stabile Vierecke? Wie wird die Stabilität erreicht? Wo kommen im Alltag bewegliche Vierecke vor und warum sind sie beweglich? Schreibe einen kleinen Text darüber. Die Bilder helfen dir sicher dabei.

Fig. 4

Fig. 5

b) Sucht Vierecke in und um eure Schule herum. Untersucht, ob und wie sie stabilisiert sind. Fotografiert sie und erstellt ein Plakat.

Info

Gelenkvierecke mit einem Geometrieprogramm konstruieren

So konstruiert man ein Gelenkviereck mit den Streckenlängen
$a = 6\,cm$; $b = 5{,}5\,cm$; $c = 3{,}8\,cm$ und $d = 6{,}2\,cm$:

1. Zeichne die Strecke $\overline{AB}$ mit der Streckenlänge $a = 6\,cm$.
2. Zeichne die Strecke $\overline{BC}$ mit der Streckenlänge $b = 5{,}5\,cm$.
3. Zeichne einen Kreis um C mit Radius $c = 3{,}8\,cm$.
4. Zeichne einen Kreis um A mit Radius $d = 6{,}2\,cm$.
5. Markiere die Schnittpunkte D_1 und D_2 der beiden Kreise.

Die Vierecke $ABCD_1$ und $ABCD_2$ kann man durch Ziehen an den Punkten B und C verändern. Dabei kann es passieren, dass sich bei einem der beiden Vierecke die Strecken schneiden (Fig. 1). Solche Vierecke „zählen" nicht.

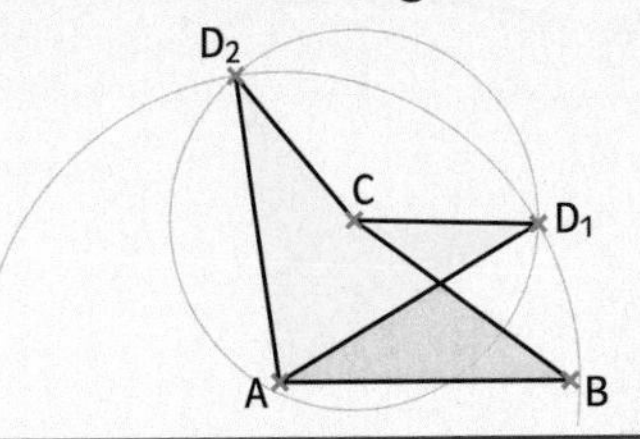

Fig. 1

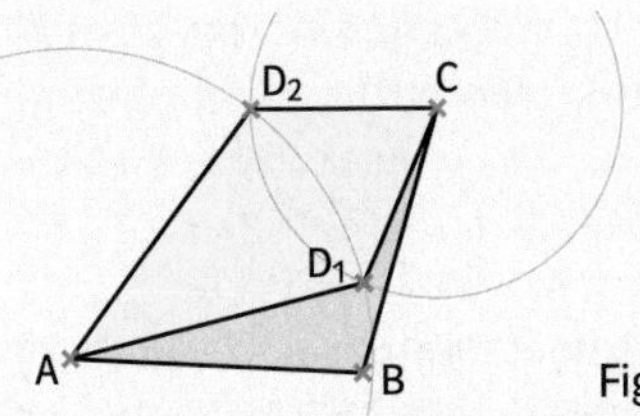

Fig. 2

14 Geo Konstruiere ein Gelenkviereck mit den Seitenlängen $a = 11\,cm$; $b = 10\,cm$; $c = 6\,cm$ und $d = 7\,cm$. Damit die Übersicht nicht verloren geht, soll hier nur eines der beiden möglichen Vierecke betrachtet werden (Fig. 3)
a) Ermittle durch Ziehen den größtmöglichen Wert für α bzw. β. Überlege dann, wie man diesen Wert mit einer Konstruktion ermitteln könnte.
b) Finde durch Ziehen heraus, für welchen Winkel α bei D ein rechter Winkel entsteht.
c) Untersuche, für welchen Winkel α die Strecke $\overline{CD}$ parallel zur Strecke $\overline{AB}$ ist. Welcher Zusammenhang besteht zwischen den Winkeln α und δ? Begründe.
d) Konstruiere das in b) gesuchte Viereck. Ist die Konstruktion eindeutig?

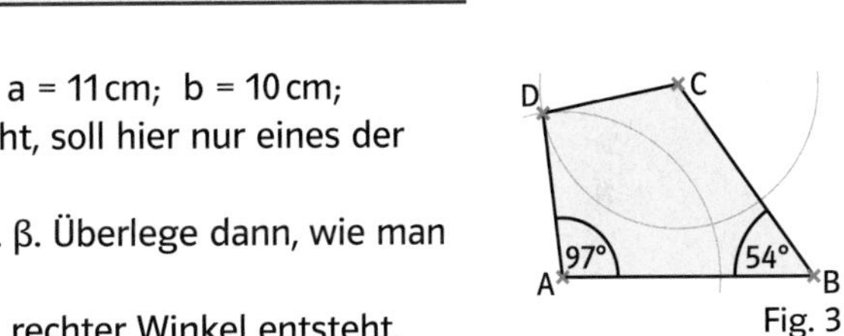

Fig. 3

15 Geo Konstruiere die Gelenkvierecke $ABCD_1$ bzw. $ABCD_2$ mit $a = 7\,cm$; $b = 5\,cm$; $c = 8\,cm$ und $d = 6\,cm$. Miss die Länge e der Diagonalen $\overline{AC}$.
a) Für welche Diagonalenlängen gibt es mindestens ein Viereck? Welcher Zusammenhang besteht zwischen den Seitenlängen und den gefundenen Grenzen?
b) Für welche Diagonalenlängen gibt es zwei verschiedene Vierecke?
c) Wie kann man die kleinstmögliche Diagonalenlänge e, für die es zwei verschiedene Vierecke gibt, durch Konstruktion ermitteln?

Tipp zu Teil c):

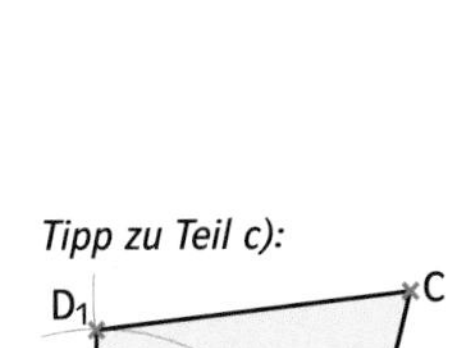

Fig. 4

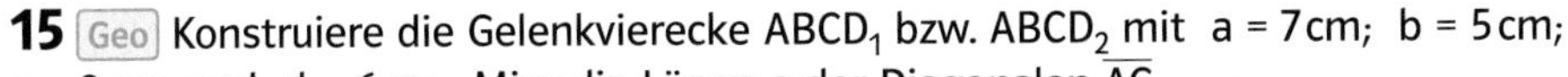

16 Geo a) Konstruiere zwei frei bewegliche Vierecke $ABCD_1$ bzw. $ABCD_2$ mit $a = 7\,cm$; $b = 3{,}6\,cm$; $c = 1{,}6\,cm$ und $f = 4{,}5\,cm$.
b) Wenn man den Punkt C bewegt, so gibt es insgesamt vier Positionen, also vier verschiedene Vierecke, bei denen $\alpha = 35°$ ist. Gib für diese vier Vierecke jeweils den Winkel β an.
c) Für welchen Wert von α gibt es nur noch zwei Vierecke? Wie kann man diesen Wert durch Konstruktion ermitteln?

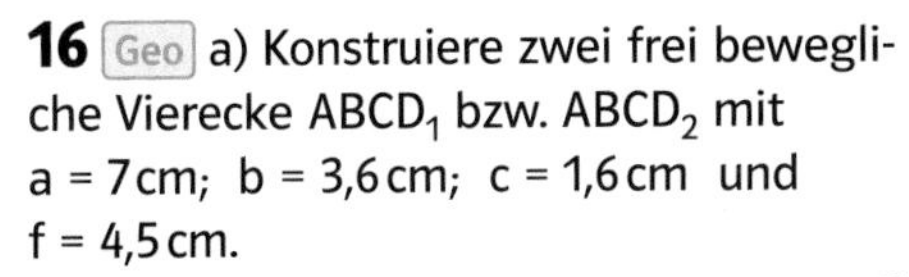

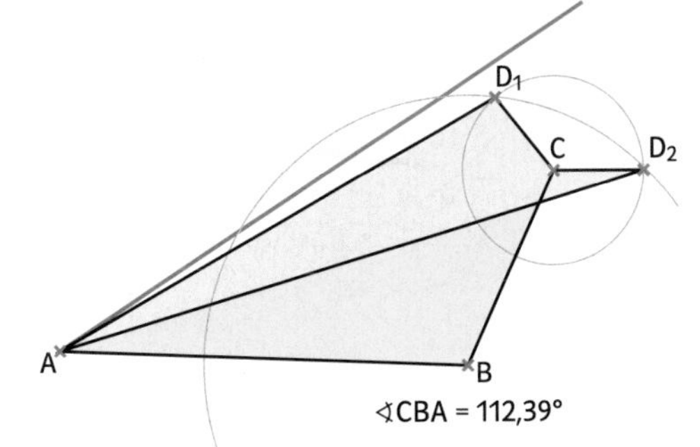

Fig. 5

Tipp zu Teil b): Zeichne bei A einen 35°-Winkel ein. Wenn die Punkte D_1 und D_2 auf diesem Schenkel (rot) liegen, haben die Vierecke die gewünschte Eigenschaft. (vgl. Fig. 5)

5 Begründen mit Kongruenzsätzen

Fig. 1

Zu einem großen Grundstück existieren zwei Zufahrten A und B. Das Grundstück soll durch eine gerade Grenze so in zwei gleiche Grundstücke eingeteilt werden, dass jeder Besitzer eine Zufahrt benutzen kann.

Wenn man bei einem Quadrat auf den Seiten gleich lange Strecken abträgt, entsteht ein neues Viereck. Es soll mithilfe von Kongruenzüberlegungen gezeigt werden, dass dieses Viereck ebenfalls ein Quadrat ist.

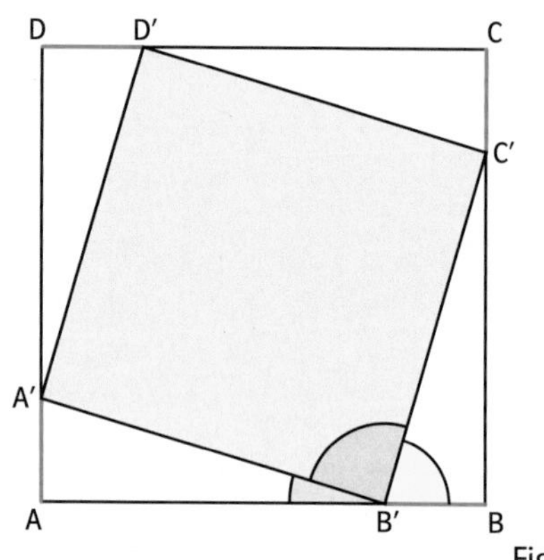

Fig. 2

1. Welche kongruenten Figuren kann man erkennen?
Die Dreiecke AB′A′, BC′B′, CD′C′ und DA′D′ sind nach dem Kongruenzsatz sws zueinander kongruent.

2. Was folgt aus der Kongruenz dieser Figuren?
- Die Strecken $\overline{A'B'}$, $\overline{B'C'}$, $\overline{C'D'}$ und $\overline{D'A'}$ sind gleich lang, weil in zueinander kongruenten Dreiecken einander entsprechende Seiten gleich lang sind.
- Der gestreckte Winkel an den Punkten A′, B′, C′ bzw. D′ setzt sich jeweils zusammen aus den beiden spitzen Winkeln der Dreiecke (grün und gelb in Fig. 2) und dem unbekannten Innenwinkel des Vierecks (blau). Nach dem Winkelsummensatz ist der blaue Winkel dann 90° groß. Damit ist das Viereck A′B′C′D′ ein Quadrat.

Wenn man geometrische Zusammenhänge mithilfe von Kongruenzsätzen begründen möchte, so kann man folgendermaßen vorgehen:
1. Man sucht nach kongruenten Figuren und weist deren Kongruenz nach.
2. Man zieht Schlussfolgerungen aus der Kongruenz der Figuren und bestätigt so den geometrischen Zusammenhang.

Beispiel
In Fig. 3 ist M die Mitte von $\overline{AB}$. $\overline{BF}$ und $\overline{AG}$ sind die Lote von A bzw. B auf die Gerade durch C und M. Zeige, dass die Strecken $\overline{BF}$ und $\overline{AG}$ gleich lang sind.
Lösung:
1. Die Dreiecke AGM und MBF sind nach dem Kongruenzsatz wsw zueinander kongruent.
2. Deshalb gilt $\overline{AG} = \overline{BF}$.

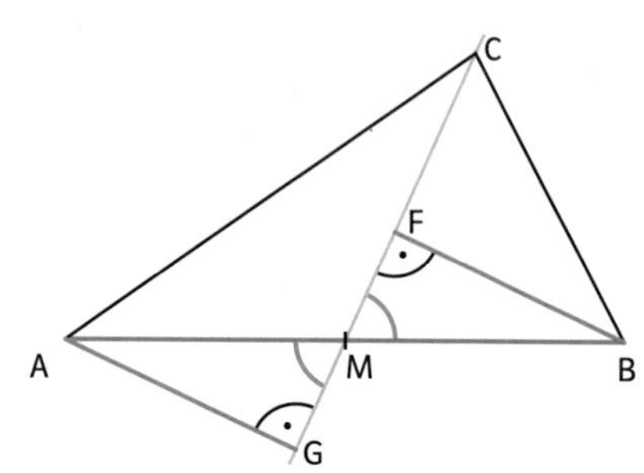

Fig. 3

Aufgaben

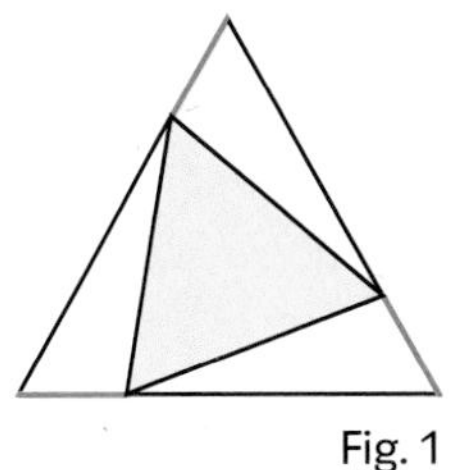

Fig. 1

1 Zeichne ein gleichseitiges Dreieck. Trage an allen Seiten gleich lange Strecken ab und verbinde die Schnittpunkte (Fig. 1). Zeige, dass auch das so entstandene Dreieck gleichseitig ist.

2 Zeichne einen Kreis und einen Durchmesser $\overline{AB}$ des Kreises sowie von A und B aus vier gleich lange Sehnen. Begründe, dass jeweils gegenüberliegende Sehnen parallel sind.
a) Benutze Stufen- und Wechselwinkel sowie den Kongruenzsatz sss.
b) Benutze den Satz des Thales und den Kongruenzsatz Ssw.

3 Zeichne ein Viereck bei dem gegenüberliegende Seiten gleich lang sind.
a) Um welche Art von Viereck scheint es sich zu handeln?
b) Zeige mithilfe eines Kongruenzsatzes, dass gegenüberliegende Winkel in diesem Viereck gleich groß sind
c) Bestätige deine Vermutung, indem du mithilfe von b) und von Stufen- und Wechselwinkeln zeigst, dass gegenüberliegende Seiten parallel sind.

4 In Fig. 2 ist ein Halbkreis abgebildet. Die Strecken $\overline{AE}$ und $\overline{BF}$ sind gleich lang. Zeige mithilfe von Kongruenzsätzen und dem Satz des Thales, dass dann das Dreieck ABC gleichschenklig ist.
Anleitung: Zeige zunächst, dass die Dreiecke ABF und ABE zueinander kongruent sind. Weise damit die Kongruenz von zwei weiteren Teildreiecken nach und schließe dann auf die Behauptung.

5 a) In Fig. 3 ist das Dreieck ABC gleichseitig. Die Strecken $\overline{AD}$, $\overline{BE}$ und $\overline{CF}$ sind gleich lang. Übertrage die Figur in dein Heft und zeige, dass auch das grüne Dreieck gleichseitig ist.
b) Zeichne ein Quadrat und konstruiere auf gleiche Art wie bei dem Dreieck aus Fig. 3 ein Innenviereck. Handelt es sich dabei auch um ein Quadrat? Begründe.

6 In Fig. 4 ist ein Parallelogramm zweimal auf ganz bestimmte Weise in zwei Teilflächen unterteilt worden.
a) Beschreibe, wie der Schnitt durch das Parallelogramm verläuft.
b) Stelle eine Vermutung darüber auf, welcher Zusammenhang zwischen den jeweils entstandenen Teilflächen besteht.
c) Begründe mithilfe von Kongruenzüberlegungen den in b) beobachteten Zusammenhang.

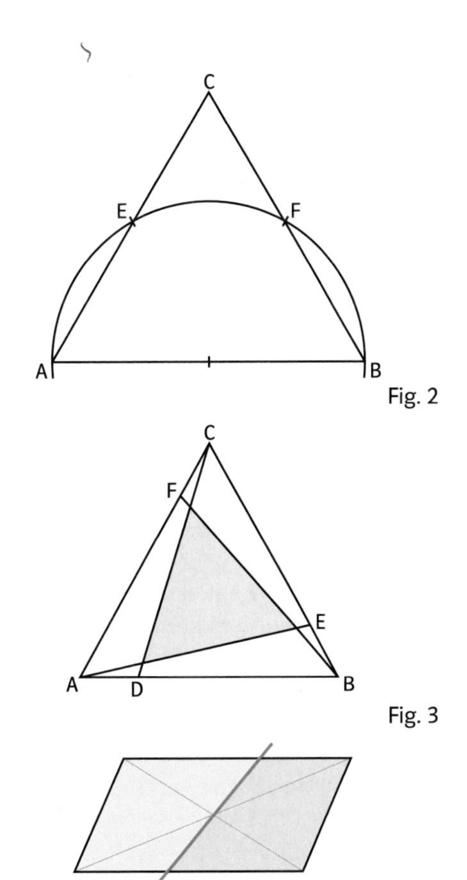

Fig. 2

Fig. 3

Fig. 4

Wiederholen – Vertiefen – Vernetzen

1 a) Übertrage die nebenstehende Figur eines Tangramspiels in dein Heft. Wähle als Seitenlänge 8 cm.
b) Unterteile die großen Figuren in Teilfiguren, die allesamt kongruent zu den beiden kleinen Dreiecken sind.

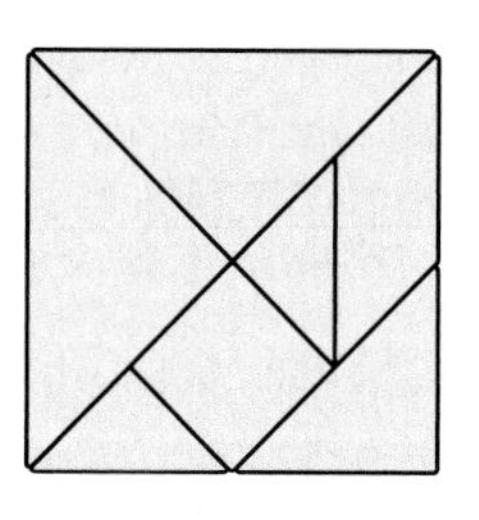

Fig. 1

2 Eine Variante des Tangramspiels siehst du in Fig. 2.
a) Untersuche, ob die so entstandenen Teilvierecke alle zueinander kongruent sind und begründe deine Antwort.
b) Das Quadrat hat eine Seitenlänge von 8 cm. Wie groß ist dann der Flächeninhalt des blauen Teilvierecks, wenn die rote Strecke 2,5 cm lang ist?

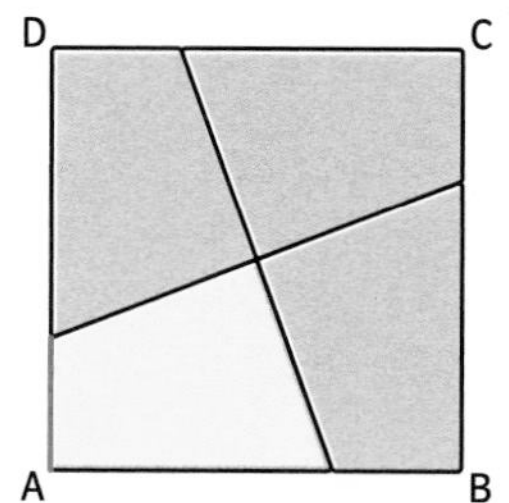

Fig. 2

3 a) Bei einem Dreieck soll eine Seite 5,4 cm lang sein und eine weitere 6,8 cm. Welche Seitenlängen kommen für die dritte Seite in Frage?
b) Formuliere eine Regel dazu, welcher Zusammenhang zwischen den drei Seitenlängen in einem Dreieck besteht.

Bei Konstruktionen mit Dreieckshöhen musst du Parallelen zeichnen:

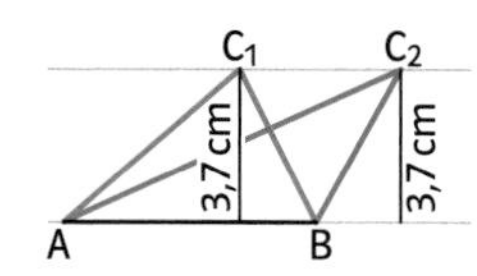

4 Konstruiere ein Dreieck ABC aus den angegebenen Größen. Es gibt immer zwei Lösungen. Gib für beide Lösungen die restlichen Stücke an.
a) $a = 4$ cm; $c = 4{,}5$ cm:; $h_c = 3{,}5$ cm
b) $h_c = 4{,}2$ cm; $b = 4{,}4$ cm; $\gamma = 40°$
c) $h_c = 4{,}2$ cm; $a = 4{,}4$ cm; $b = 4{,}6$ cm
d) $h_c = 3{,}6$ cm; $a = 3{,}8$ cm; $\alpha = 50°$

5 Konstruiere ein Dreieck ABC mit dem Flächeninhalt $A = 8\,\text{cm}^2$ und den angegebenen Größen.
a) $c = 4$ cm; $\alpha = 30°$
b) $a = 8$ cm; $b = 3$ cm

6 Wie muss ein Dreieck mit den Seitenlängen 6 cm und 3 cm aussehen, damit sein Flächeninhalt möglichst groß wird? Wie klein kann der Flächeninhalt werden?

7 a) Wie hoch steht ein Drachen, wenn die Schnur 50 m lang ist und der Winkel zwischen der Schnur und der Erde 63° beträgt?
b) Welcher Winkel ergibt sich, wenn der Drachen 40 m hoch steigt?

Sonnenstände in Deutschland im Monat Mai

8:00	*35°*
9:00	*45°*
10:00	*52°*
11:00	*58°*
12:00	*61°*

Informationen zu den Sonnenständen findest du im Internet.

8 Richard ist 1,60 m groß. An einem Vormittag in den Pfingstferien misst Cira seinen Schatten.
a) Cira misst um 8 Uhr. Wie lang ist der Schatten?
b) Später misst Cira erneut und erhält 1,25 m. Um welche Uhrzeit hat Cira gemessen?
c) Richard und Cira messen erneut in den Weihnachtsferien und zwar um 10 Uhr. Wie lang ist der Schatten jetzt?

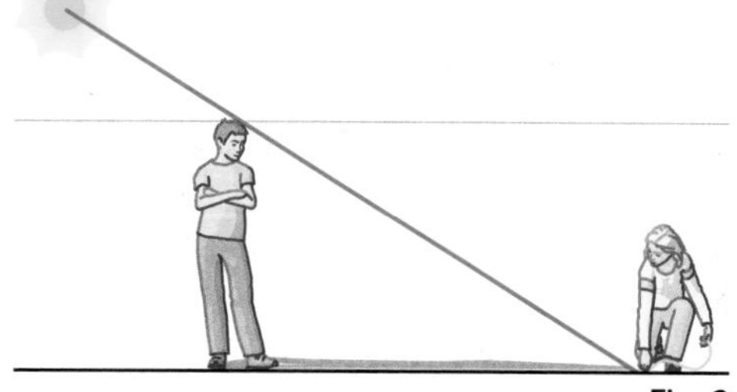

Fig. 3

9 Der erste Abschnitt der Fellhornbahn führt von der Talstation (927 m) bis auf 1785 m. Auf einer präzisen Karte misst man für die Entfernung zwischen Talstation und Bergstation 2750 m.
a) Gib die mittlere Steigung der Fellhornbahn in % an.
b) Welche Strecke legt die Seilbahn tatsächlich zurück?

Die Steigung in % gibt den mittleren Höhenunterschied (in m) pro 100 m in der Horizontalen an.

40%
40 m
100 m

10 Untersuche, welche der folgenden Aussagen wahr sind und welche nicht. Begründe.
a) Zwei gleichschenklige Dreiecke sind zueinander kongruent, wenn sie in einer Höhe und einem Winkel übereinstimmen.
b) Zwei gleichseitige Dreiecke sind zueinander kongruent, wenn sie in einer Höhe übereinstimmen.
c) Stimmen zwei Dreiecke in der Länge einer Seite und im Flächeninhalt überein, so sind sie zueinander kongruent.
d) Zwei rechtwinklige Dreiecke sind zueinander kongruent, wenn sie in einer Seitenlänge und einem weiteren Winkel übereinstimmen.
e) Zwei gleichschenklige Dreiecke sind zueinander kongruent, wenn sie in der Länge eines Schenkels und in einem Basiswinkel übereinstimmen.

Gib einen Kongruenzsatz an oder finde ein Gegenbeispiel

11 Geo Zeichne ein beliebiges Dreieck ABC mit Höhe h_c. Der Fußpunkt der Höhe sei F. Miss die Strecken $\overline{AF}$ und $\overline{BC}$. Verändere das Dreieck durch Ziehen so, dass diese beiden Strecken gleich lang sind. Sind dann die Teildreiecke zueinander kongruent? Argumentiere mit einem Kongruenzsatz.

12 Geo Zeichne ein beliebiges Dreieck ABC. Wähle einen Punkt P auf $\overline{BC}$; ziehe durch P die Parallelen zu den beiden anderen Seiten. Der Schnittpunkt auf $\overline{AC}$ sei Q, der auf $\overline{AB}$ sei R.
a) Verändere die Lage von P so, dass $\overline{PQ}$ und $\overline{PR}$ gleich lang sind. Experimentiere (variiere das Dreieck), um herauszufinden, wo P genau liegen muss, damit $\overline{PQ}$ und $\overline{PR}$ gleich lang sind.
b) Beweise deine Vermutung (betrachte die Dreiecke ARP und APQ).

Kannst du das noch?

13 Herr Geiger nimmt am Einstein-Marathon in Ulm teil. Weil er beim Start ziemlich weit hinten steht, läuft die offizielle Zeitnahme bereits einige Minuten bis er die Startlinie überquert und er sich auf die 42,195 km lange Reise machen kann. Er läuft die gesamte Strecke in einem konstanten Tempo. Die 10-km-Marke passiert er nach 44:40, nach der Hälfte der Distanz zeigt die offizielle Uhr 1:30:54.
a) Wann hat Herr Geiger das Ziel erreicht?
b) Gib für die Zuordnung *Wegstrecke s (in km)* ↦ *Zeit t (in s)* eine Formel an.

14 Beim 10 000-m-Paarzeitlaufen auf der 400-m-Bahn dürfen sich zwei Läufer so oft sie möchten abwechseln. Thorsten benötigt 80 s für eine Runde, Reinhard 90 s. Insgesamt absolvieren sie die 10 000 m in 35 min 50 s. Wie viele Runden ist Thorsten gelaufen, wie viele Reinhard?

Die platonischen Körper

Platon,
428 v. Chr. – 348 v. Chr.

Regelmäßige Körper faszinieren die Menschen schon seit Jahrtausenden. Es gibt einige wenige Körper, die besonders strenge Forderungen erfüllen, die regulären Polyeder. Man spricht von einem regulären Polyeder, wenn
- es ausschließlich von zueinander kongruenten regelmäßigen Vielecken begrenzt wird und
- an jeder Ecke gleich viele dieser Vielecke aufeinander treffen.

Diese Körper heißen auch platonische Körper, benannt nach dem griechischen Gelehrten Platon.

Im Griechischen bedeutet poly viel-.
Der Wortteil -eder stammt vom griechischen Wort hedra (Sitz) ab.
(Auf jeder seiner Flächen kann ein Polyeder sitzen.)

tettares: vier
hex: sechs
okto: acht
dodeka: zwölf
eikosi: zwanzig

Es gibt fünf platonische Körper.

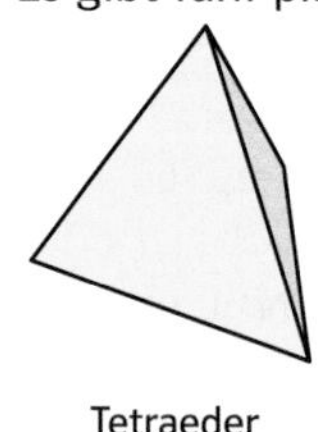

Tetraeder

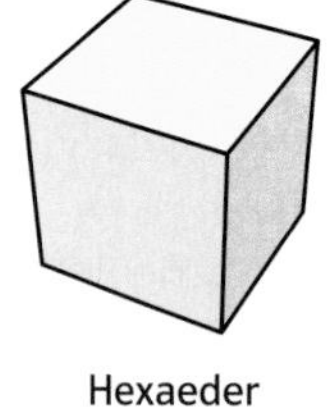

Hexaeder

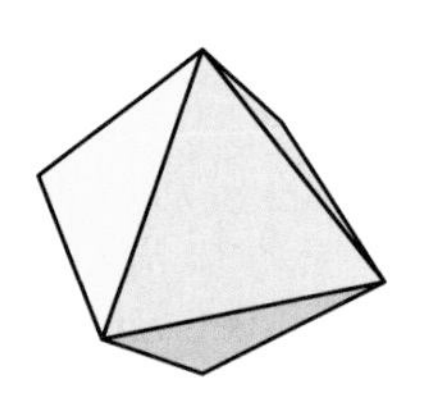

Oktaeder

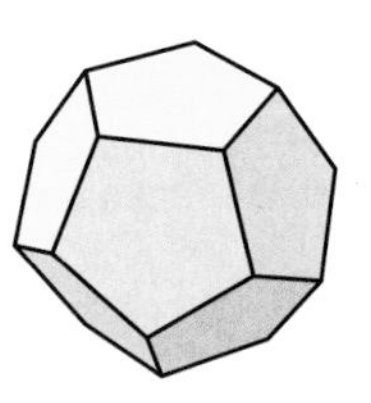

Dodekaeder

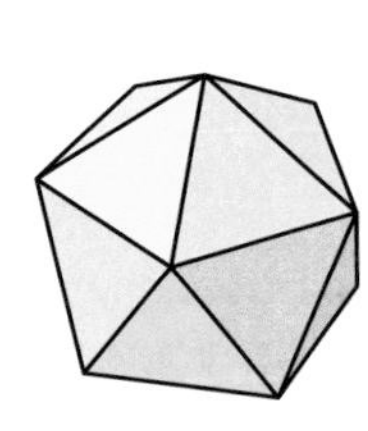

Ikosaeder

Fig. 1

Die Namen der Körper setzen sich aus den griechischen Zahlwörtern und dem Wortteil -eder für Fläche zusammen. Ein Tetraeder ist also z. B. ein „Vierflächner".

Das Hexaeder kennst du unter einem anderen Namen …

Wir bauen die platonischen Körper

Wenn man die fünf platonischen Körper nachbauen möchte, kann man entweder Baukästen benutzen oder sich selbst Netze der Körper auf Karton zeichnen, diese ausschneiden und dann zusammenkleben.
Teilt euch in fünf Gruppen auf und bastelt Modelle der platonischen Körper. Für das Dodekaeder und das Ikosaeder findet ihr hier bereits verkleinerte Vorlagen.
Wählt als Kantenlänge für die Modelle jeweils mindestens 3 cm.

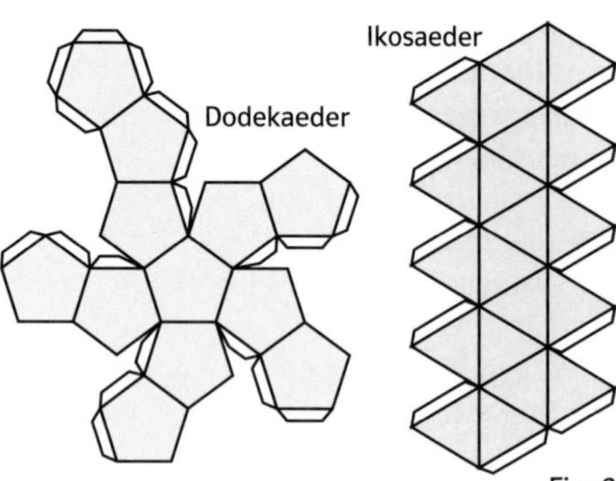

Fig. 2

Wo steckt der Fehler? Ein Ikosaeder besteht aus 20 Dreiecken. Jedes Dreieck hat drei Ecken. Also hat das Ikosaeder 60 Ecken.

Der eulersche Polyedersatz

Wenn man die Zahl der Ecken und Kanten eines Tetraeders ermitteln möchte ohne wirklich zu zählen, so kann man sich Folgendes überlegen.
Ein Tetraeder besteht aus vier Dreiecken. Jedes Dreieck hat drei Seiten und drei Ecken. An jeder Kante kommen zwei Seiten zusammen. Also hat das Tetraeder $(4 \cdot 3) : 2 = 6$ Kanten.
An jeder Ecke des Körpers kommen (Dreiecks-) Ecken zusammen. Also hat das Tetraeder $(4 \cdot 3) : 3 = 4$ Ecken.

1 Übertrage die nebenstehende Tabelle in dein Heft. Fülle sie für alle platonischen Körper mithilfe der oben gemachten Überlegungen aus.

Körper	Ecken	Flächen	Kanten
Tedraeder	4	4	6
Hexaeder			
…			

Die platonischen Körper

2 a) Betrachte die Tabelle aus Aufgabe 1 und erkläre, welcher Zusammenhang zwischen Ecken-, Flächen- und Kantenzahl besteht (eulerscher Polyedersatz).
b) Untersuche, ob der gefundene Zusammenhang zwischen Ecken-, Flächen- und Kantenzahl nur für die platonischen Körper gilt oder auch für die unten abgebildeten Körper.

Leonhard Euler 1707–1783

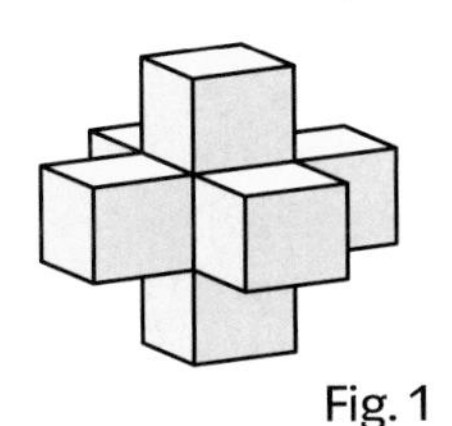

Fig. 1

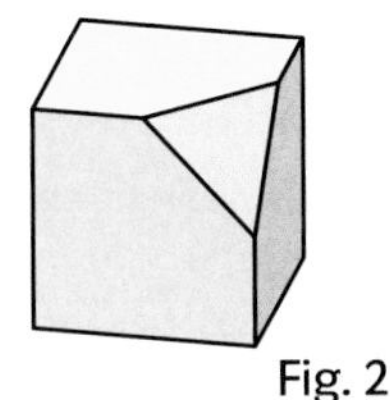

Fig. 2

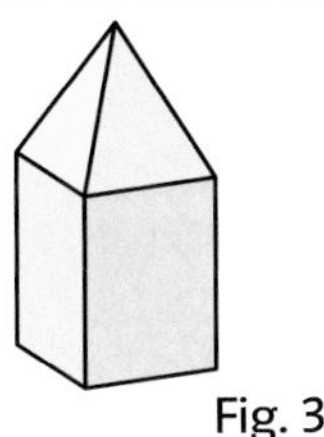

Fig. 3

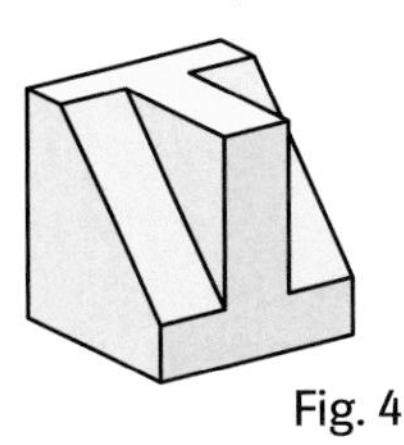

Fig. 4

Gibt es noch weitere platonische Körper?
Man kann zeigen, dass es nicht mehr als fünf platonische Körper geben kann. Dazu wird zunächst gezeigt, dass es nur einen platonischen Körper geben kann, der aus regelmäßigen Vierecken (= Quadraten) besteht.
Ein Winkel im Quadrat ist 90° groß.
- Treffen drei Quadrate zusammen, so erhält man eine Winkelsumme von 270° und es entsteht ein Würfel (Fig. 5),
- Bei vier Quadraten entsteht bereits eine Winkelsumme von 360° und es ist keine Ecke mehr möglich (Fig. 6)

Also ist der Würfel der einzige platonische Körper, der von Quadraten begrenzt wird.

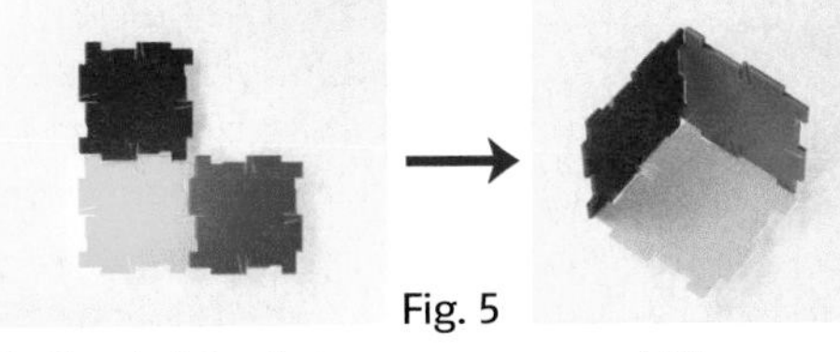

Fig. 5

Treffen drei Quadrate zusammen, so erhält man einen Würfel.

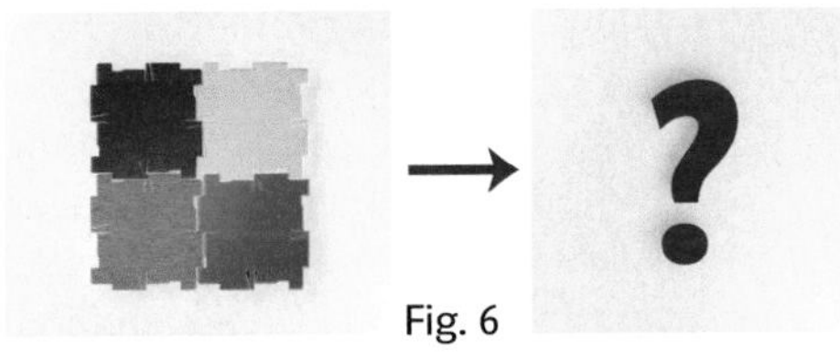

Fig. 6

Treffen vier Quadrate zusammen, so erhält man keine Ecke mehr.

Die folgenden Aufgaben helfen dir dabei, mit ähnlichen Überlegungen wie beim Viereck zu zeigen, dass es insgesamt nur fünf platonische Körper gibt.

3 Dreiecke
a) Wie groß ist ein Winkel im gleichseitigen Dreieck?
b) Welche Winkelsummen ergeben sich, wenn drei, vier, fünf bzw. sechs Dreiecke zusammen treffen?
c) Wie viel platonische Körper mit Dreiecken als Flächen kann es also geben, wie heißen sie?

Tipp zu Aufgabe 4 a):

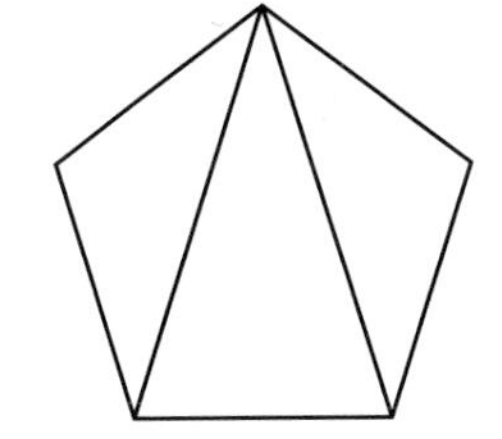

4 Fünfecke
a) Wie groß ist ein Winkel im regelmäßigen Fünfeck?
b) Begründe mit Winkelsummen, dass es nur einen platonischen Körper geben kann, der aus Fünfecken besteht. Wie heißt dieser?

5 Sechsecke
a) Wie groß ist ein Winkel im regelmäßigen Sechseck?
b) Begründe mit a), dass es keinen Körper geben kann, der nur aus Sechsecken besteht.
c) Erkläre, warum es auch keine Körper geben kann, die nur aus regelmäßigen Siebenecken, Achtecken usw. bestehen.

Die platonischen Körper

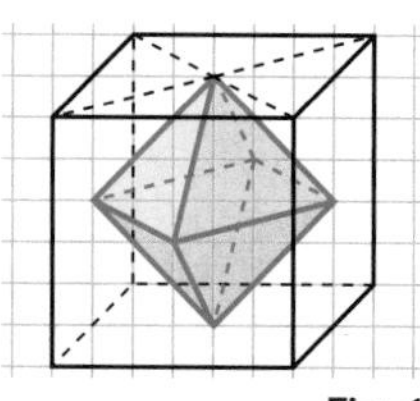
Fig. 1

Ein unangenehmer platonischer Körper:

Rhinovirus

Dualität der platonischen Körper

6 Wenn man bei einem Würfel die Mitten der Seitenflächen einzeichnet und die Mittelpunkte von benachbarten Flächen miteinander verbindet, so entsteht ein Oktaeder (Fig. 1). Übertrage Fig. 1 in dein Heft. Überlege, welcher platonische Körper entsteht, wenn man in gleicher Weise die Mitten der Oktaederflächen miteinander verbindet?

7 Würfel und Oktaeder stehen also in einer engen Beziehung zueinander, man sagt, sie sind zueinander dual.
Zu welchem platonischen Körper ist das Ikosaeder bzw. das Tetraeder dual?

Die archimedischen Körper

Wenn man weniger strenge Vorgaben macht, erhält man weitere Körper. Lässt man etwa unterschiedliche regelmäßige Vielecke als Begrenzungsflächen zu, so erhält man die **archimedischen Körper**. Von Ihnen gibt es 13 Stück.

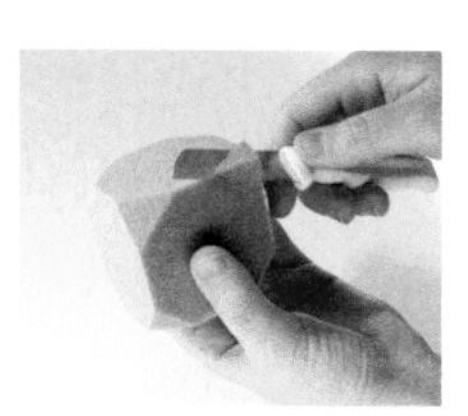
Fig. 2

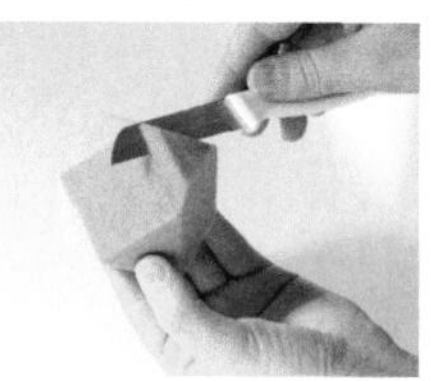
Fig. 3

8 Einen Würfel kann man durch Abstumpfen der Ecken in einen archimedischen Körper verwandeln. Dafür gibt es sogar zwei Möglichkeiten.
a) Wenn man die Ecken „nur ein bisschen" abstumpft, entsteht ein sogenannter **Hexaederstumpf**, der aus Achtecken und Dreiecken besteht (Fig. 2).
Bestimme durch Konstruktion die Seitenlängen des Achtecks und des Dreiecks, wenn der ursprüngliche Würfel eine Seitenlänge von 4 cm hatte.
b) Wenn man die Ecken etwas großzügiger abschneidet (der Schnitt wird jeweils in der Mitte der Seitenflächen angesetzt), entsteht ein **Kuboktaeder**. Er besteht aus Vierecken und Dreiecken (Fig. 3).
Bestimme auch hier die Seitenlängen der entstandenen Quadrate und Dreiecke.
c) Besorge dir Steckschaum vom Floristen oder Styropor und bastle daraus einen Hexaederstumpf und ein Kuboktaeder.

9 Man kann aus jedem der fünf platonischen Körper durch „ein bisschen" Abstumpfen einen archimedischen Körper machen (siehe Aufgabe 8 Teil a)). Diese heißen dann Tetraederstumpf, usw. Gib jeweils an, aus welchem platonischen Körper die unten abgebildeten archimedischen Körper entstanden sind.

Dieser archimedrische Körper wird mit Füßen getreten:

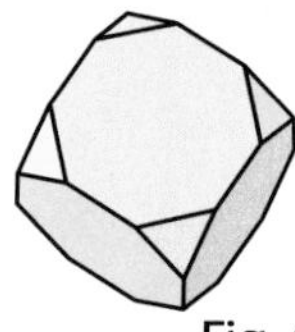
Fig. 4

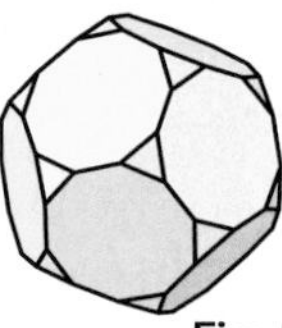
Fig. 5

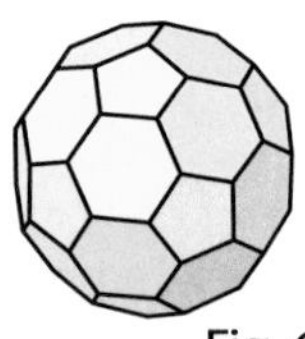
Fig. 6

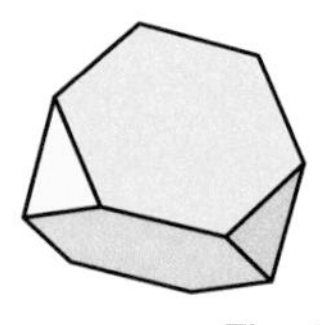
Fig. 7

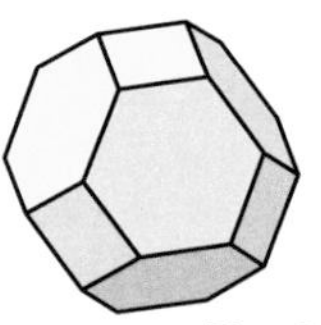
Fig. 8

10 Wenn man die platonischen Körper noch stärker enteckt, so entstehen weitere archimedische Körper.
a) Welcher platonische Körper wurde in Fig. 9 entdeckt?
b) Finde im Internet die Namen der abgebildeten Körper heraus.

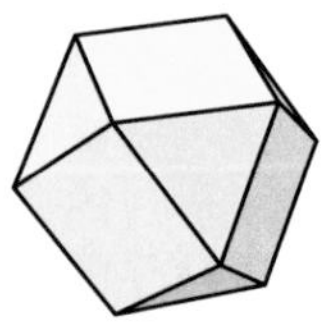
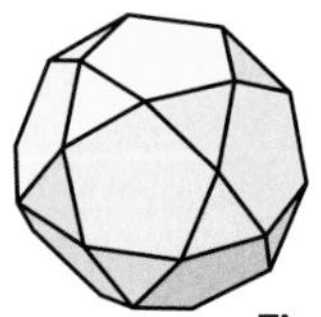
Fig. 9

Zwillingsglück

Felicitas Hoppe

Wir kommen tatsächlich fast völlig zur Deckung, meine Zwillingsschwester und ich. Sie heißt Hanna, ich Anna. Ein einziger Buchstabe, der uns trennt, damit man uns unterscheiden kann. Doch auch das ist keine sichere Sache, denn was macht ein einzelner Buchstabe aus? Vielleicht ist sie Anna, und ich heiße Hanna, und morgen drehn wir den Spieß einfach um. Montags Hanna und dienstags Anna, und mittwochs tauschen wir wieder die Plätze und antworten abwechselnd, ganz nach Bedarf, je nachdem, wer die Antwort weiß. Wir wissen genau, wie man Schularbeit spart, wir lernen jede die Hälfte für zwei. Und wie oft haben wir dieses Spiel gespielt, so lange, bis die Lehrer verlieren, spätestens donnerstags oder freitags, wenn sie sich endlich geschlagen geben, weil niemand mehr weiß, wer wir wirklich sind und wie wir eigentlich heißen.

Denn seit jeher sind wir einander so ähnlich, dass wir uns selbst miteinander verwechseln, als sähen wir nur unser Spiegelbild. Nachts steigen wir häufig ins falsche Bett, und morgens putzen wir uns unsere Zähne, hin und wieder mit falscher Bürste, denn auch die Bürsten sind deckungsgleich und auch für uns selbst nicht zu unterscheiden. Genau wie die Zähne. Die beißen wohl immer ins selbe Brot und hinterlassen überall gleiche Spuren, sagt zweimal im Jahr unser Zahnarzt und lacht. Die gleichen sich durch und durch bis aufs Haar, sagt einmal im Monat unser Friseur, wenn er staunend zwei Köpfe vergleicht und die blonden Frisuren auf Linie bringt. Die Scheitel legt er im selben Winkel, im Nacken zählt er die Locken nach, mathematisch exakt, damit wir auch wirklich Zwillinge bleiben.

Fast könnten wir unsere Köpfe tauschen, das würde nicht einmal uns selber auffallen, weil wir dieselben Gedanken haben, dieselben Absichten, dieselben Meinungen, vor allem aber dasselbe Ziel: Wir haben beschlossen, zur Deckung zu kommen, damit uns niemand entdecken kann, damit uns am Schluss keiner mehr unterscheidet. Auch Kleider und Hosen könnten wir tauschen, wir tragen immer dieselbe Größe, dieselben Modelle, dieselben Farben, die gleichen Hosen und Röcke und Kleider, die gleichen Ringe, Ketten und Taschen. Und wenn wir uns später die Lippen bemalen, werden wir sehr auf den Farbton achten. Selbst der Schulweg ist ununterscheidbar geworden, wir haben lange dafür geprobt und jeden Schritt auf Zentimeter gemessen.

So sind wir fast unbesiegbar geworden. Ein Duo der ganz besonderen Sorte, das niemand wirklich entwaffnen kann. Auch die Freunde haben längst aufgegeben, herauszufinden, wer wir eigentlich sind. Wer Anna, wer Hanna, wer sie und wer ich, wer du und wer wir. Ein Ei wie das andere, sagt unser Vater. Denn wahrscheinlich hat auch unser Vater vergessen, dass eine von uns die Ältere ist und dass wir, so sehr wir uns darum bemühen, trotzdem nicht wirklich zur Deckung kommen.

Nur am Wochenende herrscht plötzlich Klarheit, wenn unsere Mutter die Frühstückseier serviert, die es bei uns nur an Sonntagen gibt. Denn kein Frühstücksei kann einem anderen gleichen, und nur meine Mutter weiß ganz genau, wie jeder von uns sie am liebsten isst: mein Vater gar nicht, wir aber sehr gern, Hanna weich gekocht und mit Salz, Anna dagegen hart und ganz ohne, weil ich das Salz nicht ausstehen kann. Dann dürfen wir endlich sein, wer wir sind: Hanna ist Hanna, ich bleibe Anna. Und ein Zwillingsglück ist, dass die Lehrer nicht wissen, dass Sonntage keine Schultage sind.

Rückblick

Kongruente Figuren
Zwei Figuren sind zueinander kongruent, wenn man sie so aufeinander legen kann, dass sie genau übereinander passen.
Um dies zu überprüfen, genügt es bei Vielecken, entsprechende Streckenlängen und Winkelweiten miteinander zu vergleichen.

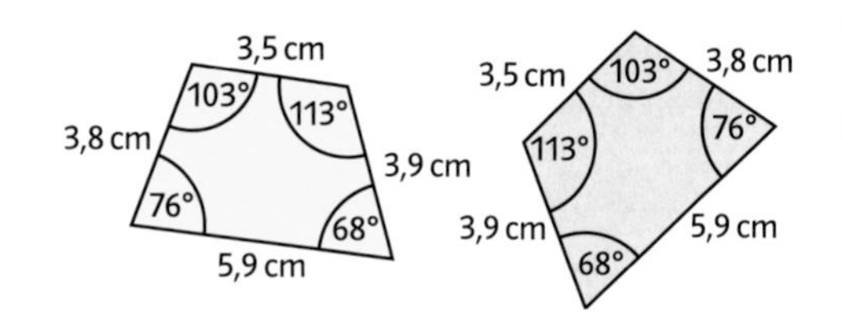

Kongruenzsätze für Dreiecke
Bei Dreiecken genügt es bereits, drei geeignete Angaben zu kennen (Seiten oder Winkel), um eine Aussage über Kongruenz machen zu können.
Die Kongruenzsätze für Dreiecke besagen, dass zwei Dreiecke bereits zueinander kongruent sind, wenn sie in folgenden Größen übereinstimmen:
- drei Seiten(sss)
- zwei Seiten und dem eingeschlossenen Winkel (sws)
- einer Seite und zwei Winkeln (wsw)
- zwei Seiten und dem der längeren Seite gegenüberliegenden Winkel (Ssw)

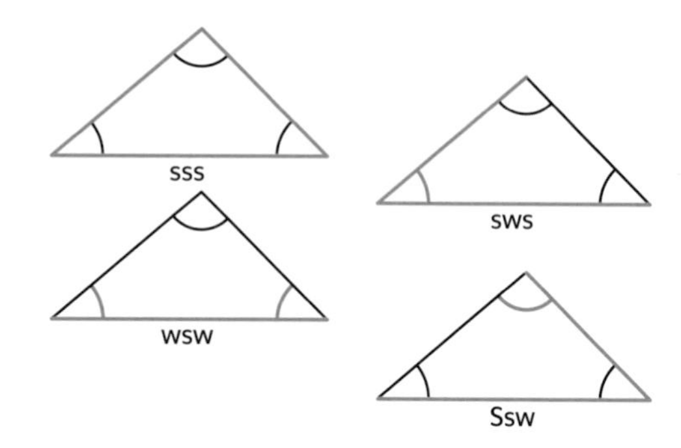

Eindeutige Konstruktion
Die Kongruenzsätze garantieren, dass ein Dreieck eindeutig gegeben ist, wenn man drei geeignete Stücke kennt. Mit diesem Wissen lassen sich durch maßstabsgetreue Konstruktion z. B. Höhen oder Entfernungen ermitteln.

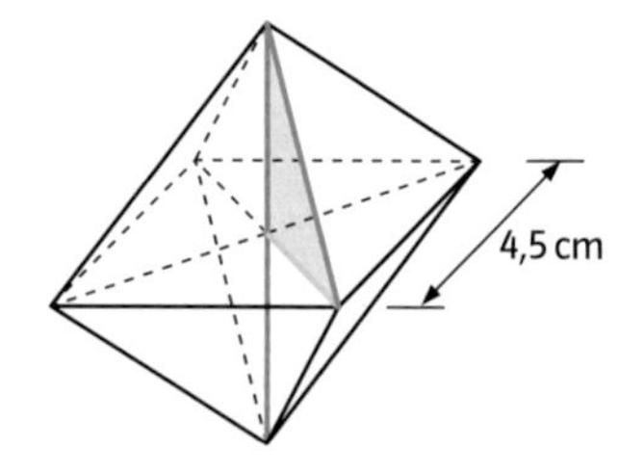

Mithilfe des blauen Dreiecks kann man die Höhe des Oktaeders bestimmen.

Geometrische Sachverhalte verifizieren und begründen
Die Kongruenzsätze sind hilfreich, wenn man Beobachtungen an geometrischen Figuren überprüfen und begründen möchte.

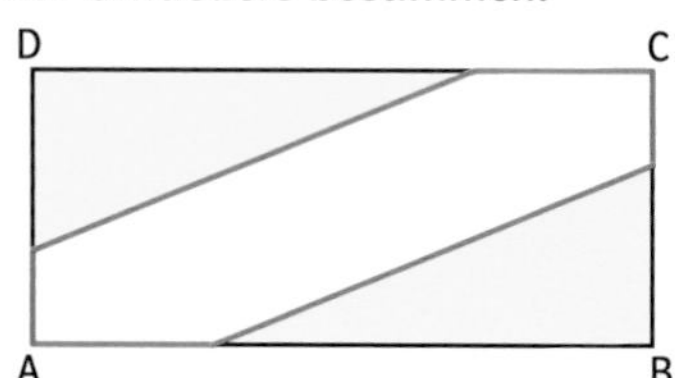

Im Rechteck ABCD sind die grünen und die blauen Strecken jeweils gleich lang.
Mit dem Kongruenzsatz sws kann man zeigen, dass dann auch die roten Strecken gleich lang sind.

Kongruenz bei Vierecken
Zum Nachweis der Kongruenz bei Vierecken sind fünf geeignete Angaben notwendig.
Bei speziellen Vierecken kann man auch mit weniger Angaben auskommen.

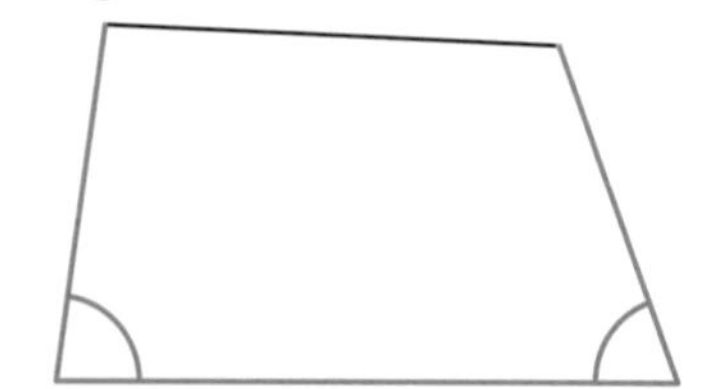

Fünf geeignete Angaben sind z. B. drei Seiten und die eingeschlossenen Winkel.

Training

Runde 1

1 Untersuche, in welchen Fällen sich ein zu Fig. 1 kongruentes Lösungsdreieck ergibt. Argumentiere mit den Kongruenzsätzen.
a) $c = 9\,cm$; $\alpha = 39°$; $\gamma = 57°$
b) $c = 6{,}7\,cm$; $b = 9\,cm$; $\alpha = 84°$
c) $b = 10{,}7\,cm$; $\beta = 39°$; $\gamma = 57°$
d) $c = 10{,}7\,cm$; $b = 9\,cm$; $\beta = 57°$

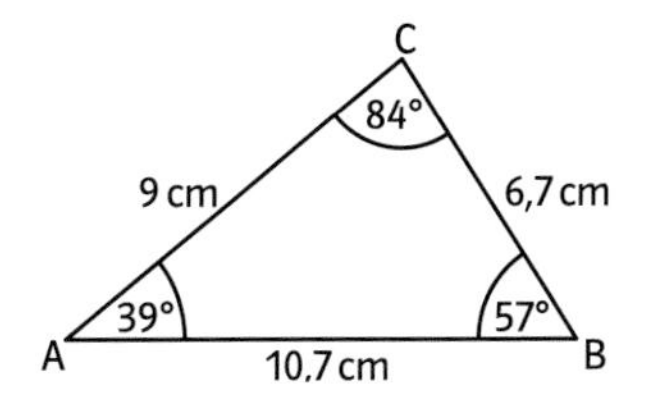

Fig. 1

2 Zerlege ein gleichseitiges Dreieck mit der Seitenlänge 7 cm in zwei, drei bzw. vier kongruente Teilfiguren. Fertige für jede Zerlegung eine neue Zeichnung an.

3 Ein trichterförmiges Cocktailglas hat oben einen Durchmesser von 8 cm und ist 6 cm hoch (ohne Stiel). Wie viel Flüssigkeit befindet sich in dem Glas, wenn es bis zu einer Höhe von 4 cm gefüllt ist? (Formel für das Volumen: $V = \frac{1}{3} \cdot \pi \cdot r^2 \cdot h$)

4 a) Konstruiere eine Raute mit $a = 4\,cm$ und $\beta = 43°$.
b) Konstruiere einen Drachen mit $a = 3\,cm$; $e = 5\,cm$ und $f = 4\,cm$.
c) Konstruiere ein Quadrat mit $f = 5\,cm$.

5 Ein Kirchturm wird neu gedeckt. Das Dachdecken einschließlich der Ziegel kostet 29,50 € pro m². Berechne die Kosten.

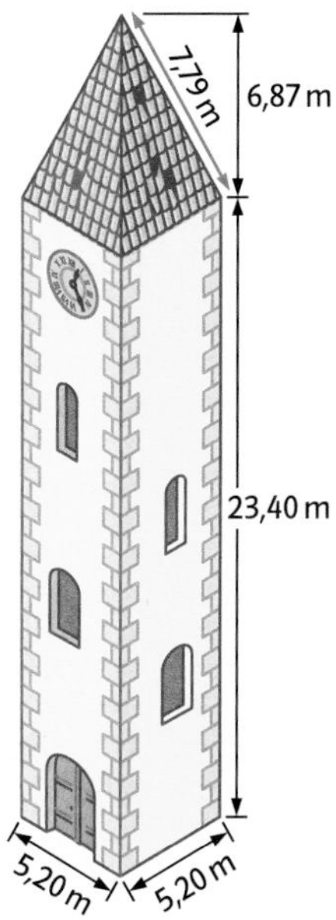

Fig. 2

Runde 2

1 Im Sommer wirft ein 8 m hoher Mast mittags einen 4,30 m langen Schatten. Welchen Winkel bilden dann die Sonnenstrahlen mit der Erdoberfläche?

2 Konstruiere ein Dreieck aus den folgenden Angaben. Miss die übrigen Seiten und Winkel.
a) $a = 3\,cm$; $b = 5{,}4\,cm$; $c = 7{,}7\,cm$
b) $a = 5\,cm$; $\beta = 33°$; $\gamma = 67°$
c) $b = 6{,}7\,cm$; $c = 5{,}8\,cm$; $\alpha = 43°$
d) $b = 5\,cm$; $\alpha = 35°$; $\gamma = 61°$

3 In Fig. 3 ist M der Mittelpunkt des Kreises. Begründe, dass die beiden Dreiecke MPQ und MP'Q' zueinander kongruent sind.

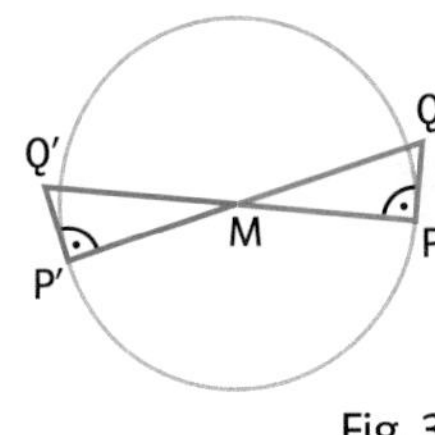

Fig. 3

4 Begründe oder widerlege die folgenden Aussagen.
a) Zwei Dreiecke sind zueinander kongruent, wenn sie in allen Winkeln und ihrem Flächeninhalt übereinstimmen.
b) Wenn zwei Dreiecke nicht zueinander kongruent sind, so müssen sie sich mindestens in einer Seitenlänge unterscheiden.

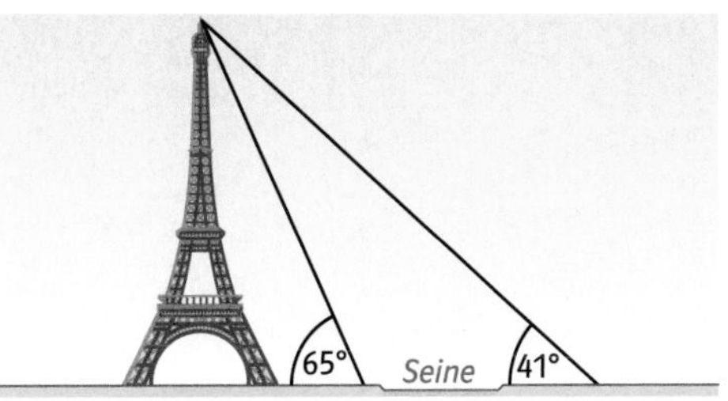

Fig. 4

5 Wie weit sind die beiden Messpunkte in Fig. 4 in etwa voneinander entfernt?

6 Zeichne drei verschiedene Vierecke, welche in fünf Größen übereinstimmen, aber nicht zueinander kongruent sind.

Das kannst du schon

- Zahlen als Dezimalzahlen und Bruchzahlen schreiben
- Mit den rationalen Zahlen rechnen

1,21...

0,000 0221...

−50,223...

215,347...

2 222 222,452...

1,011 001 110 000...

Zahl und Maß

Daten und Zufall

Beziehung und Änderung

Modell und Simulation

Muster und Struktur

Form und Raum

Die Neuen kommen!

Auf der Jagd

Manche Zahlen beschäftigen die Menschen besonders – beispielsweise die Länge der Diagonalen in einem Quadrat mit Seitenlänge 1 oder die Kreiszahl Pi. Es werden immer wieder neue Rekorde aufgestellt, indem immer mehr Nachkommastellen dieser faszinierenden Zahlen berechnet werden. Und manche Menschen gehen so weit zu behaupten, dass wenn man jede Nachkommastelle von Pi als Buchstaben interpretieren und eine bestimmte Ziffer als Trennzeichen nehmen würde (zur Unterscheidung ein und zweistelliger Zahlen), man jeden beliebigen Text, geschrieben oder noch nicht geschrieben, dort wieder finden kann.

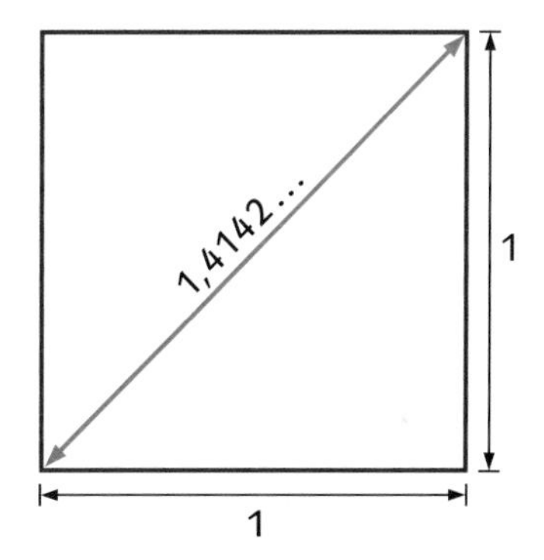

Das kannst du bald

- Mit irrationalen Zahlen rechnen wie mit rationalen Zahlen
- Mithilfe von Quadratwurzeln und anderen reellen Zahlen Probleme lösen

1 Von bekannten und neuen Zahlen

Wissenschaftler entdeckt neue Zahlen!

29. Feb. 421 v. Chr.
Der Mathematiker Hippasos hat neue Zahlen entdeckt. Sie lassen sich weder als Bruch schreiben noch mit Ziffern genau angeben. Die Fachwelt staunt.

In dieser Lerneinheit werden die rationalen Zahlen in der Bruchschreibweise und der Dezimalschreibweise betrachtet. Es wird gezeigt, wie man von einer Bruchzahl zur entsprechenden Dezimalzahl gelangt. Anschließend werden neue Zahlen mit erstaunlichen Eigenschaften vorgestellt.

Jede rationale Zahl kann man als Bruchzahl und als Dezimalzahl schreiben, zum Beispiel:

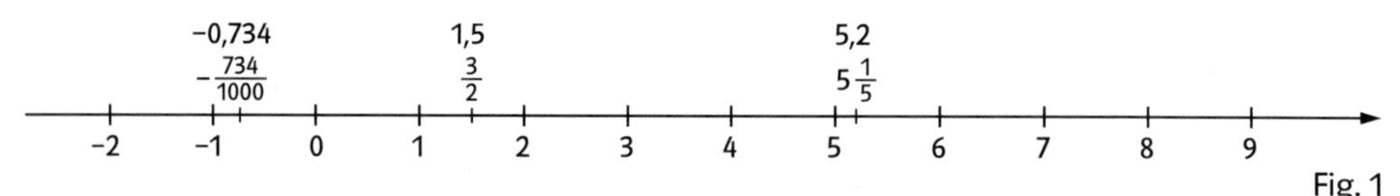

Fig. 1

Will man eine Bruchzahl in eine Dezimalzahl umwandeln, so kann man den Zähler durch den Nenner teilen. Dabei können zwei Fälle auftreten (siehe Aufgabe 14 auf Seite 57):

1. Man erhält eine **abbrechende Dezimalzahl**, z. B.: $\frac{3}{4} = 3 : 4 = 0{,}75$.
2. Man erhält eine **periodische Dezimalzahl**, z. B.: $\frac{1}{3} = 1 : 3 = 0{,}33333333\ldots = 0{,}\overline{3}$.

Neben den abbrechenden und periodischen gibt es noch andere Dezimalzahlen.

Ein Gedankenexperiment, das zu „neuen" Zahlen führt:
1. Schreibe auf ein Blatt „0,".
2. Würfle eine Ziffer aus.
3. Schreibe die Ziffer an die erste Stelle hinter dem Komma.
4. Würfle wieder und schreibe die Ziffer an die zweite Stelle hinter dem Komma.
5. Führe dies „unendlich oft" fort. (Fig. 2)

0,4 1 5 3...

Fig. 2

Für diese „neuen" Zahlen gilt:
1. Sie haben unendlich viele Stellen hinter dem Komma aber keine Periode.
2. Man kann sie nicht vollständig mit Ziffern aufschreiben.
3. Man kann sie jedoch theoretisch bis zu jeder gewünschten Stelle hinter dem Komma aufschreiben, also beliebig genau angeben.
4. Man kann sie nicht als Bruchzahlen schreiben, weil eine Bruchzahl immer zu einer abbrechenden oder periodischen Dezimalzahl gehört. Diese neuen Zahlen sind deshalb keine rationale Zahlen, sie heißen irrationale Zahlen.

Jede rationale Zahl kann man als abbrechende oder periodische Dezimalzahl und als Bruchzahl schreiben. Es gibt darüber hinaus Dezimalzahlen, die weder abbrechend noch periodisch sind. Man kann sie nicht als Bruchzahlen schreiben. Solche Dezimalzahlen heißen **irrationale Zahlen**.

Alle rationalen und alle irrationalen Zahlen zusammen heißen **reelle Zahlen**, man bezeichnet sie mit ℝ.
Die reellen Zahlen setzen sich also zusammen aus
- den abbrechenden Dezimalzahlen sowie den periodischen Dezimalzahlen,
- den nichtperiodischen Dezimalzahlen mit unendlich vielen Stellen nach dem Komma.

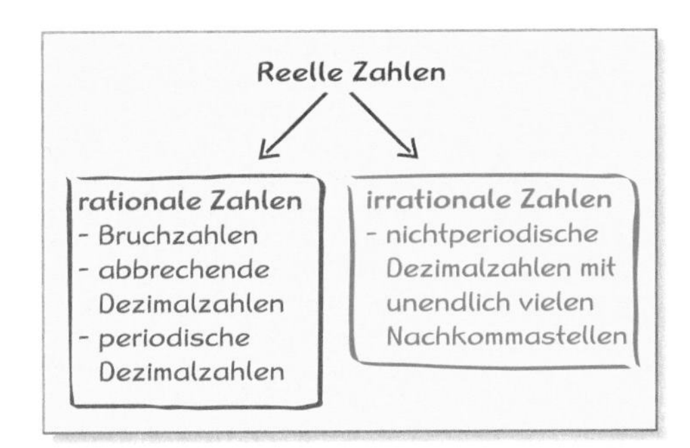

Fig. 1

Im Mittelalter verwendete man die Bezeichnung „numeri irrationales", also „Zahlen wider die Vernunft".
Man diskutierte sogar darüber, ob die irrationalen Zahlen „wirkliche Zahlen" seien.

Reelle Zahlen auf der Zahlengeraden
Jeder reellen Zahl entspricht auf der Zahlengeraden ein Punkt. Zwischen den Punkten zweier reeller Zahlen liegen immer unendlich viele Punkte anderer reeller Zahlen. Dies kann man sich kaum vorstellen. Man kann weiterhin zeigen, dass alle Punkte der Zahlengerade zu den reellen Zahlen gehören. Die Zahlengerade ist somit ganz „ausgefüllt".

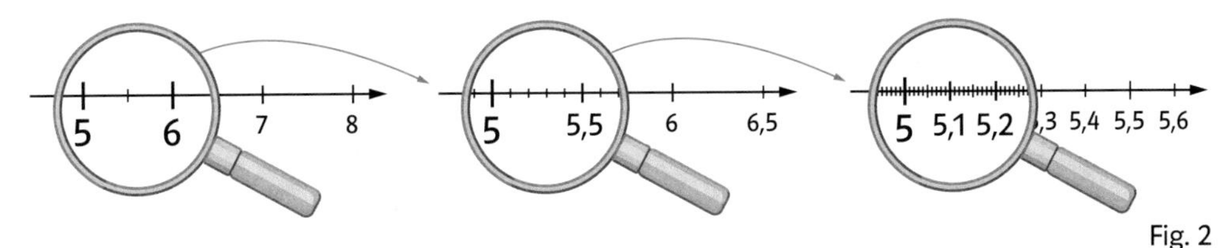

Fig. 2

Beispiel (Irrationale Zahlen)
Die Zahl 0,102 001 000 2... hat unendlich viele Stellen hinter dem Komma. Die Anzahl der Nullen zwischen einer Eins und einer Zwei erhöht sich „jedes Mal" um eins.
Begründe: Die Zahl 0,102 001 000 2... ist keine rationale Zahl.
Lösung:
Die Zahl 0,102 001 000 2... hat unendlich viele Stellen hinter dem Komma. Sie ist deshalb keine abbrechende Dezimalzahl. Es gibt keine Ziffernfolge hinter dem Komma, die sich ständig wiederholt. Diese Zahl ist deshalb keine periodische Dezimalzahl. Da sie weder eine abbrechende noch eine periodische Dezimalzahl ist, ist sie keine rationale Zahl.

Aufgaben

1 Auf der vorigen Seite wird ein Zufallsversuch beschrieben, mit dem man irrationale Zahlen erzeugen kann.
a) Überlege dir zusammen mit deinem Tischnachbarn zwei weitere Zufallsversuche, mit denen man irrationale Zahlen erzeugen kann.
b) Führt die beiden Versuche durch und schreibt die beiden Zahlen jeweils bis zur zehnten Stelle hinter dem Komma auf.
c) Addiert die beiden aufgeschriebenen Zahlen aus b). Ist diese Summe eine irrationale Zahl? Begründet eure Antwort.

2 Die Dezimalzahl 0,101 001 000... hat nach der ersten „1" eine „0", nach der zweiten „1" zwei „0", ... nach der hundertsten „1" hundert „0" usw.
a) Schreibe diese Dezimalzahl mit den ersten 20 Stellen hinter dem Komma auf.
b) Begründe: Diese Zahl kann man nicht als Bruchzahl aufschreiben.
c) Erfinde selbst drei irrationale Zahlen.

3 Betrachtet wird die Zahl 0,102 003 000 400 005 000 00..., die rechts vom Komma nach der „1" eine „0", nach der „2"zwei „0", nach der „3"drei „0", ... , nach der „9" neun „0", nach den beiden Ziffern „10" zehn „0", nach den beiden Ziffern „11" elf „0" usw. hat.
a) Schreibe diese Zahl mit 30 Stellen hinter dem Komma auf.
b) Wie lautet bei dieser Zahl die 110te Stelle hinter dem Komma?
c) Betrachte die Aufgabe 0,101 001 000 100 001... + 0,102 003 000 400 005... = ?
Wie lautet beim Ergebnis die 55te Stelle hinter dem Komma?

4 Betrachtet werden die irrationale Zahl 0,101 001 0001..., bei der hinter dem Komma nach der ersten „1" eine „0", nach der zweiten „1" zwei „0" usw. kommen, und die irrationale Zahl 0,010 110 111 0..., bei der hinter dem Komma nach der ersten „0" eine „1", nach der zweiten „0" zwei „1" usw. kommen.
a) Begründe: Die Summe der beiden Zahlen ist eine rationale Zahl.
b) Erfinde selbst zwei weitere irrationale Zahlen, deren Summe eine rationale Zahl ist.

5 Du hast verschiedene Arten von Zahlen kennen gelernt. Die russischen Püppchen in Fig. 1 stehen für die Zahlenarten:
- natürliche Zahlen ($\mathbb{N}$)
- ganze Zahlen ($\mathbb{Z}$)
- rationale Zahlen ($\mathbb{Q}$)
- periodische Dezimalzahlen
- abbrechende Dezimalzahlen
- irrationale Zahlen
- reelle Zahlen ($\mathbb{R}$).

Beschreibe, welche Püppchen zu welcher Zahlenart gehören könnten und begründe deine Antwort.

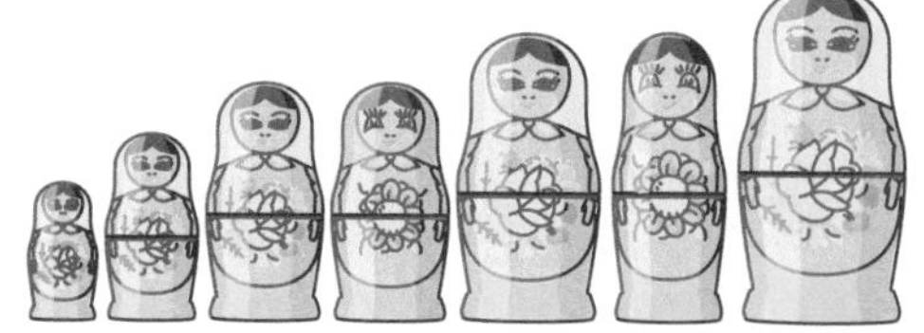

Fig. 1

6 In Fig. 2 sind zwei Kreise mit gleich großen Radien gezeichnet.
a) Begründe: Der Mittelpunkt der roten Strecke gehört zu einer rationalen Zahl der Zahlengerade.
b) Tobias behauptet: „Alle Punkte der roten Strecke gehören zu rationalen Zahlen der Zahlengerade." Stimmt dies? Begründe deine Antwort.

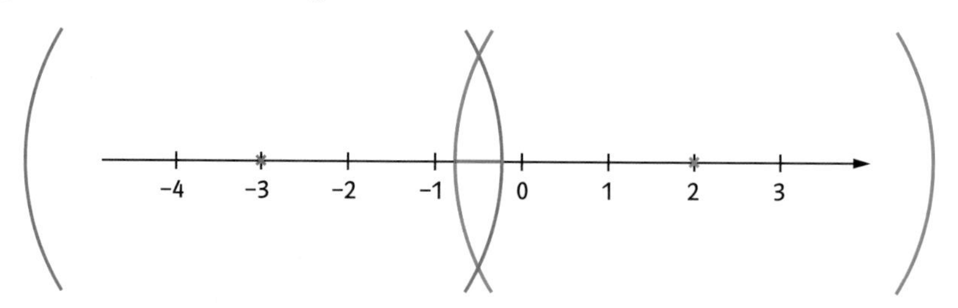

Fig. 2

7 a) Nenne eine Zahl, die zwischen 7,4 und 7,5 liegt. Dein Tischnachbar soll nun eine Zahl angeben, die zwischen deiner Zahl und 7,5 liegt. Anschließend nennst du eine Zahl, die zwischen der Zahl deines Tischnachbarn und 7,5 liegt. Führt dies fort, bis jeder vier Zahlen genannt hat.
b) Begründet: Zwischen zwei reellen Zahlen liegt immer eine reelle Zahl.
c) Begründet: Es gibt keine positive kleinste reelle Zahl.
d) Begründet: Es gibt keine größte negative reelle Zahl.

2 Streckenlängen und irrationale Zahlen

Du hast in der letzten Lerneinheit Dezimalzahlen kennen gelernt, die keine rationalen Zahlen sind.
Einige dieser neuen Zahlen, ergeben quadriert jeweils eine natürliche Zahl. Weil sie bei vielen Fragestellungen auftreten, werden sie jetzt näher betrachtet.

Ein Spiel für drei Spieler:

Spieler 1 nennt eine Zahl zwischen 1 und 20.

Spieler 2 und Spieler 3 müssen innerhalb von 20 Sekunden eine Zahl angeben, die quadriert möglichst so groß ist, wie die Zahl von Spieler 1.

Wer am nächsten dran ist, erhält einen Punkt und nennt dann selbst eine Zahl zwischen 1 und 20, usw.

Eine weitere irrationale Zahl findet man bei einer einfachen geometrischen Fragestellung:
Die kleinen Quadrate in Fig. 1 haben jeweils den Flächeninhalt $1\,cm^2$. Teilt man sie jeweils entlang einer Diagonalen, so kann man die vier Hälften zu einem größeren Quadrat zusammensetzen (Fig. 2).
Wie lang sind die Seiten des großen Quadrates?

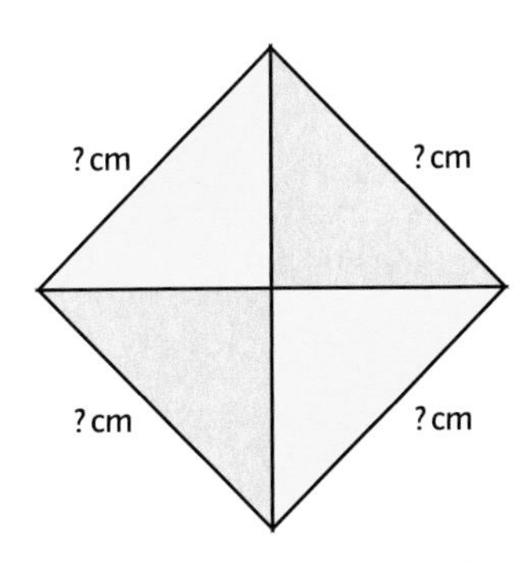

Fig. 2

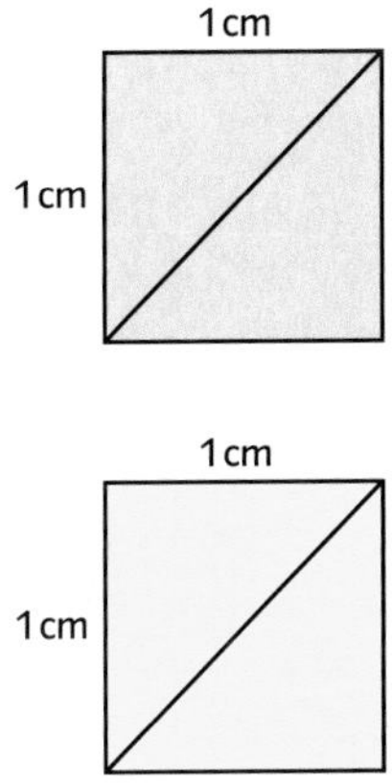

1cm
1cm
1cm
1cm
Fig. 1

Die Fläche des großen Quadrates beträgt $2\,cm^2$. Deshalb muss die Seitenlänge quadriert $2\,cm^2$ ergeben. Man sucht also diejenige Zahl x, für die gilt $x^2 = 2$.
Hier hilft der Taschenrechner bei der Suche weiter.

$1^2 = 1$ und $2^2 = 4$ also gilt $1 < x < 2$
$1{,}4^2 = 1{,}96$ und $1{,}5^2 = 2{,}25$ also gilt $1{,}4 < x < 1{,}5$
$1{,}41^2 = 1{,}9881$ und $1{,}42^2 = 2{,}0164$ also gilt $1{,}41 < x < 1{,}42$
$1{,}414^2 = 1{,}999\,396$ und $1{,}415^2 = 2{,}002\,225$ also gilt $1{,}414 < x < 1{,}415$ usw.

$x^2 = 2$
$x \approx 1{,}41$

Mit dieser Methode kann man x so genau bestimmen, wie man möchte. Man erhält dabei „immer mehr" Stellen hinter dem Komma, jedoch lässt sich keine Periode erkennen. Die gesuchte Zahl x ist vermutlich keine abbrechende oder periodische Dezimalzahl und somit auch keine Bruchzahl.
Dass dies so ist, kann man sich in folgenden Schritten überlegen:

1. Gesucht wird eine Zahl x, die quadriert 2 ergibt. Da $1^2 = 1$ und $2^2 = 4$ ist, muss x zwischen 1 und 2 liegen.
2. Wäre die gesuchte Zahl x eine Bruchzahl, so könnte man x als vollständig gekürzten Bruch $\frac{a}{b}$ schreiben.
3. Da $\frac{a}{b}$ zwischen 1 und 2 liegt, ist $\frac{a}{b}$ keine ganze Zahl. Also ist $b \neq 1$.
4. Multipliziert man $\frac{a}{b}$ mit sich selbst, dann erhält man $\frac{a \cdot a}{b \cdot b}$.
5. Da sich $\frac{a}{b}$ nicht mehr kürzen lässt, lässt sich auch $\frac{a \cdot a}{b \cdot b}$ nicht mehr kürzen.
6. Da $b \neq 1$ ist, ist auch $b \cdot b \neq 1$.
7. Weil der Nenner des Bruches $\frac{a \cdot a}{b \cdot b}$ nicht 1 ist, kann $\frac{a \cdot a}{b \cdot b}$ nicht 2 sein.
8. Es gibt keine Bruchzahl, die quadriert 2 ergibt.
9. Die Zahl x, die quadriert 2 ergibt, ist keine rationale Zahl.

Jeder reellen Zahl entspricht ein Punkt auf der Zahlengerade.
In Fig. 1 wird gezeigt, wie man den Punkt auf der Zahlengerade findet, der zur irrationalen Zahl x mit $x^2 = 2$ gehört.

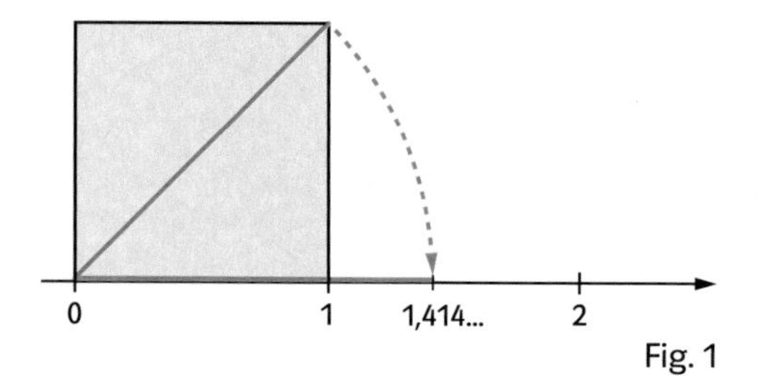

Fig. 1

Es gibt Streckenlängen, die mit irrationalen Maßzahlen angegeben werden, zum Beispiel die Länge der Diagonalen in einem Quadrat mit der Seitenlänge 1 cm oder die Seitenlänge eines Quadrates mit dem Flächeninhalt $2\,cm^2$.

Beispiel
Bestimme die Seitenlänge eines Quadrates mit dem Flächeninhalt $3\,cm^2$. Gib diese Seitenlänge näherungsweise als Dezimalzahl mit drei Stellen nach dem Komma an.
Lösung:
Die gesuchte Seitenlänge muss quadriert $3\,cm^2$ ergeben.
Suche die natürliche Zahl, die quadriert kleiner als 3, und deren Nachfolger quadriert größer als 3 ist.
$1^2 = 1$ und $2^2 = 4$ also gilt $1 < x < 2$
Suche dann mit dem Taschenrechner die Dezimalzahl mit einer Nachkommastelle, die kleiner als 3 und deren um 0,1 größere Dezimalzahl größer als 3 ist usw.
$1{,}7^2 = 2{,}89$ und $1{,}8^2 = 3{,}24$ also gilt $1{,}7 < x < 1{,}8$
$1{,}73^2 = 2{,}9929$ und $1{,}74^2 = 3{,}0276$ also gilt $1{,}73 < x < 1{,}74$
$1{,}732^2 = 2{,}999\,824$ und $1{,}733^2 = 3{,}003\,289$ also gilt $1{,}732 < x < 1{,}733$
$1{,}732\,0^2 = 2{,}999\,824$ und $1{,}732\,1^2 = 3{,}001\,704\,1$ also gilt $1{,}7320 < x < 1{,}7321$
Es gilt: $1{,}732^2 \approx 3$.
Die gesuchte Seitenlänge beträgt ungefähr 1,732 cm.

Aufgaben

1 Bestimme die Dezimalzahlen x auf drei Nachkommastellen genau, für die gilt:
a) $x^2 = 5$ b) $x^2 = 17$ c) $x^2 = 256$ d) $x^2 = 625$ e) $x^2 = 1000$.

2 Jemand hat mit den folgenden Überlegungen eine Zahl x gesucht, für die gilt: x^2 ist eine natürliche Zahl. Wie heißt diese natürliche Zahl x^2?
a) $2 < x < 3$
$2{,}6 < x < 2{,}7$
...
b) $4 < x < 5$
$4{,}4 < x < 4{,}5$
...
c) $8 < x < 9$
$8{,}1 < x < 8{,}2$
...

Bei Aufgabe 3 bitte keinen Taschenrechner benutzen.

3 a) Denke dir eine natürliche Zahl. Quadriere diese Zahl. Sage deinem Tischnachbarn das Ergebnis. Dein Tischnachbar soll jetzt die gedachte Zahl herausfinden.
b) Denke dir eine natürliche Zahl aus, die keine Quadratzahl ist. Bestimme auf zwei Nachkommastellen genau die Zahl, die quadriert die gedachte Zahl ergibt. Nenne deinem Tischnachbarn die Dezimalzahl mit den beiden Nachkommastellen. Dein Tischnachbar soll die gedachte Zahl herausfinden.

4 Gib die Länge der Diagonalen des Quadrates mithilfe einer Dezimalzahl auf drei Stellen hinter dem Komma genau an (Fig. 1). Beschreibe deine Überlegungen in einem kleinen Aufsatz.

a) 2 cm, 2 cm

b)

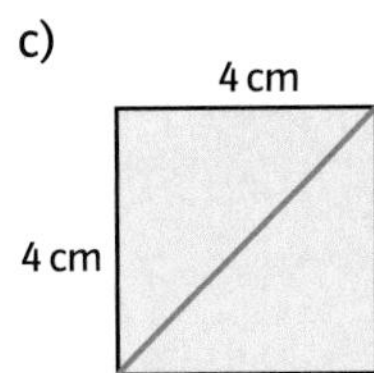

c) 4 cm, 4 cm

Fig. 1

5 In Norddeutschland wurden landwirtschaftliche Flächen früher in der Einheit „preußische Morgen" gemessen. Hierbei waren 400 preußische Morgen so groß wie $1\,km^2$.
In der Nähe eines Dorfes befand sich ein quadratisches Roggenfeld, das 100 preußische Morgen groß war. Das Roggenfeld war ringsherum von einem Weg begrenzt. Wie lange brauchte man für einen Sonntagsspaziergang rund um dieses Roggenfeld?

Fig. 2

6 Übertrage die Tabelle in dein Heft und fülle sie aus.

	natürliche Zahl	ganze Zahl	negative Zahl	positive Zahl	rationale Zahl	irrationale Zahl	reelle Zahl
-5	nein	ja	ja	nein	ja	nein	ja
173							
2,67							
$-8{,}4$							
$\frac{2}{3}$							
$x > 0$ mit $x^2 = 100$							
$x < 0$ mit $x^2 = 7$							
$-3\frac{11}{12}$							
x mit $x^2 = -16$							
$x < 0$ mit $x^2 = 16$							

7 Die kleine Katze von Anna ist auf einen Baum geklettert und traut sich nicht mehr herunter.
Anna und ihr Freund Tobias finden im Keller eine Leiter, die man auf 4 m Länge ausziehen kann. Sie stellen die ganz ausgezogene Leiter an den Baum, um der Katze zu helfen (Fig. 3).
Wie hoch ist die Katze auf den Baum geklettert?

Fig. 3

8 Auf Seite 43 findest du neun Überlegungen, die verdeutlichen, dass es keine rationale Zahl x gibt mit $x^2 = 2$.
a) Begründe genauso, dass es keine rationale Zahl x gibt mit $x^2 = 5$.
b) Begründe ebenso, dass es keine rationale Zahl x gibt, so dass x^2 eine Primzahl ist.
c) Erläutere, warum man mit den neun Überlegungen auf Seite 43 nicht begründen kann, dass es keine rationale Zahl gibt mit $x^2 = 4$.

Bist du sicher?

1 Begründe: Die Zahlen, die quadriert 11 ergeben, sind irrationale Zahlen.

2 Gib drei Quadrate an, deren Seitenlängen größer als 20 cm sind und deren Diagonalenlänge nicht mit einer rationalen Zahl angegeben werden können.

9 Tobias findet in einem Mathematikbuch diese Überlegungen:

Arithmetik IV: Methodische Überlegungen 523

Es gibt keine rationale Zahl x mit $x^2 = 10$, denn:
Wäre x eine rationale Zahl, dann könnte man x als vollständig gekürzten Bruch $\frac{a}{b}$ schreiben.
Es wäre dann also $(\frac{a}{b})^2 = 10$. Also wäre $a^2 = 10b^2$.
Multipliziert man b^2 mit 10, dann endet das Ergebnis rechts mit einer ungeraden Anzahl von Nullen, also mit einer oder drei oder fünf ... Nullen.*
Weil $a^2 = 10b^2$ müsste auch a^2 rechts mit einer ungeraden Anzahl von Nullen enden.*
Es gibt keine natürliche Zahl a mit dieser Eigenschaft.*
Also ist x keine rationale Zahl.

a) Erläutere mit deinen Worten die Aussagen, die mit einem Stern gekennzeichnet sind.
b) Begründe auf ähnliche Weise, dass es keine rationale Zahl gibt, die quadriert 1000 ergibt.

10 In Fig. 1 auf Seite 44 wurde gezeigt, wie man auf einer Zahlengerade den Punkt findet, der zur positiven Zahl x mit $x^2 = 2$ gehört.
In nebenstehender Fig. 1 wurde auf der Zahlengerade der Punkt eingetragen, der zur Zahl x mit $x^2 = 8$ gehört.
a) Erläutere, wie in Fig. 1 vorgegangen wurde.
b) Bestimme mit dem gleichen Verfahren wie in Fig. 1 den Punkt auf der Zahlengerade, der zur Zahl x mit $x^2 = 18$ gehört.

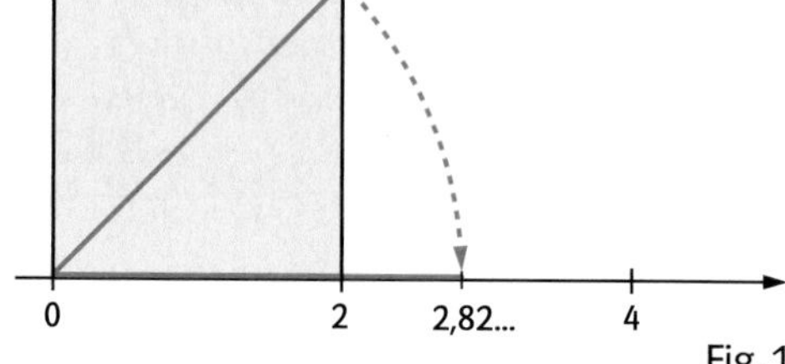

Fig. 1

11 a) Was ist in Fig. 2 anders als in Fig. 1?
b) Bestimme die Länge der Diagonalen des Quadrates in Fig. 2 auf drei Stellen hinter dem Komma.
c) Gib die fehlende Zahl im Kästchen auf drei Stellen hinter dem Komma an.

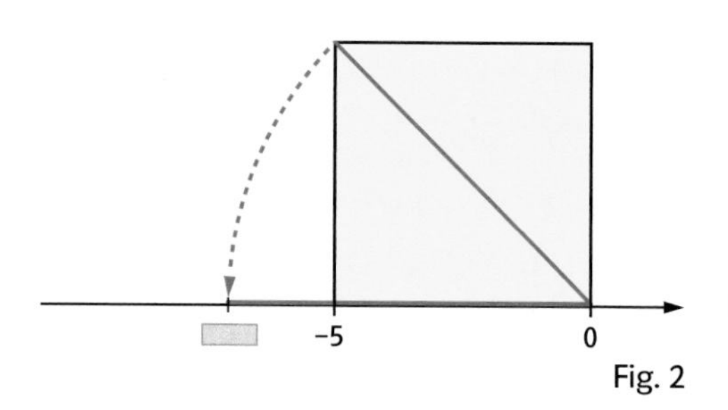

Fig. 2

3 Quadratwurzeln

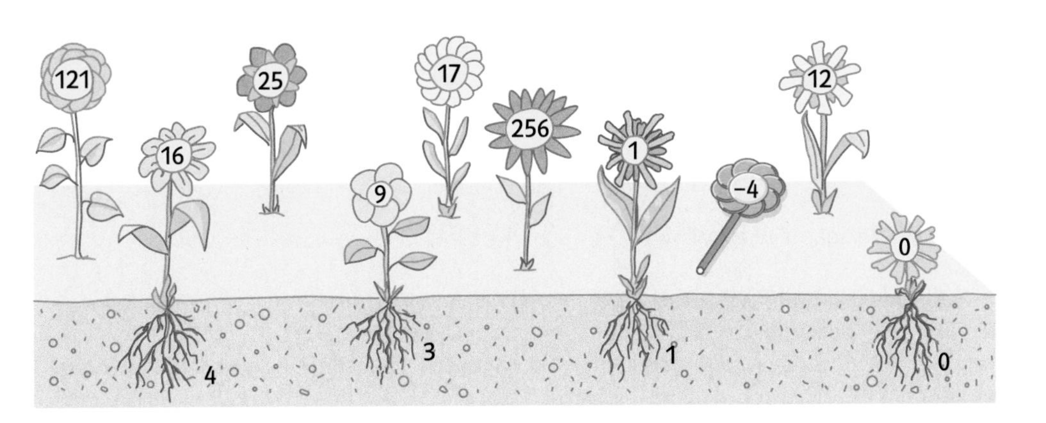

Manche Blumen haben keine Wurzeln …

Mit Zahlen und ihren Quadratzahlen rechnet man, wenn zum Beispiel Flächeninhalte zu bestimmen sind. Hierbei können zwei Aufgabenstellungen auftreten.
1. Man kennt eine Zahl und berechnet die zu ihr gehörende Quadratzahl, zum Beispiel: Von einem Quadrat ist die Seitenlänge s bekannt und der Flächeninhalt A ist gesucht.
2. Man kennt eine Quadratzahl und sucht eine zu ihr gehörende Zahl, zum Beispiel: Von einem Quadrat ist der Flächeninhalt A bekannt und die Seitenlänge s ist gesucht.

s $A = s \cdot s$

Beim Berechnen von Flächeninhalt und Seitenlänge eines Quadrates treten nur positive Zahlen auf. Berücksichtigt man jedoch alle reellen Zahlen, so gilt:
Zu jeder Zahl gibt es genau eine Quadratzahl. Jedoch gibt es zu jeder Quadratzahl (außer 0) zwei zu ihr gehörende Zahlen.

Zahl	Quadratzahl	Zahl
−1	1	1
−2	4	2
−3	9	3
−4	16	4

Die Zahl 0 ist eine Ausnahme, denn: Es gibt nur eine Zahl, die quadriert 0 ergibt: $0^2 = 0$.

Um zum Beispiel die Frage „Welche Zahlen ergeben quadriert 289?" zu beantworten, muss man nur wissen, dass $17^2 = 289$, denn dann weiß man auch, dass $(-17)^2 = 289$.
Deshalb wurde die Bezeichnung $\sqrt{289} = 17$ eingeführt. Man sagt: „Die **Quadratwurzel** aus 289 ist 17".

*Das Zeichen $\sqrt{\ }$ erinnert an ein **r**, das für das Wort radix (lat.) = Wurzel steht. Auch „Radieschen" kommt von „radix".*

Die Schreibweise $\sqrt{2}$; $\sqrt{3{,}5}$; $\sqrt{4}$ usw. meint jeweils diejenige positive Zahl, deren Quadrat 2; 3,5; 4 usw. ergibt.
Zu $\sqrt{2}$ sagt man **Quadratwurzel aus 2**.

Statt „berechne den Wert der Quadratwurzel" sagt man auch kurz **„ziehe die (Quadrat)wurzel"**.
Quadrieren und Quadratwurzel ziehen sind für positive Zahlen und die Zahl 0 Umkehrrechnungen: zum Beispiel $7^2 = 49$ und $\sqrt{7^2} = \sqrt{49} = 7$.
Für negative Zahlen gilt dies nicht: $(-7)^2 = 49$ und $\sqrt{(-7)^2} = \sqrt{49} = 7$.

$\sqrt{0} = 0$

Beachte:
1. Die Zahl unter dem Wurzelzeichen darf nicht negativ sein, weil Quadratzahlen nicht negativ sind.
Zum Beispiel: $\sqrt{36} = 6$, denn $6^2 = 36$; aber $\sqrt{-36} = ??$
2. Gleichungen wie $x^2 = 5$ haben zwei Lösungen $\sqrt{5}$ und $-\sqrt{5}$, denn $(\sqrt{5})^2 = 5$ und $(-\sqrt{5})^2 = 5$.

Quadrieren →

x	x^2
1,0	1
1,1	1,21
1,2	1,44
1,3	1,69
1,4	1,96
1,5	2,25
1,6	2,56
1,7	2,89
1,8	3,24
1,9	3,61
2,0	4
2,1	4,41
2,2	4,84
2,3	5,29
2,4	5,76
2,5	6,25
2,6	6,76
2,7	7,29
2,8	7,84
2,9	8,41

← Wurzelziehen

Beispiel
Ziehe die Wurzel. a) $\sqrt{169}$ b) $\sqrt{175}$
Lösung:
1. Möglichkeit (ohne Taschenrechner):
a) $13^2 = 169$ also $\sqrt{169} = 13$
b) $13^2 = 169$ und $14^2 = 196$, also liegt $\sqrt{175}$ näher bei 13 als bei 14. Durch Ausprobieren erhält man $\sqrt{175} \approx 13{,}2$.
2. Möglichkeit (mit Taschenrechner)
Mithilfe der Taste $\boxed{\sqrt{x}}$ erhält man:
a) $\sqrt{169} = 13$ b) $\sqrt{175} \approx 13{,}22875656$.

Aufgaben

Zuerst ohne Taschenrechner

1 a) $\sqrt{64}$ b) $\sqrt{121}$ c) $\sqrt{225}$ d) $\sqrt{256}$ e) $\sqrt{625}$ f) $\sqrt{900}$

2 a) $\sqrt{1{,}21}$ b) $\sqrt{0{,}09}$ c) $\sqrt{0{,}16}$ d) $\sqrt{4{,}41}$ e) $\sqrt{0{,}81}$ f) $\sqrt{0{,}0004}$
g) $\sqrt{\frac{1}{4}}$ h) $\sqrt{\frac{1}{9}}$ i) $\sqrt{\frac{64}{9}}$ j) $\sqrt{\frac{9}{100}}$ k) $\sqrt{\frac{16}{25}}$ l) $\sqrt{\frac{49}{16}}$

3 a) $(\sqrt{16})^2$ b) $(\sqrt{1{,}73})^2$ c) $\left(\sqrt{\frac{17}{19}}\right)^2$ d) $(-\sqrt{7})^2$ e) $(-\sqrt{11})^2$ f) $(-\sqrt{23})^2$

Jetzt mit Taschenrechner, falls es sinnvoll ist

4 Wie lang sind die Seiten eines Quadrates mit dem Flächeninhalt:
a) $12{,}25\,m^2$ b) $5\,m^2$ c) $10{,}10\,ha$ d) $900\,cm^2$ e) $0{,}009\,m^2$ f) $1\,km^2$.

5 Johanna besitzt 127 CDs. Sie will von diesen CDs die quadratischen Covers in Form eines großen Quadrats an die Wand heften. Ist das möglich?
Wenn nein, gib die größte mögliche Anzahl ihrer Covers an, die sie in Form eines Quadrats anordnen kann. Wie viele Covers liegen bei diesem Quadrat an jeder Seite?

Fig. 1

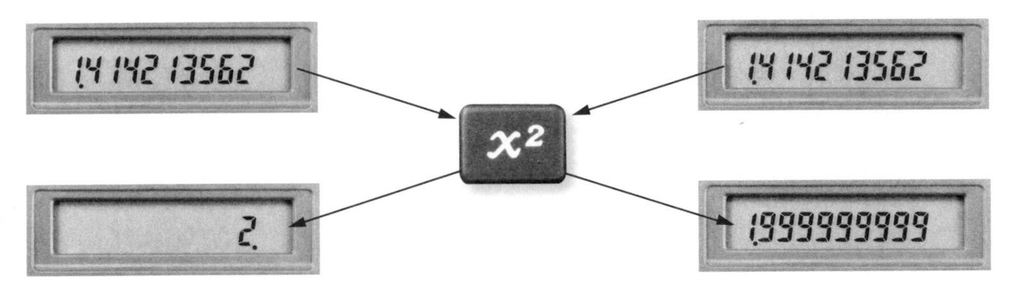

6 In den oben stehenden Abbildungen steckt eine kleine Geschichte. Diese Geschichte berichtet, wie man einen Taschenrechner dazu bringen kann, bei der scheinbar gleichen Aufgabe zwei verschiedene Ergebnisse anzuzeigen. Schreibe eine solche Geschichte auf.

7 Bestimme alle Zahlen x mit:
a) $x^2 = 169$ b) $x^2 = 0{,}09$ c) $x^2 = 8{,}41$ d) $x^2 = 1$ e) $x^2 = 0$.

8 Erfinde für deinen Tischnachbarn sieben Gleichungen wie in Aufgabe 7. Fünf der Gleichungen sollen lösbar sein und zwei der Gleichungen sollen keine reellen Zahlen als Lösungen haben. Tausche anschließend mit deinem Tischnachbarn die Aufgaben und löse sie bzw. begründe, warum die jeweilige Aufgabe nicht lösbar ist. Wer ist zuerst fertig?

Bist du sicher?

1 Bestimme die Wurzel. a) $\sqrt{81}$ b) $\sqrt{0{,}01}$ c) $(\sqrt{1{,}7})^2$ d) $(-\sqrt{3})^2$

2 Gib die Lösungen der Gleichung an. a) $x^2 = 9$ b) $x^2 = 0{,}09$ c) $x^2 = 0{,}0009$ d) $x^2 = 0{,}009$

9 Bestimme die Kantenlängen a des Würfels in Fig. 1, wenn sein Oberflächeninhalt
a) $120\,\text{cm}^2$ b) $4{,}8\,\text{cm}^2$ c) $1000\,\text{cm}^2$ beträgt.

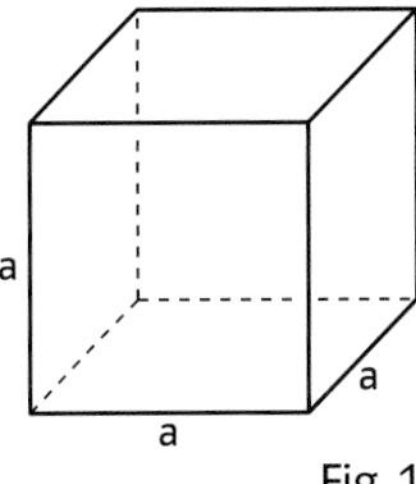

Fig. 1

10 Kurz nachdenken ... Welchen Buchstaben hat die erste Aufgabe, die eine reelle Zahl als Lösung besitzt?
A: $x^2 + 7 = -1$ B: $x^2 + 7 = 0$ C: $x^2 + 7 = 1$ D: $x^2 + 7 = 2$ E: $x^2 + 7 = 3$ ...

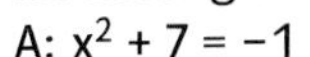

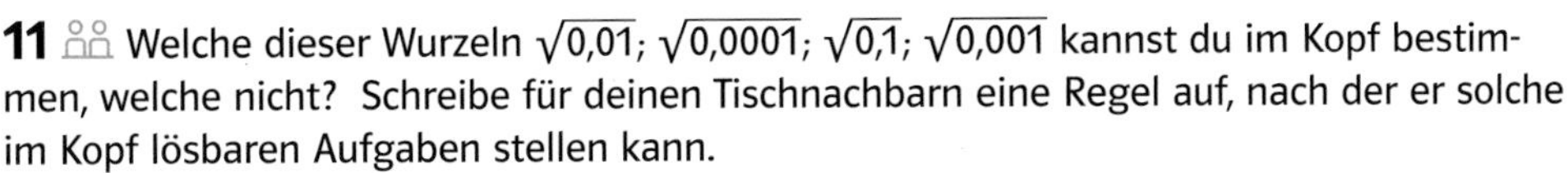

11 Welche dieser Wurzeln $\sqrt{0{,}01}$; $\sqrt{0{,}0001}$; $\sqrt{0{,}1}$; $\sqrt{0{,}001}$ kannst du im Kopf bestimmen, welche nicht? Schreibe für deinen Tischnachbarn eine Regel auf, nach der er solche im Kopf lösbaren Aufgaben stellen kann.
Tauscht eure aufgestellten Regeln aus und überprüft an Beispielen, ob sie stimmen.

Kannst du das noch?

12 Die Spitze des kleinen Zeigers einer Armbanduhr legt in 12h einen Weg von 7,5cm zurück.
a) Zeichne den Graphen der Zuordnung *Zeit in h → zurückgelegter Weg in cm.*
b) Lies am Graphen ab: Welchen Weg legt die Zeigerspitze in 5h (7h) zurück?
c) Lies am Graphen ab: In welcher Zeit legt sie einen Weg von 3cm (10cm) zurück?

13 Herr Thomas ergattert im Schnäppchenmarkt eine Uhr zu 40% unter dem empfohlenen Preis. Er bezahlt 24€. Wie viel Euro beträgt der empfohlene Preis?

4 Rechnen mit Näherungswerten

Du kennst irrationale Zahlen. Einige Quadratwurzeln sind auch irrationale Zahlen. Du weißt auch, dass irrationale Zahlen bei alltäglichen Fragestellungen auftreten können, wie z. B. bei den Seitenlängen von Quadraten.

Es bleibt noch zu überlegen, wie man mit irrationalen Zahlen rechnet.

Die irrationalen Zahlen lassen sich auf der Zahlengerade zu den rationalen Zahlen hinzufügen. Man kann sie auch durch rationale Zahlen beliebig genau annähern. Dies sind Hinweise darauf, dass die Rechengesetze der rationalen Zahlen auch für die irrationalen Zahlen gelten.

Irrationale Zahlen kann man weder als Bruchzahlen noch als periodische oder abbrechende Dezimalzahlen angeben. Deshalb kann man beim Rechnen mit irrationalen Zahlen oft nur Näherungswerte verwenden. Mit Näherungswerten rechnet man auch dann, wenn man Größen nur ungefähr messen kann.

Die Rundungsregeln kann man sich auch durch „Rechnen mit Fragezeichen" veranschaulichen.

```
  2,7???
+ 7,142?
  9,8???
```

Die Summe ist nur auf eine Stelle nach dem Komma genau.

```
7,142? · 2,7?
  14284?
   49994?
    ?????
19,?????
```

Das Produkt ist nur auf so viele Ziffern genau, wie der ungenaueste Faktor Ziffern hat.

Zwei Regeln zum Rechnen mit Näherungswerten

Beim Rechnen mit Näherungswerten muss man auf die gewählte Näherung beim Ergebnis achten. Um Fehler aufgrund verschieden genauer Angaben möglichst klein zu halten, kann man zwei Merkregeln anwenden. Diese Regeln werden an zwei Beispielen erläutert.

1. Addition von zwei Näherungswerten:
Man weiß, dass ein Stab ungefähr 3,2 m lang ist und ein anderer ungefähr 1,25 m. Legt man die beiden Stäbe hintereinander, so rechnet man $3{,}2\,\text{m} + 1{,}25\,\text{m} = 4{,}45\,\text{m}$ und gibt ihre Gesamtlänge mit $l \approx 4{,}5\,\text{m}$ an.
2. Multiplikation von zwei Näherungswerten:
Man weiß, dass ein Rechteck ungefähr 3,3 m lang ist und ungefähr 1,31 m breit ist. Um seine Fläche A zu berechnen, multipliziert man $3{,}3\,\text{m} \cdot 1{,}31\,\text{m} = 4{,}323\,\text{m}^2$ und gibt das Ergebnis so an: $A \approx 4{,}3\,\text{m}^2$.

Bei der Angabe der beiden Ergebnisse sind die so genannten **geltenden Ziffern** von Bedeutung. Unter geltenden Ziffern eines Näherungswertes versteht man die von links her erste von 0 verschiedene Ziffer und alle (nach rechts) folgenden gesicherten Ziffern. Der Näherungswert 3,4 hat zwei und der Näherungswert 0,0401 drei geltende Ziffern.

Eine Summe bzw. Differenz von Näherungswerten wird auf so viele Nachkommastellen gerundet, wie sie der ungenauere Wert aufweist.
Ein Produkt bzw. Quotient wird auf so viele geltende Ziffern gerundet, wie der Näherungswert mit der kleinsten Anzahl geltender Ziffern aufweist.

Beispiel 1
Berechne die Summe der Näherungswerte: 12,9 m; 0,83 m; 1,052 m.
Lösung:
Die ungenaueste Angabe ist 12,9 m, also muss die Summe auf Zehntel gerundet werden.
12,9 m + 0,83 m + 1,052 m = 14,782 m ≈ 14,8 m

Beispiel 2
Ein Rechteck ist etwa 0,83 m lang und 3,45 m breit. Berechne seinen Flächeninhalt.
Lösung:
0,83 hat zwei geltende Ziffern, 3,45 hat drei geltende Ziffern. Also ist das Ergebnis auf zwei geltende Ziffern zu runden.
A = 0,83 m · 3,45 m = 2,8635 m^2 ≈ 2,9 m^2

Aufgaben

1 Rechne mit den Näherungswerten und runde anschließend.
a) 12,7 kg + 0,355 kg b) 124,45 m + 4,7 m c) 12,750 l + 0,250 l
d) 28,5 t − 1,385 t e) 12,75 m^2 + 17,5 m^2 f) 100 m − 12,25 m

2 a) 2,45 m · 3,5 m b) 4,6 km · 1,075 km c) 3,6 cm · 12 cm d) 12,75 m · 0,85 m
e) 12 m^2 : 1,75 m f) 5 cm^2 : 2,75 cm g) 12,58 m^2 : 4 m h) 12,5 cm^2 : 2,25 cm

3 Dividiere nur so weit, wie es sinnvoll ist.
a) 13,5 l : 7 b) 1,250 kg : 6 c) 15,80 m : 12 d) 23,7 t : 250

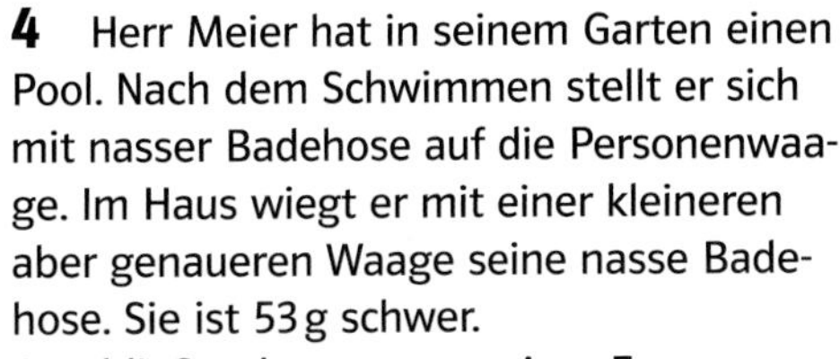

4 Herr Meier hat in seinem Garten einen Pool. Nach dem Schwimmen stellt er sich mit nasser Badehose auf die Personenwaage. Im Haus wiegt er mit einer kleineren aber genaueren Waage seine nasse Badehose. Sie ist 53 g schwer.
Anschließend sagt er zu seiner Frau: „Ich habe mein Gewicht sehr exakt bestimmt, es beträgt genau 92,347 kg. Schlau gemacht, nicht wahr?"
Was hältst du hiervon?

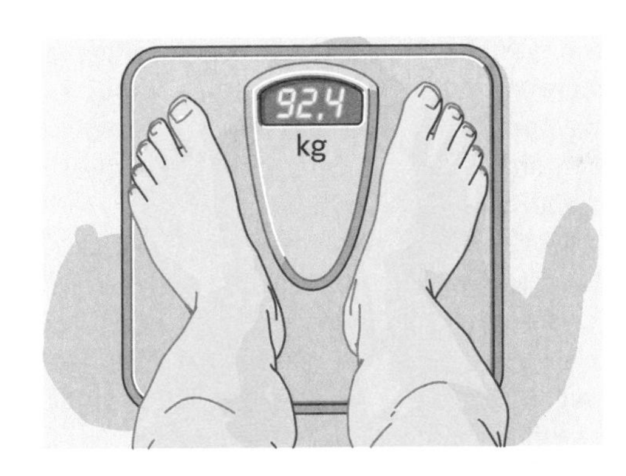

5 Bestimme den Umfang und den Flächeninhalt eines Rechteckes mit den Seitenlängen a und b.
a) a = 5,8 km; b = 1,598 km b) a = 4,8 m; b = 12,45 m
c) a = 17,2 m; b = 5,855 m d) a = 82,4 cm; b = 7,2 cm

6 a) Bestimme die Länge und die Breite eines rechteckigen Fußbodens in eurer Schule. Du läufst eine Seite entlang, dein Tischnachbar die andere.
b) Bestimmt aus euren Messungen den Flächeninhalt des Fußbodens.

7 Den Umfang u und den Flächeninhalt A eines Kreises kann man bestimmen mit den Formeln $u = 2 \cdot r \cdot \pi$ und $A = r^2 \cdot \pi$. Hierbei ist r der Radius des Kreises und π eine irrationale Zahl mit $\pi \approx 3{,}141592654\ldots$
Dein Tischnachbar soll mit einem Lineal, wie in Fig. 1, den Radius von einem 1-Euro-Geldstück und einem 2-Euro-Geldstück bestimmen und dann den Umfang und den Flächeninhalt der Münzen berechnen. In der Zwischenzeit bestimmst du durch Abrollen der Münzen bzw. Zeichnen auf kariertem Papier ebenfalls den Umfang und den Flächeninhalt. Vergleicht dann eure Ergebnisse.

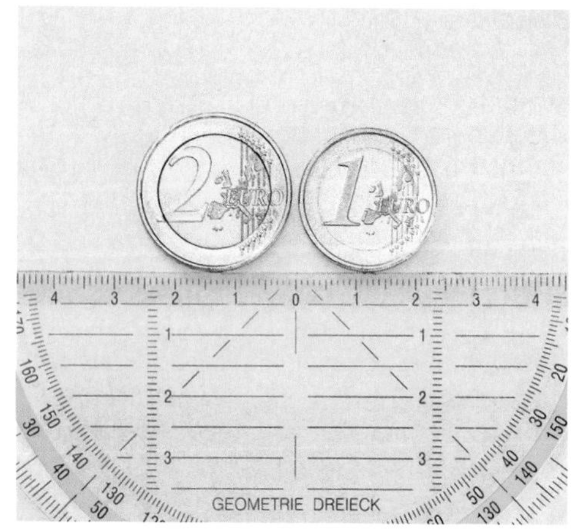

Fig. 1

Bist du sicher?

1 Wie lang ist die Diagonale eines Quadrates, dessen Flächeninhalt genau $16\,m^2$ beträgt. Gib das Ergebnis auf ganze Zentimeter genau an.

2 Maren hat die Länge und Breite des Bodens von ihrem Klassenzimmer gemessen. Valentin soll die Fläche des Bodens berechnen. Zu welchem Ergebnis kommt er, wenn er die Näherungswerte 5,25 m und 3,4 m richtig verwendet?

8 Ein Schulfest wird geplant.
Auf dem Schulhof soll ein Mast errichtet werden, an dem dünne Seile gespannt werden. An diesen Seilen sollen Wimpel aufgehängt werden, die von Klassen gestaltet wurden (Fig. 2).
Wie viele Wimpel kann man aufhängen?
Ein Tipp: Falls du nicht alles berechnen kannst, helfen eine Zeichnung und Ausmessen weiter. In der Geomtrie hast du genug erfahren, um eine solche Hilfszeichnug anzufertigen.

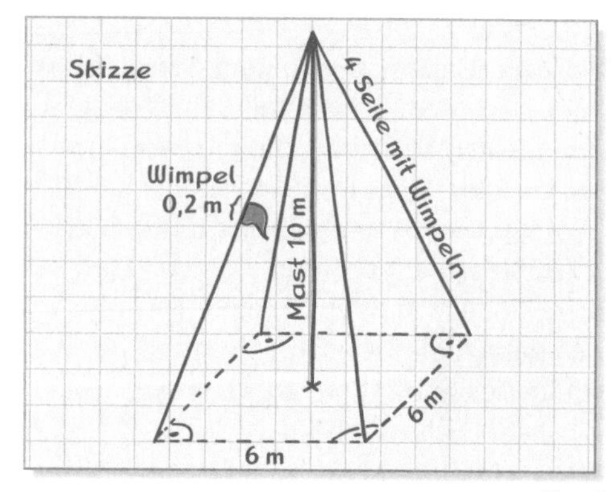

Fig. 2

9 Aus den Diagonalen d_1 und d_2 der Quadrate Q_1 und Q_2 von Fig. 3 wurde das Rechteck ABCD konstruiert.
a) Bestimme den Flächeninhalt des Rechtecks ABCD durch Zerlegung in Teilflächen.
b) Bestimme die Längen von d_1 und d_2 wie im Beispiel auf Seite 44. Gib für sie auf zwei Nachkommastellen genaue Näherungswerte an.
Berechne mit diesen Näherungswerten den Flächeninhalt.
Vergleiche mit dem Ergebnis aus a).

Ein Tipp zu Aufgabe 9 a: Überlege, um wie viel cm^2 sich der Flächeninhalt des Rechtecks von der Summe der Flächeninhalte der Quadrate unterscheidet.

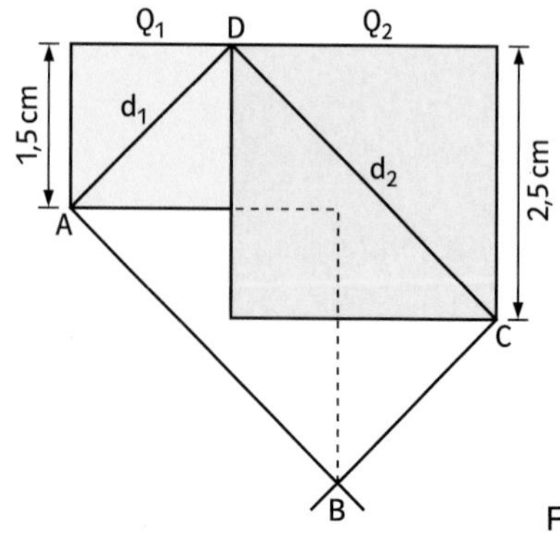

Fig. 3

5 Ordnen und Vereinfachen – Terme mit Quadratwurzeln

Rechenausdrücke mit Wurzeln kann man oft vereinfachen.
Dies ist besonders leicht beim Multiplizieren und Dividieren von Wurzeln.

Komplexere Terme kann man darüber hinaus so umformen wie Terme mit einer Variablen.

Neu und doch zum Teil bekannt:

$3 \cdot 4 = 12$ $\sqrt{9} \cdot \sqrt{16} = ?$

$16 : 4 = 4$ $\sqrt{256} : \sqrt{16} = ?$

$3 + 4 = 7$ $\sqrt{9} + \sqrt{16} = ?$

$3 \cdot x - 17 + 5 \cdot x = 8 \cdot x - 17$

$3 \cdot \sqrt{2} - 17 + 5 \cdot \sqrt{2} = ?$

Zur Lösung von vielen Anwendungsaufgaben muss man Terme aufstellen. In solchen Termen können auch Quadratwurzeln vorkommen. Deshalb wird nun gezeigt, wie man solche Terme geschickt umformen kann.
Mithilfe von Beispielen kann man nach Regeln für Quadratwurzeln „suchen". Es gilt:

a) $\sqrt{9} \cdot \sqrt{16} = \sqrt{3^2} \cdot \sqrt{4^2} = 3 \cdot 4 = \sqrt{(3 \cdot 4)^2} = \sqrt{3^2 \cdot 4^2} = \sqrt{9 \cdot 16}$

b) $\sqrt{144} : \sqrt{16} = \sqrt{12^2} : \sqrt{4^2} = 12 : 4 = \sqrt{(12 : 4)^2} = \sqrt{12^2 : 4^2} = \sqrt{144 : 16}$

c) $\sqrt{16} + \sqrt{9} = 4 + 3 = 7$ aber $\sqrt{16 + 9} = \sqrt{25} = 5$ also $\sqrt{16} + \sqrt{9} \neq \sqrt{16 + 9}$

d) $\sqrt{16} - \sqrt{9} = 4 - 3 = 1$ aber $\sqrt{16 - 9} = \sqrt{7}$ also $\sqrt{16} - \sqrt{9} \neq \sqrt{16 - 9}$

Insgesamt hat man fünf Regeln, die man sich leicht anhand von Beispielen merken kann:

1. Produkte von Wurzeln

$\sqrt{5} \cdot \sqrt{20} = \sqrt{5 \cdot 20} = \sqrt{100} = 10$

2. Quotienten von Wurzeln

$\frac{\sqrt{20}}{\sqrt{5}} = \sqrt{\frac{20}{5}} = \sqrt{4} = 2$

3. Teilweises Wurzelziehen

$\sqrt{32} = \sqrt{16 \cdot 2} = \sqrt{16} \cdot \sqrt{2} = 4 \cdot \sqrt{2}$

4. Ausmultiplizieren

$\sqrt{3} \cdot (\sqrt{27} - \sqrt{12}) = \sqrt{3} \cdot \sqrt{27} - \sqrt{3} \cdot \sqrt{12} = \sqrt{81} - \sqrt{36} = 9 - 6 = 3$

5. Ausklammern

$7 \cdot \sqrt{3} + 3 \cdot \sqrt{3} = (7 + 3) \cdot \sqrt{3} = 10 \cdot \sqrt{3}$

$\sqrt{3} + \sqrt{7}$ …
… keine Chance

Siehe auch Aufgabe 15 auf Seite 58.

Beispiel
Vereinfache.

a) $3 \cdot \sqrt{7} - 2 \cdot \sqrt{7}$ b) $\frac{\sqrt{57}}{\sqrt{19}}$ c) $5 \cdot \sqrt{3} + \sqrt{147}$ d) $\sqrt{5} \cdot (\sqrt{5} + \sqrt{45})$

Lösung:

a) $3 \cdot \sqrt{7} - 2 \cdot \sqrt{7} = (3 - 2) \cdot \sqrt{7} = \sqrt{7}$ b) $\frac{\sqrt{57}}{\sqrt{19}} = \sqrt{\frac{57}{19}} = \sqrt{3}$

c) $5 \cdot \sqrt{3} + \sqrt{147} = 5 \cdot \sqrt{3} + \sqrt{49 \cdot 3} = 5 \cdot \sqrt{3} + \sqrt{49} \cdot \sqrt{3} = 5 \cdot \sqrt{3} + 7 \cdot \sqrt{3} = (5 + 7) \cdot \sqrt{3}$
$= 12 \cdot \sqrt{3}$

d) $\sqrt{5} \cdot (\sqrt{5} + \sqrt{45}) = \sqrt{5} \cdot \sqrt{5} + \sqrt{5} \cdot \sqrt{45} = 5 + \sqrt{5 \cdot 45} = 5 + \sqrt{225} = 5 + 15 = 20$

Aufgaben

Vereinfache.

1 a) $7\sqrt{3} + 4\sqrt{3}$ b) $8\sqrt{2} - 5\sqrt{2}$ c) $-2\sqrt{11} + 2\sqrt{11}$ d) $\sqrt{10} - 7\sqrt{10}$

2 a) $2\sqrt{5} - 3\sqrt{2} - \sqrt{5}$ b) $\sqrt{2} - \sqrt{3} + \sqrt{2}$
c) $3\sqrt{10} + \sqrt{5} + \sqrt{10} + \sqrt{5}$ d) $4\sqrt{7} + 7\sqrt{13} - 8\sqrt{13} + 5\sqrt{7} + 6\sqrt{13} - \sqrt{7}$

3 a) $\sqrt{8} + \sqrt{2}$ b) $\sqrt{12} - \sqrt{3}$ c) $6\sqrt{48} - \sqrt{27}$ d) $4\sqrt{50} - \sqrt{98}$
e) $\sqrt{0{,}75} - \sqrt{0{,}03}$ f) $\sqrt{\frac{1}{2}} - \sqrt{\frac{9}{2}}$ g) $\sqrt{\frac{4}{3}} + 2\sqrt{\frac{1}{3}}$ h) $2\sqrt{0{,}05} + \sqrt{\frac{5}{9}}$

4 a) $\sqrt{2} + \sqrt{8} - \sqrt{32}$ b) $\sqrt{12} + 3\sqrt{27} - \sqrt{48}$
c) $\sqrt{45} + 3\sqrt{2} - \sqrt{80}$ d) $\sqrt{28} - \sqrt{50} + \sqrt{63}$

5 a) $(2 + \sqrt{5})\sqrt{5}$ b) $(\sqrt{7} - 3)\sqrt{7}$ c) $\sqrt{5}(\sqrt{3} - \sqrt{5})$
d) $(\sqrt{6} - \sqrt{5})\sqrt{6}$ e) $(\sqrt{12} + \sqrt{75})\sqrt{3}$ f) $\sqrt{7}(\sqrt{28} - \sqrt{63})$

6 Begründe:
a) Wenn ein Quadrat den Flächeninhalt $1\,cm^2$ hat, dann ist jede Diagonale $\sqrt{2}$ cm lang.
b) Wenn ein Quadrat den Flächeninhalt $9\,cm^2$ hat, dann ist jede Diagonale $3 \cdot \sqrt{2}$ cm lang.
c) Wenn ein Quadrat den Flächeninhalt $a^2\,cm^2$ hat, dann ist jede Diagonale $a \cdot \sqrt{2}$ cm lang.

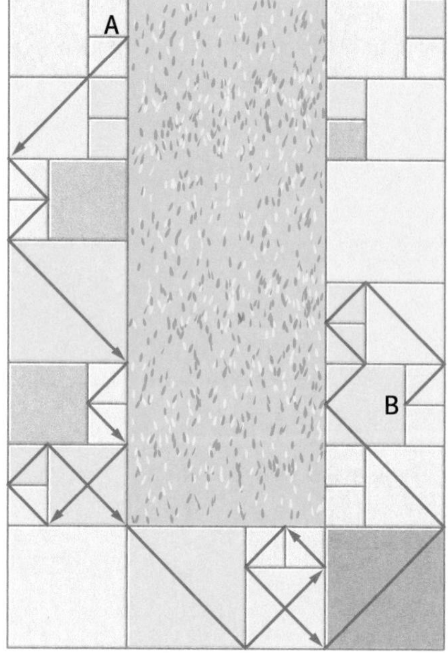

Fig. 1

Gib die Lösungen zuerst ohne Näherungswerte an und bestimme dann näherungsweise die Lösung.

7 Die Skizze in Fig. 1 zeigt eine Rasenfläche, die mit speziell angefertigten Steinplatten eingefasst ist. Die großen Platten haben einen Flächeninhalt von ca. $911\,cm^2$, die mittleren Platten von $370\,cm^2$ und die kleinen Platten haben einen Flächeninhalt von $120\,cm^2$. Eine Ameise spaziert an einem schönen Sommertag den eingezeichneten Weg von A nach B. Wie lang ist der Spazierweg der Ameise?

8 Die Skizze in Fig. 2 zeigt drei Würfel. Eine Seitenfläche des großen Würfels ist doppelt so groß wie eine Seitenfläche des mittleren Würfels. Eine Seitenfläche des kleinen Würfels ist halb so groß wie eine Seitenfläche des mittleren Würfels. Die Oberfläche des großen Würfels beträgt $120\,dm^2$. Wie lang ist die eingezeichnete Kriechspur der Schnecke?

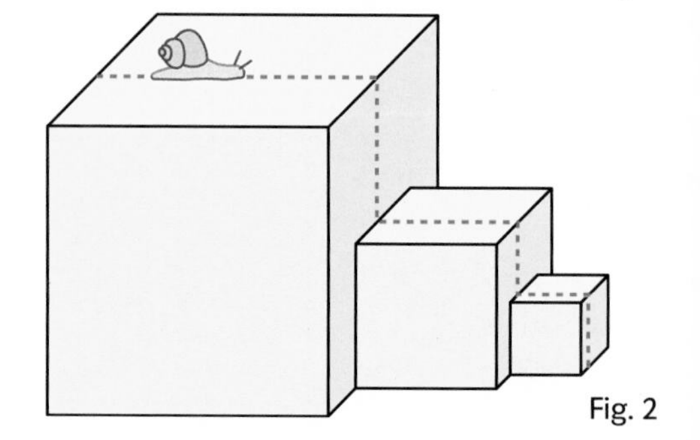
Fig. 2

Bist du sicher?

1 a) $5 \cdot \sqrt{3} - 2 \cdot \sqrt{27}$ b) $7 \cdot \sqrt{2} - \sqrt{98}$ c) $\frac{\sqrt{3}}{\sqrt{5}} - \sqrt{\frac{3}{25}}$ d) $\sqrt{3} \cdot \sqrt{7} - \sqrt{53}$

9 Auf Seite 53 wurde an einem Beispiel gezeigt, dass die Gleichung
$\sqrt{a} + \sqrt{b} = \sqrt{a + b}$ falsch ist.
Eine der beiden Ungleichungen
$\sqrt{a} + \sqrt{b} < \sqrt{a + b}$ bzw.
$\sqrt{a} + \sqrt{b} > \sqrt{a + b}$
ist jedoch für alle positiven Zahlen a und b richtig. Überlege dir, welche der beiden Ungleichungen richtig ist. Denke dir für deinen Tischnachbarn eine Erklärung aus, warum diese Ungleichung richtig ist. Die Zeichnung in Fig. 1 kann dir hierbei helfen.

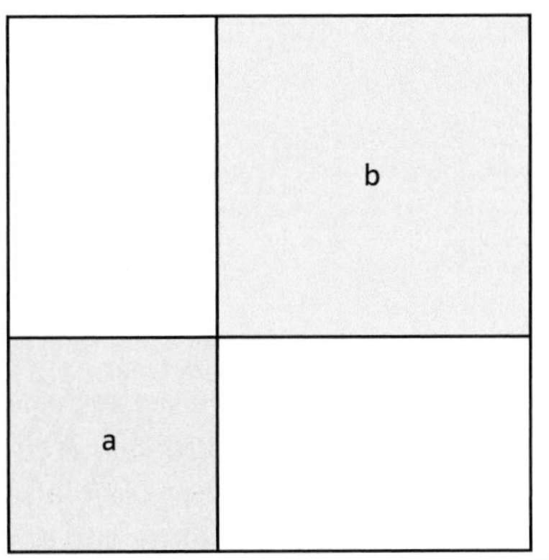

Fig. 1

Überschlagen

Manchmal braucht man keinen Taschenrechner
Den Wert von Termen mit Quadratwurzeln im Nenner kann man manchmal schneller im Kopf überschlagen als mit dem Taschenrechner bestimmen, zum Beispiel:
$\frac{1}{\sqrt{2}} = \frac{1 \cdot \sqrt{2}}{\sqrt{2} \cdot \sqrt{2}} = \frac{\sqrt{2}}{2}$. Wenn man nun weiß, dass $\sqrt{2} \approx 1{,}4$ ist, dann weiß man, dass $\frac{1}{\sqrt{2}} \approx \frac{1{,}4}{2}$ und somit $\frac{1}{\sqrt{2}} \approx 0{,}7$.

Es ist also manchmal sinnvoll, Brüche mit Quadratwurzeln im Nenner so zu erweitern, dass im Nenner keine Quadratwurzeln mehr auftreten.

n	Näherung für $\sqrt{n}$
2	1,41
3	1,73
5	2,24
6	2,45
7	2,65
8	2,83
10	3,16
11	3,32
12	3,46
13	3,61

10 Du bestimmst die Näherungswerte für die Aufgaben a) bis e) im Kopf mithilfe von Tabelle 1, dein Tischnachbar bestimmt sie mit dem Taschenrechner.
Bei den Aufgaben f)–j) geht ihr umgekehrt vor.
Bei welchen Aufgaben ist der Taschenrechner ganz bestimmt nicht nötig?

a) $\frac{1}{\sqrt{2}}$ b) $\frac{3}{\sqrt{5}}$ c) $\frac{4}{\sqrt{7}}$ d) $\frac{2}{\sqrt{6}}$ e) $\frac{2\sqrt{3}}{\sqrt{5}}$
f) $\frac{1}{\sqrt{3}}$ g) $\frac{1}{\sqrt{6}}$ h) $\frac{3}{\sqrt{12}}$ i) $\frac{\sqrt{3}}{\sqrt{18}}$ j) $\frac{1}{\sqrt{500}}$

Kannst du das noch?

11 Der Hausmeister einer Schule bekommt um 7.30 Uhr 20 Schokoschnecken und 12 Mohnstückchen geliefert. Nach der ersten Pause hat er 16 Schokoschnecken und 10 Mohnstückchen verkauft.
Wie viel Prozent der Lieferung sind das jeweils? Vergleiche.

12 Zeichne ein gleichschenkliges Dreieck ABC mit der Basis $\overline{AB}$, den Basiswinkeln α und β und dem Winkel γ an der Spitze C.
a) $\overline{AB} = 5\,cm$; $\alpha = 50°$ b) $\overline{AC} = 4\,cm$; $\gamma = 130°$ c) $\overline{BC} = 6\,cm$; $\gamma = 60°$

Wiederholen – Vertiefen – Vernetzen

1 Stelle die Zahlen auf der Zahlengeraden dar.
a) $1,\overline{5}$; $1\frac{2}{3}$; $\sqrt{2,5}$; 1,6 b) $\frac{3}{10}$; $0,\overline{3}$; $\frac{1}{3}$; $\sqrt{0,09}$; $\sqrt{0,1}$

2 Welche Zahl ist größer?
a) $\sqrt{2}$ oder $1,4\overline{142}$ b) $\sqrt{3}$ oder 1,7323322333222... c) $\sqrt{8}$ oder $\frac{31}{11}$

3 Mithilfe der Zeichnung in Fig. 1 wurde eine Zahl bestimmt.
Der Punkt P auf dem Zahlenstrahl gehört zu dieser Zahl. Erläutere, welche Zahl zum Punkt P gehört.

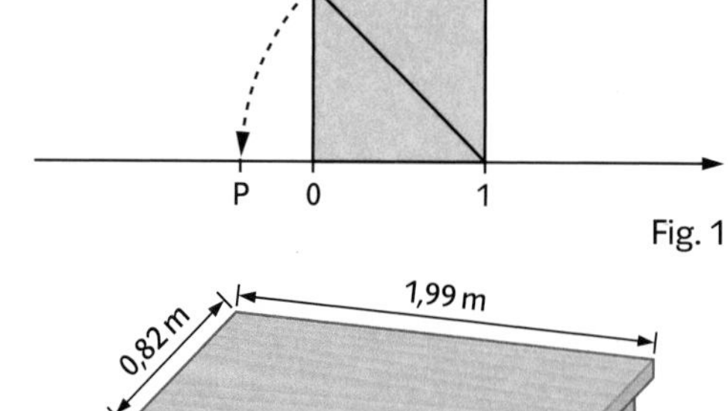

Fig. 1

4 Beim Messen der Länge und Breite des Tisches in Fig. 2 hat man die Maße 0,8 m und 2,0 m erhalten. Berechne den sich hieraus ergebenden Flächeninhalt der Tischplatte. Um wie viel m^2 weicht das Ergebnis von dem Flächeninhalt ab, der sich aus den Maßen in Fig. 2 ergibt?
Wie viel Prozent macht die Abweichung aus?

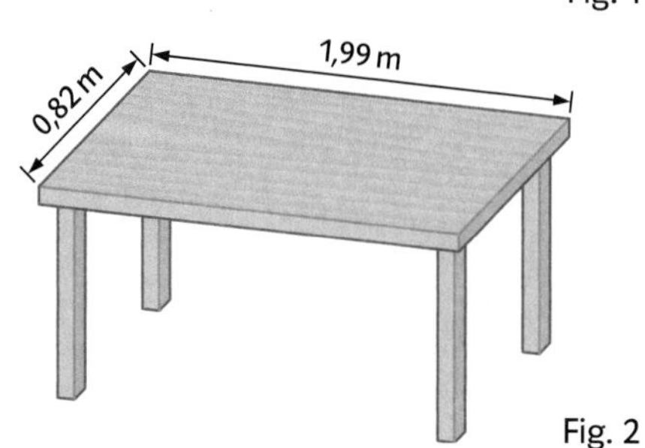

Fig. 2

5 Berechne Summe, Produkt und Quotient der gerundeten Zahlen 0,496 und 0,13.

6 Vereinfache so weit wie möglich.
a) $(\sqrt{8} + \sqrt{2}) \cdot \sqrt{2}$ b) $\sqrt{5}(\sqrt{125} - \sqrt{80})$ c) $(\sqrt{80} + \sqrt{20}) : \sqrt{5}$
d) $(\sqrt{108} - \sqrt{48}) : \sqrt{3}$ e) $2 \cdot \sqrt{3}(\sqrt{24} - \sqrt{32})$ f) $(\sqrt{28} - \sqrt{7}) : \sqrt{7}$

7 Begründe:
a) Zwischen zwei rationalen Zahlen gibt es immer eine rationale Zahl.
b) Addiert man eine rationale und eine irrationale Zahl, erhält man eine irrationale Zahl.

Info

So kann man periodische Dezimalzahlen in Bruchzahlen umwandeln:

$0,\overline{1} = \frac{1}{9}$	$0,\overline{7} = 7 \cdot 0,\overline{1} = 7 \cdot \frac{1}{9} = \frac{7}{9}$	$0,0\overline{1} = 0,\overline{1} : 10 = \frac{1}{90}$
$0,\overline{01} = \frac{1}{99}$	ebenso gilt:	ebenso gilt:
$0,\overline{001} = \frac{1}{999}$	$0,\overline{17} = \frac{17}{99}$	$0,0\overline{12} = 0,\overline{12} : 10 = \frac{12}{99} : 10 = \frac{12}{990}$
$0,\overline{0001} = \frac{1}{9999}$	$0,\overline{897} = \frac{897}{999}$	$0,0\overline{094} = 0,\overline{094} : 10 = \frac{94}{999} : 10 = \frac{94}{9990}$

Du kannst diese Angaben überprüfen: Teile den Zähler der jeweiligen Bruchzahl durch den Nenner und wandle so die Bruchzahlen wieder in Dezimalzahlen zurück.

8 Beschreibe in einem kleinen „Aufsatz" mit deinen Worten, wie man eine periodische Dezimalzahl in eine Bruchzahl umwandeln kann.

9 Wandle die Dezimalzahl in eine Bruchzahl um.
a) $0,2\overline{4}$ b) $1,\overline{23}$ c) $4,\overline{345}$ d) $4,0\overline{57}$

10 Wandle die Bruchzahl in eine Dezimalzahl um.

a) $\frac{7}{90}$ b) $\frac{57}{990}$ c) $\frac{17}{900}$ d) $\frac{137}{9900}$

11 Berechne.

a) $0{,}5 + \frac{1}{3}$ b) $\frac{3}{6} - 0{,}8$ c) $\frac{45}{15} - 0{,}3$ d) $\frac{3}{7} + 0{,}05$

e) $\frac{2}{3} - 0{,}13$ f) $2{,}3 + 0{,}\overline{4}$ g) $1{,}\overline{2} : 0{,}\overline{8}$ h) $4 \cdot 7{,}\overline{8} - 0{,}\overline{12}$

12 Begründe in einem kleinen Aufsatz: Die Diagonale des Quadrates in Fig. 1 und eine Seite dieses Quadrates kann man nicht in gleich große Stücke so aufteilen, dass es keine Reste gibt.
Tipp: Denke dir zunächst eine Seite des Quadrates in gleich große Stücke aufgeteilt. Warum kann die Länge eines solchen Stückes immer mit einer rationalen Zahl angegeben werden? Kann man die Diagonale aus solchen Stücken zusammensetzen?

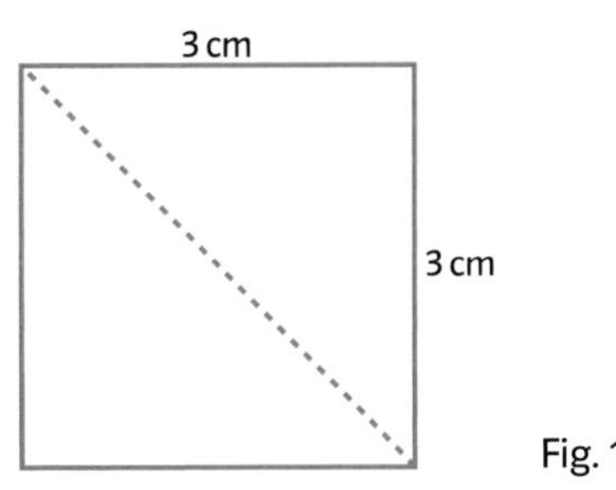

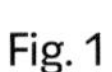
Fig. 1

13 a) Wie lange ist man jeweils bei einem Sprung von einem 3-m-Brett bzw. einem 5-m-Brett bzw. einem 10-m-Brett (Fig. 2) ungefähr „in der Luft"?
b) Stelle eine Wertetabelle zu der Zuordnung *Fallhöhe* ↦ *Falldauer* auf und zeichne den dazu gehörenden Graphen.
c) Beschreibe in einem kleinen Aufsatz, wie sich die Falldauer bei zunehmenden Höhen verändert. Überlege, wie man dies erklären könnte.

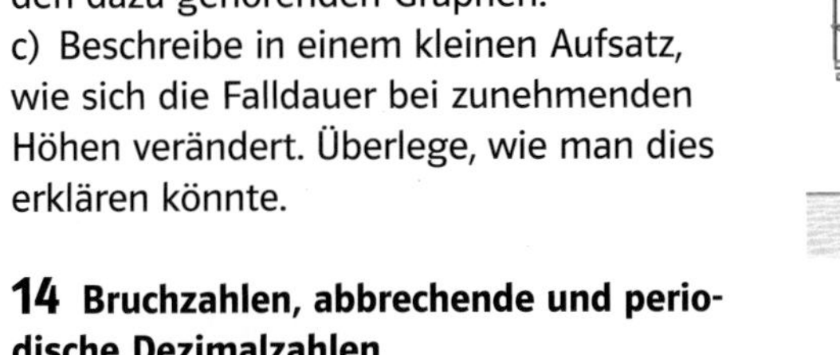

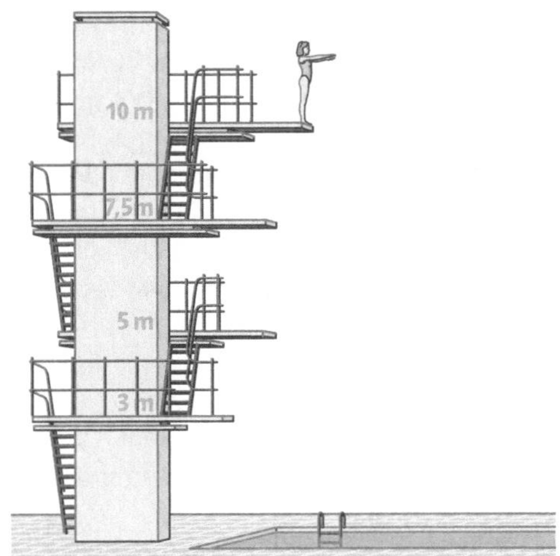

Fig. 2

Hinweis zu Aufgabe 13:
Aus gleicher Höhe fallen alle Körper gleich lang. Lediglich die Luft bremst bei unterschiedlichen Körpern unterschiedlich stark den jeweiligen Fall. Sieht man von diesem Luftwiderstand ab, so kann man die jeweilige Falldauer t in Abhängigkeit von der Fallhöhe h ungefähr so bestimmen:
$t \approx \sqrt{0{,}2 \cdot h}$.
Hierbei wird t in Sekunden und h in Meter gemessen.

14 Bruchzahlen, abbrechende und periodische Dezimalzahlen
Durch die folgenden Überlegungen kann man sich klar machen, dass jede Bruchzahl entweder in eine abrechende oder periodische Dezimalzahl umgewandelt werden kann.
a) Schreibe das Ergebnis als Dezimalzahl: 1 : 5; 10 : 8; 20 : 125.
b) Welche Reste können bei der Division durch 7 auftreten?
c) Welche Reste können bei der Division durch 9 (11; 25; 112) auftreten?
d) Begründe: Jede Bruchzahl kann entweder in eine abbrechende oder eine periodische Dezimalzahl umgewandelt werden.

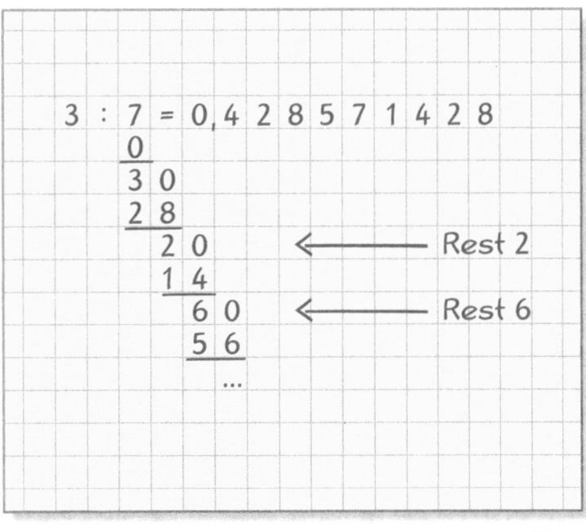

Fig. 3

15 Rechenregeln für Quadratwurzeln – allgemein gefasst
Die Regeln für Produkte und Quotienten von Quadratwurzeln wurden auf Seite 53 mithilfe von Beispielen angegeben. Diese Regeln kann man so allgemein aufschreiben:
1. Für alle Zahlen $a \geqq 0$ und $b \geqq 0$ gilt: $\sqrt{a} \cdot \sqrt{b} = \sqrt{a \cdot b}$
2. Für alle Zahlen $a \geqq 0$ und $b > 0$ gilt: $\sqrt{a} : \sqrt{b} = \sqrt{a : b}$ bzw. $\frac{\sqrt{a}}{\sqrt{b}} = \sqrt{\frac{a}{b}}$

Die erste Regel kann man allgemein so begründen:
Es ist $(\sqrt{a} \cdot \sqrt{b})^2 = \sqrt{a} \cdot \sqrt{b} \cdot \sqrt{a} \cdot \sqrt{b} = \sqrt{a} \cdot \sqrt{a} \cdot \sqrt{b} \cdot \sqrt{b} = (\sqrt{a})^2 \cdot (\sqrt{b})^2 = a \cdot b$ und $(\sqrt{a \cdot b})^2 = a \cdot b$ also ist $\sqrt{a} \cdot \sqrt{b} = \sqrt{a \cdot b}$.
Schreibe eine allgemeine Begründung für die zweite Regel auf.

16 Bei einer Gitarre kann man verschiedene Töne erzeugen, indem man die Saiten an den Metallstegen niederdrückt. Dadurch wird die Saite verkürzt und der gespielte Ton höher.
Von Steg zu Steg erhält man so den jeweils nächst höheren Halbton. Um die Stege an die richtige Stelle zu montieren, muss man jeweils die richtige Saitenlänge bestimmen. Hierzu muss man die ganze Saitenlänge (in der Fig. 1 ist dies 65 cm) durch die irrationale Zahl 1,059 463 094... teilen. Man erhält so die Saitenlänge für den nächst höheren Halbton. Nun teilt man diese Saitenlänge durch die irrationale Zahl 1,059 463 094... usw.
Wo muss man bei einer Gitarre wie in Fig. 1 die Metallstege anbringen?

Fig. 1

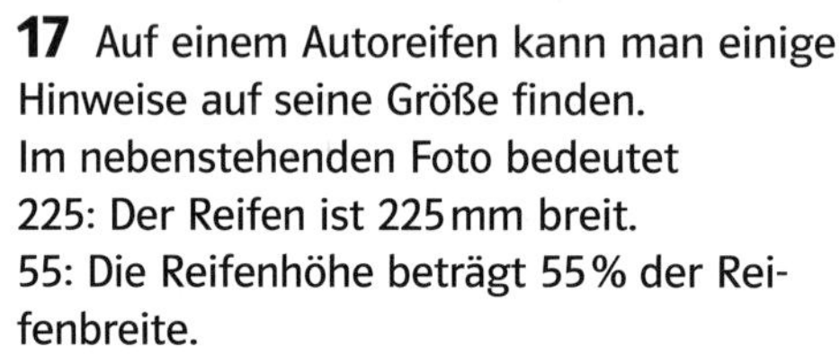

17 Auf einem Autoreifen kann man einige Hinweise auf seine Größe finden.
Im nebenstehenden Foto bedeutet
225: Der Reifen ist 225 mm breit.
55: Die Reifenhöhe beträgt 55 % der Reifenbreite.
16: Der Felgendurchmesser beträgt 16 Zoll.
Wie oft muss sich ein solcher Reifen bei einer Geradeausfahrt von 1 km ungefähr drehen? Tipp: Den Umfang u eines Kreis kann man mit der irrationalen Zahl $\pi \approx 3{,}14159254...$ bestimmen: $u = 2 \cdot r \cdot \pi$.

1 Zoll = 2,54 cm

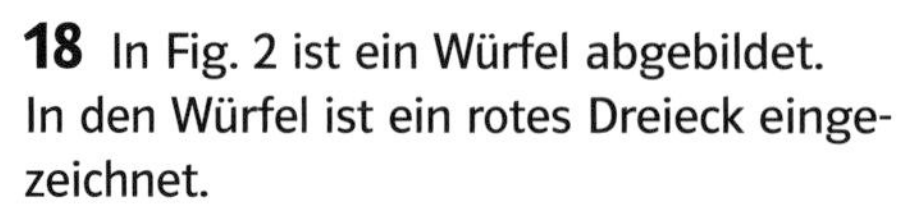

18 In Fig. 2 ist ein Würfel abgebildet. In den Würfel ist ein rotes Dreieck eingezeichnet.
Um wie viel Prozent ist die Fläche des roten Dreiecks kleiner als die Fläche des blauen Quadrates?

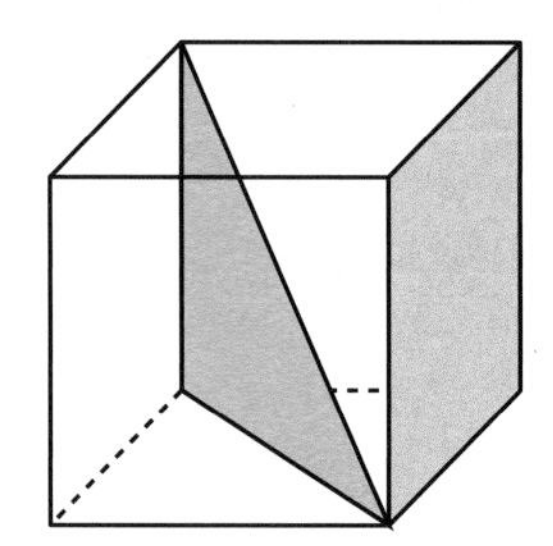
Fig. 2

Unter Reptilien

Svea Reiners

Es verhielte sich nun aber so, sagte meine Schwester Sophie, dass auf der Erde mehr Außerirdische – Aliens – wären, als wir gemeinhin dächten. Sie sähen aus wie Reptilien und hielten sämtliche Schlüsselpositionen inne. Während sie das sagte, blickte sie sehr ernst, und ihre merkwürdige Idee schien nicht dem schlechten Wetter und der damit verbundenen Langeweile geschuldet zu sein. Seit wir Ferien hatten, regnete es. „Sieh sie dir doch mal ganz genau an," sagte sie, „sie tragen lediglich eine Menschenmaske, darunter sind sie außerirdische Reptilien." Ich entgegnete, dass das doch kompletter Blödsinn wäre, vollkommen unrealistisch. Ich jedenfalls hätte noch niemals einen Reptilaußerirdischen gesehen. Das sei, weil ich nie genau schauen würde, sagte Sophie und ergänzte, dass es durchaus vorstellbar sei, dass Außerirdische schon längst unter uns seien und ihre Macht sichern würden.

„Aber warum tarnen sie sich dann als Menschen?", fragte ich. „Sie könnten sich doch auch als Reptilien zu erkennen geben." „Aber das ist doch vollkommen klar," sagte Sophie und sah mich an, als wäre ich total zurückgeblieben oder so was, „wenn sie sich als Reptilien zeigen würden, dann hätten die Menschen alle Angst vor ihnen und würden sich vielleicht gegen sie auflehnen. So aber sind sie schon längst unter uns und können uns ohne viel Aufwand beherrschen." Ich fragte, weswegen sie uns denn beherrschen wollten und Sophie starrte mich verwundert an. „Du bist heute aber wirklich langsam," sagte sie, „es gibt ja nicht nur Reptilienaußerirdische, sondern auch welche, die Formen haben, die wir uns gar nicht vorstellen können, weil wir so etwas noch nie gesehen haben. Ist dir schon mal aufgefallen, dass sämtliche Bilder oder Figuren in Filmen immer Ähnlichkeit mit Dingen haben, die wir uns vorstellen können? Marsmenschen zum Beispiel. Warum sollten die aussehen wie Menschen – nur in grün?" Ich fragte, ob sie meine, wir könnten uns nur das vorstellen, was wir auch kennen. Ja, antwortete sie. Ich weiß nicht, wenn das noch länger regnet, dreht sie womöglich völlig ab und denkt sich noch mehr Blödsinn aus. Aber vielleicht hat sie sich das alles doch nicht ausgedacht. Mir kommt das auch irgendwie bekannt vor. Wird Zeit, dass das Wetter besser wird. Oder irgendwas passiert, Außerirdische landen, vielleicht.

Ein Geheimbund zerbricht

Pythagoras,
580 v. Chr. – 496 v. Chr.

Vor etwa 2500 Jahren gab es im südlichen Italien einen ganz besonderen Geheimbund. Er ist heute bekannt unter der Bezeichnung „die Pythagoreer". Dieser Bund wird nach einem Mann namens Pythagoras benannt; er war der Gründer dieses Geheimbundes.

Fig. 1

Pythagoras wurde um 580 vor Christus auf der Insel Samos geboren. Er besuchte zu Studienaufenthalten längere Zeit Ägypten und Mesopotamien. Anschließend ließ er sich in Kroton nieder, das damals politisch zu Griechenland gehörte. In Kroton wurde er zum Gründer eines Kreises von wohlhabenden Wissenschaftlern. Dieser Kreis entwickelte sich immer mehr zu einer Art Geheimbund, der u.a. Philosophie studierte, politisch aktiv war und auch viele wichtige Forschungen zur Mathematik betrieb.

Die Pythagoreer hielten fest zusammen, jeder konnte sich auf die anderen verlassen. Friedrich Schiller hat diese enge Freundschaft in seinem Gedicht „Die Bürgschaft" beschrieben. In diesem Gedicht stehen die Pythagoreer Damon und Phintias angesichts der Todesstrafe füreinander ein. Andererseits waren die Pythagoreer auch sehr hochnäsig. Sie hielten sich für etwas Besonderes und blickten zum Beispiel auf Handwerker und Bauern arrogant herab.

„Ich bin", spricht jener, „zu sterben bereit
Und bitte nicht um mein Leben,
Doch willst du Gnade mir geben,
Ich flehe dich um drei Tage Zeit,
Bis ich die Schwester dem Gatten gefreit,
Ich lasse den Freund dir als Bürgen,
Ihn magst du, entrinn ich, erwürgen."

Auszug aus Schillers „Die Bürgschaft"

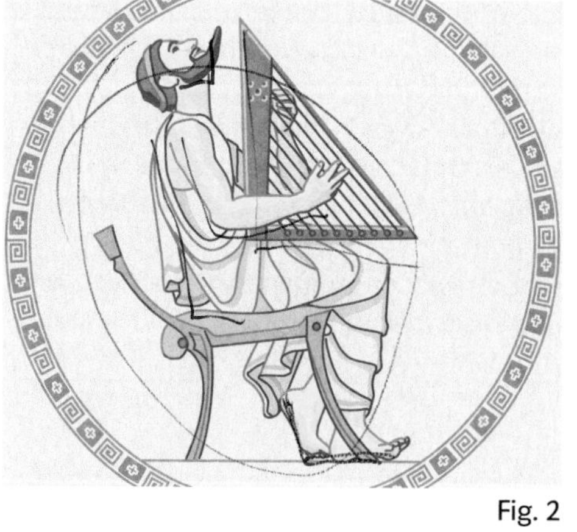

Fig. 2

Es ist fast unglaublich, aber diese so scheinbar verschworene Gemeinschaft ist wegen einer irrationalen Zahl zerbrochen.

Dies kam so:

Die Pythagoreer waren fest überzeugt, dass die Welt auf einer Art Harmonie der Zahlen aufgebaut ist. Sie untersuchten zum Beispiel, welche Töne gut zusammen passen. Hierzu verglichen sie die Töne, die man mit gleichartigen, aber verschieden langen Saiten erzeugen kann.

Sie stellten fest, dass die Töne gut zusammen klingen, wenn die Längen der Saiten im Verhältnis ganzer Zahlen stehen. Das heißt, teilt man die Länge einer Saite durch die Länge einer mit ihr gut klingenden Saite, dann erhält man eine rationale Zahl. Dies kannst du mit einem Monochord nachprüfen. Vielleicht besitzt deine Schule ein solches Monochord, frage deinen Musiklehrer danach.

Ein Geheimbund zerbricht

„Das Wesen der Welt besteht in der Harmonie der Zahlen, das heißt, man kann die Welt mit Verhältnissen ganzer Zahlen ausdrücken – das ist ein göttliches Prinzip." So oder so ähnlich dachten die Pythagoreer. Ihr göttliches Prinzip bedeutete auch, dass es nur rationale Zahlen geben kann, denn ein Verhältnis ganzer Zahlen kann stets als Bruch geschrieben werden.

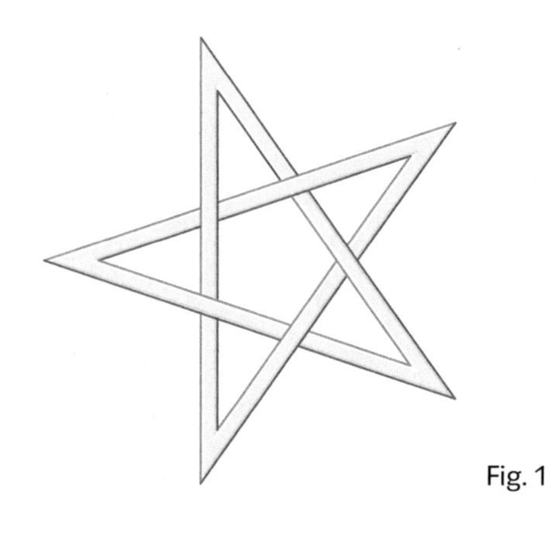

Fig. 1

Der Nachweis, den Hippasos am Fünfeck durchführte, ist für dich noch etwas schwierig. Bei einem Quadrat jedoch kannst du es.
Begründe: Das Verhältnis der roten Diagonalen und einer Seite des Quadrates ist eine irrationale Zahl.

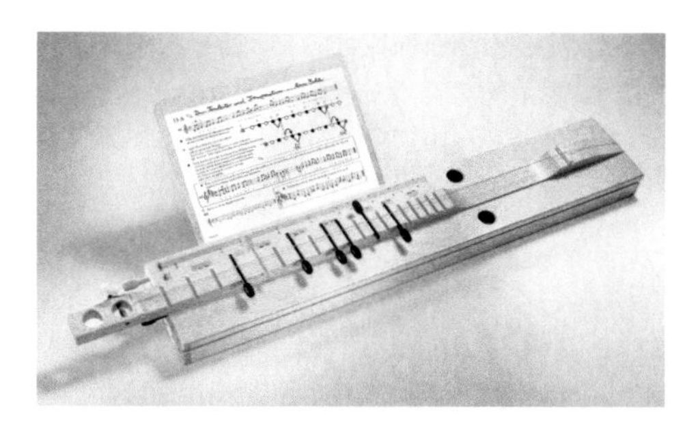

Das Verhängnis begann nach dem Tode von Pythagoras. Er starb 496 v.Chr. Der Geheimbund bestand jedoch weiter. Er hatte als Geheimzeichen ein Pentagramm (Fig. 1), also ein Fünfeck.
Viele Jahre nach dem Tod von Pythagoras untersuchte der Pythagoreer Hippasos solche Fünfecke und stellte fest, dass das Verhältnis einer Diagonalen und einer Seite eines Fünfeckes nicht mit ganzen Zahlen ausgedrückt werden kann. Wir würden heute sagen, dieses Verhältnis ist eine irrationale Zahl.

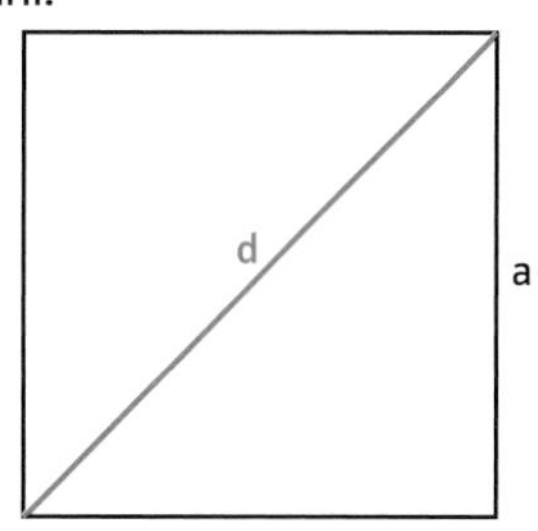

Fig. 2

Hippasos teilte seine Entdeckung Leuten mit, die nicht zu den Pythagoreern gehörten. Einige der Pythagoreer empfanden dies als Gotteslästerung und ärgerten sich maßlos über Hippasos. Es gibt nun verschiedene Überlieferungen, wie es weiter ging. Eine davon berichtet, dass Hippasos bei einem Schiffsunglück ums Leben kam. Seine Gegner sollen hierin die Strafe der Götter gesehen haben. Sicher überliefert ist, dass sich die Pythagoreer in zwei Gruppen aufspalteten, die Akusmatiker und die Mathematiker. Die Akusmatiker beharrten auf der alten Lehre. Die Mathematiker betrieben Geometrie im Sinne von Hippasos, ohne sich an die alte Lehre zu halten.

Die Töne passen gut zueinander, wenn die jeweiligen Saitenlängen in diesem Verhältnis stehen:

2:1 Heute nennt man so ein Tonintervall Oktave.

2:3 Heute nennt man so ein Tonintervall Quinte.

3:4 Heute nennt man so ein Tonintervall Quarte.

Die Bezeichnung Akusmatiker kommt von akuo (griech.) – ich höre. Ihre Lehre bestand aus Sprüchen, die nicht begründet wurden.

Die Bezeichnung Mathematiker kommt von manthano (griech.) – ich lerne, verstehe. Ihre Lehre baute auf formalen Schlüssen und Begründungen auf. Sie fühlten sich als die wahren Nachfolger von Pythagoras und empfanden die Akusmatiker als Schwätzer.

Rückblick

Alle Zahlen, die man als Bruchzahl und somit auch als abbrechende oder periodische Dezimalzahl schreiben kann heißen **rationale Zahlen**.
Alle nichtperiodischen Dezimalzahlen mit unendlich vielen Stellen hinter dem Komma heißen **irrationale Zahlen**.
Irrationale Zahlen kann man nicht als Bruchzahlen schreiben.

$\frac{3}{4} = 0{,}75$ $\frac{2}{3} = 0{,}66666\ldots = 0{,}\overline{6}$

$\pi = 3{,}141\,592\,654\ldots$
↑
unendlich viele Nachkommastellen und keine Periode

Alle rationalen Zahlen und alle irrationalen Zahlen zusammen bilden die **reellen Zahlen**.

Reelle Zahlen
rationale Zahlen *irrationale Zahlen*

Die Schreibweise $\sqrt{2}$; $\sqrt{3{,}5}$; $\sqrt{4}$ usw. meint jeweils diejenige positive Zahl, deren Quadrat 2; 3,5; 4 usw. ergibt.
Zu $\sqrt{2}$ sagt man **Quadratwurzel aus 2**.

$\sqrt{16} = 4$ $\sqrt{441} = 21$

Es gilt: $(-3)^2 = 9$ *und* $\sqrt{(-3)^2} = 3$

Rechnen mit Näherungswerten
Eine Summe bzw. Differenz von Näherungswerten wird auf so viele Nachkommastellen gerundet, wie der ungenauere Wert aufweist.

$a \approx 10{,}5\,m;\ b \approx 0{,}76\,m;\ a + b \approx 11{,}3\,m$

Ein Produkt bzw. Quotient wird auf so viele geltende Ziffern gerundet wie der Näherungswert mit der kleinsten Anzahl geltender Ziffern.

$a \approx 1{,}4\,m;\ b \approx 1{,}23\,m;\ a \cdot b \approx 1{,}7\,m^2$

Rechnen mit rellen Zahlen
Für alle reellen Zahlen gelten die gleichen Rechengesetze, die auch für die rationalen Zahlen gelten.
Ferner gilt:
1. Für alle Zahlen $a \geqq 0$ und $b \geqq 0$: $\sqrt{a} \cdot \sqrt{b} = \sqrt{a \cdot b}$
2. Für alle Zahlen $a \geqq 0$ und $b > 0$: $\sqrt{a} : \sqrt{b} = \sqrt{a : b}$ bzw. $\frac{\sqrt{a}}{\sqrt{b}} = \sqrt{\frac{a}{b}}$

1. *Produkte von Wurzeln*
$\sqrt{2} \cdot \sqrt{18} = \sqrt{2 \cdot 18} = \sqrt{36} = 6$
2. *Quotienten von Wurzeln*
$\frac{\sqrt{72}}{\sqrt{8}} = \sqrt{\frac{72}{8}} = \sqrt{9} = 3$
3. *Teilweises Wurzelziehen*
$\sqrt{50} = \sqrt{25 \cdot 2} = \sqrt{25} \cdot \sqrt{2} = 5 \cdot \sqrt{2}$
4. *Ausmultiplizieren*
$\sqrt{3} \cdot (\sqrt{27} - \sqrt{12}) = \sqrt{3} \cdot \sqrt{27} - \sqrt{3} \cdot \sqrt{12}$
$= \sqrt{81} - \sqrt{36} = 9 - 6 = 3$
5. *Ausklammern*
$11 \cdot \sqrt{7} + 3 \cdot \sqrt{7} = (11 + 3) \cdot \sqrt{7} = 14 \cdot \sqrt{7}$

Training

Runde 1

1 Bestimme alle Dezimalzahlen x auf drei Nachkommastellen genau, für die gilt:
a) $x^2 = 3$ b) $x^2 = 16$ c) $x^2 = 250$ d) $x^2 = 725$ e) $x^2 = 100\,000$.

2 Die Dezimalzahl 1,305 003 000 5... hat hinter dem Komma zwischen einer 3 und einer 5 jeweils Nullen. Die Anzahl dieser Nullen nimmt jeweils um 1 zu.
a) Schreibe diese Dezimalzahl mit den ersten 25 Stellen hinter dem Komma auf.
b) Begründe: Hätte man unendlich viel Zeit zum Aufschreiben dieser Zahl, so erhielte man eine Dezimalzahl mit unendlich vielen Stellen nach dem Komma. Diese Dezimalzahl ist jedoch keine rationale Zahl.

3 Falls deine Antwort „ja" ist, gib ein Beispiel an, falls deine Antwort „nein" ist, begründe deine Antwort.
a) Gibt es Zahlen, die man als Dezimalzahlen, aber nicht als Bruchzahlen aufschreiben kann?
b) Gibt es Zahlen, die man als Bruchzahlen, aber nicht als Dezimalzahlen aufschreiben kann?
c) Gibt es Zahlen, die man mit Ziffern nicht aufschreiben kann?

4 Ziehe die Wurzel ohne Taschenrechner.
a) $\sqrt{3{,}24}$ b) $\sqrt{0{,}09}$ c) $\sqrt{12\,100}$ d) $\sqrt{0{,}000\,004}$

5 Vereinfache zuerst und bestimme dann auf zwei Stellen hinter den Komma den Wert des Terms.
a) $7\sqrt{13} - 13\sqrt{325}$ b) $\sqrt{5} - \sqrt{3} - 2\sqrt{5} + 2\sqrt{3} + 10(\sqrt{5} + \sqrt{3})$

Runde 2

1 Gib eine Zahl an, die
a) eine rationale Zahl ist und gleichzeitig keine ganze Zahl ist.
b) eine ganze Zahl ist und gleichzeitig keine natürliche Zahl ist.
c) eine Bruchzahl ist und gleichzeitig keine positive Zahl ist.
d) weder eine positive noch eine negative Zahl ist.
e) eine reelle Zahl, jedoch keine rationale Zahl ist.

2 Familie Meier und Familie Müller haben in ihren Gärten jeweils ein quadratisches Gemüsebeet. Die Fläche des Gemüsebeetes von Familie Meier ist um 10 % kleiner als die Fläche des Gemüsebeetes von Familie Müller. Herr Meier und Herr Müller möchten ihre Gemüsebeete mit den gleichen Ziersteinen jeweils am Rand ganz einfassen. Wie viel Prozent Ziersteine muss Herr Meier weniger einkaufen als Herr Müller?

3 Für Fig. 1 gilt: Das große Quadrat hat einen Flächeninhalt von $9\,dm^2$, das mittlere Quadrat von $4\,dm^2$ und das kleine Quadrat von $1\,dm^2$. Wie lang sind alle roten Striche zusammen?

4 Der Pfeil in Fig. 2 setzt sich zusammen aus einem halben Quadrat und einem Rechteck. Bestimme den Flächeninhalt des Pfeils. Achte auf Näherungswerte.

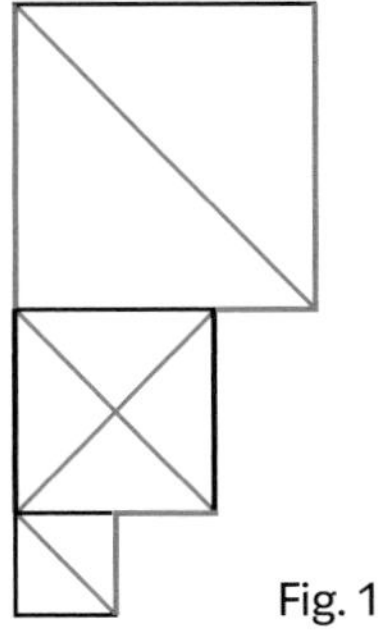
Fig. 1

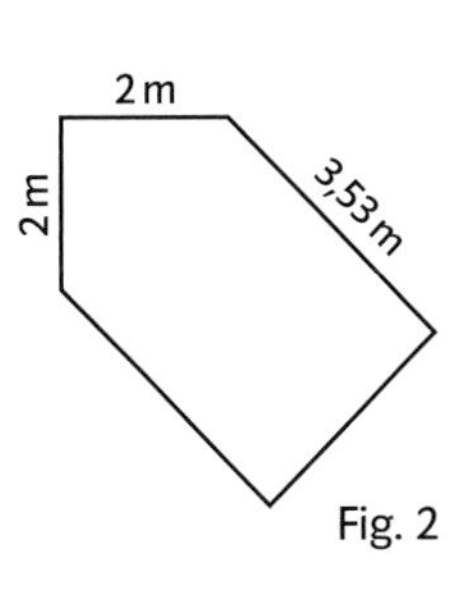

Fig. 2

Das kannst du schon

- Zuordnungen darstellen
- Eigenschaften von Zuordnungen aus ihren Darstellungen erkennen
- Mit Quadratzahlen rechnen

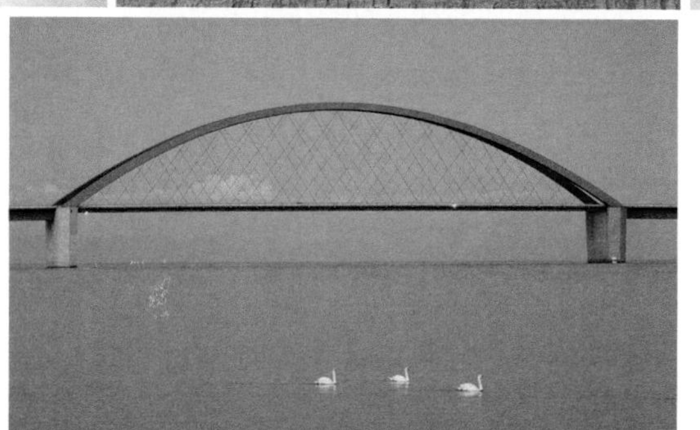

Nicht so sehr die geraden Linien, sondern Bögen sind gestaltende Elemente in Natur und Technik.

Zahl und Maß

Daten und Zufall

Beziehung und Änderung

Modell und Simulation

Muster und Struktur

Form und Raum

III Quadratische und andere Funktionen

Wie Funktionen funktionieren

Geschwindigkeit in km/h	Bremsweg in m
25	2,5
50	10,0
75	22,5
100	

Aus dem Lexikon:
Funktion [lat.] **1.** die Position eines Menschen oder der Arbeitsbeitrag eines technischen Aggregats innerhalb einer Organistation **2.** Betätigungsweise eines Gewebes; Aufgabe eines Organs im Gesamtorganismus **3.** eine Zuordnungsvorschrift.

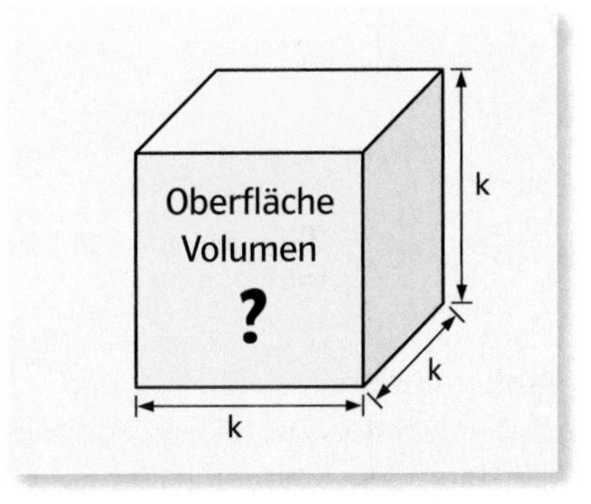

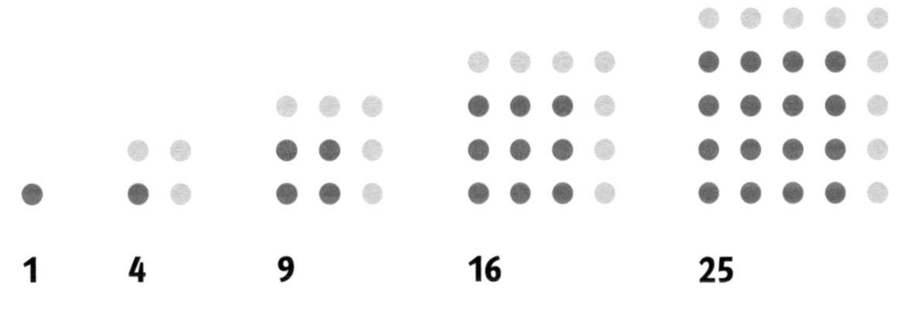

Das kannst du bald

- Quadratische Funktionen und Potenzfunktionen darstellen und mit ihnen rechnen
- Optimierungsaufgaben mit quadratischen Funktionen lösen

1 Funktionen

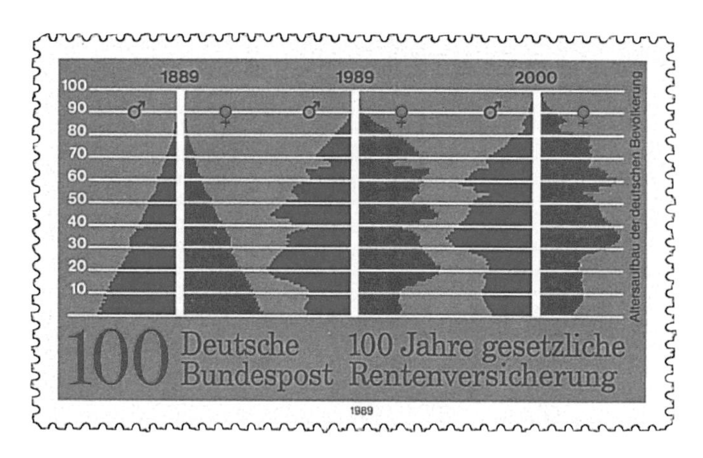

Die Briefmarke zeigt die Altersstrukturen in den Alterspyramiden von 1889, 1989 und 2000. Auf den senkrechten Achsen ist das Alter (von 0 bis 100) eingetragen, auf der waagerechten die Bevölkerungsanzahl der entsprechenden Altersstufe. Hierbei entspricht rot den Frauen und blau den Männern.
An der Alterspyramide von 1889 kann man für jede Bevölkerungszahl genau ein dazugehöriges Alter bestimmen. Bei den Alterspyramiden von 1989 und 2000 gelingt dies nicht.

In dieser Lerneinheit werden Zuordnungen mit einer besonderen Eigenschaft betrachtet.

Die folgenden Graphen gehören zu den Zuordnungen *Temperatur → Tiefe in einem See* (Fig. 1) und *Temperatur → Höhe in der Erdatmosphäre* (Fig. 2).

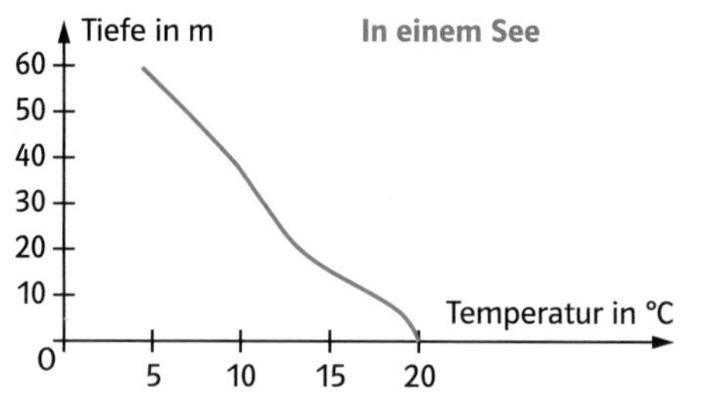

Fig. 1

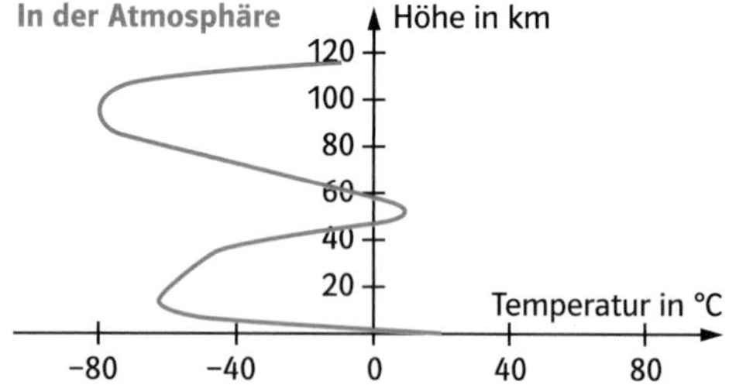

Fig. 2

Beim Graphen der ersten Zuordnung lässt sich für die Temperaturen zwischen 5 °C und 20 °C jeweils eindeutig eine Tiefe bestimmen. Beim Graph der zweiten Zuordnung können für die Temperatur 0 °C verschiedene Höhen angegeben werden. Zuordnungen wie die erste haben einen besonderen Namen.

Eine Zuordnung $x \mapsto y$, die jedem x-Wert genau einen y-Wert zuordnet, heißt **Funktion**.

Die Schreibweisen $y(4) = 3$ und $y = 0{,}5x + 1$ bei Funktionen werden auch beim GTR verwendet. Man kann bei der Funktion f die Funktionsgleichung auch mit $f(x) = 0{,}5x + 1$ (sprich „f von x") und den Funktionswert mit $f(4) = 3$ bezeichnen.

Funktionen werden oft mit Buchstaben f, g, h abgekürzt.
Wird dem x-Wert 4 der y-Wert 3 zugeordnet, so nennt man 3 den **Funktionswert** für x = 4 und schreibt auch $y(4) = 3$.
Die Gleichung $y = 0{,}5x + 1$, mit der sich die Funktionswerte berechnen lassen, heißt **Funktionsgleichung**.

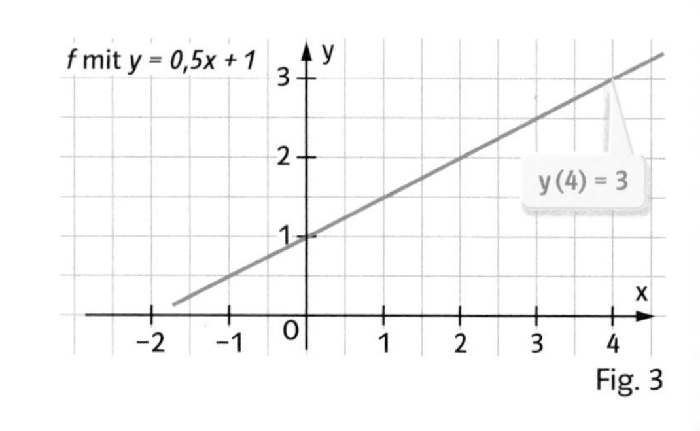

Fig. 3

Beispiel
Welcher Graph gehört zu einer Funktion?
Lösung:
In Fig. 2 gibt es zu jedem x-Wert genau einen y-Wert, der Graph gehört zu einer Funktion. Bei den Graphen von Fig. 1 und Fig. 3 gibt es zum x-Wert 0 zwei bzw. vier y-Werte, sie gehören nicht zu einer Funktion.

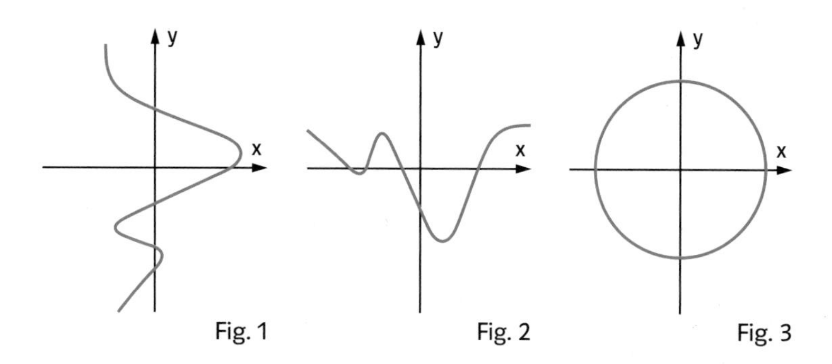

Fig. 1 Fig. 2 Fig. 3

Aufgaben

1 Ist die Zuordnung eine Funktion? Begründe.
a) *Parkgebühr → Parkdauer*
b) *Umfang → Seitenlänge des Quadrates*
c) *Seitenlänge eines Quadrates → Umfang des Quadrates*

2 Begründe, warum die Zuordnung *englische Vokabel → deutsche Übersetzung* keine Funktion ist. Welche Schwierigkeiten ergeben sich daraus?

3 Welcher Graph gehört zu einer Funktion, welcher nicht? Begründe.

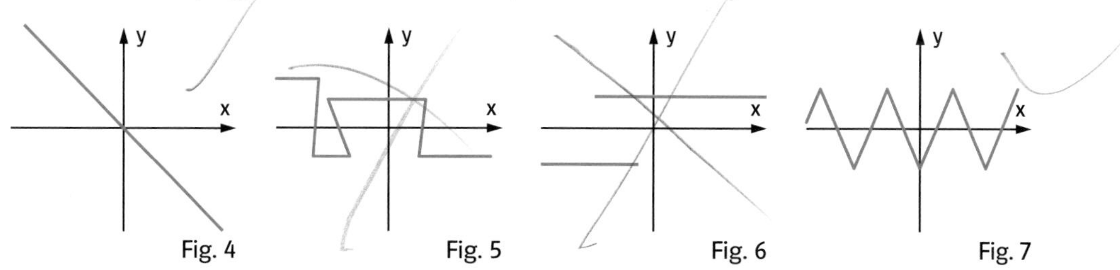

Fig. 4 Fig. 5 Fig. 6 Fig. 7

4 Zeichne drei Graphen von Zuordnungen $x \to y$, die Funktionen sind, und drei Graphen von Zuordnungen $x \to y$, die keine Funktionen sind.

5 Gegeben sind die Funktion f mit der Funktionsgleichung $y = 2x + 5$ und die Funktion g mit der Funktionsgleichung $y = -0{,}4x - 1$.
a) Bestimme für f den Funktionswert $y(3)$ und für g den Funktionswert $y(-10)$.
b) Gib die Funktionsgleichungen von drei verschiedenen Funktionen h, i und j an, für die die Funktionswerte für $x = 2$ positiv sind.

Lineare Funktionen sind alte Bekannte mit neuem Namen.

6 Stelle für jede Funktion die Funktionsgleichung, den Funktionswert an der Stelle $x = 2$, die Funktionseigenschaft und den Graphen richtig zusammen.

Funktionsgleichung		y(2)		Funktionseigenschaft		Graph
$y = 2x + 1$	H	1	Ü	Dem doppelten x-Wert wird der doppelte y-Wert zugeordnet.	L	
$y = \frac{1}{x}$	G	5	A	Bei Zunahme der x-Werte um 1 nehmen die y-Werte um 1 ab.	E	
$y = 0{,}5x$	M	2	E	Dem doppelten x-Wert wird der halbe y-Wert zugeordnet.	L	
$y = -x + 4$	M	0,5	O	Bei Zunahme der x-Werte um 1 nehmen die y-Werte um 2 zu.	U	

Lösungskontrolle zu Aufgabe 6:
Für jede Funktion ergeben die weißen Buchstaben ein Lösungswort.

2 Spezielle quadratische Funktionen

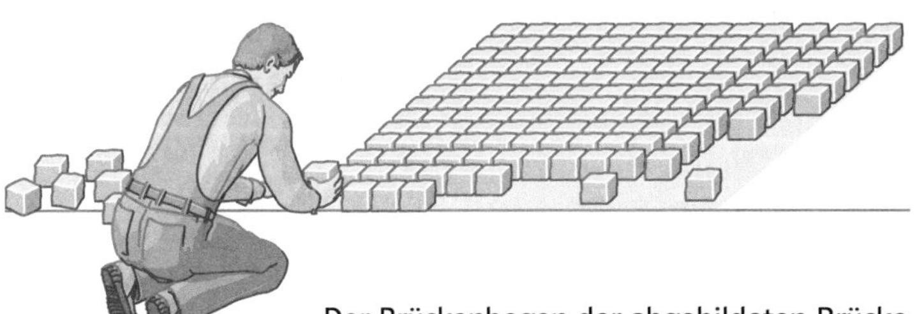

Die Anzahl der Pflastersteine, die man für eine quadratische Fläche benötigt, lässt sich mit einer Formel berechnen.

Der Brückenbogen der abgebildeten Brücke wird aus statischen Gründen mit der Formel

$h = 0{,}5 \cdot x^2$

berechnet. Hierbei ist x die Strecke vom Mittelpunkt der Brücke (in m) und h die Höhe des Brückenbogens (in m).

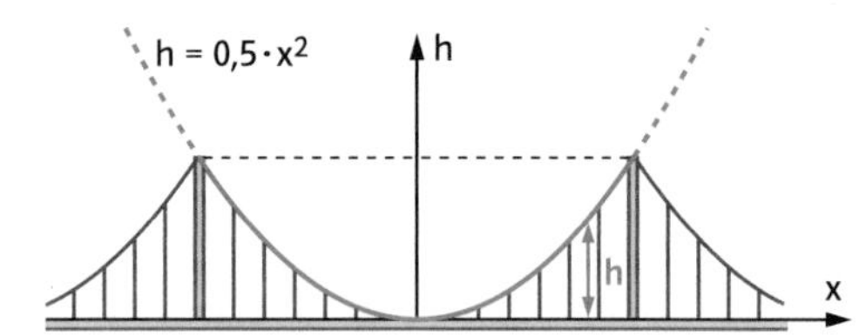

Weitere quadratische Funktionen werden in Lerneinheit 4 vorgestellt.

Man nennt Funktionen mit Funktionsgleichungen der Form

$y = 2x^2$; $y = -5x^2$ oder $y = \frac{3}{4}x^2$

auch **spezielle quadratische Funktionen**. Der dazugehörige Graph heißt **Parabel**.

Für die spezielle quadratische Funktion mit der Funktionsgleichung $y = 0{,}5x^2$ erhält man:

	·5	·4	·3	·2				·2	·3	·4	·5
x	−5	−4	−3	−2	−1	0	1	2	3	4	5
$y = 0{,}5x^2$	12,5	8	4,5	2	0,5	0	0,5	2	4,5	8	12,5
	·25	·16	·9	·4				·4	·9	·16	·25

Eigenschaften der speziellen quadratischen Funktionen

1. Dem 2-, 3- bzw. n-fachen der ersten Größe wird jeweils das 4-, 9- bzw. n^2-fache der zweiten Größe zugeordnet.
2. Für jede spezielle quadratische Funktion gilt $y(0) = 0$. Die dazugehörige Parabel geht durch den Punkt $S(0|0)$, den **Scheitelpunkt** oder **Scheitel** der Parabel. Er ist der höchste oder tiefste Punkt.
3. Ist der Faktor vor dem x^2 positiv, so sind alle Funktionswerte positiv oder null; die dazugehörige Parabel ist nach oben geöffnet. Ist der Faktor vor dem x^2 negativ, so sind alle Funktionswerte negativ oder null; die dazugehörige Parabel ist nach unten geöffnet.

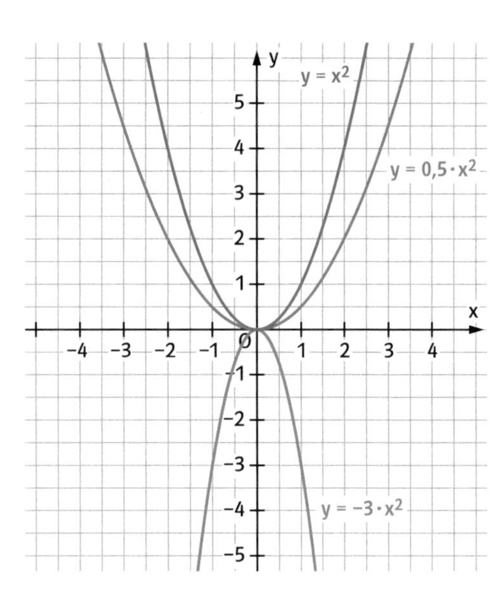

*Lautet die Funktionsgleichung $y = x^2$, so heißt die Parabel **Normalparabel**. Für die Zeichnung einer Normalparabel gibt es im Handel spezielle Schablonen.*

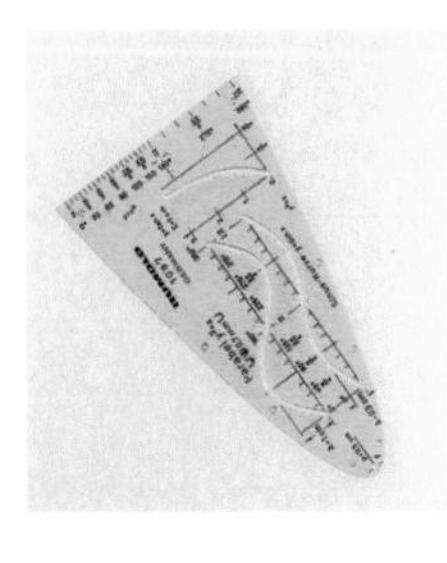

Die Parabel der Funktion mit $y = 0{,}5x^2$ lässt sich ohne GTR und Wertetabelle zeichnen, wenn man die Eigenschaften der speziellen quadratischen Funktion nutzt. Es gibt zwei Möglichkeiten:

1. Möglichkeit: Alle Parabeln von speziellen quadratischen Funktionen gehen durch den Punkt S(0|0) (2. Eigenschaft). Die Funktionswerte an den Stellen $x = -1$ und $x = 1$ lassen sich leicht berechnen. Man erhält die Punkte P(−1|0,5) und Q(1|0,5). Weitere Punkte lassen sich mit der 1. Eigenschaft für spezielle quadratische Funktionen bestimmen: Für den doppelten x-Wert erhält man den vierfachen y-Wert: R(−2|2) und T(2|2), für den dreifachen x-Wert erhält man den neunfachen y-Wert: U(−3|4,5) und V(3|4,5) usw.
Zum Schluss werden die eingezeichneten Punkte zu einer Kurve verbunden.

2. Möglichkeit: Zunächst wird die Normalparabel mit einer Schablone eingezeichnet. Anschließend werden alle Funktionswerte mit 0,5 multipliziert, also halbiert (Fig. 1).

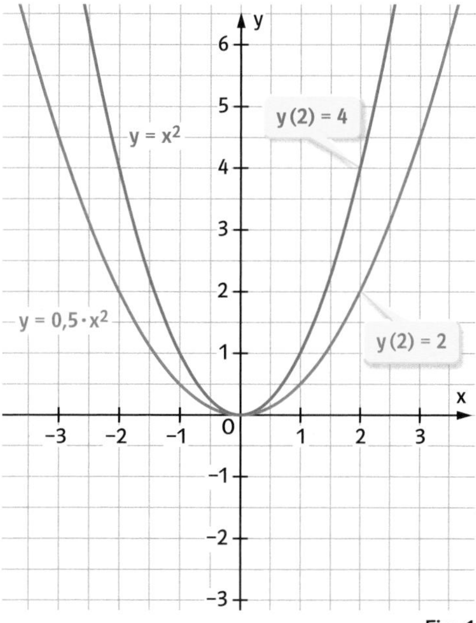

Fig. 1

Beispiel 1 Punktprobe

Liegen die Punkte P(5|10) und $Q\left(-2\middle|-\frac{8}{5}\right)$ auf der Parabel der Funktion mit $y = \frac{2}{5}x^2$?

Lösung:

$y(5) = \frac{2}{5} \cdot 5^2 = \frac{2}{5} \cdot 25 = 10$ P(5|10) liegt auf der Parabel.

$y(-2) = \frac{2}{5} \cdot (-2)^2 = \frac{2}{5} \cdot 4 = \frac{8}{5}$ $Q\left(-2\middle|-\frac{8}{5}\right)$ liegt nicht auf der Parabel.

2. Lösungsmöglichkeit für den Punkt Q: Die dazugehörige Parabel ist wegen des positiven Vorfaktors vor dem x^2 nach oben geöffnet und kann daher keine negativen Funktionswerte annehmen. Q liegt daher nicht auf der Parabel.

Beispiel 2 Bestimmung einer Funktionsgleichung

Die Parabel einer speziellen quadratischen Funktion geht durch den Punkt A(1|2). Bestimme die dazugehörige Funktionsgleichung.

Lösung:

Der Funktionswert für $x = 1$ wäre bei einer Normalparabel 1. Daher muss der Faktor vor dem x^2 in der Funktionsgleichung 2 sein. Man erhält: $y = 2x^2$.

Aufgaben

1 Zeichne den Graphen wie im Lehrtext (1. Möglichkeit) und mit dem GTR.

a) $y = 3x^2$ b) $y = -2{,}5x^2$ c) $y = -x^2$ d) $y = \frac{3}{5}x^2$

e) $y = 0{,}1x^2$ f) $y = -4x^2$ g) $y = -1{,}2x^2$ h) $y = 10x^2$

2 Überlege dir drei Funktionsgleichungen zu speziellen quadratischen Funktionen und tausche sie mit deinem Nachbarn aus. Zeichnet die dazugehörigen Graphen und überprüft eure Ergebnisse anschließend gemeinsam.

3 Welche der Punkte liegen auf der Parabel der Funktion mit $y = 2{,}5x^2$?

A(2|10) B(−2|10)
C(7|122) D(4|40)
E($\sqrt{2}$|5) F(1000|$2 \cdot 10^6$)

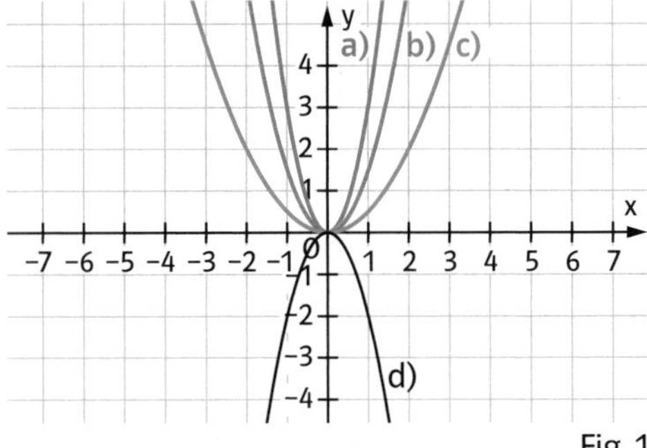

Fig. 1

4 Gib zu den eingezeichneten Parabeln (Fig. 1) jeweils die Funktionsgleichung an. Überprüfe das Ergebnis anschließend mit dem GTR.

5 Der Punkt P liegt auf der Parabel der Funktion mit der Funktionsgleichung $y = \frac{3}{4}x^2$. Bestimme die fehlende Koordinate.

a) P(4|y) b) P(−1|y) c) P(x|0) d) P(x|3)

6 Die Parabel einer speziellen quadratischen Funktion geht durch den Punkt P. Bestimme die dazugehörige Funktionsgleichung und zeichne anschließend den Graphen.

a) P(1|3) b) P(−1|−2) c) P(2|1) d) P(2|−2)

7 a) Liegt der Punkt P(2|0,4) auf derselben Parabel wie der Punkt Q(−3|0,9)?
b) Liegen die Punkte P(−1|3), Q(5|75) und R(11|360) auf derselben Parabel?

8 Beschreibe, wie sich die Funktionsgleichung einer speziellen quadratischen Funktion bestimmen lässt,
a) wenn der Funktionswert für $x = 1$ bekannt ist.
b) wenn der Funktionswert für einen beliebigen x-Wert außer der 0 bekannt ist.

9 Vervollständige die Aussagen für die Parabel einer speziellen quadratischen Funktion:
a) Wenn der Faktor vor dem x^2 positiv ist, dann gilt für die zugehörige Parabel:
Je größer der Faktor vor dem x^2 ist, desto …
b) Wenn der Faktor vor dem x^2 negativ ist, dann gilt für die zugehörige Parabel:
Je größer der Faktor vor dem x^2 ist, desto …
c) Wenn der Faktor vor dem x^2 positiv ist, dann ist der Scheitelpunkt der … Punkt der Parabel.
d) Wenn der Faktor vor dem x^2 negativ ist, dann ist der Scheitelpunkt der … Punkt der Parabel.

Bist du sicher?

Die Punktbezeichnungen der Teilaufgaben von Aufgabe 2 ergeben eine europäische Hauptstadt.

1 Zeichne den Graphen der Funktion mit a) $y = 2x^2$ und b) $y = -\frac{1}{2}x^2$.

2 Überprüfe, welcher der Punkte G(3|−36); A$\left(1\middle|\frac{5}{2}\right)$; S(1|4); T(2,5|1); P(2|8) und R(10|−50) auf dem Graphen der Funktion mit der Funktionsgleichung liegt.

a) $y = 2x^2$ b) $y = -0{,}5x^2$ c) $y = 2{,}5x^2$ d) $y = -4x^2$

10 Bestimme für die Funktionen f mit $y = \frac{1}{100}x^2$ und g mit $y = 2x$ die x-Werte,
a) bei denen die Funktionswerte von g größer als 9 sind.
b) bei denen die Funktionswerte von f größer als 9 sind.
c) bei denen die Funktionswerte von f größer sind als die von g.

11 Der Querschnitt einer Dachrinne hat die Form eines oben offenen Quadrates mit der Seitenlänge 1 dm. Wenn viel Regen fällt, läuft die Rinne manchmal über. Sie soll deshalb vergrößert werden.
a) Wie würde sich das Fassungsvermögen der Regenrinne ändern, wenn man die Höhe und die Breite verdoppeln würde?
b) Welche Höhe und Breite müsste die Regenrinne haben, wenn der Querschnitt der Regenrinne weiterhin quadratisch bleibt und sich das Fassungsvermögen der Rinne verdoppelt?

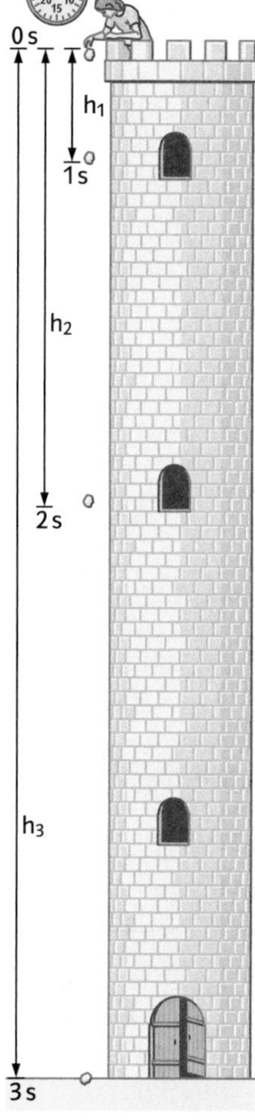

Fig. 1

12 Die Höhe eines Turms kann man mit der Uhr bestimmen. Es ist nämlich bekannt, dass ein Stein, den man von seiner Spitze fallen lässt, in den ersten x Sekunden etwa $5x^2$ m tief fällt.
a) Wie hoch ist der in Fig. 1 abgebildete Turm?
b) In welchen Höhen befinden sich seine oberen beiden Fenster?
c) Wie lang würde mit der Formel ein Stein vom Eiffelturm in Paris fallen?
d) Begründe, warum sich diese Methode nicht zur Höhenbestimmung eines Tisches eignet.

13 Der Wasserstrahl in Fig. 2 hat die Form einer Parabel einer speziellen quadratischen Funktion.
a) Der Strahl trifft 5 m von Kerstins Fuß entfernt auf den Boden. Wie hoch hält Kerstin das Schlauchende?
b) Wie weit würde der Strahl von Kerstins Fuß entfernt auftreffen, wenn sie ihn 1,80 m hoch hält?

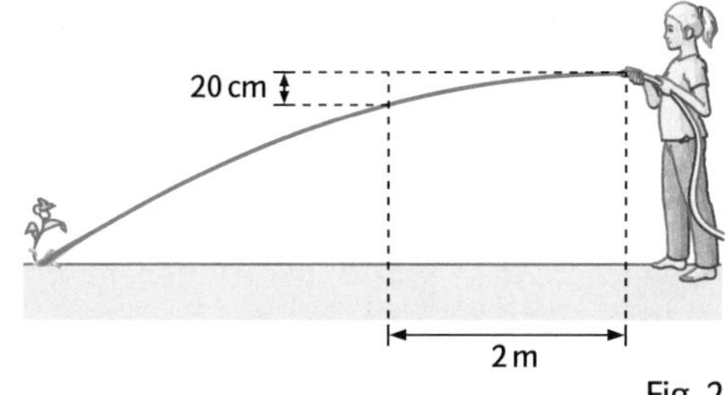

Fig. 2

c) Erfinde weitere Aufgaben für die Situation und tausche sie mit deinem Nachbarn aus. Kontrolliert eure Ergebnisse anschließend gemeinsam.

14 Hängt zu zweit oder dritt eine etwa 1 m lange Schnur an der Wand so auf, dass die beiden Enden auf gleicher Höhe befestigt sind. Der Schnurverlauf entspricht ungefähr einer Parabel. Bestimmt anschließend in einem selbst gewählten Koordinatensystem die dazugehörige Funktionsgleichung. Überprüft eure Ergebnisse anschließend mit der Schnur.

Kannst du das noch?

15 Das Glücksrad in Fig. 3 wird zweimal gedreht.
a) Wie groß ist die Wahrscheinlichkeit, dass die erste Zahl eine „0" oder eine „1" ist?
b) Wie groß ist die Wahrscheinlichkeit, dass die Summe der beiden Zahlen „2" ist?

Fig. 3

16 a) Wie lang darf ein Stab höchstens sein, damit er in einen Würfel mit der Kantenlänge 3 m passt?
b) Wie lang müssen die Kanten eines Würfels sein, damit ein 3 m langer Stab hineinpasst?

17 Bestimme die Lösung des linearen Gleichungssystems.

a) $y = 4x + 1$
$y = -x + 3{,}5$

b) $2x + 3y = 2$
$x - 2y = 8$

c) $-4y = 17 - 6x$
$10x - 7 = 4y$

d) $x + 3y = -4$
$-2x - 3y = 10$

3 Potenzfunktionen

Das Modell eines Bungalows hat im Maßstab 1 : 10 eine Breite von 160 cm, eine Tiefe von 100 cm und eine Höhe von 30 cm. Wie hoch ist der Bungalow im Modell und im Original? Welchen Flächeninhalt hat das Dach und wie groß ist der Rauminhalt im Modell und im Original?

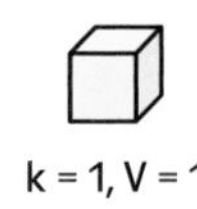
$k = 1, V = 1$

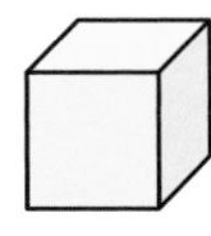
$k = 2, V = 8$

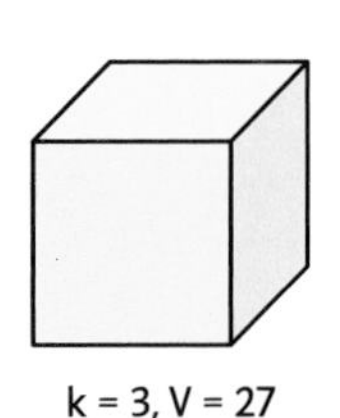
$k = 3, V = 27$

Bei einem Würfel kann man für jede Kantenlänge k (in cm) den Rauminhalt V (in cm^3) berechnen. Die Funktionsgleichung der Funktion $k \to V$ lautet: $V = k^3$.
Dem 2-, 3- bzw. n-fachen der ersten Größe wird jeweils das 8-, 27- bzw. n^3-fache der zweiten Größe zugeordnet.

Allgemein heißt eine Funktion mit einer Funktionsgleichung der Form

$y = 2x^3$; $y = -5x^3$ oder $y = \frac{3}{4}x^3$

Potenzfunktion dritten Grades.
In gleicher Weise gibt es auch Potenzfunktionen 4., 5., 6. usw. Grades. Der Grad ist über die Hochzahl festgelegt.

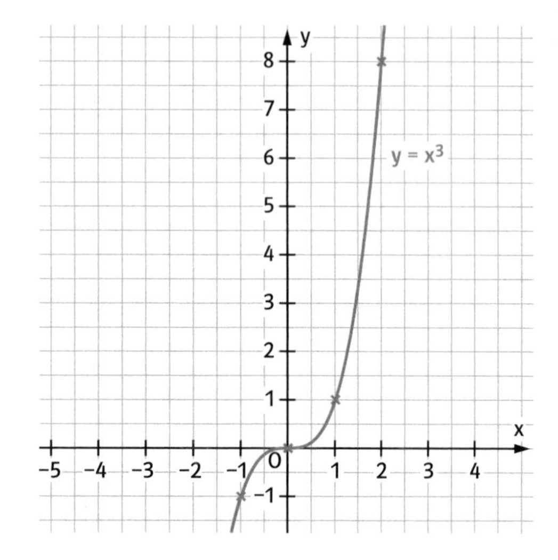

Potenzfunktionen zweiten Grades kennst du schon.

Man nennt Funktionen $x \to y$ mit Funktionsgleichungen der Form

$y = -3x^3$; $y = \sqrt{5}\,x^4$ oder $y = -0{,}23x^5$

Potenzfunktionen 3. bzw. 4. bzw. 5. Grades.

Wertetabellen von Potenzfunktionen

x	−3	−2	−1	0	1	2	3
$y = x^3$	−27	−8	−1	0	1	8	27
$y = x^4$	81	16	1	0	1	16	81
$y = x^5$	−243	−32	−1	0	1	32	243

Eigenschaften der Potenzfunktionen

1. Für jede Potenzfunktion gilt $y(0) = 0$; der Graph geht durch den Punkt $S(0|0)$.
2. Die Funktionswerte der Potenzfunktion mit geraden Hochzahlen haben immer dasselbe Vorzeichen, die Funktionswerte der Potenzfunktion mit ungeraden Hochzahlen wechseln das Vorzeichen bei $x = 0$.

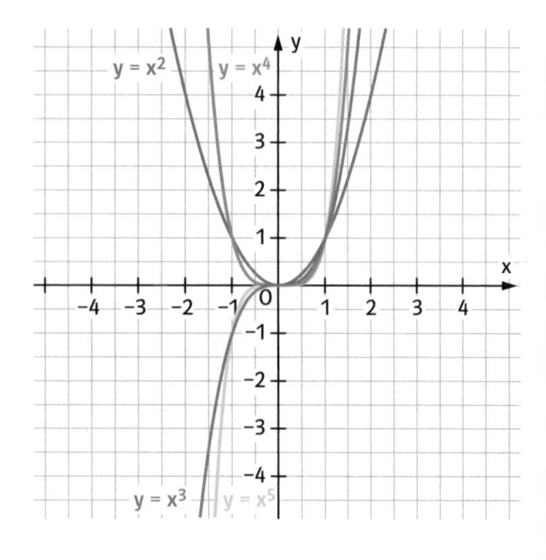

Beispiel Potenzfunktionen mit dem GTR

a) Welche „Y-Bereiche“ muss man beim GTR für die Funktion f bzw. g wählen, damit alle Funktionswerte für $-3 \leqq x \leqq 3$ dargestellt werden?

f mit $y = 0{,}5x^3$ g mit $y = -2x^4$

b) Welche „Y-Bereiche“ muss man beim GTR für die Funktion f bzw. g wählen, damit alle Funktionswerte für $-6 \leqq x \leqq 6$ dargestellt werden?

Lösung:

a) *Mit dem GTR bestimmt man die kleinsten und die größten Funktionswerte.*
Man erhält:

f: Ymin = −13,5; Ymax = 13,5

g: Ymin = −162; Ymax = 0

b) *Werden die x-Werte verdoppelt, so verachtfachen sich die y-Werte bei einer Potenzfunktion dritten Grades und versechzehnfachen sich bei einer Potenzfunktion vierten Grades. Man erhält:*

f: Ymin = −108; Ymax = 108

g: Ymin = −2592; Ymax = 0

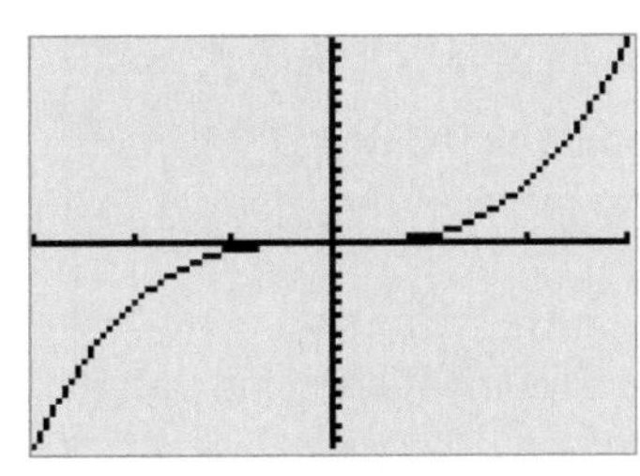

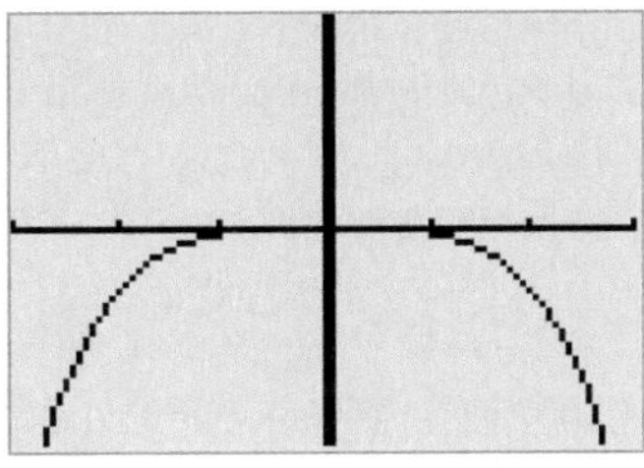

Fig. 1

Aufgaben

1 Gegeben ist eine Potenzfunktion mit ihrer Funktionsgleichung. Zeichne den Graphen der Funktion auf zwei verschiedene Arten. Berechne jeweils die Funktionswerte y(0,1) und y(10).

a) $y = 0{,}5x^3$ b) $y = -x^4$ c) $y = 0{,}1x^5$ d) $y = -\frac{1}{4}x^3$

2 Ordne die Funktionsgleichungen den Graphen zu.

a) $y = 0{,}01x^4$ b) $y = 0{,}5x^3$ c) $y = x^{11}$ d) $y = x^{10}$

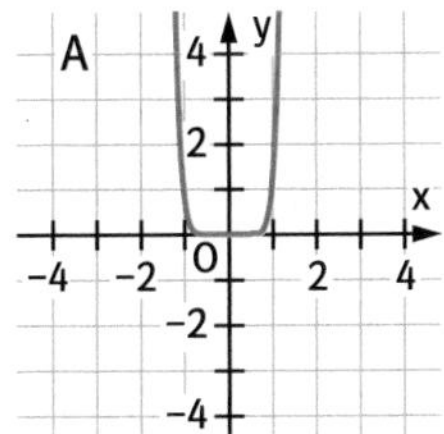

Fig. 2 Fig. 3 Fig. 4 Fig. 5

3 Wie ändert sich der Funktionswert, wenn man den x-Wert verdoppelt?

a) $y = 4x^4$ b) $y = 5x^2$ c) $y = 1{,}5x^3$ d) $y = \frac{3}{2}x^5$

4 In Fig. 6 sind verschiedene Graphen von Potenzfunktionen gezeichnet. Gib jeweils ihre Funktionsgleichung an.

5 a) Bestimme drei Punkte, die auf dem Graphen der Potenzfunktion mit $y = -\frac{1}{2}x^4$ liegen.

b) Die Punkte P, Q, R und S liegen auf dem Graphen der Potenzfunktion mit $y = 2x^5$. Bestimme jeweils die fehlende Koordinate.

P(2|y) Q(−1|y) R(x|0,000 02) S(x|−64)

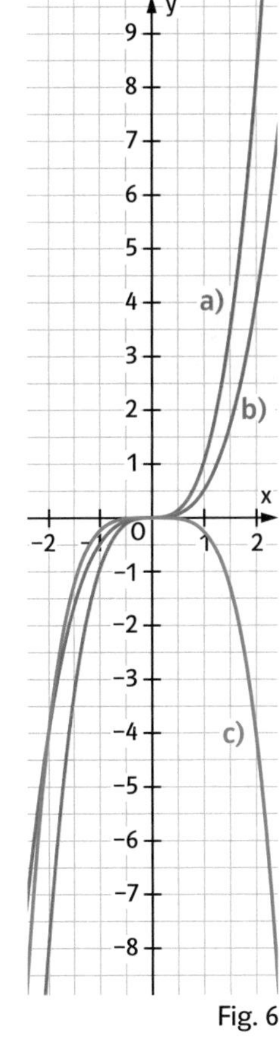

Fig. 6

Bist du sicher?

1 Gib eine Funktionsgleichung einer Potenzfunktion an, die zu der Aussage passt.
a) Der dazugehörige Graph ist symmetrisch zur y-Achse.
b) Der dazugehörige Graph geht durch den Punkt $P(1|3)$.
c) Die dazugehörigen Funktionswerte sind alle positiv oder null.
d) Verdoppelt man den x-Wert, so verachtfacht sich der dazugehörige y-Wert.

2 Ein Holzwürfel der Kantenlänge 1,5 cm wiegt etwa 3 g. Wie viel wiegt ein Würfel aus dem gleichen Holz mit der Kantenlänge 3 cm bzw. mit der Kantenlänge 1,5 m?

6 Die Funktionen f, g und h haben die Funktionsgleichungen
f: $y = 4x^3$; g: $y = x^5$ und h: $y = 0{,}1x^4$.
Bestimme die x-Werte, für die gilt:
a) Die Funktionswerte von g und h sind gleich groß.
b) Die Funktionswerte von h sind kleiner als die von f.
c) Die Funktionswerte von f sind größer als die von g.

7 Der Graph einer Potenzfunktion geht durch die beiden Punkte A und B. Bestimme die dazugehörige Funktionsgleichung und zeichne anschließend den Graphen mit dem GTR.
a) $A(1|1)$; $B(2|8)$ b) $A(1|0{,}5)$; $B(2|4)$ c) $A(1|-2)$; $B(2|-32)$

8 Bei einem Windrad lässt sich die Leistung P (in Watt) mit der Windgeschwindigkeit v (in m/s) mit der Formel $P = 1000 \cdot v^3$ berechnen.
a) Stelle den Graphen der Funktion $v \rightarrow P$ in einem geeigneten Koordinatensystem dar.
b) Lies am Graphen ab, bei welcher Windgeschwindigkeit die Leistung $P = 5 \cdot 10^5$ beträgt.
c) Überlege dir mithilfe des Graphen und der Funktionsgleichung drei Aufgaben und stelle sie deinem Nachbarn. Kontrolliert eure Ergebnisse anschließend gemeinsam.
d) Wo liegen aus deiner Sicht Vor- und Nachteile der Windenergie gegenüber anderen Energieträgern?

9 Eine Studie zum Schwerlastverkehr hat ergeben, dass das Gewicht eines LKW mit der vierten Potenz in das Maß der Straßenschädigung eingeht.
a) Wie erhöht sich die Schädigung der Straße, wenn man das Gewicht eines LKW verdoppelt?
b) Früher war in Deutschland bei einem LKW eine Achslast von 100 000 N (N: Newton) erlaubt. Heute beträgt der zulässige Wert 115 000 N.
Um wie viel Prozent stiegen durch die vorgenommene Erhöhung der Achslast die Schädigungen?
c) Welche Erhöhung der Achslast darf man höchstens vornehmen, wenn man die Schädigung auf das Doppelte des ursprünglichen Wertes begrenzen will?

10 Ein Spiel für Zwei
Der erste Schüler gibt verdeckt die Funktionsgleichung einer Potenzfunktion in den GTR ein. Hierbei muss der Faktor vor dem x eine ganze Zahl sein. Anschließend zeigt er dem zweiten Schüler die dazugehörige Wertetabelle. Dieser muss nun versuchen, die Funktionsgleichung zu bestimmen. Gelingt ihm das, so erhält er einen Punkt. Anschließend gibt er seinerseits eine Funktionsgleichung in den GTR ein, die der erste Spieler in gleicher Weise bestimmen muss. Gewonnen hat der Schüler, der nach einer vorher vereinbarten Rundenzahl die meisten Punkte sammeln konnte.

4 Quadratische Funktionen

Bei Funktionen kannst du Zusammenhänge und Gesetzmäßigkeiten entdecken, wenn du mit dem GTR experimentierst. Zeichne mithilfe des GTR die Graphen der Funktionen mit
$y = x^2 - 2$; $y = x^2 - 1$ und $y = x^2 + 3$;
die Graphen der Funktionen mit
$y = (x - 2)^2$; $y = (x - 1)^2$ und $y = (x + 3)^2$
und die Graphen der Funktionen mit
$y = (x + 2)^2 + 3$ und $y = (x - 4)^2 - 5$.
Fig. 1 zeigt verschiedene Parabeln, die gegenüber der Parabel der speziellen quadratische Funktion mit $y = x^2$ verschoben sind.

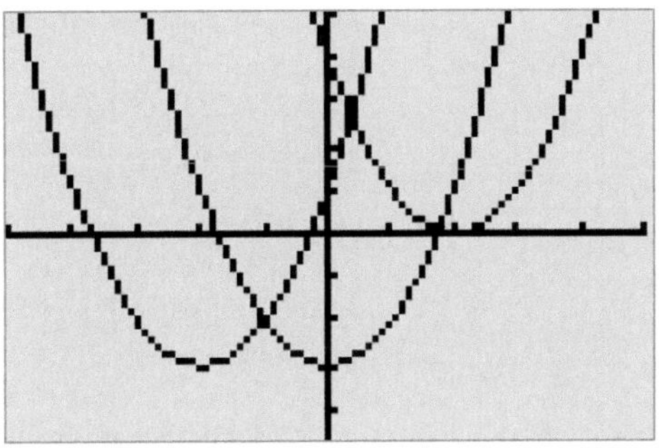
Fig. 1

In Lerneinheit 2 wurden die speziellen quadratischen Funktionen vorgestellt. Die dazugehörigen Graphen sind Parabeln, deren Scheitel im Ursprung liegen. In dieser Lerneinheit werden quadratische Funktionen betrachtet, bei denen die Scheitel der dazugehörenden Parabeln nicht im Ursprung liegen. Ob und wie eine Parabel verschoben ist, kann man bei diesen Funktionen bereits aus der Funktionsgleichung ablesen.

Verschiebung einer Parabel in y-Richtung
Lautet die Funktionsgleichung $y = x^2 + 1$, so sind die Funktionswerte gegenüber der Funktion mit $y = x^2$ alle um 1 erhöht.

x	−3	−2	−1	0	1	2	3
$y = x^2$	9	4	1	0	1	4	9
	+1	+1	+1	+1	+1	+1	+1
$y = x^2 + 1$	10	5	2	1	2	5	10

Der Graph ist gegenüber der blau gezeichneten Normalparabel um 1 nach oben verschoben mit dem Scheitel S(0|1).

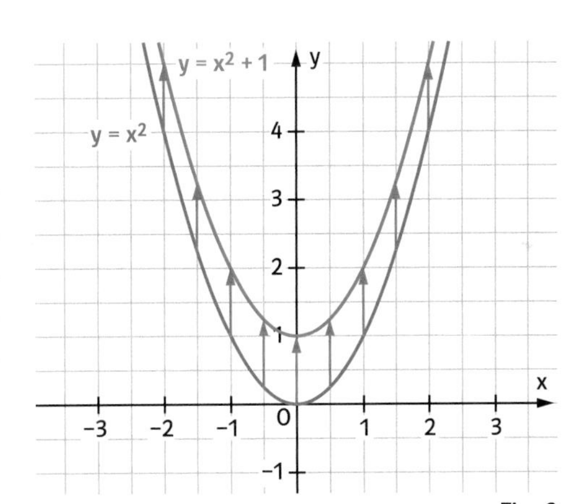

Fig. 2

Bei einer Verschiebung einer Parabel in y-Richtung bleibt der x-Wert des Scheitels gleich.

Verschiebung einer Parabel in x-Richtung
Lautet die Funktionsgleichung $y = (x + 1)^2$, so erhält man die Wertetabelle:

x	−3	−2	−1	0	1	2	3
$y = x^2$	9	4	1	0	1	4	9
$y = (x + 1)^2$	4	1	0	1	4	9	16

Man erhält die Punkte:
(−3|4); (−2|1); (−1|0); (0|1); (1|4); (2|9); ...
Als Graph für die Funktion mit $y = (x + 1)^2$ erhält man eine Parabel, die um 1 nach links verschoben ist, mit dem Scheitel S(−1|0).

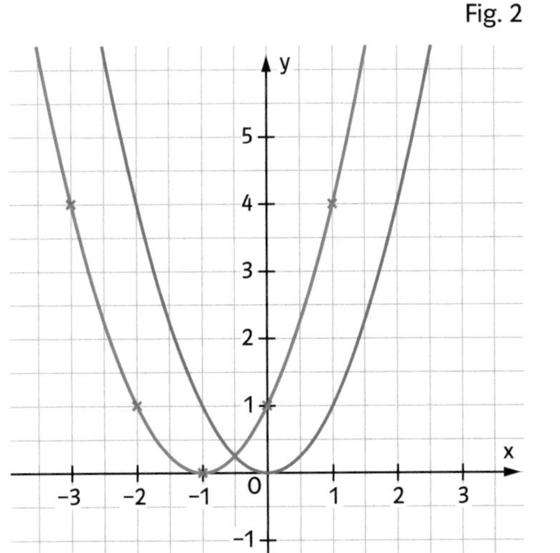

Fig. 3

Bei einer Verschiebung der Parabel in x-Richtung bleibt der y-Wert des Scheitels gleich.

Verschiebung einer Parabel in x- und y-Richtung
Die folgende Tabelle

x	−2	−1	0	1	2	3	4
$y = 0{,}5x^2$	2	0,5	0	0,5	2	4,5	8
$y = 0{,}5(x-2)^2$	8	4,5	2	0,5	0	0,5	2
	+3	+3	+3	+3	+3	+3	+3
$y = 0{,}5(x-2)^2 + 3$	11	7,5	5	3,5	3	3,5	5

und Fig. 1 verdeutlichen:

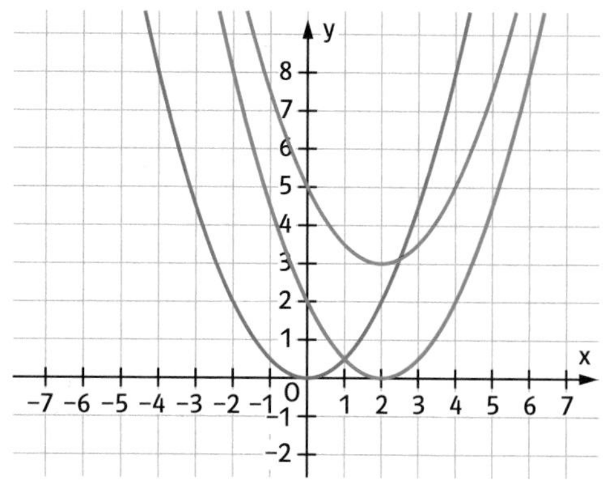

Fig. 1

Die Parabel der Funktion mit der Funktionsgleichung
$y = 0{,}5(x - 2)^2 + 3$
ist gegenüber dem Graphen der speziellen quadratischen Funktion mit der Funktionsgleichung
$y = 0{,}5x^2$
um 2 nach rechts und um 3 nach oben verschoben; der Scheitel liegt bei S(2|3).
Funktionen, die eine Funktionsgleichung der Form $y = 0{,}5(x - 2)^2 + 3$ haben, heißen **allgemeine quadratische Funktion** oder **quadratische Funktion**.
Der Graph einer quadratischen Funktion ist eine Parabel.

Liegt genau ein Schnittpunkt vor, dann berührt die Parabel die x-Achse.

Bei einer Parabel ist der Mittelwert zweier Nullstellen der x-Wert des Scheitels.

Verschobene Parabeln können keinen, einen oder zwei Schnittpunkte mit der x-Achse haben. Die x-Werte dieser Schnittpunkte werden auch **Nullstellen** genannt.

Die Funktion mit $y = 0{,}5x^2$ hat eine Nullstelle bei $x = 0$. Die Funktion mit $y = 0{,}5x^2 - 4{,}5$ ist um 4,5 nach unten verschoben und hat die beiden Nullstellen $x = -3$ und $x = 3$.

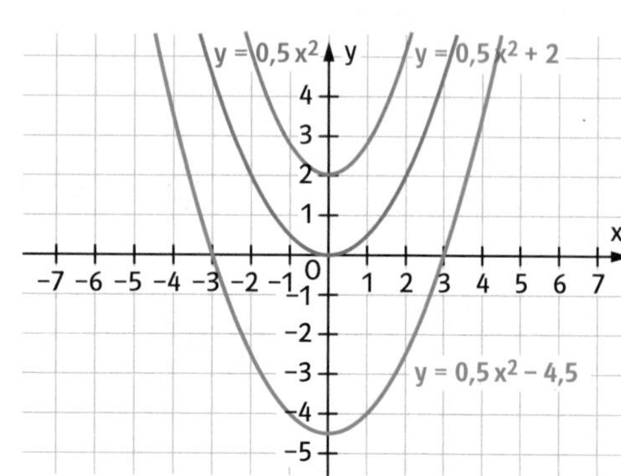

Fig. 2

Beispiel Parabel zeichnen
Bestimme den Graphen der Funktion mit

a) $y = (x - 2)^2 - 4$ b) $y = -2(x + 1)^2 + 3$
Lösung:
a) Siehe Fig. 3.
Der gesuchte Graph ist gegenüber der Parabel mit $y = x^2$ um zwei Einheiten nach rechts und um vier Einheiten nach unten verschoben.
b) *Die Parabel ist gegenüber dem Graphen mit $y = -2x^2$ um eine Einheit nach links und um drei Einheiten nach oben verschoben.*

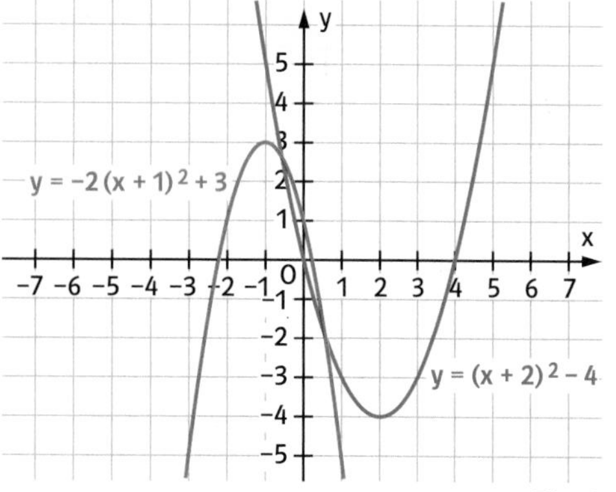

Fig. 3

Aufgaben

1 Zeichne die Parabeln zu den vier Funktionsgleichungen in ein Koordinatensystem.

a) $y = x^2 - 3$ $\quad y = -x^2 + 5$ $\quad y = -(x + 2)^2$ $\quad y = (x - 1)^2$

b) $y = -(x + 2)^2 + 2$ $\quad y = (x - 3)^2 - 4$ $\quad y = (x + 5)^2 - 3$ $\quad y = -(x + 1)^2 + 7$

c) $y = 3(x + 2)^2 + 3$ $\quad y = -2\left(x - \frac{5}{2}\right)^2 - \frac{1}{2}$ $\quad y = \frac{1}{2}(x - 2)^2 + \frac{3}{2}$ $\quad y = -\frac{1}{2}(x - 1)^2 + 8$

Lösungskontrolle zu Aufgabe 1: Bei jeder Teilaufgabe gehen drei Parabeln durch einen Punkt.

2 Um eine verschobene Normalparabel zu zeichnen, benötigt man den Scheitelpunkt. Beschreibe, wie man die Parabel auch ohne Schablone zeichnen kann.

3 Gib die Koordinaten des Scheitels an und bestimme, ob die Parabel nach oben oder nach unten geöffnet ist.

a) $y = 2x^2 + 5$ $\quad$ b) $y = \frac{2}{3}(x - 2)^2$ $\quad$ c) $y = -4(x + 2{,}5)^2 - 1{,}1$ $\quad$ d) $y = \frac{2}{5}\left(x - \frac{1}{2}\right)^2 + 1$

4 Zwei verschiedene Parabeln haben den gleichen Scheitel S. Gib für beide Parabeln mögliche Funktionsgleichungen an. Vergleicht eure Ergebnisse.

a) $S(1|1)$ $\quad$ b) $S(-5|-6)$ $\quad$ c) $S\left(-\frac{2}{5}\middle|\frac{3}{5}\right)$ $\quad$ d) $S(-4{,}5|0)$

5 Gib zu den Parabeln in Fig. 1 jeweils eine Funktionsgleichung an.

6 Die Wertetabelle gehört zu einer quadratischen Funktion. Bestimme die dazugehörige Funktionsgleichung und bestätige die Tabelle anschließend mit dem GTR.

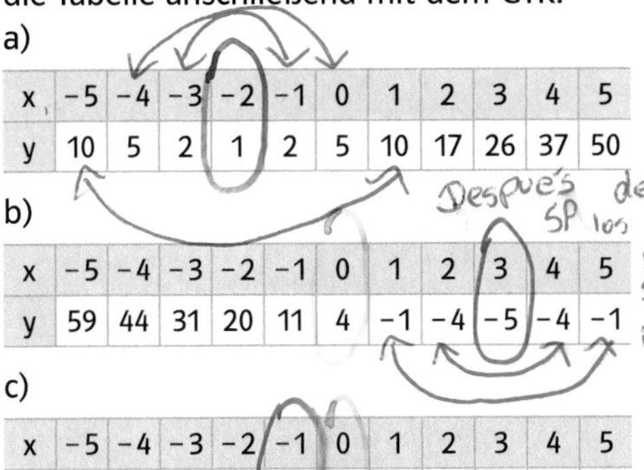

a)

x	−5	−4	−3	−2	−1	0	1	2	3	4	5
y	10	5	2	1	2	5	10	17	26	37	50

b)

x	−5	−4	−3	−2	−1	0	1	2	3	4	5
y	59	44	31	20	11	4	−1	−4	−5	−4	−1

c)

x	−5	−4	−3	−2	−1	0	1	2	3	4	5
y	−27	−13	−3	3	5	3	−3	−13	−27	−45	−67

Fig. 1

7 a) Zeichne drei Parabeln möglichst genau in ein Koordinatensystem. Tausche die Zeichnung anschließend mit deinem Tischnachbarn und versuche, die dazugehörige Funktionsgleichung zu bestimmen. Kontrolliert eure Ergebnisse gemeinsam.

b) Schreibe die Wertetabellen von drei quadratischen Funktionen auf einen Zettel. Tausche die Wertetabellen anschließend mit deinem Tischnachbarn und versuche, die dazugehörigen Funktionsgleichung zu bestimmen. Kontrolliert eure Ergebnisse gemeinsam.

8 a) Gib drei verschiedene quadratische Funktionen an, die bei $x = 4$ die einzige Nullstelle haben.

b) Gib drei verschiedene quadratische Funktionen an, die die beiden Nullstellen $x = -1$ und $x = 1$ haben.

Bist du sicher?

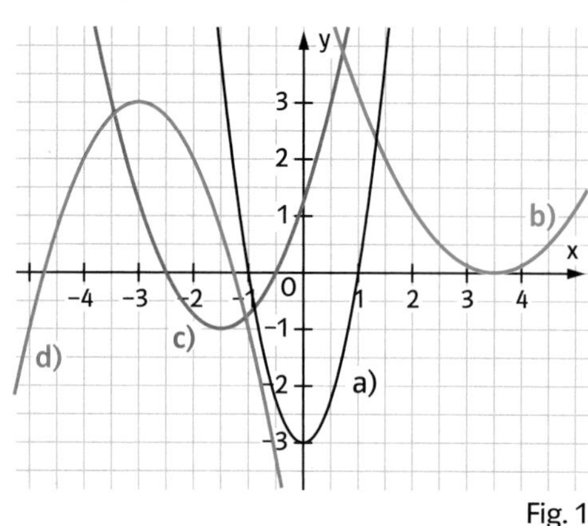

Fig. 1

1 Wie sieht die Funktionsgleichung der Funktion aus, deren Graph eine Normalparabel ist, die
a) um 3 nach oben verschoben ist?
b) um 2 nach rechts verschoben ist?
c) um 1 nach unten und um 5 nach links verschoben ist?

2 Gib zu den Parabeln in Fig. 1 jeweils eine Funktionsgleichung an.

3 Skizziere den Graphen der Funktion und bestimme die Nullstellen.
a) $y = -2x^2 + 4{,}5$ b) $y = 0{,}5(x - 0{,}5)^2$
c) $y = 2(x + 2{,}5)^2 - 2$ d) $y = -(x - 2)^2 - 1$

9 Was lässt sich über eine quadratische Funktion und ihre Graphen sagen, wenn
a) die beiden Nullstellen $x = -1$ und $x = 3$ sind?
b) sie nur eine Nullstelle hat?
c) der Scheitel $S(-4|1)$ und eine Nullstelle $x = -3$ ist?

10 Fig. 2 zeigt eine verschobene Normalparabel.
a) Bestimme die dazugehörige Funktionsgleichung, wenn der Ursprung des Koordinatensystems im Punkt A (B, C) liegt.
b) Wo liegt der Ursprung des Koordinatensystems, wenn die dazugehörige Funktionsgleichung $y = (x - 4)^2 - 2$ lautet?

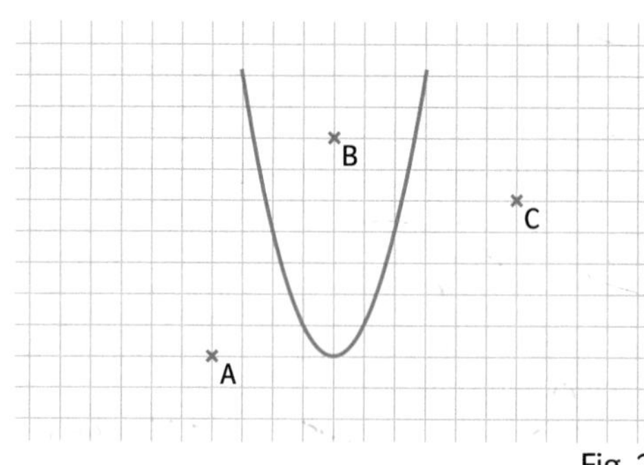

Fig. 2

11 Aus einem Quadrat der Seitenlänge x (in cm) mit $x \geqq 2$ werden an den Ecken Quadrate der Seitenlänge 1 cm herausgeschnitten. Es bleibt eine Fläche mit dem Inhalt A (in cm^2) übrig (Fig. 3).
Bestimme für die Funktion $x \rightarrow A$ die Funktionsgleichung und zeichne den dazugehörigen Graphen.

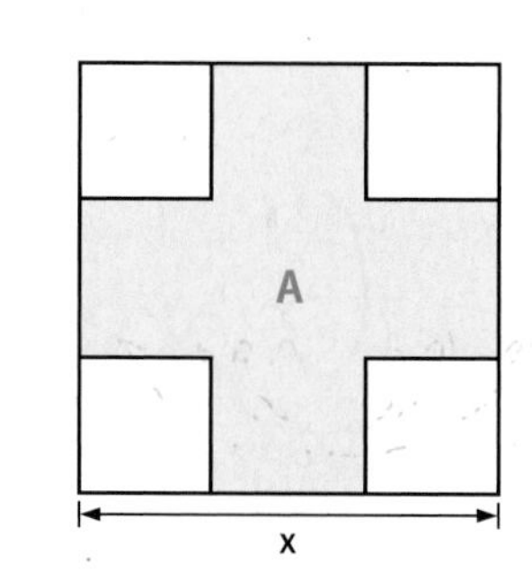

Fig. 3

Tipp für die Aufgaben 11 und 12: Beachte, welche Werte x annehmen darf.

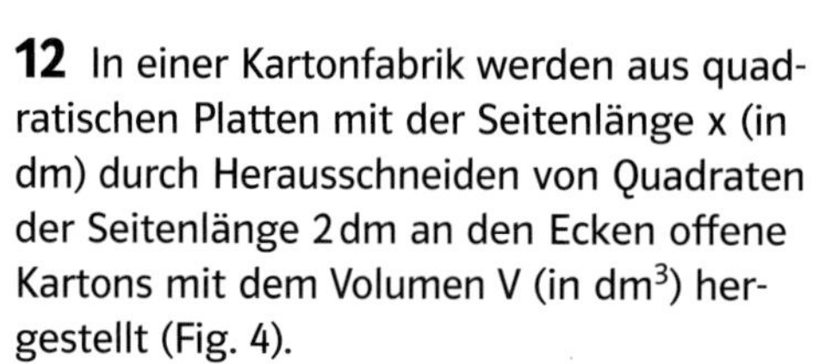

12 In einer Kartonfabrik werden aus quadratischen Platten mit der Seitenlänge x (in dm) durch Herausschneiden von Quadraten der Seitenlänge 2 dm an den Ecken offene Kartons mit dem Volumen V (in dm^3) hergestellt (Fig. 4).
a) Stelle die Funktionsgleichung für die Funktion $x \rightarrow V$ auf und zeichne den dazugehörigen Graphen.
b) Welches Volumen erhält man bei einer Seitenlänge von $x = 50\,cm$ bzw. $2\,m$?

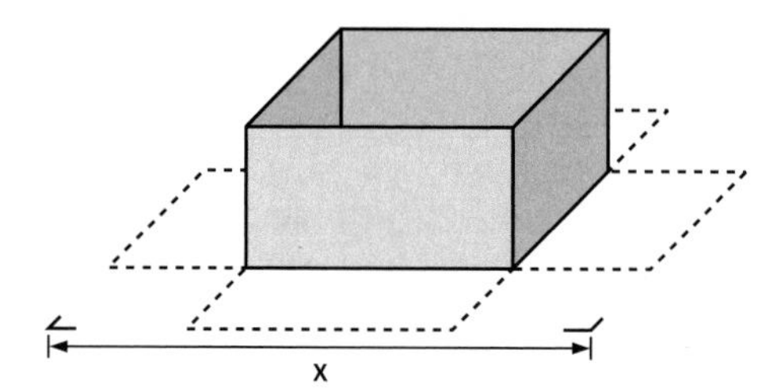

Fig. 4

13 Aus der Physik weiß man, dass die Flugbahn eines Balles annähernd parabelförmig ist. Bei einem Schuss kann die Flugbahn durch eine Parabel beschrieben werden mit $y = -0{,}00625\,(x - 20)^2 + 2{,}5$. Hierbei entspricht x (in m) der horizontalen Entfernung vom Abschusspunkt und y (in m) der Höhe des Balles.
a) Wie hoch ist der Ball nach einem Meter?
b) Nach welcher Strecke hat der Ball seine größte Höhe erreicht?
Wie hoch ist diese?
c) Ein 1,90 m großer Gegenspieler steht 10 Meter entfernt. Kann er den Ball köpfen?
d) Nach welcher Strecke hat der Ball eine Höhe von 2 m?
e) Wie würde sich die Flugbahn des Balles ändern, wenn die Funktionsgleichung der dazugehörigen Parabel $y = -0{,}004\,(x - 25)^2 + 2{,}5$ lautet?

14 1998 wurde in Japan die Akashi Kaikyo Brücke fertig gestellt (Fig. 1). Mit ihrer gewaltigen Spannweite zwischen den beiden Brückenpfeilern von 1991 m ist sie die längste Brücke der Welt. Legt man den Ursprung eines Koordinatensystems auf den Schnittpunkt der Straße mit dem linken Pfeiler, so lässt sich der Brückenbogen zwischen den Pfeilern durch eine Parabel annähern mit
$y = 0{,}000203\,(x - 995{,}5)^2 + 15$.
Hierbei ist x (in m) die waagerechte Entfernung zum linken Brückenpfeiler und y (in m) die Höhe (bezogen auf die Straße) des Bogens.

Fig. 1

a) Welche größte und welche kleinste Höhe hat der Bogen?
b) Wie sieht die Funktionsgleichung aus, wenn man den Ursprung in den tiefsten Punkt des Bogens legt?
c) Suche im Internet oder in Fachbüchern nach weiteren Brücken mit parabelförmigen Brückenbögen.

Kannst du das noch?

15 Gegeben sind die Punkte $A(1|1)$; $B(4|2)$; $C(-4|-3)$ und $D(-1|-2)$.
a) Zeichne alle Punkte, die den gleichen Abstand zu den Punkten A und B besitzen.
b) Zeichne alle Punkte, die den gleichen Abstand zur Gerade durch die Punkte A und B sowie zur Gerade durch die Punkte C und D besitzen.
c) Zeichne alle Punkte, die den gleichen Abstand zur Gerade durch die Punkte A und D sowie zur Gerade durch die Punkte B und C besitzen.
d) Zeichne alle Punkte, die von dem Punkt C den Abstand 5 cm und von dem Punkt D den Abstand 4 cm besitzen.
e) Zeichne alle Punkte, die von der Gerade durch die beiden Punkte C und D den Abstand 4 cm und von dem Punkt A den Abstand 3 cm besitzen.

16 Löse die Gleichungen und Ungleichungen ohne GTR.
a) $6x + 15 = 8x - 3$
b) $4{,}8x - 2{,}4 = 29{,}6 + 3{,}2x$
c) $2 > -x + \sqrt{2} \cdot \sqrt{8}$
d) $\frac{x}{-3} + \frac{1}{-9} < \frac{2}{6}$
e) $\sqrt{3}\,(x + \sqrt{27}) + 2\left(0{,}5x - \frac{1}{4}\right) = x + 11\frac{1}{2}$

5 Scheitelform und Normalform

$y = (x^2 + 2x) : x$

$y = \frac{x^2}{2x}$

$y = x \cdot (2 + 3x) - x^2$

$y = \frac{x^3 - 4x^2}{2x}$

$y = 0{,}5x^2 - 2x + 3$

$y = x \cdot (2 + 3x) - 3x^2$

$y = \frac{x}{x^2}$

$y = 2x\,(3 - x)$

Die Funktionsgleichungen sehen ziemlich kompliziert aus. Schaut man sich mit dem GTR die dazugehörigen Graphen an, so kann man bei einigen bereits bekannte Funktionstypen vermuten.

Quadratische Funktionen wurden bisher mit Funktionsgleichungen der Form

$y = 2(x - 3)^2 + 5$

beschrieben. Da sich in dieser Form der Scheitel sehr leicht ablesen lässt, wird diese Form auch **Scheitelform** genannt.

In der Praxis kommen häufig Funktionen mit Funktionsgleichungen in der Form

$y = 2x^2 + 3x + 4$

vor. Gibt man solche Funktionsgleichungen in den GTR ein, so erhält man wie bei den quadratischen Funktionen einen parabelförmigen Graphen. In Kapitel 4 wird gezeigt, dass es sich ebenfalls um quadratische Funktionen handelt. Die Form $y = 2x^2 + 3x + 4$ wird **Normalform** genannt.

Ist die Funktionsgleichung einer quadratischen Funktion in der Normalform $y = 2x^2 - 4x + 5$ angegeben, so lässt sich der Scheitelpunkt mit dem GTR bestimmen. Man gibt dazu die Funktionsgleichung ein und liest dann den Scheitelpunkt der dazugehörigen Parabel am Graphen als tiefsten Punkt ab: $S(1|3)$.

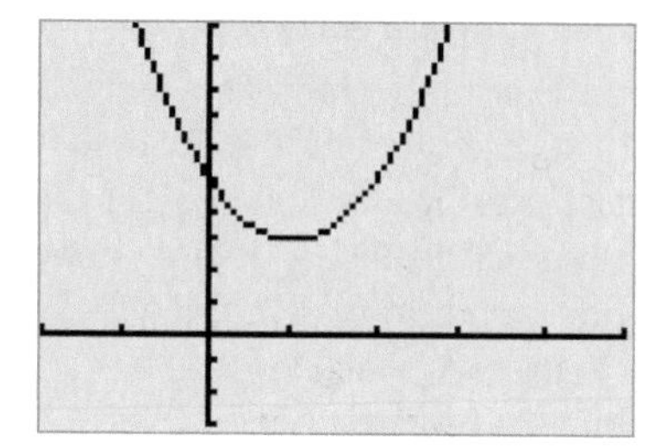

Fig. 1

Die Funktionsgleichung einer quadratischen Funktion kann in der Scheitelform oder in der Normalform dargestellt werden.
In der Scheitelform lässt sich der Scheitel an der Funktionsgleichung ablesen, in der Normalform kann der Scheitel mithilfe des GTR bestimmt werden.

Beispiel

Der Benzinverbrauch B (in l/100 km) eines im 4. Gang fahrenden Sportwagens lässt sich in Abhängigkeit von der Geschwindigkeit v (in km/h) berechnen:

$B = 0{,}0006v^2 - 0{,}048v + 8.$

Bei welcher Geschwindigkeit ist der Verbrauch am geringsten?

Lösung:

Mit dem GTR ermittelt man den Scheitel $S(40|7{,}04)$. Da die dazugehörige Parabel nach oben geöffnet ist, erhält man:

Bei einer Geschwindigkeit von $v = 40\,\text{km/h}$ ist der Verbrauch mit $B = 7{,}04\,\text{l/100 km}$ am geringsten.

Aufgaben

1 Bestimme den Scheitelpunkt der quadratischen Funktion mit der Funktionsgleichung
a) $y = x^2 - 4x + 9$ b) $y = x^2 + 10x + 26$ c) $y = x^2 - 6x + 7$ d) $y = 3x^2 - 6x + 9$
e) $y = -x^2 + 8x - 15$ f) $y = 0{,}5(x - 1)^2 + 15$ g) $y = (105 + x)^2 - 20$ h) $y = 2x^2 - 12x + 16$.

2 Die Leistung P einer Turbine hängt von der Drehzahl n ab. Die Zuordnungsvorschrift $P = 300n - 0{,}8n^2$ gibt die Leistung der Turbine in der Einheit Watt (kurz: W) an.
a) Bei welcher Drehzahl sollte die Turbine betrieben werden?
b) Wie schnell muss sich die Turbine mindestens drehen, damit sie eine Leistung von 10 000 W erzielt?

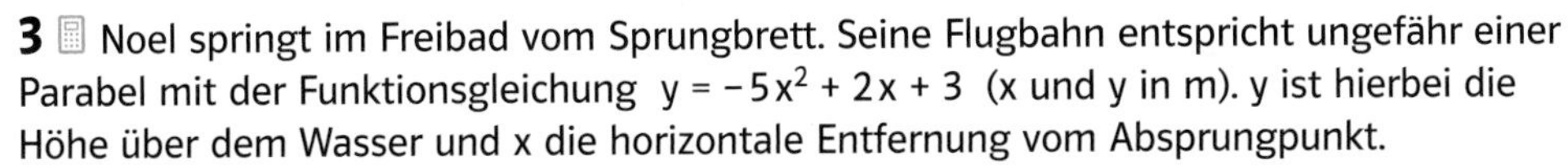

3 Noel springt im Freibad vom Sprungbrett. Seine Flugbahn entspricht ungefähr einer Parabel mit der Funktionsgleichung $y = -5x^2 + 2x + 3$ (x und y in m). y ist hierbei die Höhe über dem Wasser und x die horizontale Entfernung vom Absprungpunkt.
a) Von welcher Höhe ist Noel abgesprungen?
b) Was ist Noels größte Höhe während des Fluges?
c) Gib eine Funktionsgleichung für einen Sprung von einer anderen Höhe an.

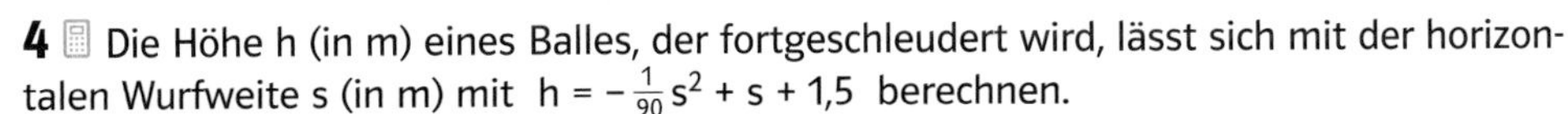

4 Die Höhe h (in m) eines Balles, der fortgeschleudert wird, lässt sich mit der horizontalen Wurfweite s (in m) mit $h = -\frac{1}{90}s^2 + s + 1{,}5$ berechnen.
a) Wie weit und wie hoch fliegt der Ball?
b) Bestimme für h eine Funktionsgleichung, wenn der Ball höher und weiter geworfen wird.

5 1927 flog Charles Lindbergh (1902–1974) als erster Mensch allein über den Atlantik von New York nach Paris. Bei seinen Vorbereitungen überlegte er sich, bei welcher Fluggeschwindigkeit er am wenigsten Treibstoff verbrauchen würde. Er ging davon aus, dass sich die Strecke S (in Meilen), die er mit einem Liter Treibstoff bei einer Fluggeschwindigkeit v (in Meilen pro h) fliegen konnte, mit folgender Formel bestimmen lässt:
$S = -0{,}0013v^2 + 0{,}25v - 10$.

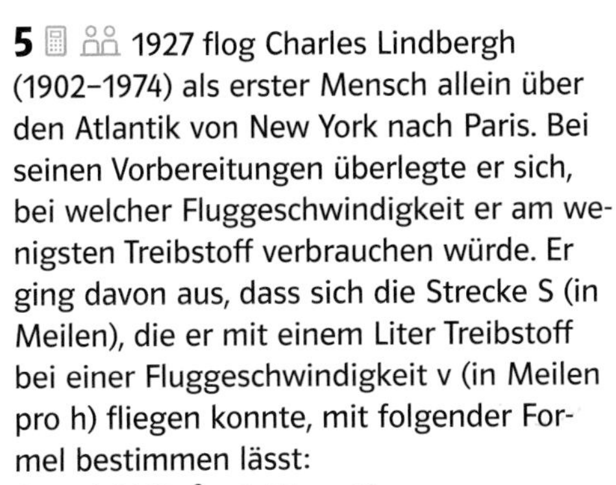

a) Bei welcher Fluggeschwindigkeit konnte Lindbergh mit dem Treibstoff am weitesten fliegen?
b) Mit welchem Gesamtverbrauch musste er auf der etwa 3600-Meilen-Strecke mindestens rechnen?
c) Welche Gründe konnten dafür gesprochen haben, dass Lindbergh schneller als die in a) berechnete Geschwindigkeit flog?
d) Sucht zu zweit im Internet weitere Informationen über Charles Lindbergh. Tragt eure Ergebnisse anschließend in einem kleinen Vortrag eurer Klasse vor.

6 Ein Unternehmen verkauft Elektronikbauteile zu einem Verkaufspreis von 39,00 €. Eine Marktforschung ergab durch Kundenanalyse, dass sich der Gewinn G (in €) bei einem Verkaufspreis x (in €) mit folgender Formel berechnen lässt: $G = -x^2 + 70x - 1000$.
a) Das Unternehmen möchte zur Werbung eine Rabattaktion durchführen. Um wie viel Prozent darf der Preis gesenkt werden, wenn immer noch ein Gewinn erzielt werden soll?
b) Die Firma überlegt, durch eine Preiserhöhung den Gewinn zu steigern. Was könnt ihr dem Unternehmen empfehlen? Begründet eure Empfehlung in einer kurzen schriftlichen Stellungnahme oder Präsentation.

7 a) Haben die Funktionen zu den angegebenen Funktionsgleichungen jeweils einen größten oder einen kleinsten Funktionswert?
f: $y = 3x^2 - x - 2$ g: $y = -(x + 2)^2$ h: $y = -(x - 5)^2 + 1$ i: $y = -\frac{1}{3}x^2 + 3x$
b) Begründe: Die Funktionswerte einer quadratischen Funktion nehmen entweder einen kleinsten oder einen größten Wert an.
c) Wie kann man bei der Funktionsgleichung einer quadratischen Funktion erkennen, ob die dazugehörigen Funktionswerte einen kleinsten oder einen größten Wert annehmen?

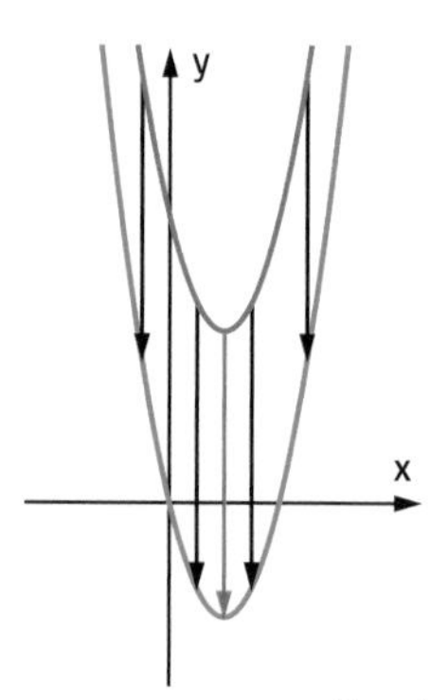

Fig. 1

Info

Um den Scheitelpunkt der Parabel von f mit $y = 2x^2 - 4x + 5$ ohne GTR zu bestimmen, betrachtet man zunächst die um 5 nach unten verschobene Parabel (Fig. 1). Deren Funktionsgleichung $y = 2x^2 - 4x$ lässt sich umformen in $y = 2 \cdot x \cdot (x - 2)$. Mithilfe der umgeformten Gleichung lassen sich die Nullstellen bestimmen:
$x = 0$ und $x = 2$.
Den x-Wert des Scheitelpunktes erhält man als Mittelwert der beiden Nullstellen:
$x = (0 + 2) : 2 = 1$. Da sich der x-Wert des Scheitels bei einer Verschiebung der Parabel in y-Richtung nicht verändert (vgl. Fig. 1), ist dies auch der x-Wert des Scheitelpunktes der ursprünglichen Parabel.
Den dazugehörigen y-Wert berechnet man mithilfe der Funktionsgleichung
$y(1) = 2 \cdot 1^2 - 4 \cdot 1 + 5 = 3$. Man erhält den Scheitelpunkt $S(1|3)$.

8 Bestimme den x-Wert des Scheitelpunktes einer Parabel, wenn sie durch die beiden Punkte P und Q geht.
a) $P(0|0)$; $Q(5|0)$ b) $P(3|0)$; $Q(-1|0)$ c) $P\left(\frac{1}{2}\middle|0\right)$; $Q\left(\frac{1}{4}\middle|0\right)$ d) $P(8|2)$; $Q(4|2)$

9 Bestimme jeweils den Scheitelpunkt ohne GTR.
a) $y = x^2 - 6x + 8$ b) $y = x^2 + 4x + 4{,}5$ c) $y = x^2 + 10x + 21$ d) $y = x^2 - x + 2$

10 a) Untersucht zu zweit mit dem GTR die Graphen von $y = 2x \cdot (x - 4)$; $y = 0{,}5x \cdot (x + 3)$ und $y = -5x \cdot (x - 0{,}2)$.
Formuliert eine Vermutung, um welchen Funktionstyp es sich handelt, und versucht anschließend diese zu begründen.
b) Was lässt sich aus den Funktionsgleichungen in dieser Darstellung unmittelbar ablesen?

11 Ein Golfball wird 150 m weit geschlagen. Gib verschiedene Funktionsgleichungen für quadratische Funktionen an, deren Parabeln der Flugbahn entsprechen können, und bestimme deren maximale Höhe. Überprüfe das Ergebnis mit dem GTR.

6 Optimierungsaufgaben

Zeichne verschiedene Rechtecke mit einem Umfang von 30 cm. Berechne anschließend die Flächeninhalte der Rechtecke. Wie müssen die Seitenlängen gewählt werden, damit die Flächeninhalte möglichst groß bzw. möglichst klein sind?
In dieser Lerneinheit erfährst du, wie man bei Problemen optimale Lösungen mit quadratischen Funktionen finden kann.

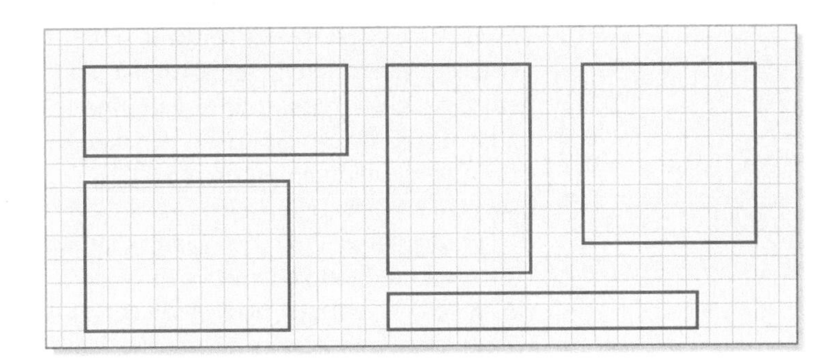

Bei vielen Problemen des Alltags, der Technik oder der Wirtschaft ist danach gefragt, wann eine Größe (z. B. Flächeninhalt, Gewinn) den kleinsten oder den größten Wert annimmt. Bei Größen, die sich durch eine quadratische Funktion bestimmen lassen, können diese Werte mithilfe des Scheitelpunktes der dazugehörigen Parabel berechnet werden.

Mit einem 40 m langen Zaun soll an einer Hauswand ein Rechteck eingezäunt werden. Wie lang müssen die Seiten des Rechtecks gewählt werden, damit es einen möglichst großen Flächeninhalt besitzt. Wie groß wäre dieser dann?

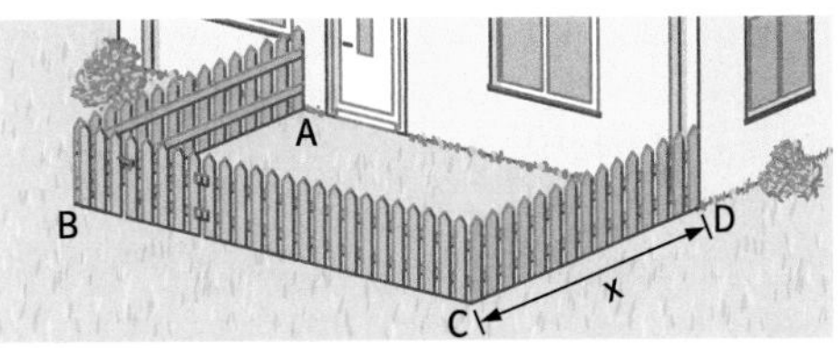

Fig. 1

Verstehen der Aufgabe
- Der Zaun ist 40 m lang. An der Hauswand wird kein Zaun benötigt.
- Der Flächeninhalt A (in m^2) soll maximal werden.

Einführung einer Variablen, Aufstellen einer Funktionsgleichung
Für die Länge der Querseiten $\overline{AB}$ und $\overline{CD}$ wählt man die Variable x. Da die Gesamtlänge des Zauns 40 m beträgt, bleibt für die Längsseite $\overline{BC}$ eine Länge von $40 - 2x$.
Die Funktion $x \to A$ mit der Funktionsgleichung $A = x \cdot (40 - 2x)$ ist quadratisch.
Der x-Wert des Scheitels der dazugehörigen Parabel ist die gesuchte Länge der Querseite.

Bestimmung des Scheitels
Man bestimmt den Scheitelpunkt, z. B. mithilfe des GTR, und erhält S(10 | 200). Da die Parabel nach unten geöffnet ist, ist der Flächeninhalt für $x = 10$ mit 200 am größten. Für die andere Seite des Rechtecks erhält man $40 - 2 \cdot 10 = 20$.

Antwortsatz
Wird für die Querseite des Rechtecks 10 m gewählt, so ist die Längsseite 20 m lang und der Flächeninhalt mit 200 m^2 maximal. Das heißt, das Haus muss mindestens 20 m lang sein.

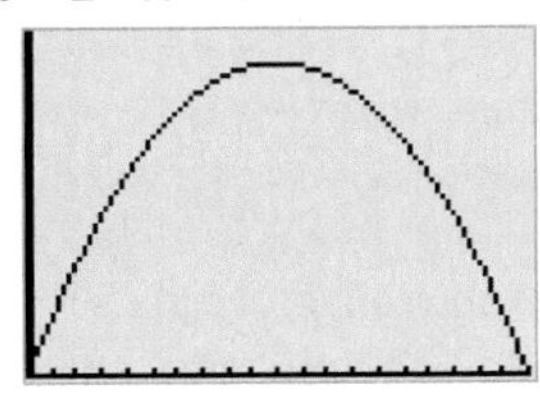
Fig. 2

Quadratische Funktionen können bei solchen Problemen des Alltags hilfreich sein, bei denen größte oder kleinste Werte gesucht sind.

Aufgaben

1 Eine Metallplatte der Länge 5 m und der Breite 25 cm soll in der Breite so umgebogen werden, dass eine Regenrinne entsteht (Fig. 1). Wie geht man vor, damit das Fassungsvolumen maximal wird?

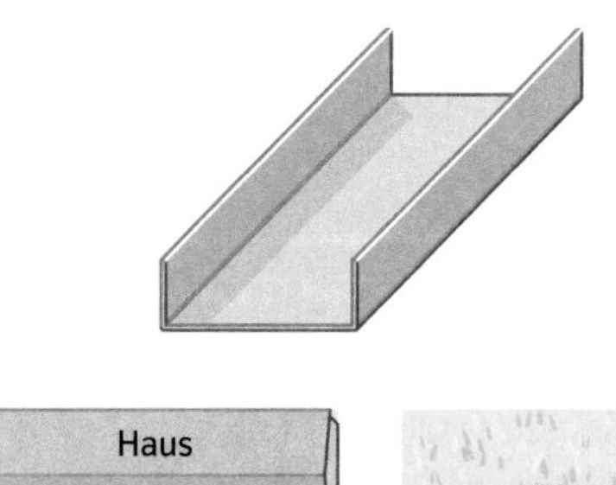

Fig. 1

2 a) Dagmar will mit 11 m Maschendraht einen rechteckigen Platz für ihren Hund einzäunen. Sie benutzt die Wände von Garage und Haus (Fig. 2). Für welche Maße wird der Platz am größten? Gib diesen Inhalt an.
b) Wie hätte sie die Maße wählen müssen, wenn sie eine 3 m lange Mauer verwenden würde (Fig. 3)?

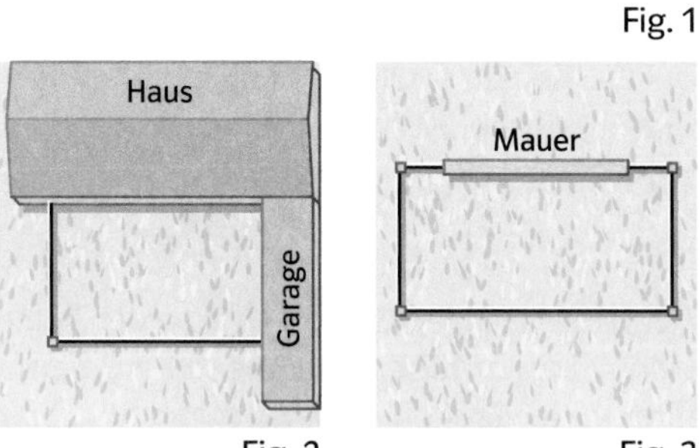

Fig. 2 Fig. 3

3 Karin möchte aus einem Brett mit dem Format 5 m × 0,4 m entsprechend der Fig. 4 ein Regal mit maximalen Volumen bauen. Welche Maße hat das Regal?

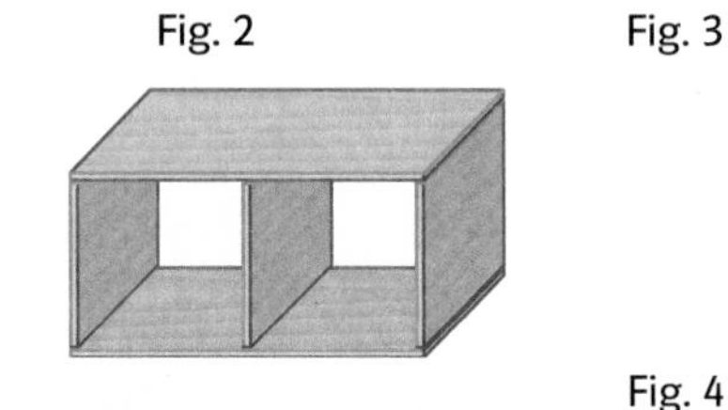

Fig. 4

4 Ein quadratischer Tisch mit der Seitenlänge 2 m soll entsprechend Fig. 5 mit zwei quadratischen Einlegearbeiten verziert werden. Aus Kostengründen soll dieser Flächenanteil möglichst klein werden. Welche Maße bieten sich für die Einlegearbeiten an?

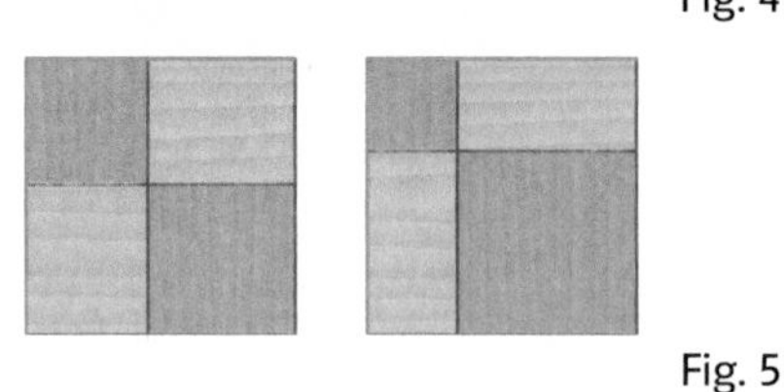

Fig. 5

5 Auf den Seiten des Rechtecks ABCD wird auf jeder Seite die Strecke x abgetragen (Fig. 6). Es entsteht das Viereck EFGH.
a) Welche besondere Form hat das Viereck EFGH?
b) Für welche Länge x ist der Flächeninhalt des Vierecks am kleinsten?
Tipp: Überlege, welche Flächen von der Fläche des Rechtecks abgezogen werden müssen, um auf das Viereck EFGH zu kommen.

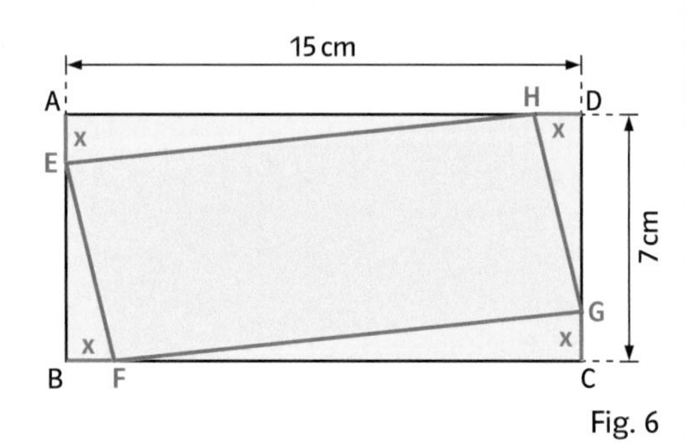

Fig. 6

6 Auf der in Fig. 7 abgebildeten dreieckigen Wiese soll ein Gebäude mit rechteckigem Grundriss so gebaut werden, dass es direkt an die Schlossallee und die Parkstraße grenzt. Die verbleibenden Dreiecke sollen als Grünflächen genutzt werden. Welche Maße würdest du als Architekt für den Grundriss vorschlagen?

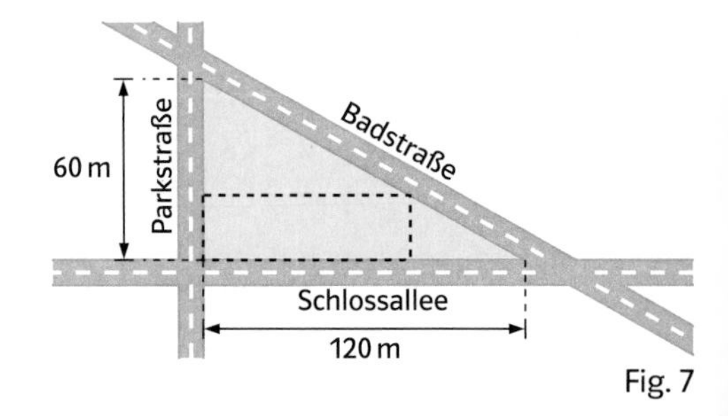

Fig. 7

1 Am Graphen in Fig. 1 kann man ablesen, wie teuer ein Telefongespräch ist.
a) Weshalb werden die Endpunkte der Strecken unterschiedlich gezeichnet?
b) Warum lässt sich aus den Telefonkosten nicht die Gesprächsdauer bestimmen?

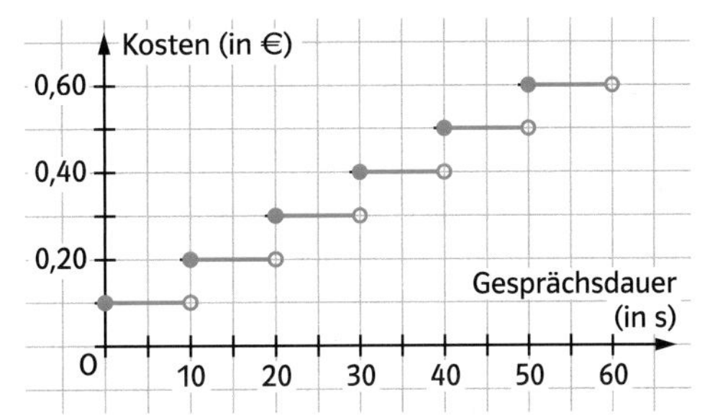

Fig. 1

2 Der Punkt P liegt auf der Parabel mit $y = x^2 - 2$. Bestimme die fehlende Koordinate.
a) $P(0|y)$ b) $P(0{,}3|y)$
c) $P(x|14)$ d) $P(x|0{,}25)$

3 In einer Zeitschrift entdeckt Tina das in Fig. 2 abgebildete Diagramm.
a) Tina vermutet, dass die beiden Kurven Parabeln sind. Wie kann sie ihre Vermutung erhärten?
b) Überlege dir zusammen mit deinem Nachbarn zu dem Diagramm drei Aufgaben und tausche sie mit einer anderen Gruppe aus.

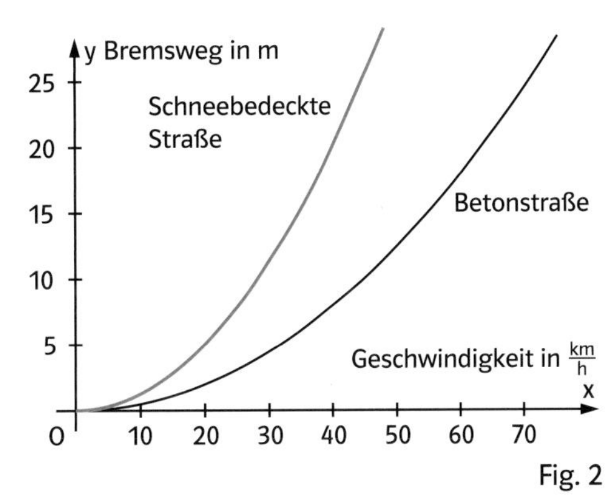

Fig. 2

4 S ist der Scheitel einer verschobenen Normalparabel. Bestimme eine Funktionsgleichung.
a) $S(0|5{,}7)$ b) $S(2{,}5|-5)$ c) $S\left(\frac{5}{4}\middle|1{,}1\right)$ d) $S\left(-2{,}5\middle|-\frac{3}{7}\right)$

5 Bestimme eine Gleichung zu einer quadratischen Funktion, für die Folgendes gilt:
a) Der größte Funktionswert ist −3.
b) Die zugehörige Parabel verläuft durch den Punkt $P(1|2)$.
c) Der Scheitelpunkt liegt bei $S(-120|-250)$.
d) Die Differenz der Nullstellen beträgt 6.

6 Eine in y-Richtung verschobene Normalparabel geht durch den Punkt P. Bestimme eine Funktionsgleichung.
a) $P(0|-1{,}5)$ b) $P(1|5)$ c) $P(-1|0)$ d) $P(2|8)$

7 Ein Schüler sucht sich eines der farbigen Kärtchen aus und beschreibt seinem Banknachbarn ohne zu zeichnen die Parabel der Funktion. Dieser muss nun versuchen, mit den Angaben das Kärtchen mit der passenden Funktionsgleichung zu finden. Das Ergebnis kann anschließend mit dem GTR überprüft werden.

$y = x^2$ | $y = 1{,}5 + x^2$ | $y = (-5 + x)^2$ | $y = 0{,}1(x - 2)^2 - 2$ | $y = -(x + 0{,}5)^2 - 0{,}5$
$y = 0{,}01(x - 2)^2$ | $y = x^2 + 4$ | $y = (2 + x)^2$ | $y = 3 - (x + 2)^2$ | $y = \frac{1}{2}(x + 4)^2 + 4$
$y = \frac{1}{2}(x + 4)^2 + 4$ | $y = -2(x + 1)^2 + 2$ | $y = 2x^2$ | $y = (3{,}5 + x)^2$ | $y = 1 + x^2$

8 a) Beschreibe, wie sich die Parabel einer quadratischen Funktion zeichnen lässt.
b) Beschreibe, unter welchen Bedingungen eine Parabel enger oder weiter als die Normalparabel ist.
c) Beschreibe, unter welchen Bedingungen eine quadratische Funktion keine, eine oder zwei Nullstellen hat.

9 a) Suche mithilfe einer Schablone drei verschiedene Lagen von verschobenen Normalparabeln, die durch den Punkt S(1|2) gehen. Bestimme jeweils die dazugehörige Funktionsgleichung.
b) Wo liegen allgemein die Scheitelpunkte der verschobenen Normalparabeln, die durch den Punkt S(1|2) gehen?

10 Die Wertetabelle gehört zu einer quadratischen Funktion. Gib eine dazugehörige Funktionsgleichung an und zeichne anschließend den Graphen mit dem GTR.

a)

x	2	3	4
y	2	0	2

b)

x	−1	0	1
y	2	−1	2

c)

x	−3	−2	−1
y	−2	−1	−2

d)

x	0	2	4
y	2	−2	2

11 Gegeben sei eine Parabel p einer quadratischen Funktion mit $y = \frac{1}{2}(x + 2)^2 - 3$. Gib die Funktionsgleichung der quadratischen Funktion an, deren Parabel gegenüber p ...
a) ... an der y-Achse gespiegelt ist.
b) ... um eine Einheit nach links und um eine Einheit nach unten verschoben ist.
c) ... an der x-Achse gespiegelt ist.
d) ... am Ursprung gespiegelt ist.

12 Bestimme mit und ohne GTR den Scheitelpunkt der quadratischen Funktion mit:
a) $y = x^2 - 4x + 5$ b) $y = x^2 + 2x + 4$ c) $y = x^2 - 12x + 26$ d) $y = x^2 + x + 1{,}75$.

13 Auf einem quadratischen Bauplatz soll ein Haus errichtet werden. Die Behörde verlangt, dass das Gebäude von allen Seiten des Grundstücks mindestens 4,5 m entfernt bleiben muss.
a) Berechne für die Seitenlängen 25 m und 32 m die größtmögliche Hausfläche.
b) Gib die Gleichung der Funktion an, die jeder Seitenlänge des Grundstücks die größtmögliche Hausfläche zuordnet.
c) Welche Seitenlänge muss das Grundstück mindestens haben, wenn das Haus eine Grundfläche von 100 m² haben soll?

Welche Seitenlängen darf das Grundstück haben?

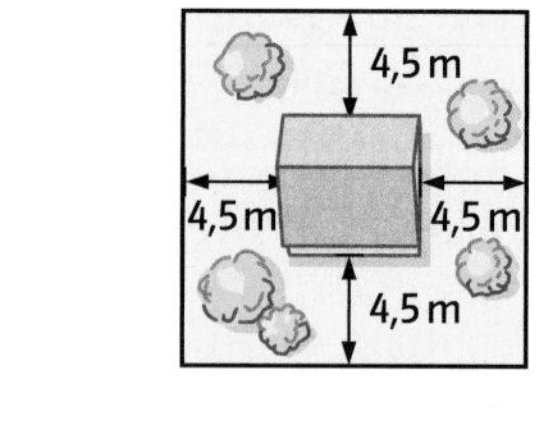

Fig. 1

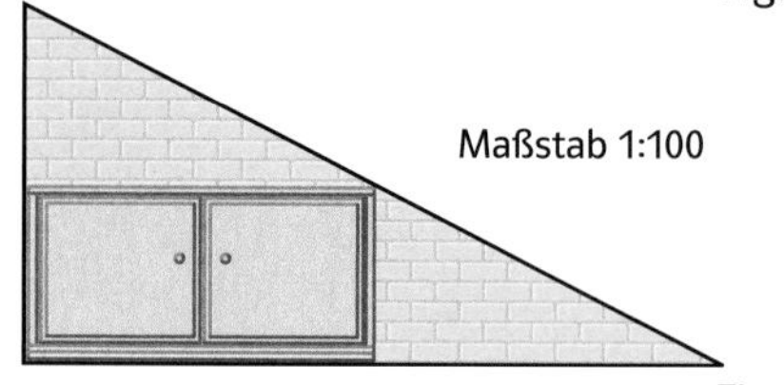

Fig. 2

14 In eine Dachschräge soll an die Querwand ein Schrank mit einer Tiefe von 0,70 m eingebaut werden (Fig. 2). Welche Höhe und welche Breite sollte der Schrank haben, damit der Rauminhalt möglichst groß ist?

15 Eine in positive y-Richtung verschobene Normalparabel wird für $-2 \leqq x \leqq 2$ betrachtet. Der kleinste Funktionswert beträgt 20 % des größten. Wie lautet die dazugehörige Funktionsgleichung?

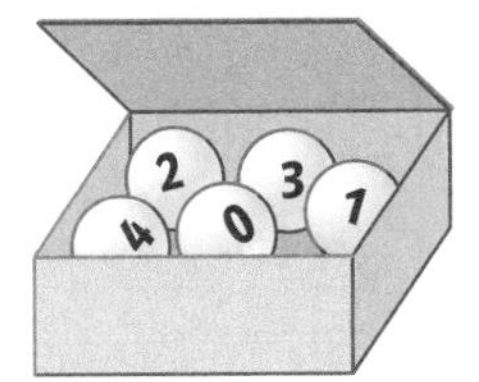

Fig. 1

16 Bei einer in y-Richtung verschobenen, nach unten geöffneten Normalparabel soll die Verschiebung mit einem Losverfahren bestimmt werden: Hierzu wird aus der in Fig. 1 abgebildeten Schachtel eine Kugel ohne Hinschauen gezogen. Die Zahl auf der gezogenen Kugel gibt an, wie weit die Parabel in y-Richtung verschoben werden soll. Wie groß ist die Wahrscheinlichkeit, dass die Nullstellen der dazugehörigen Parabel irrational sind?

17 a) Eine Normalparabel soll um vier Einheiten nach unten verschoben werden. Gib die dazugehörige Funktionsgleichung an und bestimme die Nullstellen.
b) Eine zweite Parabel soll gegenüber der Parabel aus Teilaufgabe a) um 25 % weiter nach unten verschoben sein. Bestimme die dazugehörigen Nullstellen.
c) Berechne den Abstand d der beiden Schnittpunkte der Parabel aus Teilaufgabe a) mit der x-Achse. Verschiebe die Parabel anschließend so, dass der Abstand der beiden Schnittpunkte nur noch 75 % von d beträgt. Wie lautet die dazugehörige Funktionsgleichung?

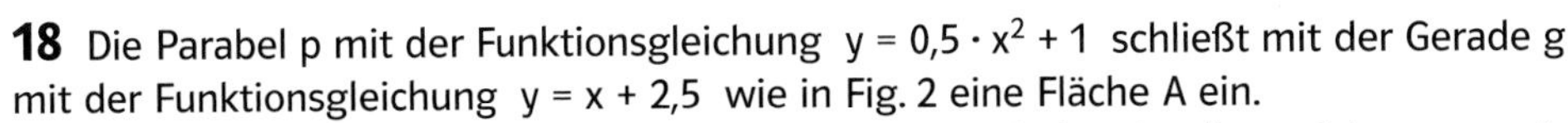

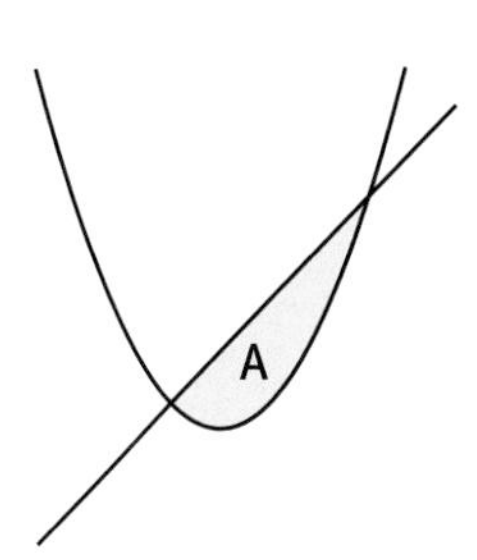

Fig. 2

18 Die Parabel p mit der Funktionsgleichung $y = 0{,}5 \cdot x^2 + 1$ schließt mit der Gerade g mit der Funktionsgleichung $y = x + 2{,}5$ wie in Fig. 2 eine Fläche A ein.
a) Eine weitere Gerade schließt mit der Parabel p eine Fläche ein, die zu A kongruent ist. Bestimme die Funktionsgleichung.
b) Bestimme zwei quadratische Funktionen, deren dazugehörige Parabeln nach oben geöffnet sind und die mit g eine zu A kongruente Fläche einschließen. Wie viele quadratische Funktionen mit dieser Eigenschaft gibt es? Wo liegen die Scheitel der Parabeln?
c) Bestimme zwei quadratische Funktionen, deren dazugehörige Parabeln nach unten geöffnet sind und die mit g eine zu A kongruente Fläche einschließen.

19 Geo a) Zeichne eine Gerade g und einen Punkt P im Abstand von 2 cm. Bestimme anschließend mit Zirkel und Geodreieck verschiedene Punkte, die jeweils den gleichen Abstand von g und P haben. Verbinde die Punkte durch eine Kurve. Welche Vermutung liegt nahe?
b) Führe Teilaufgabe a) mit einem Geometrieprogramm durch. Verändere dabei auch den Abstand des Punktes P zur Gerade g.

20 Wirft man einen Gegenstand parallel zur Erde, so hat seine Flugbahn die Form einer Parabel (Fig. 3). Wird eine Kugel mit einer Geschwindigkeit von v = 4 (in m/s) geworfen, so kann die Flugbahn mit folgender Parabel beschrieben werden:

$$y = -\frac{9{,}81}{32}x^2.$$

x: Entfernung vom Abwurfpunkt in waagerechter Richtung (in m); y: Höhe (in m).

Fig. 3

a) Wohin wurde der Ursprung des Koordinatensystems gelegt?
b) Wie weit würde die Kugel fliegen, wenn sie von einer Höhe von 1,4 m waagerecht geworfen wird?
c) Wirft man die Kugel mit einer Geschwindigkeit v (in m/s), so wird die Parabel beschrieben mit

$$y = -\frac{9{,}81}{2 \cdot v^2}x^2.$$

Mit welcher Geschwindigkeit muss die Kugel waagerecht von einer Höhe von 1,4 m geworfen werden, damit sie etwa 5 m vor dem Fuß des Werfers landet?

Mit Graphen und Diagrammen mogeln

Funktionen werden in Fachbüchern, Zeitschriften oder Zeitungen häufig durch Graphen oder Diagramme dargestellt. Im Gegensatz zu Wertetabellen lassen sich so Eigenschaften der Funktionen gut ablesen. Man erkennt zum Beispiel auf einen Blick, wo Funktionswerte positiv oder negativ sind, wo sie ansteigen oder abfallen bzw. wo sie maximale oder minimale Werte annehmen. Die meisten verwendeten Graphen sind einwandfrei. Mitunter wird aber auch gemogelt, um beim Leser einen gewünschten Eindruck hervorzurufen.

Eine Firma erzielt beispielsweise für die zurückliegenden Jahre die Verkaufszahlen in der Tabelle.

Jahr	1995	1996	1997	1998	1999	2000	2001	2002	2003	2004	2005
Verkaufszahlen	8849	8853	8862	8863	8862	8871	8874	8879	8879	8873	8871

Aufgrund dieser Werte werden folgende Grafiken erstellt:

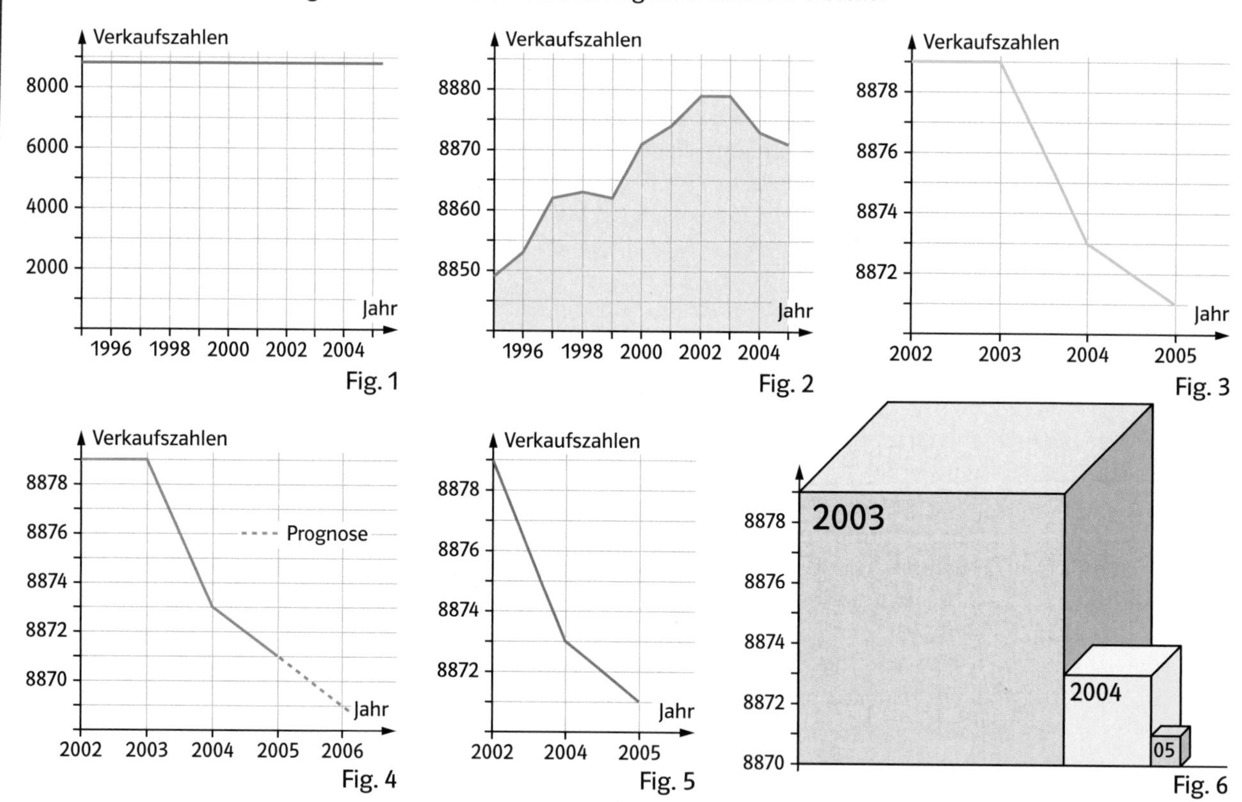

Fig. 1 Fig. 2 Fig. 3 Fig. 4 Fig. 5 Fig. 6

1 Untersuche, ob die Graphen und Diagramme die Werte richtig wiedergeben.

2 Beschreibe, welchen Eindruck man bei den Graphen und Diagrammen gewinnen kann und wie dieser Eindruck erzeugt wird.

3 Überlege, welche Personen Interesse an den verschiedenen Darstellungen haben könnten. Schreibe aus Sicht dreier dieser Personen jeweils einen kurzen Zeitungsartikel zu der entsprechenden Grafik mit einer geeigneten Überschrift.

4 Untersuche die folgenden Zeitungsgrafiken im Hinblick auf Mogeleien.

Fig. 1

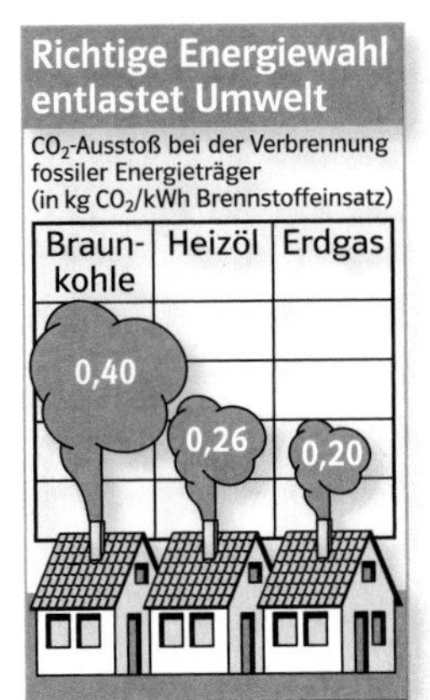

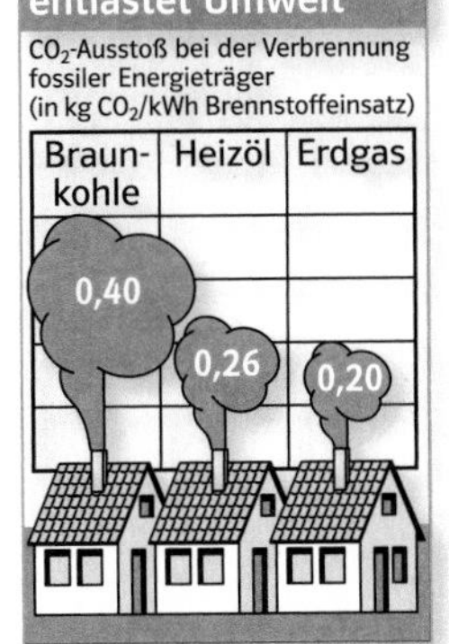

Fig. 2

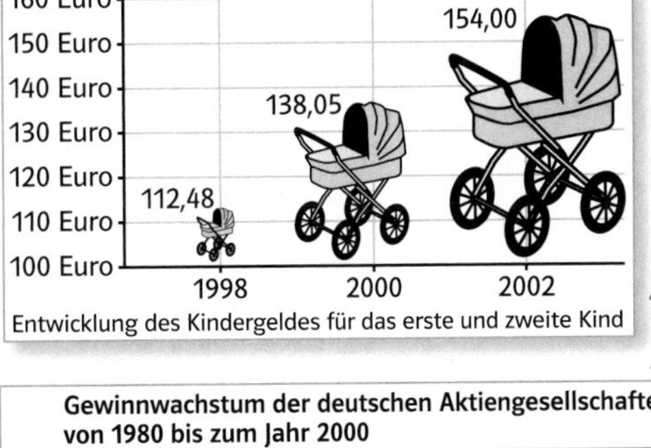

Fig. 3

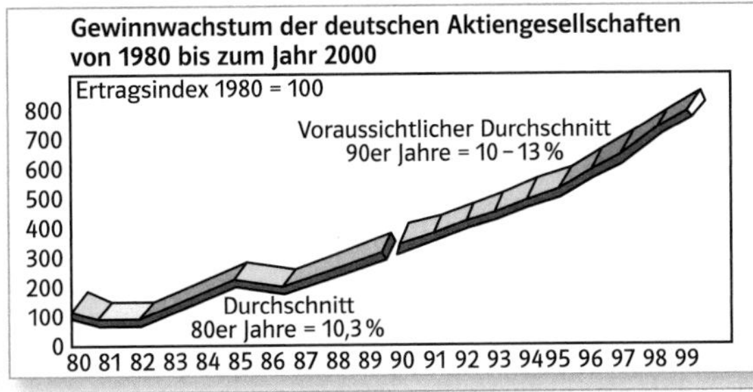

Fig. 4

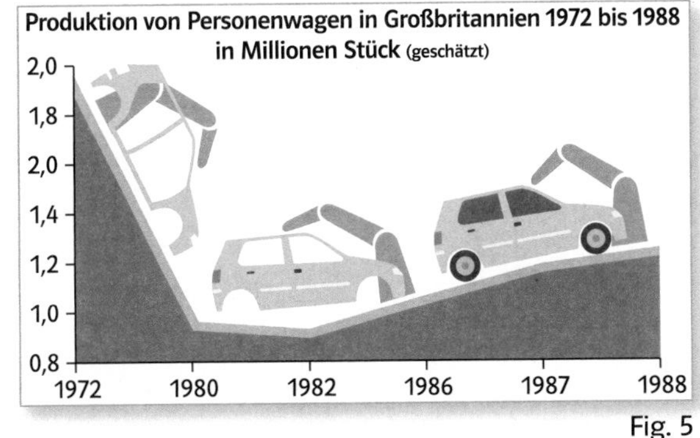

Fig. 5

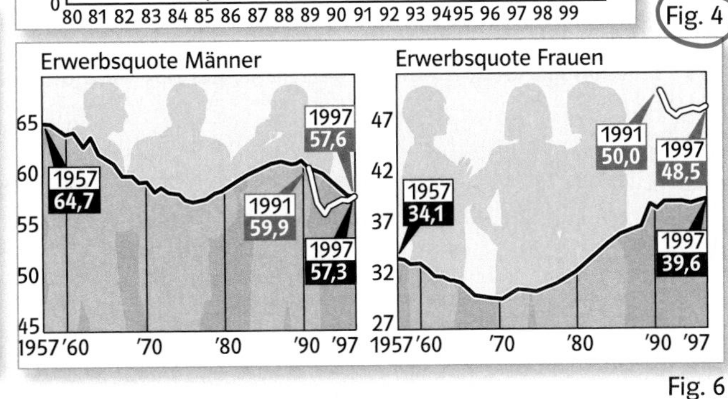

Fig. 6

5 Sucht in Tages- und Wochenzeitungen nach Grafiken und kontrolliert, ob und in welcher Form mit den Darstellungen gemogelt wurde.

6 In der Klasse 8a des Goethe-Gymnasiums wurden die Schülerinnen und Schüler über ein Jahr jeden Monat befragt, wie lange sie im Durchschnitt für die Erledigung der Hausaufgaben benötigten. Die Ergebnisse wurden in einer Tabelle zusammengetragen:

Monat	Sep	Okt	Nov	Dez	Jan	Feb	Mär	Apr	Mai	Jun	Jul
Bearbeitungszeit (in min)	43	51	55	49	69	74	60	57	53	50	53

Erarbeitet mithilfe einer Grafik eine Präsentation, die …
a) … aus Sicht der Schulleitung formuliert ist und den Eindruck vermitteln soll, dass die Hausaufgabenbelastung der Schülerinnen und Schüler für eine 8. Klasse angemessen ist.
b) … aus Sicht eines Geschwister formuliert ist und den Eindruck vermitteln soll, dass die Hausaufgabenbelastung durchaus noch erhöht werden dürfte.
c) … aus Sicht der Schülerinnen und Schüler formuliert ist und den Eindruck vermitteln soll, dass die Hausaufgabenbelastung viel zu hoch ist und dringend reduziert werden muss.

Rückblick

Funktionen
Eine Zuordnung, die jedem x-Wert jeweils nur einen y-Wert zuordnet, heißt Funktion.
Wird dem x-Wert 4 der y-Wert 3 zugeordnet, so nennt man 3 den Funktionswert für $x = 4$ und schreibt $y(4) = 3$.
Die Gleichung $y = 0{,}5x + 1$, mit der sich die Funktionswerte berechnen lassen, heißt Funktionsgleichung.

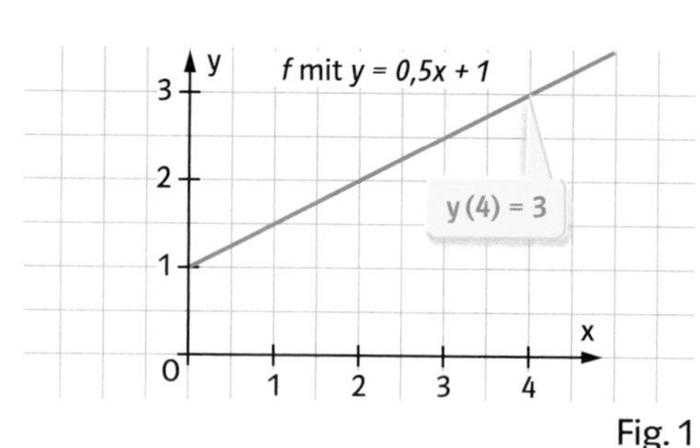

Fig. 1

Spezielle quadratische Funktion
Die Funktionsgleichung einer speziellen quadratischen Funktion hat die Form
$y = 3x^2$.
Der dazugehörige Graph heißt Parabel (Fig. 2).
Bei einer speziellen quadratischen Funktion wird dem 2-, 3- bzw. n-fachen der ersten Größe jeweils das 4-, 9- bzw. n^2-fache der zweiten Größe zugeordnet. Die dazugehörige Parabel geht durch den Punkt S(0|0). Dieser Punkt heißt auch Scheitelpunkt oder Scheitel der Parabel.

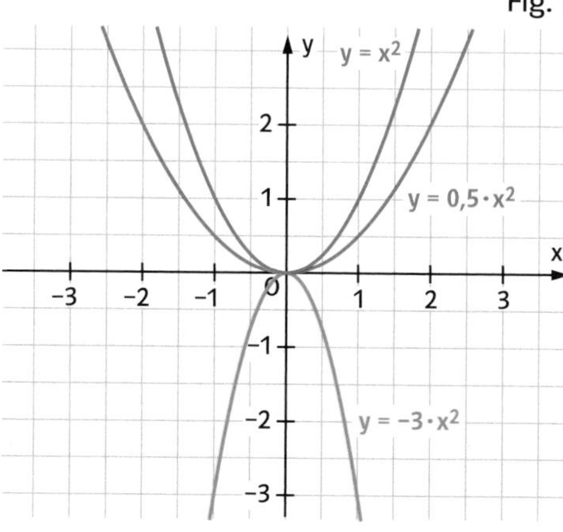

Fig. 2

Potenzfunktion
Die Funktionsgleichung einer Potenzfunktion hat die Form
$y = 3x^4$.
Die Funktionswerte der Potenzfunktion mit geraden Hochzahlen haben immer dasselbe Vorzeichen, die Funktionswerte der Potenzfunktion mit ungeraden Hochzahlen wechseln das Vorzeichen bei $x = 0$ (Fig. 3).

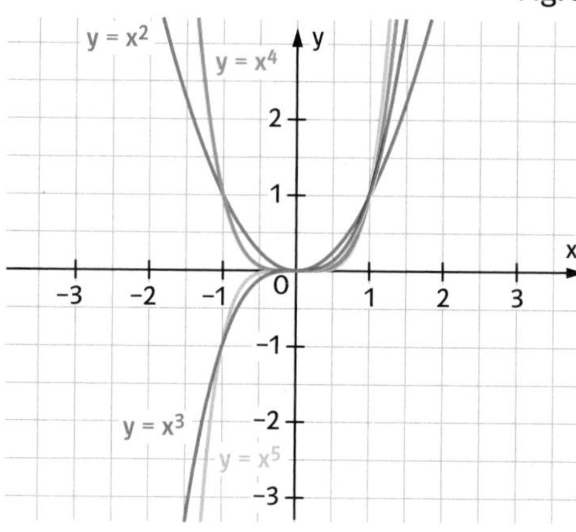

Fig. 3

Quadratische Funktion
Funktionen, die eine Funktionsgleichung in der Form
$y = 0{,}5(x - 2)^2 + 3$
haben, heißen quadratische Funktionen. Die Parabel der Funktion mit $y = 0{,}5(x - 2)^2 + 3$ ist gegenüber dem Graphen der speziellen quadratischen Funktion mit $y = 0{,}5x^2$ um 2 nach rechts und um 3 nach oben verschoben; der Scheitel liegt bei S(2|3) (Fig. 4).

Scheitelform und Normalform
Die Funktionsgleichung einer quadratischen Funktion kann in der
Scheitelform $y = 2 \cdot (x + 3)^2 + 4$
oder in der Normalform $y = 2x^2 + 12x + 22$
dargestellt werden.

Größter und kleinster Funktionswert
Größen, die sich durch quadratische Funktionen bestimmen lassen, nehmen beim Scheitelpunkt der dazugehörigen Parabel den kleinsten oder den größten Wert an.

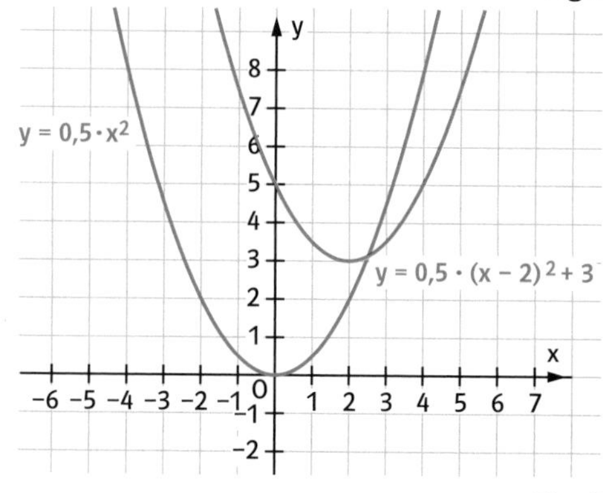

Fig. 4

Training

Runde 1

1 Gib zwei Funktionsgleichungen zu quadratischen Funktionen an, die
a) keine Nullstelle haben
b) eine Nullstelle haben
c) zwei Nullstellen haben.

2 S ist der Scheitel einer verschobenen Normalparabel. Bestimme eine zugehörige Funktionsgleichung.
a) $S(0|5,7)$ b) $S(2,5|-5)$ c) $S\left(\frac{5}{4}\middle|1,1\right)$ d) $S\left(-2,5\middle|-\frac{2}{5}\right)$

3 Zeichne die Parabel der quadratischen Funktion mit der Funktionsgleichung
a) $y = \frac{1}{2}(x + 2)^2$ b) $y = -(x - 2)^2 + 3$ c) $y = 2x^2 - 2,5$ d) $y = x(x - 2)$

4 a) Bestimme die Funktionsgleichung der Funktion, die bei einem Würfel jeder Kantenlänge x die Oberfläche O zuordnet.
b) Bestimme die Kantenlänge des Würfels so, dass seine Oberfläche $150\,m^2$ beträgt.

5 Auf einer Wiese sollen an einem Fluss wie in Fig. 1 zwei gleichgroße rechteckige Stücke eingezäunt werden. Insgesamt stehen 60 m Maschendraht zur Verfügung. Wie sind die Abmessungen zu wählen, damit die eingezäunte Fläche am größten wird?

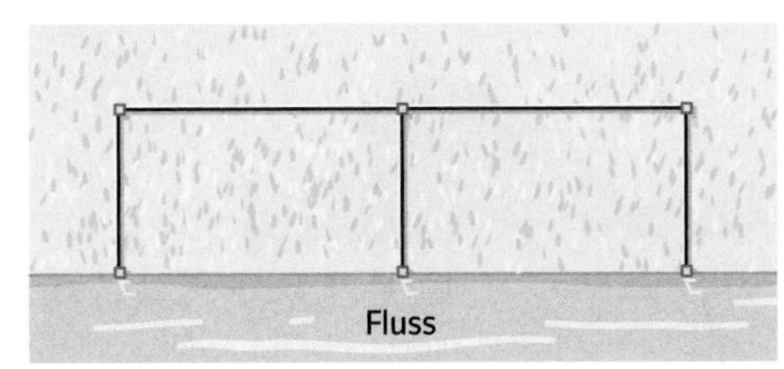

Fig. 1

Runde 2

1 Beschreibe, unter welchen Bedingungen eine Zuordnung eine Funktion ist.

2 Der Punkt P liegt auf dem Graphen mit $y = -2x^3$. Bestimme die fehlende Koordinate.
a) $P(0|y)$ b) $P(0,3|y)$ c) $P(x|-2)$ d) $P(x|16)$

3 Gib zu den Parabeln in Fig. 2 jeweils eine Funktionsgleichung an.

4 Bestimme den Scheitelpunkt.
a) $y = 2x - x^2$ b) $y = x^2 - 4x + 7$

5 Wird eine Kugel mit einer Abwurfgeschwindigkeit von 8 m/s senkrecht nach oben geworfen, so kann man ihre Höhe (in m) mit der Gleichung $h = 8t - 5t^2$ angenähert berechnen. Hierbei ist t die Zeit seit dem Abwurf (in s). Stelle den dazugehörigen Graphen in einem Koordinatensystem dar.
Nach welcher Zeit erreicht die Kugel ihre größte Höhe?
Wie groß ist diese?

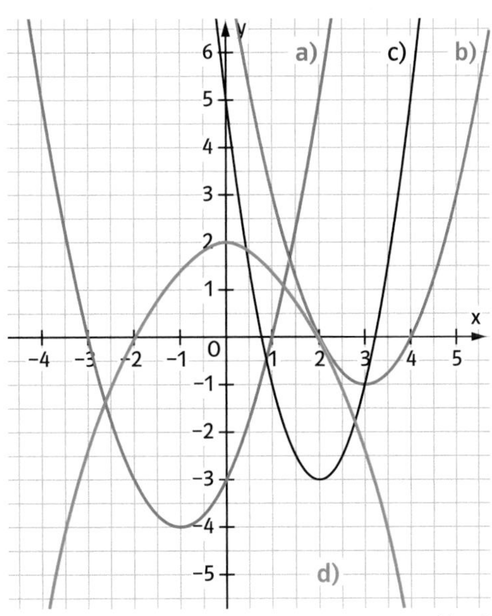

Fig. 2

Das kannst du schon

- Terme mit einer Variablen aufstellen und zielgerichtet umformen
- Lineare und quadratische Funktionen darstellen
- Lineare Gleichungssysteme aufstellen und lösen

Alles Parabeln?

Zahl und Maß

Daten und Zufall

Beziehung und Änderung

Modell und Simulation

Muster und Struktur

Form und Raum

IV Verallgemeinerungen bei Funktionen und Gleichungen

Tricks mit X – auch im Quadrat

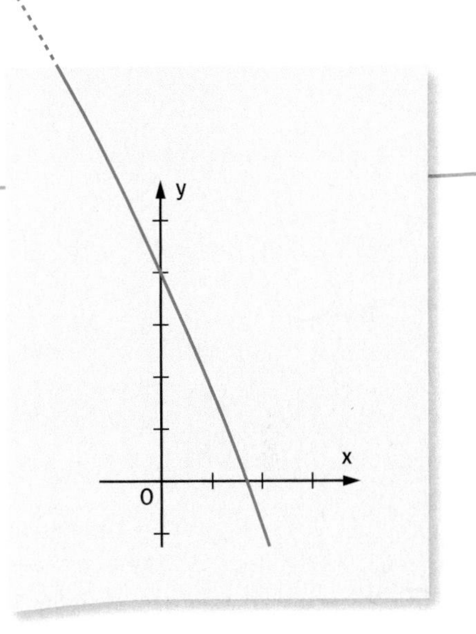

Dieser Ausschnitt des nebenstehenden Graphen gehört zu einer quadratischen Funktion. Ob sich der Scheitelpunkt noch auf dieser Seite befindet, ist fraglich.

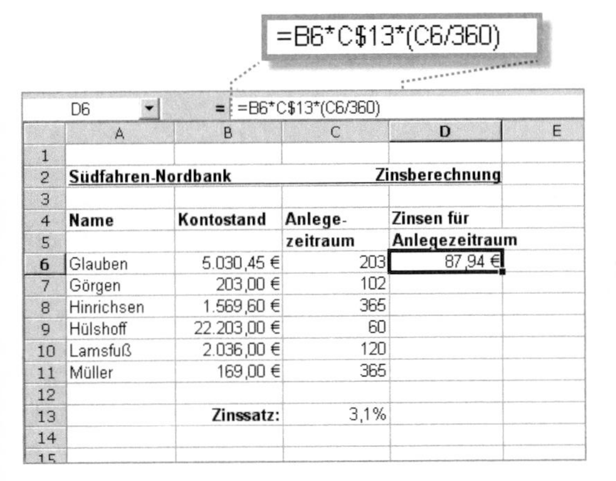

=B6*C$13*(C6/360)

D6 = =B6*C$13*(C6/360)

	A	B	C	D	E
1					
2	**Südfahren-Nordbank**			**Zinsberechnung**	
3					
4	**Name**	**Kontostand**	**Anlege-**	**Zinsen für**	
5			**zeitraum**	**Anlegezeitraum**	
6	Glauben	5.030,45 €	203	87,94 €	
7	Görgen	203,00 €	102		
8	Hinrichsen	1.569,60 €	365		
9	Hülshoff	22.203,00 €	60		
10	Lamsfuß	2.036,00 €	120		
11	Müller	169,00 €	365		
12					
13		**Zinssatz:**	3,1%		
14					

Das kannst du bald

- Terme mit mehreren Variablen aufstellen und zielgerichtet umformen
- Quadratische Terme und Gleichungen mit Variablen rechnerisch bearbeiten
- Lineare und quadratische Funktionen allgemein beschreiben und diese Darstellung zum Aufstellen von Funktionsgleichungen nutzen
- Quadratische Gleichungen lösen
- Komplexere Fragen aus dem Alltag mithilfe von Termen und Gleichungen beantworten

1 Umgang mit Formeln

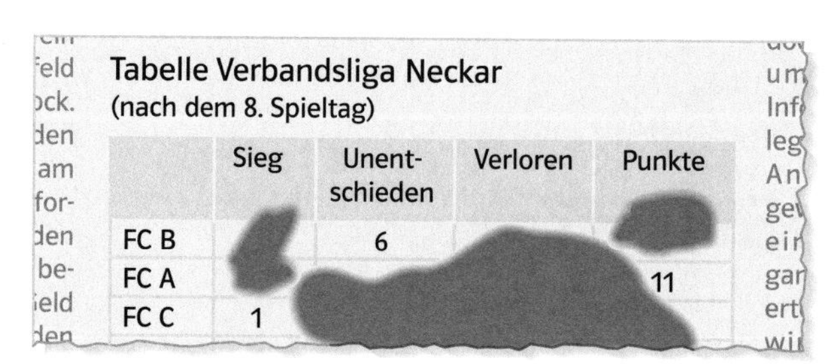
Tabelle Verbandsliga Neckar
(nach dem 8. Spieltag)

	Sieg	Unentschieden	Verloren	Punkte
FC B		6		
FC A				11
FC C	1			

Fig. 1

Franz: „Unser FC C hat bisher noch nie verloren." Paul: „Dafür haben wir mit dem FC A am häufigsten gewonnen." Kevin ist Spieler beim FC B und genießt: „Wir führen die Tabelle an." „Ist das wirklich möglich?", fragen sich Franz und Paul.

Fragen des Alltags werden häufig mithilfe von Formeln oder Gleichungen beantwortet. Dabei trat bisher meistens nur eine Variable auf. In diesem Kapitel werden komplexere Fragestellungen behandelt, bei denen auch mehrere Variablen vorkommen können. Wie man die auftretenden Formeln bzw. Gleichungen beispielsweise zum Lösen eines Problems umformt, wird in den ersten beiden Lerneinheiten erarbeitet und geübt.

Die Zinsen Z eines Sparguthabens mit dem Kapital K und dem Zinssatz p können mit der Zinsformel $Z = K \cdot \frac{p}{100}$ berechnet werden. Mit dieser Formel kann man auch das Kapital bestimmen, wenn die Zinsen und der Zinssatz bekannt sind.

Betragen beispielsweise die Zinsen eines Kapitals bei einem Zinssatz von 2,2 % jährlich 440 €, so setzt man die bekannten Größen in die Zinsformel ein, und löst die erhaltene Gleichung mit den bekannten Regeln nach K auf.

$440 = K \cdot \frac{2{,}2}{100} \quad | \cdot 100$

$440 \cdot 100 = K \cdot 2{,}2 \quad | : 2{,}2$

$K = \frac{440 \cdot 100}{2{,}2} = 20\,000$

Wenn man nun das Kapital auch für andere Werte von Z und p % berechnen will, ist es vorteilhaft, die Zinsformel allgemein nach K umzuformen. Die Rechnung folgt dem Vorgehen mit bekannten Zahlen.

$Z = K \cdot \frac{p}{100} \quad | \cdot 100$

$Z \cdot 100 = K \cdot p \quad | : p$

$K = \frac{Z \cdot 100}{p}$

Eine Formel kann nach den für Terme und Gleichungen geltenden Regeln umgeformt werden. Zur Berechnung einer Größe muss diese nach der Umformung alleine auf einer Seite des Gleichheitszeichens stehen.

Beim Vereinfachen dürfen nur gleichartige Summanden zusammengefasst werden. Beispielsweise kann der Term $a^2 + 4a + 2a^2 + 6a$ zu $3a^2 + 10a$ vereinfacht werden.
Wenn in einer Formel ein Quadrat aufgelöst werden soll, muss man auf beiden Seiten die Wurzel ziehen. So ergibt $b^2 = 9a$ nach b aufgelöst $b = 3\sqrt{a}$ und $b = -3\sqrt{a}$.

Beispiel 1 Term vereinfachen
Vereinfache den Term soweit wie möglich.
a) $a + 2a + 3b - 2b + 5c$
b) $2 \cdot 4x + x^2 - 2x + x^2 - y$

Lösung:
a) $a + 2a + 3b - 2b + 5c$
$= 3a + b + 5c$ *Zusammenfassen*

b) $2 \cdot 4x + x^2 - 2x + x^2 - y$
$= x^2 + x^2 + 8x - 2x - y$ *Ordnen*
$= 2x^2 + 6x - y$ *Zusammenfassen*

Beispiel 2 Formel umformen
Im Rahmen einer Werbeaktion möchte ein Milchproduzent verschiedene 1-Liter-Verpackungen mit quadratischer Grundfläche herstellen. Bestimme dazu für drei mögliche Höhen die Seitenlängen der Grundfläche der 1-Liter-Verpackung.
Lösung:
1. *Formel aufstellen:* Für das Volumen gilt:
$V = l \cdot b \cdot h$ (Länge l, Breite b und Höhe h).
2. *Einsetzen der gegebenen Informationen:*
Die Grundfläche ist quadratisch, also $b = l$.
$V = 1000\,cm^3$. Es folgt: $1000 = b^2 \cdot h$.
3. *Umstellen nach der gesuchten Größe; hier ist es die Breite b:*
$1000 = b^2 \cdot h$ | : h
$b^2 = \frac{1000}{h}$ | $\sqrt{\ }$
$b = \sqrt{\frac{1000}{h}}$ *b muss positiv sein*
4. *Einsetzen von h und berechnen von b:*

h (in cm)	40	20	12
b (in cm)	5	≈ 7	≈ 9,1

5. *Antwortsatz:* Bei der 1-Liter-Verpackung könnte die Höhe 40 cm; 20 cm bzw. 12 cm und die entsprechende Seite der Grundfläche 5 cm; ca. 7 cm bzw. ca. 9,1 cm lang sein.

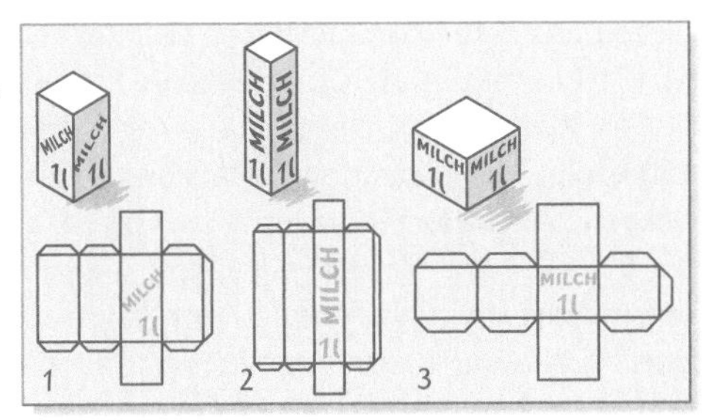

Fig. 1

Die Einheiten müssen. angeglichen werden (hier cm^3, cm^2 und cm), damit man mit der Formel sinnvoll rechnen kann.

Aufgaben

1 Vereinfache den Term soweit wie möglich.
a) $5b + 3a - 2b$ b) $a - a - b + b$ c) $a^2 + 3b - 2b^2 + a^2$ d) $b - 3b^2 + 5b + b^2$
e) $s \cdot s - 15s^2 + 7s$ f) $8g - g^2 + g - 10g^2$ g) $s \cdot 6 + s \cdot 8s - 9s^2$ h) $a \cdot a - a^2 \cdot 8 + a \cdot 5$

2 Vereinfache den Term soweit wie möglich. Berechne den Wert des Terms für $a = 3$; $b = 4$; $r = -2$; $s = 6$ und $t = 1$.
a) $4a - 5s + 7a$ b) $4a - 5s - 7a$ c) $8t + 5b - 7t$ d) $t - 8r + t - 8r$
e) $b + 8r^2 - b - 8r$ f) $a + 7a^2 - 6b - 6a \cdot a$ g) $2s + 3\sqrt{t} - 2\sqrt{t}$ h) $\sqrt{b} - (\sqrt{b})^2 + b$

Lösungen für Aufgabe 2 und 4 mit den Werten:
−62; −39; −12; $\sqrt{6}$; 3; 13; 21; 34; 35,8; 48; 195 und 321

3 Vereinfache den Term soweit wie möglich.
a) $5st - 5s + t \cdot s \cdot 8 + t \cdot 8 - s \cdot 3 + s \cdot 3t$ b) $x^2 \cdot 8 + x \cdot x - x \cdot 9 + 5x - x \cdot 3 \cdot x + 25x$
c) $5{,}6a^2 + t \cdot 3{,}2a - at \cdot 4 + a \cdot 3{,}6 \cdot a - t$ d) $5 \cdot \sqrt{a} + a \cdot 5 - a + 6 \cdot (\sqrt{a})^2 - \sqrt{a} \cdot \sqrt{a}$

4 Vereinfache den Term. Berechne seinen Wert für $a = 3$; $b = 4$; $x = 2$; $s = 9$ und $t = 1$.
a) $3ab + 2a + 8ba + ab \cdot 6 + b \cdot (-3) - a$ b) $4x^2 + 2x + x^2 \cdot (-7) + 14 - 8x - x \cdot 13 \cdot x$
c) $3{,}6at + 3at^2 + 1{,}8ta^2 + 0{,}6ta + t^2 - a \cdot t$ d) $s^2 + \sqrt{s} - 3(\sqrt{s})^2 + 4\sqrt{s^2} - 5 \cdot \sqrt{s} + 3s^2$

5 Welchen Zusammenhang könnte die Formel beschreiben? Welche Größen werden durch die einzelnen Variablen angegeben? Erstelle bei a), b) eine beschriftete Skizze.

a) bei einem Dreieck $h_a = \frac{2 \cdot A}{a}$

b) bei einem Kreis $r = \sqrt{\frac{A}{\pi}}$

c) für Zahlen $m = \frac{a + b + c + d}{4}$

d) bei der Bank $p = \frac{100 \cdot Z}{K}$

6 Am Einstein-Gymnasium in Böll sind L Lehrer und S Schüler. Auf einen Lehrer kommen 15 Schüler. Welche Gleichungen beschreiben die Situation richtig? Begründe.

$L = 15 \cdot S$ | $S : L = 15$ | $S = 15 \cdot L$ | $L : S = 15$

7 Susanne vereinfacht die angegebene Oberflächenformel für den Körper aus Fig. 1 und erläutert ihre Umformungsschritte: „Gegeben ist die Formel $O = 3 \cdot 6a^2 - 2a \cdot a - 2a \cdot a$. Diese beschreibt die Oberfläche des Körpers, der aus den drei Würfeln zusammengesetzt ist. Ein Würfel hat die Oberfläche $6a^2$; also haben alle Würfel zusammen die Oberfläche $3 \cdot 6a^2$. Nun wurden hierbei die inneren aneinander stoßenden Flächen der Würfel jeweils mitgezählt – und zwar zwei Flächen pro Grenzfläche. Diese müssen wieder abgezogen werden. Durch den Term $-2a \cdot a - 2a \cdot a$ geschieht dies. Zusammengefasst ergibt sich: $O = 3 \cdot 6a^2 - 2a \cdot a - 2a \cdot a = 18a^2 - 2a^2 - 2a^2 = 14a^2$."

Vereinfache die angegebene Formel und schreibe einen kleinen Aufsatz wie Susanne. Erstelle dazu auch eine mögliche Skizze, die die Formel beschreibt (wie Fig. 1).

a) $U = a + 2 \cdot a + b + 3 \cdot a + 5 \cdot b + c$

b) $A = x^2 + 3 \cdot x^2 + 5 \cdot x^2$

c) $V = abc + a^3 + bca + b^3 + cba + c^3$

d) $F = 6 \cdot a \cdot b + 3 \cdot a \cdot b + 2 \cdot c \cdot d - a \cdot b + 3 \cdot c \cdot d$

e) $O = 4 \cdot 6 \cdot a^2 - 3 \cdot 2 \cdot a \cdot a - a^2$

f) $V = 9a^3 - a^3$

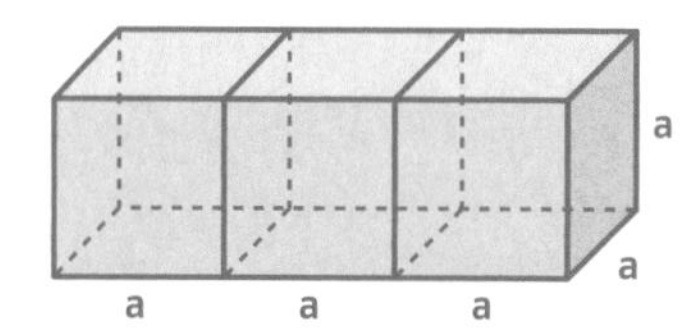

$O = 3 \cdot 6a^2 - 2a \cdot a - 2a \cdot a$

Fig. 1

8 Tina ist Triathletin und trainiert zur Zeit besonders das Laufen und Fahrradfahren. Für ihre tägliche Zeitplanung kalkuliert sie den Zeitaufwand (Z in Minuten) pro Trainingseinheit. Sie verwendet dafür die Überschlagsformel $Z = 6 \cdot l + 2 \cdot f + 20$, wobei l die gelaufenen und f die mit dem Fahrrad gefahrenen Kilometer jeweils in km beschreiben.

a) Erläutere die Zusammensetzung der Formel.

b) An einem Tag läuft sie 15 km und fährt 20 km. Wie groß ist ihr Zeitaufwand?

c) An drei Tagen ist sie 150 min; 120 min bzw. 260 min unterwegs. Dabei ist sie jeweils ca. 8 km gelaufen. Berechne mit einer Formel, wie weit sie jeweils Fahrrad gefahren ist.

d) Einmal ist sie nur 3,5 Stunden gelaufen. Wie viel Kilometer ist sie gelaufen?

9 Bei einer Pyramide mit quadratischer Grundfläche der Seitenlänge a und der Höhe h kann das Volumen mit der Formel $V = \frac{1}{3} \cdot a \cdot a \cdot h$ berechnet werden.
Es sei $V = 150\,000\,m^3$.

a) Stelle für die Höhe h eine Formel auf. Bestimme h für $a = 5\,m$; $9\,m$; $60\,m$ bzw. $300\,m$.

b) Stelle für die Seitenlänge a eine Formel auf. Bestimme a für $h = 8\,m$; $15\,m$; bzw. $45\,m$ auf zwei Stellen hinterm Komma.

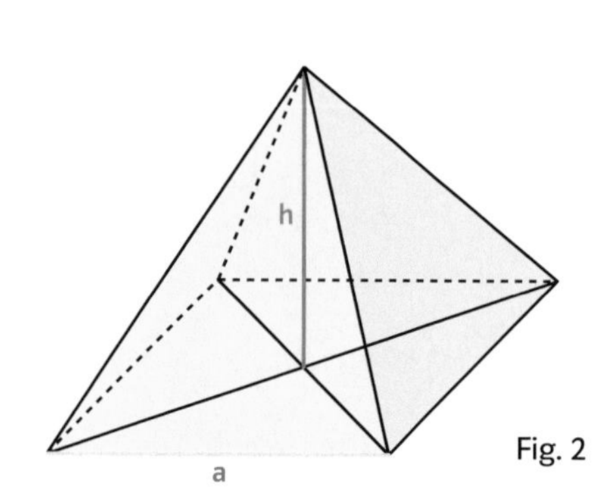

Fig. 2

Bist du sicher?

1 Vereinfache den Term und berechne seinen Wert für $a = 2$; $s = 1$; $b = 1{,}5$; $t = 4$; $r = 3$; $x = 9$.
a) $5t - 3a - 7t + a$ b) $7s - 1{,}5s^2 + s \cdot s - s$ c) $2r^2 - 5sr + rs - r^2$ d) $2\sqrt{t} - 5t + 4\sqrt{t}$
e) $ab + 5{,}2a - b \cdot 3a - a \cdot 3{,}8 - 0{,}4a + a \cdot 2b$ f) $4x^2 - 3\sqrt{x} + (\sqrt{x})^2 - 4\sqrt{x^2} + x \cdot 3x + \sqrt{x}$

2 Für ein Rechteck sind der Flächeninhalt und eine Seite gegeben. Stelle eine Formel zur Berechnung der zweiten Seite auf. Bestimme damit die unbekannte Seite, wenn der Flächeninhalt eines rechteckigen Feldes 16 ha beträgt und die bekannte Seite 320 m lang ist.

Zur Erinnerung
1 ha = 100m · 100m

10 Judith und Markus machen Urlaub am Schwarzen Meer und besichtigen das „Schwalbennest, eine Miniaturburg auf einer Klippe 40 Meter über dem Meer" – wie es in einem Reiseführer geschrieben steht. Markus erinnert sich: „Diese Höhenangabe kann man mit der Faustformel für den freien Fall $s = 5t^2$ kontrollieren. Die Größe s gibt dabei die Fallstrecke in Meter und t die Fallzeit in Sekunden an." „Aber die Fallstrecke s kennen wir doch schon!", erwidert Judith.

a) Stelle eine Formel auf, mit der die Fallzeit bestimmt werden kann.
b) Wie lange muss ein kleiner Stein bis zur Wasseroberfläche fliegen, wenn die Angabe des Reiseführers stimmt? Worauf ist bei der Durchführung des Experimentes zu achten?
c) Judith und Markus führen 5 Messungen mit den Zeiten 3 s; 3,2 s; 2,5 s; 3,3 s und 3,1 s durch. Werte die Messreihe aus und beurteile damit die Angabe des Reiseführers.

11 **„Formelpost" – ein Spiel für 3 bis 4 Personen**
a) Dieses Spiel wird wie „stille Post" gespielt. Jeder Mitspieler sucht sich eine der angegebenen Formeln aus und formt sie verdeckt um. Anschließend schreibt jeder die umgeformte Formel auf einen Zettel und gibt sie seinem rechten Nachbarn. Dieser formt die Formel in gleicher Weise um und gibt sie wiederum an seinen rechten Nachbarn weiter. Das Verfahren wird so lange fortgesetzt, bis jede Formel einmal im Kreis bis zum Anfangsspieler zurückgekehrt ist. Jetzt kann jeder Spieler überprüfen, ob die Umformungen richtig waren. Sollte dies nicht der Fall sein, müssen die einzelnen Umformungsschritte nochmals durchgegangen werden, um den Fehler zu finden. Ihr könnt euch auch selbst Formeln überlegen.

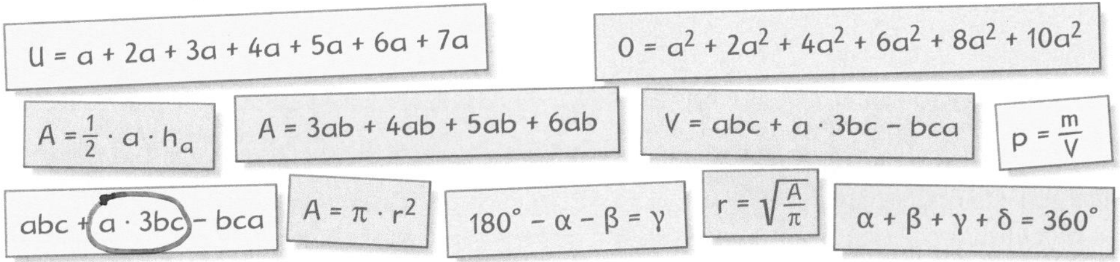

12 Für die natürlichen Zahlen a, b und c soll der Zusammenhang $a > b + c$ gelten.
a) Stelle die Terme der Gleichung $a - (b + c) = (a - b) - c$ jeweils mithilfe von Strecken dar.
b) Erfinde zu beiden Termen in der Gleichung aus a) eine kurze Geschichte.

2 Anwendungen des Distributivgesetzes

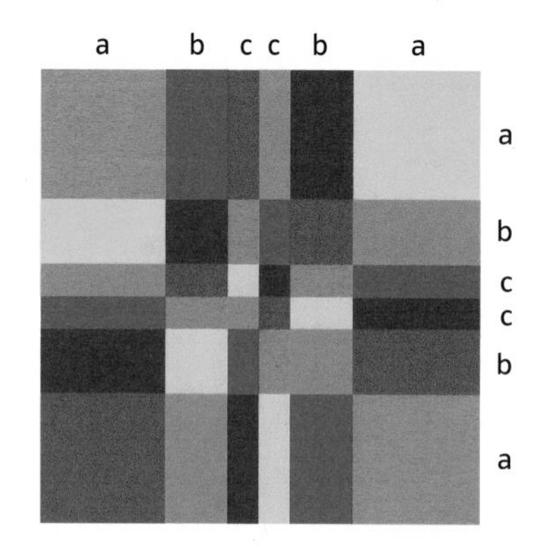

Das Bild „6 komplementäre Farbreihen“ wurde von Richard Paul Lohse gemalt. Hierbei beschreiben Terme Farbflächen. Puzzeln ist erlaubt.

$b^2 + c^2 + 2a \cdot (b + c)$ $\quad 2a^2 + 4bc$

$a^2 + bc + bc + a^2 + bc + bc$

$2ab + 2bc + 2ac$

$b^2 + c^2 + bc + ab + a^2 + ac$

$(a + c) \cdot (a + b) + b^2 + c^2$

$2ab + 2ac + b^2 + c^2$

In der letzten Lerneinheit wurde das Umformen von Formeln und das Zusammenfassen von Termen mit mehreren Variablen näher behandelt. Bei diesen Termen kann auch der Fall auftreten, dass ein Produkt aus zwei Summen gegeben ist, das beispielsweise zum Lösen eines Problems ausmultipliziert werden muss. Das Ausmultiplizieren mithilfe des Distributivgesetzes $a \cdot (b + c) = a \cdot b + a \cdot c$ ist schon aus der Klasse 7 bekannt. Dieses Gesetz wird nun etwas erweitert.

Fig. 1 zeigt anschaulich, dass der Flächeninhalt des ganzen Rechtecks mit den Termen $(a + 4) \cdot (a + 3)$ oder $a^2 + 4a + 3a + 12$ berechnet werden kann. Die Äquivalenz beider Terme kann man auch rechnerisch zeigen. Dazu wird das Distributivgesetz zweimal angewendet:

$$\begin{aligned}(a + 4) \cdot (a + 3) &= (a + 4) \cdot a + (a + 4) \cdot 3 \\ &= a \cdot a + 4a + a \cdot 3 + 4 \cdot 3 \\ &= a^2 + 4a + 3a + 12 \\ &= a^2 + 7a + 12\end{aligned}$$

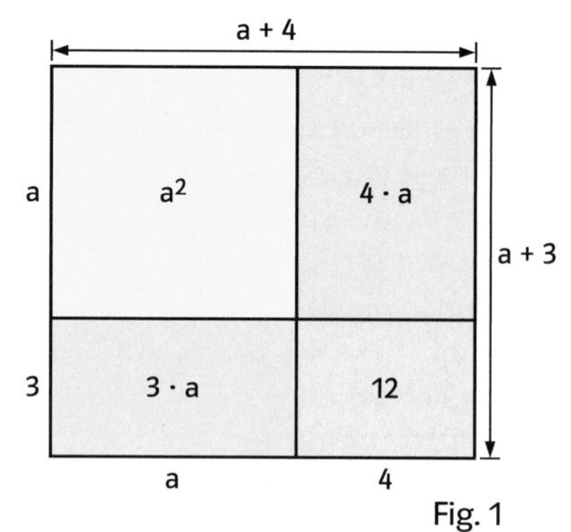

Fig. 1

Insgesamt erhält man also die Gleichheit beider Terme: $(a + 4) \cdot (a + 3) = a^2 + 7a + 12$.

Mithilfe des Distributivgesetzes kann man bei Produkten von Summen die Klammern auflösen (**Ausmultiplizieren**).

$$(a + b) \cdot (c + d) = a \cdot c + a \cdot d + b \cdot c + b \cdot d$$

Manchmal ist es sinnvoll, einen Term mit Klammern zu verwenden. Beispielsweise kann man an der Funktionsgleichung $y = x \cdot (2x - 4)$ ablesen, dass die x-Achsenschnittstellen des dazugehörigen Graphen bei $x_1 = 0$ und $x_2 = 2$ liegen, denn $0 \cdot (0 - 4) = 0$ und $2 \cdot (2 \cdot 2 - 4) = 0$. Lautet die Funktionsgleichung nun $y = 6x^2 + 5x$, so kann man sie durch Rückwärtsanwenden des Distributivgesetzes in ein Produkt umformen (**Ausklammern**): $y = 6x^2 + 12x = x \cdot (6x + 12)$. Die Schnittstellen mit der x-Achse des Graphen dieser Funktion sind demnach $x_1 = 0$ und $x_2 = -2$.

***A · B = 0**, wenn*
$A = 0$ oder $B = 0$

Vergleiche auch Kap. III, Seite 82 (Infobox)

Beispiel 1 Ausmultiplizieren
Multipliziere die Summen aus.

a) $5 \cdot (x + 3) \cdot (2x + 4)$ b) $(x - 3) \cdot (x - 7)$

Lösung:

a) $5 \cdot (x + 3) \cdot (2x + 4)$
Ausmultiplizieren I $= 5 \cdot (2x^2 + 4x + 6x + 12)$
Zusammenfassen $= 5 \cdot (2x^2 + 10x + 12)$
Ausmultiplizieren II $= 10x^2 + 50x + 60$

b) $(x - 3) \cdot (x - 7)$
Ausmultiplizieren $= x^2 - 7x - 3x + 21$
Zusammenfassen $= x^2 - 10x + 21$

Beachte:
„Minus mal Minus ergibt Plus"
z.B.: $-3 \cdot (-7) = +21$

Beispiel 2 Ausklammern
Die Formel beschreibt den Flächeninhalt eines Rechtecks, wobei b die Breite des Rechtecks ist. Erstelle eine beschriftete Skizze des Rechtecks, schraffiere die Fläche gelb und berechne mithilfe einer Formel die Breite b für $A = 100\,\text{cm}^2$; $a = 5\,\text{cm}$ und $e = 1\,\text{cm}$.

a) $A = a \cdot b + 5b$ b) $A = a \cdot b + 4b - e \cdot b$

*Das Ausklammern wird häufig auch als **Faktorisieren** bezeichnet.*

Lösung:

a)

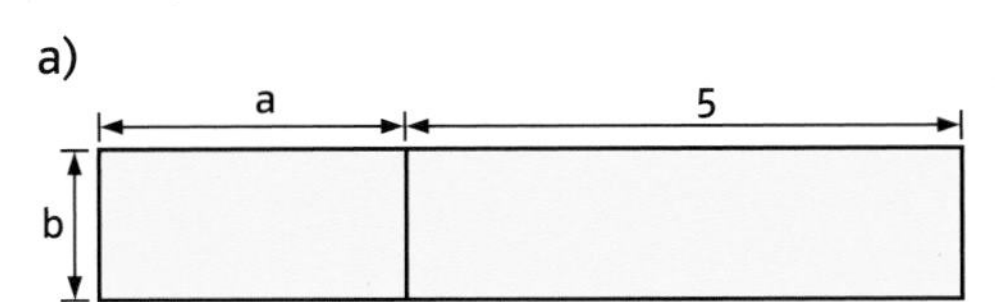

$A = a \cdot b + 5 \cdot b$
$A = b \cdot (a + 5) \quad | : (a + 5)$
$b = \frac{A}{a + 5} = \frac{100}{5 + 5} = 10$
Die Breite beträgt 10 cm.

b)

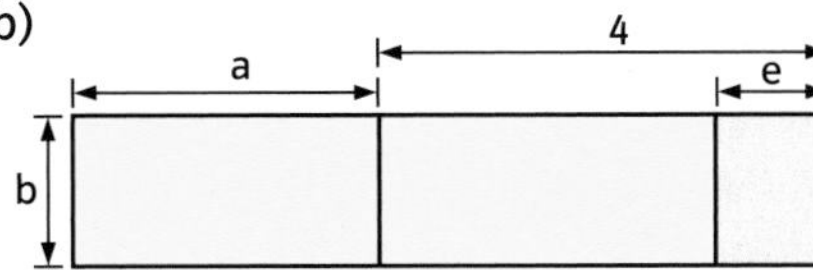

$A = a \cdot b + 4b - e \cdot b$
$A = b \cdot (a + 4 - e) \quad | : (a + 4 - e)$
$b = \frac{A}{a + 4 - e} = \frac{100}{5 + 4 - 1} = 12{,}5$
Die Breite ist 12,5cm.

Aufgaben

1 In Fig. 3 ist ein Rechteck in vier kleinere Rechtecke aufgeteilt.
a) Begründe, dass man den Flächeninhalt des großen Rechtecks mit dem Term $(a + 2) \cdot (b + 3)$ berechnen kann.
b) Maria hat die Idee, zuerst die Flächeninhalte der kleinen Rechtecke A, B, C und D zu ermitteln und abschließend alle zu addieren. Führe Marias Idee durch.
c) Zeige durch Umformung, dass beide Wege a) und b) zur Berechnung des Flächeninhaltes richtig sind.

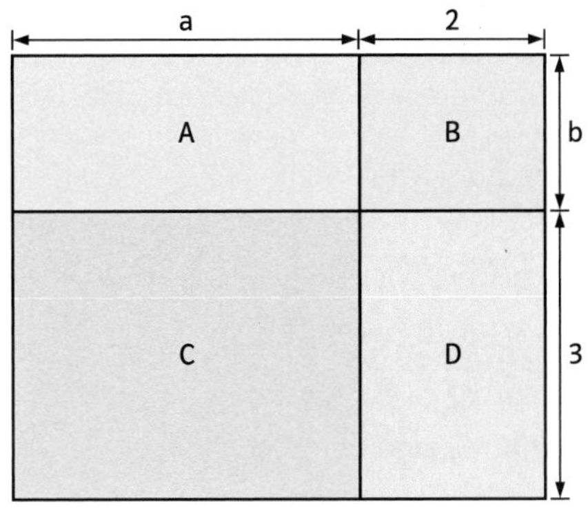

Fig. 3

2 Multipliziere aus und fasse soweit wie möglich zusammen.
a) $(a + 7) \cdot (b + 8)$ b) $3 \cdot (v + 5) \cdot (s + 2)$ c) $(5 + p) \cdot (q + 6)$ d) $(4 + r) \cdot 5 \cdot (t + 6)$
e) $(x + 5) \cdot (3x + 1)$ f) $(3 + 2s) \cdot (s - 4)$ g) $(4a - 5) \cdot (3a + 7)$ h) $(b - 3) \cdot (b - 5)$

3 Multipliziere aus und fasse soweit wie möglich zusammen.
a) $(2a + b) \cdot (b + 8c)$ b) $(v + 5w) \cdot (2s + 7)$ c) $(4 - 6p) \cdot (q + 5p)$ d) $(5x + 3y)(x - 6y)$
e) $(b - c) \cdot (c - b) + c^2$ f) $ab - (a - b)(a + b)$ g) $(c - 5)^2$ h) $7(a - 6)^2 + a^2 - 8$

4 Multipliziere aus und fasse soweit wie möglich zusammen.

a) $(a + 1)^2 + (2a + 3)^2$ b) $(b + 2)^2 - (3 - 2b)^2$ c) $p^2 + (p + \sqrt{5}q)^2$ d) $(rs + pq)^2 - 2pqrs$

e) $(xy - 1)^2 + (x + y)^2$ f) $7 - (q - \sqrt{7})^2 + q^2$ g) $(a - 4 + b) \cdot (a + 4)$ h) $(p + 3) \cdot (p + q - 5)$

5 Klammere aus.

a) $ax - ay$ b) $by - 24y$ c) $18x^2 - 9y^2$ d) $5v^2 - 4uv$

e) $9a - 6b + 12c$ f) $5a + 24ab - a^2$ g) $u \cdot 4 - 8vu^2 + 32u^2$ h) $6x^2y - 9y^2x + 3xy$

i) $a(3 - x) + b(3 - x)$ j) $(a + b)c - (a + b)d$ k) $(s + t)5 - (t + s)a$ l) $(t + 3)4 + a(t + 3)$

Zur Erinnerung:
$\sqrt{6} \cdot \sqrt{6} = 6$

6 Klammere aus und ermittle, für welche Zahlen der Term den Wert 0 annimmt.

a) $7y - 14y^2$ b) $5a + 30a^2 - 10a$ c) $(x - 2)x + (x - 2) \cdot 3$ d) $b \cdot \sqrt{6} \cdot b + 6b$

7 Gegeben ist die Formel für den Flächeninhalt eines rechteckigen Grundstückes mit der Breite b. Erstelle zunächst eine beschriftete Skizze des Grundstücks. Berechne dann mithilfe einer Formel die Breite b für $A = 250\,m^2$, $a = 10\,m$ und $c = 2\,m$; $5\,m$ bzw. $2{,}5\,dm$.

a) $A = cb + 10b$ b) $A = b \cdot 2c + 5b + ab$

c) $A = 3ab + 20b - cb$ d) $A = (2c - 2) \cdot b + b \cdot (5a - 2c)$

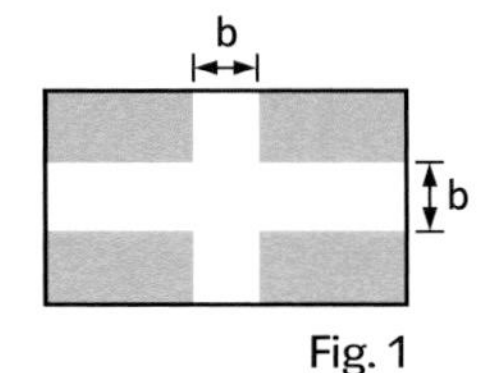

Fig. 1

8 Die Flagge in Fig. 1 hat die Maße 140 cm und 80 cm.

a) Die weiße Fläche (in cm^2) kann mit den Termen $(140 - b) \cdot b + (80 - b) \cdot b + b^2$ oder $220 \cdot b - b^2$ berechnet werden. Erläutere die Zusammensetzung der Terme.

b) Zeige rechnerisch, dass die beiden Terme aus a) äquivalent sind.

c) Stelle zur Berechnung der roten Fläche eine Formel auf.
Berechne dann die weiße und rote Fläche für $b = 2\,cm$; $5\,cm$ bzw. $20\,cm$.

9 Auf jeder Seite eines quadratischen Grundstücks sollen p Pfähle für einen Zaun eingeschlagen werden. Die Anzahl A der für alle vier Seiten benötigten Pfähle kann man mit den Formeln $A = 4 \cdot p - 4$ oder $A = p^2 - (p - 2)^2$ berechnen.

a) Erläutere, welche Figur welchem Term entspricht.

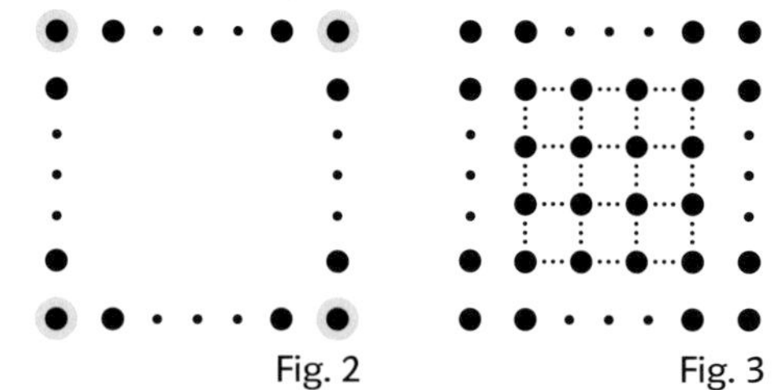
Fig. 2 Fig. 3

b) Weise die Äquivalenz beider Terme rechnerisch nach und berechne die Anzahl der Pfähle für $p = 3$; 5; 25 bzw. 46.

Bist du sicher?

1 Berechne den Flächeninhalt des Rechtecks in Fig. 4 mit zwei verschiedene Termen und zeige deren Äquivalenz.

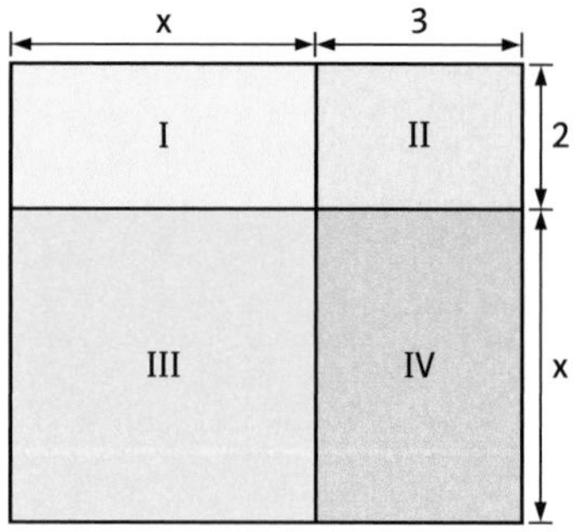

Fig. 4

2 Multipliziere aus und fasse soweit wie möglich zusammen

a) $(a + 3) \cdot (c + 7)$ b) $(2x - 5) \cdot (7 + 3x)$

c) $(2x - y) \cdot (y - x) + y^2$ d) $a^2 + (a + \sqrt{7}b)^2$

3 Klammere aus und ermittle, für welche Zahlen der Term den Wert 0 annimmt.

a) $5a + a^2$ b) $b \cdot 3 - b \cdot b + 5b$ c) $x \cdot (5 - x) + (5 - x) \cdot 3$ d) $\sqrt{3} \cdot x^2 - 3x$

10 Der Term $(a - 2) \cdot (b - 3)$ beschreibt den Flächeninhalt eines Rechtecks.
a) Erstelle eine beschriftete Skizze dieses Rechtecks.
b) Multipliziere den Term aus und begründe an deiner Skizze aus a), dass beide Terme den Flächeninhalt des Rechtecks ausdrücken.

11 Der Flächeninhalt des Rechtecks in Fig. 1 beträgt $A = a^2 + 10a + 21$.
a) Tim meint, dass die Seiten des Rechtecks $(a + 2)$ und $(a + 8)$ Einheiten lang sind. Warum sind diese Längen falsch?
b) Susanne notiert: Die Seitenlängen sind $(a + 1)$ und $(a + 21)$. Hat sie Recht?
c) Suche alle möglichen Werte für die Fragezeichen bei den Seitenlängen für dieses Rechteck und erläutere dein Vorgehen.
d) Der Flächeninhalt beträgt $45\,cm^2$. Wie lang sind die Seiten in cm?

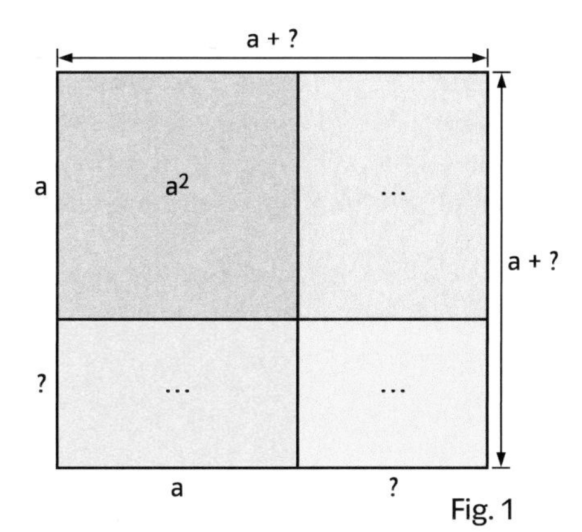

Fig. 1

12 Nach einer Klassenarbeit wird eine Liste von fünf häufig gemachten Fehlern erstellt. Suche die Fehler und korrigiere sie in deinem Heft.

I) $(x + 4)(x + 7) = x^2 + 28$ *f*

II) $(3a + b)(2b - 7)$
$= 3a\,2b + b \cdot 2b + 3a \cdot 7 + b \cdot 7$
$= 6ab + 2b^2 + 21a + 7b$ *f*

III) $(5x - 4y)(3x - 7y)$
$= 15x^2 - 12xy - 35xy - 21y^2$
$= 15x^2 - 47xy - 21y^2$ *f*

IV) $(-x - 4)(x + 7)$
$= -x \cdot (x + 7) - 4 \cdot (x + 7)$
$= x^2 - 7x - 4x + 28 = x^2 - 11x + 28$ *f*

V) $(2s + 4t)^2 = 2s^2 + 16st + 4t^2$ *f*

13 Gegeben sind zwei Funktionen mit den Funktionsgleichungen $y = (x + 2) \cdot (x + 6)$ und $y = x^2 + 8x + 12$. Georg sagt: „Die Graphen beider Funktionen liegen aufeinander!"
a) Hat Georg Recht? Beurteile ohne GTR.
b) Kontrolliere die Lage beider Graphen mithilfe des GTR. Was fällt auf? Formuliere deine Entdeckung und begründe sie.
c) Bestätige deine Entdeckung aus b) mit anderen selbst gewählten Funktionen.

14 Die Müngstener Brücke bei Solingen wird in einem Buch über Brücken als Beispiel für eine parabelförmige Bogenbrücke erläutert. Zur mathematischen Beschreibung des unteren Brückenbogens kann man daher quadratische Funktionen verwenden. In dem Buch sind zwei Funktionsgleichungen angegeben:
$y = -0{,}11x^2 + 17{,}6x - 634{,}7$ und
$y = -0{,}11(x - 80)^2 + 69{,}3$.
a) Untersuche rechnerisch, ob dem Verlag ein Fehler unterlaufen ist.
b) Wie hoch ist die Brücke mindestens?

Informiere dich im Internet über die Müngstener Brücke.

bis (lat.): zweimal

nomen (lat.): Namen

Info

Binomische Formeln
Zweigliedrige Terme wie $a + b$ oder $a - b$ nennt man auch **Binome**. Multipliziert man zwei Binome miteinander, kann man das Ergebnis immer zusammenfassen. So erhält man Formeln, mit denen das Multiplizieren von Binomen schneller erfolgen kann. Diese Formeln heißen auch **binomische Formeln**.

1. binomische Formel
$(a + b)^2 = a^2 + 2 \cdot a \cdot b + b^2$

2. binomische Formel
$(a - b)^2 = a^2 - 2 \cdot a \cdot b + b^2$

3. binomische Formel
$(a + b) \cdot (a - b) = a^2 - b^2$

Wenn man den Term $(x + 3)^2$ ausmultiplizieren möchte, kann man die erste binomische Formel verwenden, indem man x für a und 3 für b einsetzt:
$(x + 3)^2 = x^2 + 2 \cdot x \cdot 3 + 3^2 = x^2 + 6x + 9$.

15 Überprüfe durch Ausmultiplizieren die binomischen Formeln.

16 Multipliziere mit und ohne die binomischen Formeln aus.
a) $(a + 3)^2$ b) $(6 + a)^2$ c) $(b - 3)^2$ d) $(s - k)^2$
e) $(2x + 5)^2$ f) $(7 - x \cdot 3)^2$ g) $(x + 3) \cdot (x - 3)$ h) $(2x - 6) \cdot (2x + 6)$

17 Die binomischen Formeln können beim Berechnen von Produkten und speziell von Quadratzahlen sehr nützlich sein, wenn man hierfür keinen Taschenrechner zur Verfügung hat. So ist $23^2 = (20 + 3)^2 = 20^2 + 2 \cdot 20 \cdot 3 + 3^2 = 400 + 120 + 9 = 529$.
Berechne das Produkt mit den binomischen Formeln. Gehe dabei möglichst geschickt vor.
a) 31^2 b) 44^2 c) 29^2 d) 58^2 e) 65^2 f) $17 \cdot 23$ g) $38 \cdot 42$ h) $54 \cdot 46$

18 Stelle deinem Nachbarn Aufgaben wie in Aufgabe 17 und löst sie im Kopf.

19 Man kann die binomischen Formeln auch von rechts nach links lesen und so aus einer Summe ein Produkt bilden.
a) Betrachte die Summe $x^2 + 4 \cdot x + 4$ und vergleiche sie mit dem rechten Term $a^2 + 2 \cdot a \cdot b + b^2$ der ersten binomischen Formel. Verwandle die Summe in ein Produkt.
b) Bilde Produkte aus den Termen $x^2 - 6x + 9$ und $x^2 - 64$.

20 Bilde mithilfe der binomischen Formeln ein Produkt wie in Aufgabe 19.
a) $x^2 + 50x + 625$ b) $x^2 - 14x + 49$ c) $x^2 - 121$ d) $169x^2 - 52x + 4$
e) $9n^2 + 6n + 1$ f) $225x^2 - 1$ g) $-16x + 16 + 4x^2$ h) $3x^2 + 2 \cdot \sqrt{6}x + 2$

21 a) Welche der Terme sind äquivalent? Begründe mit den binomischen Formeln.

$(x + 2)^2$ | $x^2 - 4$ | $x^2 - 10x + 25$ | $(x - 5)^2$ | $9 - 4x^2$ | $x^2 + 4x + 4$ | $(3x + 1)^2$

$(x - 2) \cdot (x + 2)$ | $(3 - 2x) \cdot (-2x + 3)$ | $9x^2 - 6x + 1$ | $1 - 4x + 4x^2$ | $(2 - 3x) \cdot (2 + 3x)$

$(3x - 1)^2$ | $(1 - 2x)^2$ | $(3 + 4x)^2$ | $16x^2 + 24x + 9$ | $1 + 6x + 9x^2$ | $4 - 9x^2$

b) Erstelle zehn Paare von äquivalenten Termen und schreibe sie auf zwanzig gleich große Karten aus Pappe oder Papier. Nun kannst du „Binomi-Memory“ spielen. Dabei bilden die zwei äquivalenten Terme jeweils ein Paar.

22 Lege die abgebildeten Vierecke mit den Seitenlängen a und b zu einem Quadrat zusammen. Gib zwei verschiedene Terme an, die den Flächeninhalt des Quadrates beschreiben.

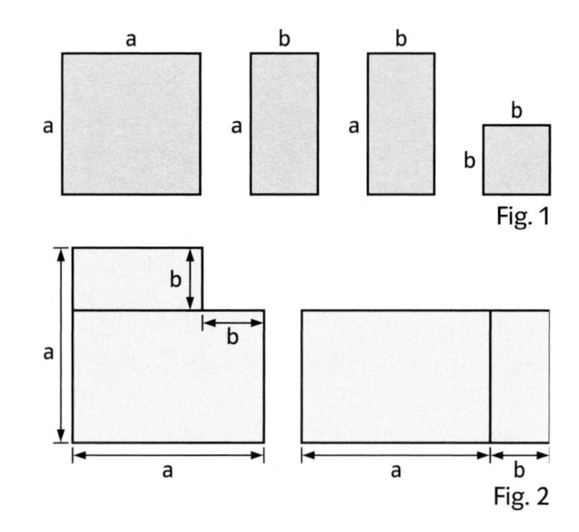

Fig. 1

Fig. 2

23 Von einem Quadrat mit der Seitenlänge a wird ein kleines Quadrat mit der Seitenlänge b abgeschnitten.
a) Gib einen Term für den Flächeninhalt der entstandenen Figur an.
b) Nun wird der obere Streifen abgeschnitten. Weshalb passt er an die rechte Seite des übrig gebliebenen Rechtecks? Bestimme die Seitenlänge des neuen Rechtecks und gib einen Term für den Flächeninhalt an.

24 Babylonische Multiplikationsmethode
Die Babylonier multiplizierten zwei beliebige Zahlen mithilfe von Tafeln, auf denen die Quadratzahlen notiert waren (siehe Rand).
Wenn zwei Zahlen a und b multipliziert werden sollten, bildeten sie zunächst die Summe (a + b) und die Differenz (a − b). Danach lasen sie die Quadrate der Summe und der Differenz von ihrer Tafel ab und subtrahierten beide Zahlen voneinander. Diese Differenz wurde durch 4 dividiert, um das Ergebnis der Multiplikation $a \cdot b$ zu erhalten.

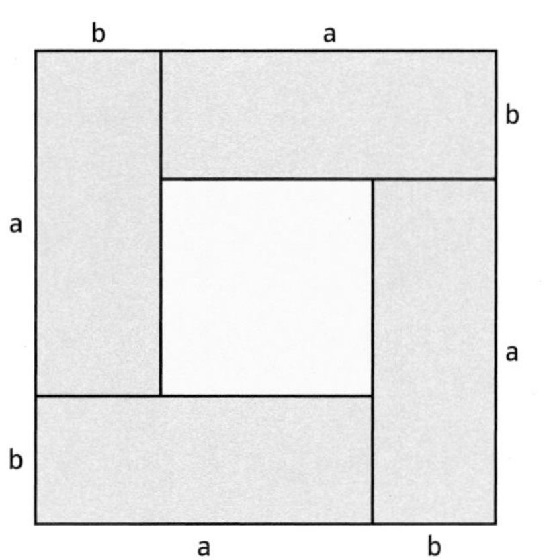

Fig. 3

a) Berechne mit dieser babylonischen Multiplikationsmethode $22 \cdot 18$ bzw. $64 \cdot 56$.
b) Begründe das babylonische Verfahren mithilfe von Termen.
c) Überlege, wie man das babylonische Verfahren mit der Fig. 3 begründen kann.

Die Babylonier lebten in Mesopotamien, einer fruchtbaren Ebene zwischen den Flüssen Euphrat und Tigris, im heutigen Irak. Sie entwickelten eine Schrift, die aus keilförmigen Symbolen bestand und mit Stiften in Tonplatten gedrückt wurde. Anschließend wurden die Platten in der Sonne getrocknet. Viele Tausende dieser Tafeln existieren noch heute unter ihnen auch Tafeln mit den die in Aufgabe 24 behandelten Quadratzahlen.

Kannst du das noch?

25 a) Notiere, was der Satz des Thales besagt.
b) Zeichne einen Kreis mit Mittelpunkt M und einen Punkt P, der außerhalb des Kreises liegt. Konstruiere die beiden Tangenten an den Kreis.

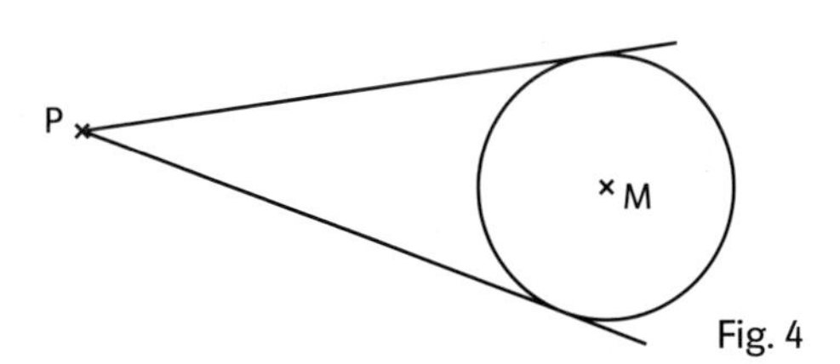

Fig. 4

26 Löse die linearen Gleichungssysteme möglichst geschickt. Mache anschließend die Probe.

a) $y = 3x - 6$
$y = 4x + 7$

b) $y = -0{,}5x + 2$
$1{,}5x + y = 3$

c) $14x - 9y = 3$
$21x + 12y = 2$

d) $7x + 5y = 19$
$7x - 5y = 9$

3 Verallgemeinerungen von Funktionen – Parameter

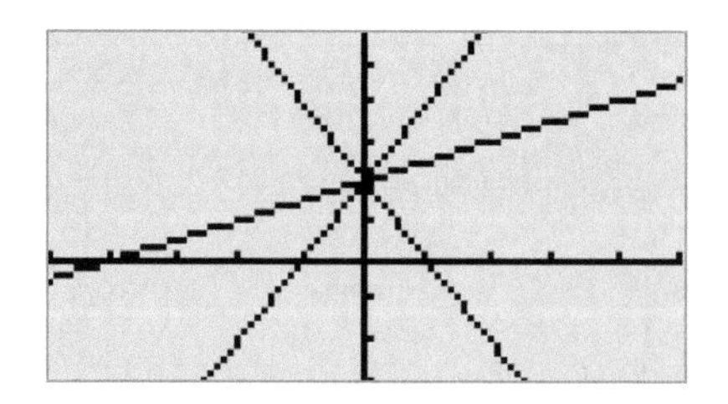

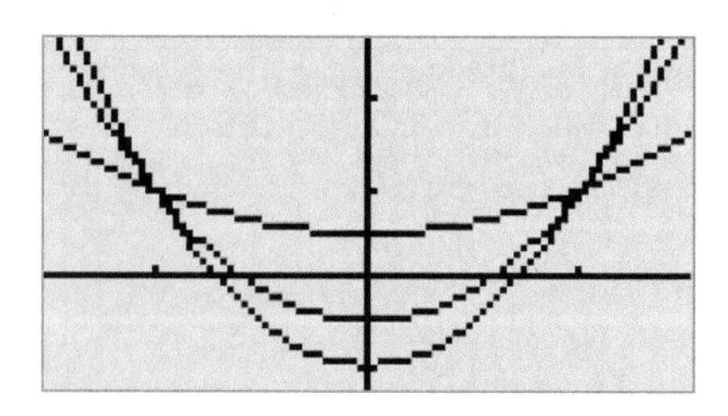

Fragen in der Mathematik lassen sich häufig mithilfe von linearen und quadratischen Funktionen beantworten. Wenn man aber die Funktionsgleichung nicht kennt, muss diese zunächst aufgestellt werden. Hierzu wählt man oft einen allgemeinen Ansatz.

Quadratische Funktionen kann man auch in der Scheitelform $y = a \cdot (x - d)^2 + e$ darstellen, wobei der Scheitel in $S(d|e)$ liegt. *Siehe auch S. 121, 12 und S. 122, 14 sowie S. 76.*

Lineare Funktionen
Funktionen wie $y = 2x + 3$
und $y = -4x + 1$
kann man allgemein mit $y = m \cdot x + c$ darstellen.

Quadratische Funktionen
Funktionen wie $y = 3x^2 + 6x + 1$
und $y = 2 \cdot x^2 - 4x + 2$
kann man allgemein mit $y = a \cdot x^2 + b \cdot x + c$ darstellen.

m, a, b und c heißen auch **Parameter**. So bezeichnet man Unbekannte, die bei einer gegebenen Funktion im Gegensatz zur Variable (häufig x) konstant gehalten werden.

Mithilfe von Parametern lassen sich Funktionstypen darstellen.
Bei linearen Funktionen hat die Funktionsgleichung die allgemeine Form $\mathbf{y = m \cdot x + c}$.
Bei quadratischen Funktionen hat sie die allgemeine Form $\mathbf{y = a \cdot x^2 + b \cdot x + c}$.

Beispiel 1 Lineare Funktion aufstellen
Til erzählt seinem Freund Lars von seinen Internetkosten. „Im letzten Monat war ich nur 100 min im Internet und habe dafür 5,98 € gezahlt. Davor musste ich für 10 h nur 10,93 € bezahlen." „Dann hast du aber eine hohe monatliche Grundgebühr", stellt Lars fest. Bestimme die Grundgebühr sowie die Kosten pro Online-Minute für Tils Internetanbieter.

Siehe auch die Infobox auf Seite 106.

Lösung:
1. *Allgemeine Funktionsgleichung notieren:*
Bei dem Tarif kann man von einem linearen Zusammenhang ausgehen, also $y = mx + c$. c ist die Grundgebühr, m der Preis pro Online-Minute, y der Gesamtpreis (jeweils in €) und x die Anzahl der Online-Minuten. Man muss also m und c bestimmen.
2. *Einsetzen der bekannten Größen und Aufstellen von Gleichungen:*
Es sind zwei Wertepaare bekannt (100 Minuten/5,98 €) und (600 Minuten/10,93 €). Hieraus ergeben sich die zwei Gleichungen I: $5{,}98 = m \cdot 100 + c$ und II: $10{,}93 = m \cdot 600 + c$.
3. *Lösen des Gleichungssystems bzw. umformen nach den gesuchten Größen:*
a) Zunächst wird eine Gleichung nach c aufgelöst: Ia: $c = 5{,}98 - 100m$
b) Einsetzen von Ia in II ergibt:
$10{,}93 = 600m + 5{,}98 - 100m$,
also $m = 0{,}0099$
c) Ermitteln von c durch Einsetzen von $m = 0{,}0099$ in Ia:
$c = 5{,}98 - 100 \cdot 0{,}0099 = 4{,}99$
4. *Antwortsatz:*
Die monatliche Grundgebühr ist 4,99 €. Pro Online-Minute zahlt Til 0,0099 € bzw. 0,99 ct.

Die allgemeine Funktionsgleichung enthält

Beispiel 2 Quadratische Funktion aufstellen

Gegeben sind die drei Punkte P(−1|0); Q(0|5) und R(3|−4) der Parabel einer quadratischen Funktion. Bestimme die Funktionsgleichung.

Lösung:

1. *Allgemeine Funktionsgleichung notieren:*

$y = a \cdot x^2 + b \cdot x + c$

2. *Einsetzen der bekannten Größen:*

Es sind drei Punkte bekannt, also ergeben sich drei Gleichungen:

I: $0 = a \cdot (-1)^2 + b \cdot (-1) + c$ II: $5 = a \cdot 0^2 + b \cdot 0 + c$ III: $-4 = a \cdot 3^2 + b \cdot 3 + c$

Aus II ergibt sich, dass $c = 5$ ist. Man erhält durch Einsetzen von $c = 5$ die Gleichungen

Ia: $0 = a - b + 5$ und IIIa: $-4 = 9a + 3b + 5$.

3. *Lösen des Gleichungssystems bzw. Umformen nach der gesuchten Größe:*

a) Zunächst wird eine Gleichung nach b aufgelöst. Ib: $b = a + 5$

b) Einsetzen von Ib in IIIa ergibt:

$-4 = 9a + 3(a + 5) + 5$

$-4 = 12a + 20$ $| -20$

$-24 = 12a$ $| : 12$

$a = -2$

c) Einsetzen von $a = -2$ in Ib ergibt:

$b = -2 + 5 = 3$

4. *Antwortsatz:*

Die Funktionsgleichung lautet

$y = -2x^2 + 3x + 5$.

Die allgemeine Funktionsgleichung enthält drei Parameter (Unbekannte), also benötigt man drei Gleichungen, um sie bestimmen zu können.

1 Allgemeine Funktionsgleichung aufstellen

2 Einsetzen der bekannten Größen und Gleichungen aufstellen

3 Umformen nach den gesuchten Größen bzw. Gleichungssystem lösen

4 Antwortsatz notieren

allgemeine Strategie

Aufgaben

1 Gegeben sind fünf Geraden im Koordinatensystem (Fig. 1). Gib jeweils die zugehörige Funktionsgleichung an.

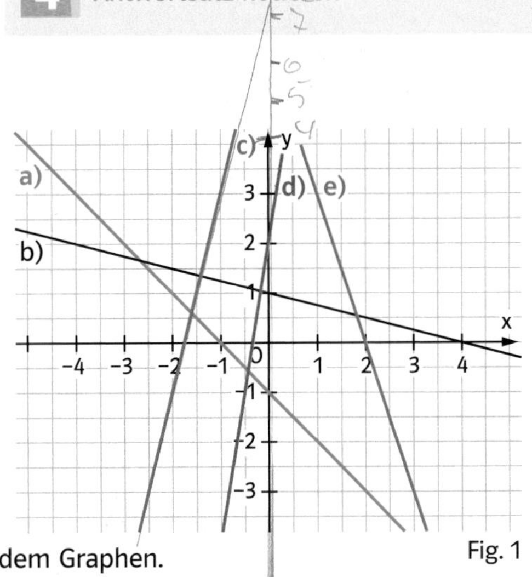

Fig. 1

2 Bestimme aus den gegebenen Informationen einer linearen Funktion mit $y = mx + c$ die Funktionsgleichung.

a) $m = 3$ und der Punkt P(2|13) liegt auf dem Graphen.

b) $m = -2$ und der Punkt Q(−1|−2) liegt auf dem Graphen.

c) $c = 4$ und der Graph enthält R(6|13).

d) $c = -1{,}5$ und der Punkt S(2,5|16) liegt auf dem Graphen.

e) Die Punkte P(3|1) und Q(5|7) liegen auf dem Graphen.

f) Die Punkte R(3|4,5) und S(−9|8,5) liegen auf dem Graphen.

3 Betrachte die Funktionsgleichungen $y = x^2 - t \cdot x + t$, wobei t eine beliebige Zahl ist.

a) Zeige, dass die Parabeln für alle Werte von t den Punkt (1|1) enthalten.

b) Zeichne die Parabeln für $t = -3; -2; -1; 0; 1; 2$ bzw. 3.

4 Gegeben ist eine quadratische Funktion. Gib die Funktionsgleichung an, deren Graph durch den Punkt P(3|8) verläuft? Erläutere dein Vorgehen.

a) $y = a \cdot x^2 + 4 \cdot x - 13$ b) $y = x^2 + b \cdot x + 5$ c) $y = 2 \cdot x^2 - x + c$

5 Bestimme aus den gegebenen Informationen zu einer quadratischen Funktion mit $y = ax^2 + bx + c$ die Funktionsgleichung.
a) $a = 2$ und die Punkte $A(1|-1)$ und $B(3|22)$ liegen auf dem Graphen.
b) $b = 4$ und die Punkte $C(-1|-8)$ und $D(2|-5)$ liegen auf dem Graphen.
c) $c = 3$ und die Punkte $E(2|-8)$ und $F(-1|4)$ liegen auf dem Graphen.
d) Die Punkte $G(0|0)$, $H(-2|33)$ und $P(10|795)$ liegen auf dem Graphen.

6 Gegeben sind fünf Parabeln im Koordinatensystem (Fig. 1). Gib jeweils die Funktionsgleichung an.

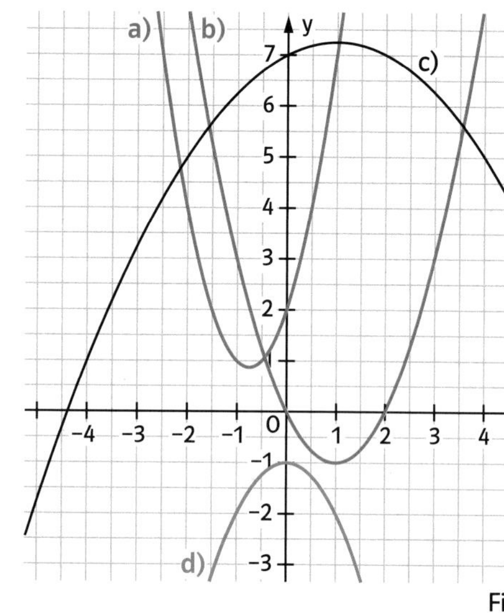

Fig. 1

Info

Parameter haben einen Namen und eine Bedeutung
Die einzelnen Parameter in den allgemeinen Funktionsgleichungen haben Namen, die sich von den Eigenschaften am Graphen ableiten lassen. So kann man den Funktionsgleichungen mithilfe der Parameter auf einen Blick bestimmte Informationen entnehmen.

Für Graphen linearer Funktionen mit $y = mx + c$ gilt:

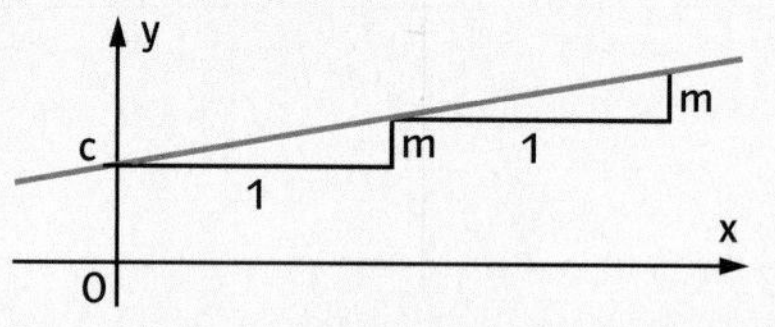

Fig. 2

Der Schnittpunkt mit der y-Achse ist (**0**|**c**).
Geht man um 1 Einheit nach rechts, dann geht man um m Einheiten nach oben.
Der Faktor **m** heißt **Steigung** des Graphen und **c** ist der **y-Achsenabschnitt**.

Für Graphen quadratischer Funktionen mit $y = ax^2 + bx + c$ gilt:

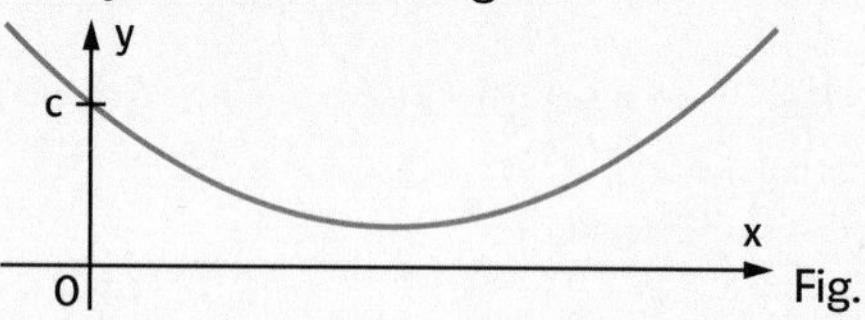

Fig. 3

Der Schnittpunkt mit der y-Achse ist (**0**|**c**).

Der Faktor **a** heißt **Streckungsfaktor** des Graphen und **c** ist der **y-Achsenabschnitt**.

7 In Fig. 4 sind die Graphen von fünf verschiedenen Funktionen abgebildet.
a) Lies am Graphen jeweils die Steigung und den y-Achsenabschnitt ab.
b) Was haben alle Graphen gemeinsam? Gib eine allgemeine Funktionsgleichung mit Parametern an, die alle Graphen beschreibt.
c) Worin unterscheiden sich die roten und die blauen Graphen?
d) Gib für die roten und blauen Graphen eine Bedingung für die Steigung m an.

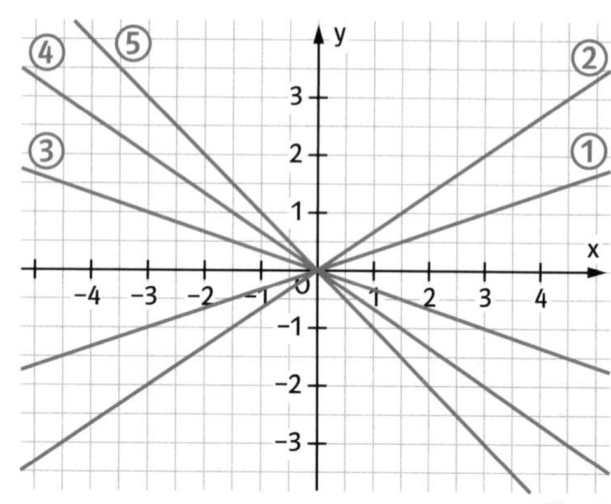

Fig. 4

8 In Fig. 1 sind mehrere verschobene Normalparabeln abgebildet.
a) Wie lautet die allgemeine Funktionsgleichung für solche Parabeln?
b) Welche Parabel ist die Normalparabel?
c) Man nennt diese Verschiebung der Normalparabel auch y-Verschiebung. Warum?
d) Worin unterscheiden sich die roten bzw. blauen Graphen?
e) Gib allgemein den Scheitelpunkt aller Parabeln an.

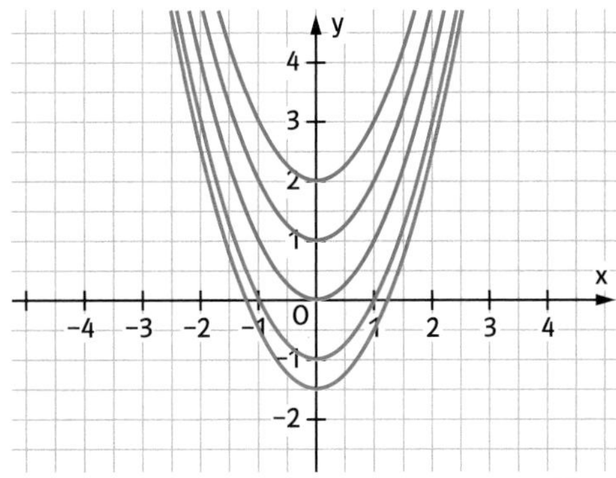
Fig. 1

9 Untersuche mit deinem Nachbarn verschiedene quadratische Funktionen mit der Funktionsgleichung $y = ax^2 + bx + c$. Welche Regelmäßigkeiten könnt ihr feststellen? Formuliert eure Vermutungen in einem Satz.
a) Wähle für a und b jeweils eine feste Zahl und variiere den y-Achsenabschnitt c.
b) Wähle für b und c jeweils eine feste Zahl und variiere den Streckungsfaktor a.
c) Setze $b = 0$ und verändere die Parameter a und c.

10 Fig. 2 zeigt neun Parabeln mit den Funktionsgleichungen $y = ax^2$, wobei für a die Werte -5; -4; $-0{,}5$; $-0{,}2$; 1; 0,2; 0,4; 4 und 6 eingesetzt worden sind.
a) Welcher Graph gehört zu welchem a?
b) Was haben alle Graphen mit $a > 1$ und $a < -1$ im Vergleich zur Normalparabel (schwarzer Graph) gemeinsam?
c) Was haben alle Graphen mit $a > -1$ und $a < 1$ im Vergleich zur Normalparabel gemeinsam?
d) Welche Gemeinsamkeit haben alle Graphen mit $a > 0$ bzw. $a < 0$?

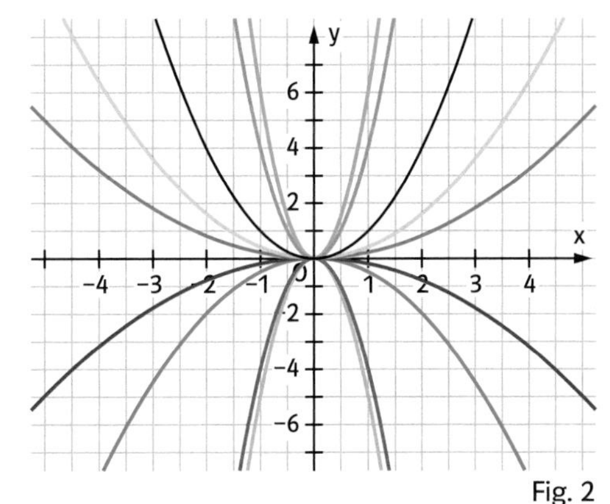
Fig. 2

Bist du sicher?

1 Erstelle aus den Informationen über die lineare Funktion die Funktionsgleichung.
a) Die Steigung beträgt $m = -2$ und der Punkt $P(1|0{,}5)$ liegt auf dem Graphen.
b) Die Punkte $R(2|6)$ und $S(-1|-18)$ liegen auf dem Graphen.

2 Bestimme aus den gegebenen Informationen einer quadratischen Funktion mit $y = ax^2 + bx + c$ die Funktionsgleichung.
a) Der Streckungsfaktor ist $a = 3{,}5$ und die Punkte $P(2|10{,}5)$ und $Q(-3|38)$ liegen auf dem Graphen.
b) Die Punkte $R(4|0)$; $S(0|-8)$ und $T(-2|-36)$ liegen auf dem Graphen.

3 Bestimme aus den Graphen in Fig. 3 die dazugehörigen Funktionsgleichungen.

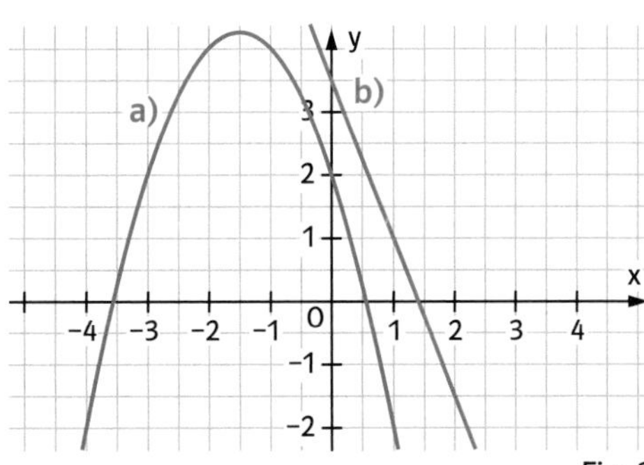

Fig. 3

11 In einem Internet-Forum zum Thema Tropfsteinhöhlen wird unter anderem die Wachstumsgeschwindigkeit von Stalagmiten und Stalagtiten disktutiert. Dabei schwanken die Angaben der Wachstumsgeschwindigkeit von 10 cm bis 40 cm in 1000 Jahren.

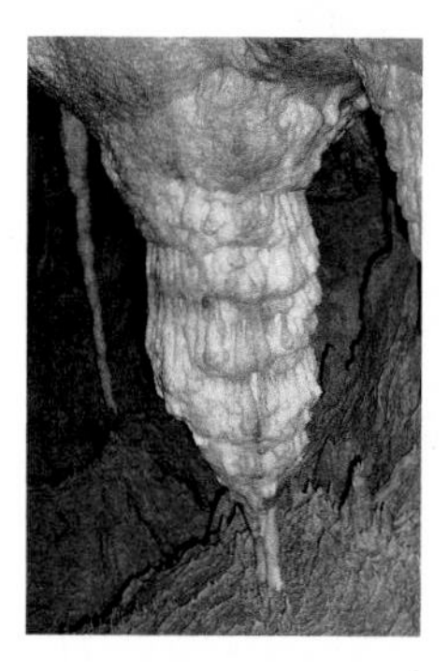

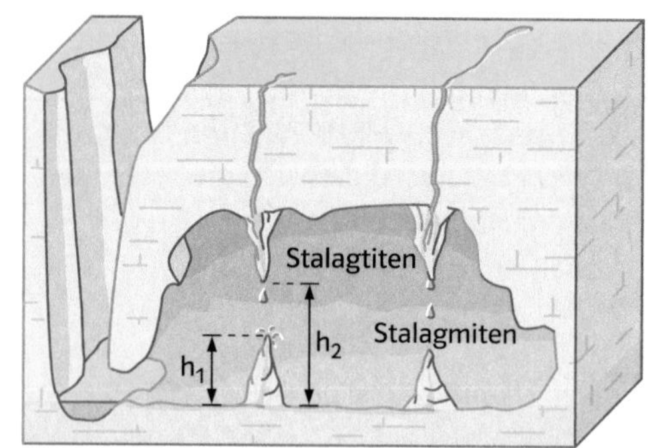

Fig. 1

In einem Schulbuch sind die Fig. 1 und die folgende Tabelle mit Messwerten einer Tropfsteinhöhle abgebildet. Dort steht auch geschrieben, dass der Zusammenhang zwischen Zeit und Wachstumshöhe von Stalagmiten und Stalagtiten näherungsweise linear ist.

Zeitpunkt der Messung	h_1 in Millimeter	h_2 in Millimeter
11.1.1980 (t = 0)	1500,0	3300,0
11.1.2004 (t = 24)	1503,6	3291,4

a) Stelle für die Wachstumshöhe der Stalagmiten und der Stalagtiten jeweils eine Funktionsgleichung auf.
b) Vergleiche die Wachstumsgeschwindigkeiten von Stalagtiten und Stalagmiten und beschreibe den Unterschied in einer Prozentangabe.
c) Welche Wachstumsangabe im Forum wird durch die Schulbuchangaben unterstützt?

12 Klippenspringer Carlos von Acapulco wird von seinem Freund Pépe beim Sprung beobachtet. Anhand der Markierungen an der Klippe stellt Pépe vom Flug folgende Messreihe auf:

Flugzeit t in Sekunden	0	1	2
Höhe h in Metern	45	43	31

Als Carlos aus dem Wasser steigt, sagt er: „Ich könnte ewig fliegen." „Das waren noch nicht einmal vier Sekunden", erwidert Pépe. Hat Pépe Recht?

13 Beim Sportfest des Albert-Schweitzer-Gymnasiums ist eine Disziplin das Ballweitwerfen. Wie in der Physik gezeigt werden kann, ist die Flugbahn eines Balles annähernd parabelförmig. Daniela wirft ihren Ball in 2 m Höhe ab und der Scheitel ihrer Wurfparabel liegt bei S(23 | 12,5).
a) Gib die Gleichung der Wurfparabel an.
b) Wie weit wirft Daniela ungefähr?

Tipp zu 13 a): Die Angaben enthalten drei Informationen.

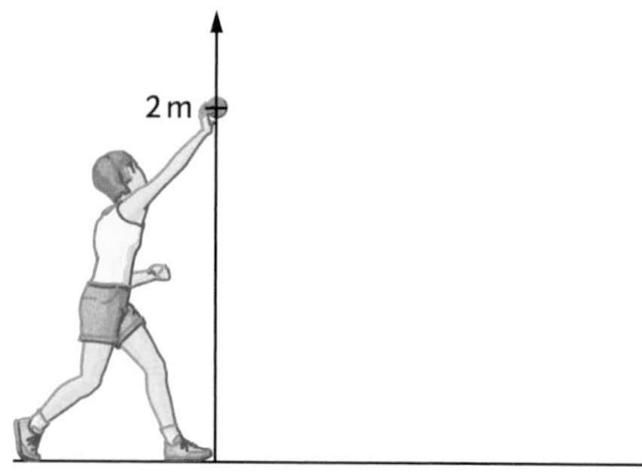

Fig.2

14 Für die Bremsweglänge lehrt die Fahrschule den Zusammenhang $B(v) = v^2 : 100$. Dabei ist B der Bremsweg in m und v die Geschwindigkeit in km/h. Genauer kann man den Bremsweg mit $D(v) = (0{,}27v)^2 : (2 \cdot b)$ berechnen, wobei b die Bremsverzögerung in m/s^2 des Autos ist. Sie gibt an, um wie viel die Geschwindigkeit pro Sekunde sinkt.

a) Peter lernt in der Fahrschule: „Wenn die Geschwindigkeit sich verdoppelt, vervierfacht sich der Bremsweg." Stimmt das?

b) Für welchen Wert für b stimmen die beiden Funktionsgleichungen ca. überein?

c) Zeichne für verschiedene Bremsverzögerungen (siehe Tabelle) die zu D(v) gehörigen Graphen. Wie ändert sich der Bremsweg, wenn man die Werte für b variiert?

d) Ist die Formel der Fahrschule gut?

e) Angenommen, du fährst mit deinem Fahrrad mit 45 km/h bei 10 % Gefälle bergab. Nun willst du anhalten! ($b = 2{,}5–3{,}5\,m/s^2$)

Bremsverzögerungen für Pkw jeweils in m/s^2 angegeben

Asphalt	
trocken	*7,0*
nass	*5,75*
Pflaster	
trocken	*6,0*
nass	*5,0*
Neuschnee	
Sommerreifen	*2,3*
Winterreifen	*2,8*
Hartschnee	
Sommerreifen	*2,0*
Winterreifen	*2,5*
Glatteis	
ohne Spurketten	*1,25*
mit Spurketten	*2,75*
gut gestreut	*2,25*

15 Gegeben ist die Funktionsgleichung $y = x^2 + 2x + t$, wobei t ein Parameter ist. Wenn man die Parabeln der Funktionen für die verschiedenen Werte für t in ein Koordinatensystem zeichnet, erhält man eine so genannte Parabelschar.

Mit Parabelscharen kann man manchmal interessante Bilder herstellen.

a) Wähle für t fünf verschiedene Zahlen, schreibe die Funktionsgleichungen auf und erstelle die Parabelschar mithilfe des GTR. Was fällt auf?

b) Bestimme t so, dass die Parabel durch den Punkt P(2|7) verläuft.

c) Führe a) und b) mit $y = x^2 + tx$ und $y = x^2 + tx + 1$ durch.

d) Stelle drei eigene Funktionsgleichungen mit dem Parameter t auf. Wähle dann für t verschiedene Zahlen und zeichne die Parabelschar. Kontrolliere, ob es ein t gibt, so dass die Parabel durch den Punkt P(2|7) verläuft.

16 Kleines Waldprojekt

Der Wert eines Waldes hängt unter anderem von seinem Holzvorrat ab. Zur Berechnung der Holzmenge kann man die Faustformel der Förster verwenden: Das Holzvolumen eines Baumes in m^3 ist ungefähr ein Zehntel des Quadrates seines Durchmessers in dm.

a) Stellt die Funktionsgleichung für das Holzvolumen eines Baumes auf.

b) Das Volumen einer Buche beträgt $2{,}4\,m^3$ und das einer Birke $1{,}8\,m^3$. Berechnet die Durchmesser mithilfe einer Formel. Löst diese Aufgabe auch zeichnerisch.

c) Geht in einen nahegelegenen Wald und überschlagt die Holzmenge dieses Waldes. Überlegt euch vorher genau wie ihr vorgehen wollt und welche Materialien ihr benötigt.

In der Aufgabe c) muss man auch „mutig" schätzen!

Kannst du das noch?

17 Ein Wüstenhirte befindet sich mit seiner Schafsherde in der Position X. Übernimm die Karte in dein Heft und teile sie in fünf Gebiete so ein, dass jedes Gebiet eine Oase besitzt und diese Oase für jeden Ort dieses Gebietes die nächstgelegene ist. (A bis E sind Oasen.)

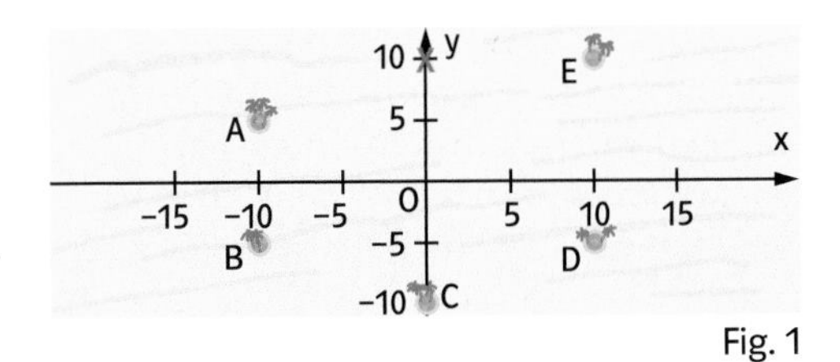

Fig. 1

4 Lösen von quadratischen Gleichungen

In der letzten Lerneinheit hast du vielfältige Fragestellungen bearbeitet, die häufig mithilfe einer entsprechenden Funktionsgleichung beantwortet werden konnten.
Es gibt auch Probleme, bei denen Funktionsgleichungen zu einer Gleichung führen. Dann lässt sich das Problem häufig mithilfe der Lösung der Gleichung beantworten.

Fragt man bei der Funktion f mit der Funktionsgleichung $y = ax^2 + bx + c$ danach, wann sie den Wert 0 annimmt, so sucht man die Lösungen der quadratischen Gleichung $ax^2 + bx + c = 0$. Um diese Lösungen zu finden, hat man verschiedene Möglichkeiten.

1. Möglichkeit – zeichnerisches Lösen liefert Näherungslösungen

a) Die Lösungen der quadratischen Gleichung $ax^2 + bx + c = 0$ sind die Nullstellen der Funktion f. Wenn man daher den Graphen von f beispielsweise mithilfe einer Wertetabelle zeichnet, kann man die Nullstellen x_1 und x_2 näherungsweise ablesen. Mit dem GTR kann man nach Eingabe der Funktionsgleichung im Grafikfenster die Nullstellen ebenfalls näherungsweise ablesen oder sich angeben lassen.

Für $8x^2 + 2x - 28 = 0$ liest man die Lösungen $x_1 \approx -2$ und $x_2 \approx 1{,}75$ ab.

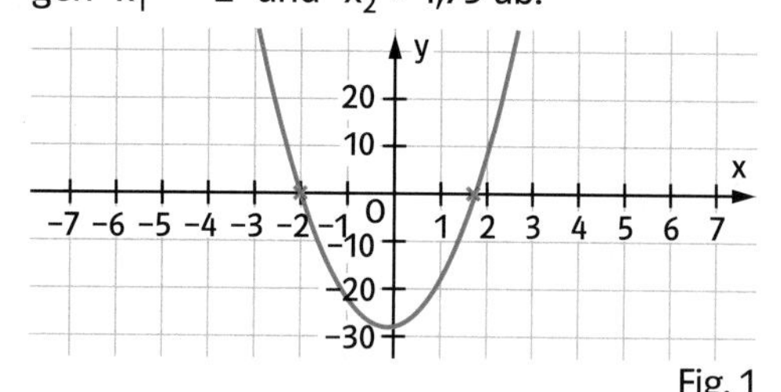

Fig. 1

Zum Zeichnen der Normalparabel kann man eine Schablone verwenden.

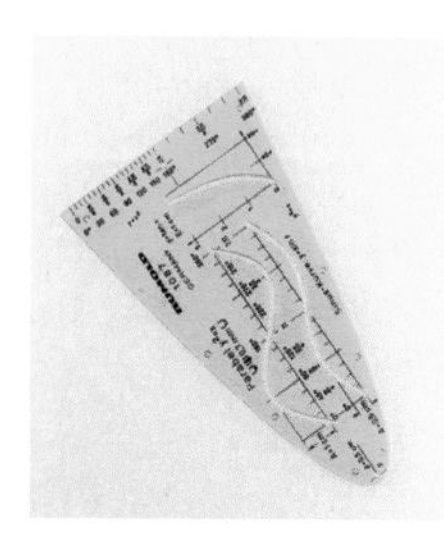

b) Man formt die quadratische Gleichung so um, dass x^2 alleine auf einer Seite steht. Es ergibt sich $x^2 = -\frac{b}{a}x - \frac{c}{a}$. Man betrachtet nun die Graphen der zwei Funktionen f mit $y = x^2$ (Normalparabel) und g mit $y = -\frac{b}{a}x - \frac{c}{a}$ (Gerade). Die x-Werte der Schnittpunkte beider Graphen geben die Lösung der obigen Gleichung an.
Mithilfe des GTR kann man nach Eingabe der beiden Funktionsgleichungen im Grafikfenster die Schnittpunkte näherungsweise ablesen oder berechnen lassen.

Aus $8x^2 + 2x - 28 = 0$ ergibt sich durch Umformen $x^2 = -0{,}25x + 3{,}5$. Man erhält die Funktionsgleichungen $y = -0{,}25x + 3{,}5$ und $y = x^2$. Man liest $x_1 \approx -2$ und $x_2 \approx 1{,}75$ ab.

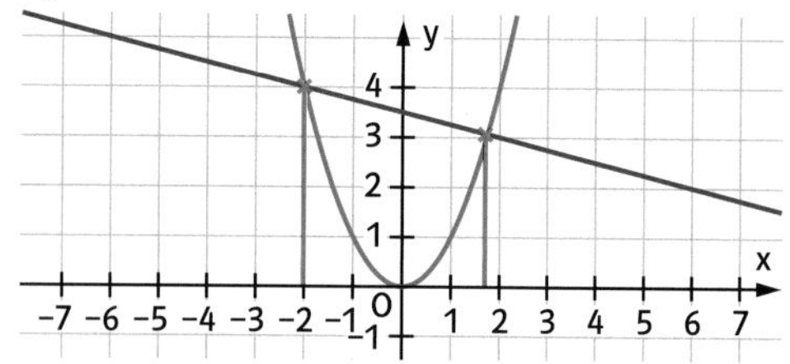

Fig. 2

2. Möglichkeit – rechnerisches Lösen liefert exakte Lösungen

Wenn die quadratische Gleichung die allgemeine Form $ax^2 + bx + c = 0$ hat, kann man die Lösungen x_1 und x_2 mit den Formeln

$$x_1 = \frac{-b + \sqrt{b^2 - 4ac}}{2a}; \quad x_2 = \frac{-b - \sqrt{b^2 - 4ac}}{2a}$$

berechnen.

In der Infobox auf Seite 114 werden die Formeln hergeleitet.

Aus der Gleichung $8x^2 + 2x - 28 = 0$ liest man a, b und c ab und setzt die Zahlen ein.

$$x_1 = \frac{-2 + \sqrt{2^2 - 4 \cdot 8 \cdot (-28)}}{2 \cdot 8} = 1{,}75 \text{ und}$$

$$x_2 = \frac{-2 - \sqrt{2^2 - 4 \cdot 8 \cdot (-28)}}{2 \cdot 8} = -2.$$

Eine quadratische Gleichung der Form $ax^2 + bx + c = 0$ kann man unterschiedlich lösen:

1. Näherungsweise mit zeichnerischen Lösungsverfahren:
   - am Graphen die Nullstellen der Funktion f mit $y = ax^2 + bx + c$ bestimmen oder
   - die Schnittpunkte der Graphen von $y = x^2$ und $y = -\frac{b}{a}x - \frac{c}{a}$ bestimmen.
2. Exakt mit den **abc-Formeln** (rechnerisches Lösungsverfahren):

$$x_1 = \frac{-b + \sqrt{b^2 - 4ac}}{2a}; \quad x_2 = \frac{-b - \sqrt{b^2 - 4ac}}{2a}$$

Eine quadratische Gleichung der Form $ax^2 + bx + c = 0$ besitzt entweder zwei Lösungen oder eine einzige Lösung oder keine Lösung. Denn dem Graphen der Funktion mit $y = ax^2 + bx + c$ kann man sofort entnehmen, ob er zwei, eine oder keine Schnittstellen mit der x-Achse hat (Nullstellen der Funktion). Entsprechend viele Lösungen besitzt die quadratische Gleichung.

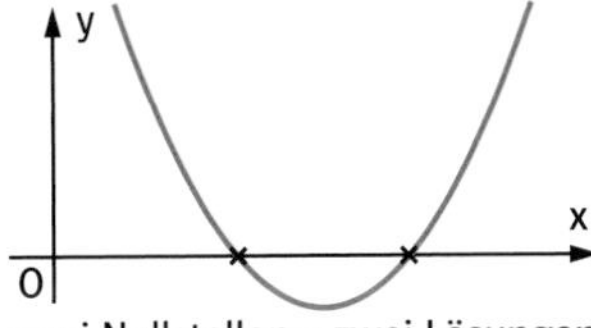
zwei Nullstellen – zwei Lösungen

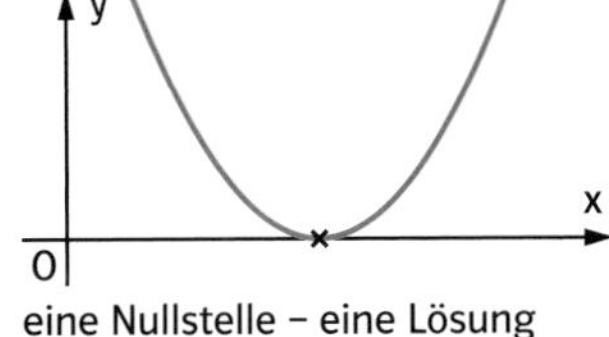
eine Nullstelle – eine Lösung

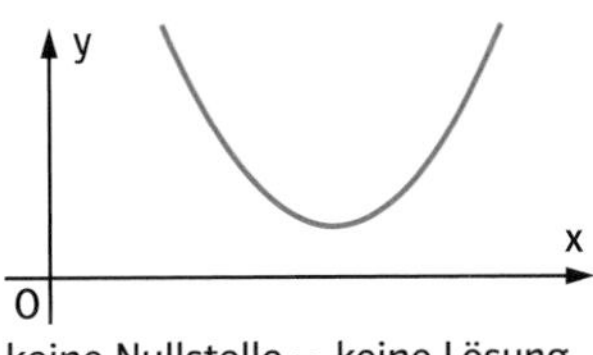
keine Nullstelle – keine Lösung

Bei der abc-Formel erkennt man an der Wurzel $\sqrt{b^2 - 4ac}$ die Anzahl der Lösungen.
Ist $b^2 - 4ac > 0$, liefern x_1 und x_2 verschiedene Werte – es gibt **zwei** Lösungen.
Ist $b^2 - 4ac = 0$, liefern beide Formeln denselben Wert – es gibt **eine** Lösung.
Ist $b^2 - 4ac < 0$, kann man keine Wurzel ziehen und die Werte für x_1 und x_2 somit nicht berechnen – es gibt **keine** Lösung.

Der Term unter der Wurzel wird auch als Diskriminante bezeichnet.

Beispiel

a) Löse die Gleichung $8{,}5x^2 + 8{,}5x - 17 = 0$ zeichnerisch mithilfe der Schablone für die Normalparabel.
b) Löse die Gleichung rechnerisch.
c) Vergleiche beide Lösungsverfahren.

Lösung:

a) *Zunächst muss man die Gleichung so umformen, dass x^2 alleine steht:*

$8{,}5x^2 + 8{,}5x - 17 = 0 \quad | : 8{,}5$
$x^2 + x - 2 = 0 \quad | -x + 2$
$x^2 = -x + 2$

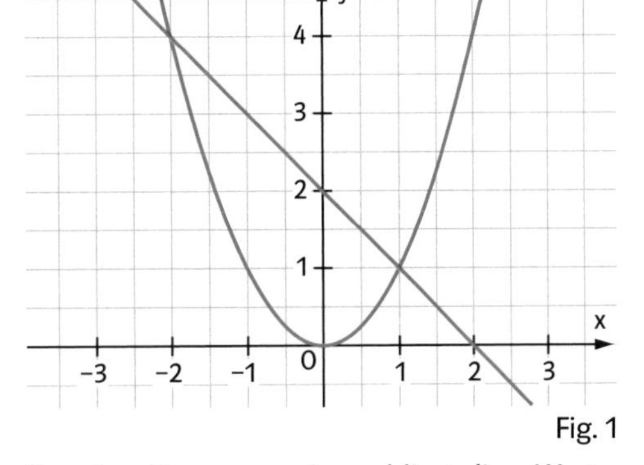
Fig. 1

Dann zeichnet man die Normalparabel und die Gerade mit $y = -x + 2$ und liest die x-Werte der Schnittpunkte ab (s. Fig. 1): Die Lösungen sind $x_1 \approx 1$ und $x_2 \approx -2$.

b) Mithilfe der Formeln erhält man durch Einsetzen von $a = 8{,}5$; $b = 8{,}5$ und $c = -17$ die Lösungen: $x_1 = \frac{-8{,}5 + \sqrt{8{,}5^2 - 4 \cdot 8{,}5 \cdot (-17)}}{2 \cdot 8{,}5} = 1$; $x_2 = \frac{-8{,}5 - \sqrt{8{,}5^2 - 4 \cdot 8{,}5 \cdot (-17)}}{2 \cdot 8{,}5} = -2$.

c) Beide Lösungswege zeigen, dass es zwei Lösungen geben muss (Anzahl der Schnittpunkte in a) und Anzahl der Lösungen in b)). Obwohl man die Lösungen in a) gut ablesen kann, weiß man nicht, ob diese exakt sind. Diese Exaktheit liefert die Lösung in b).

Aufgaben

1 Löse die Gleichung zeichnerisch mit einer Wertetabelle und mithilfe der Schablone für Normalparabeln in deinem Heft.

a) $x^2 + 8x + 5 = 0$ b) $x^2 + 6x - 3 = 0$ c) $5x + x^2 - 15 = 0$
d) $5x^2 - 75 - 5x = 0$ e) $2x^2 - 4x - 16 = 0$ f) $4x^2 + 64x + 64 = 0$
g) $-x^2 - 2x + 10 = 0$ h) $60 - 3x^2 - 12x = 0$ i) $0{,}3x^2 - 0{,}3x - 0{,}6 = 0$

2 Löse die Gleichung rechnerisch.

a) $x^2 + 6x + 5 = 0$ b) $x^2 + 8x - 9 = 0$ c) $3x^2 - 4x - 4 = 0$
d) $2x^2 - 5x - 42 = 0$ e) $-11x + 2x^2 - 6 = 0$ f) $-4 - 4x + 3x^2 = 0$
g) $2x^2 + 7 + 9x = 0$ h) $0 = 3x^2 - 2 - 7x$ i) $0 = 0{,}4x - 1{,}2x^2 + 4$

3 Bestimme wie viele Lösungen die Gleichung hat und gib in Fig. 1 den Graphen an, mit dem man die Lösungen bestimmen kann.

a) $x^2 - 8x = 0$ b) $0{,}5x^2 = -50$
c) $-x^2 + 10x + 16 = 0$ d) $-2x^2 + 8x + 160 = 0$

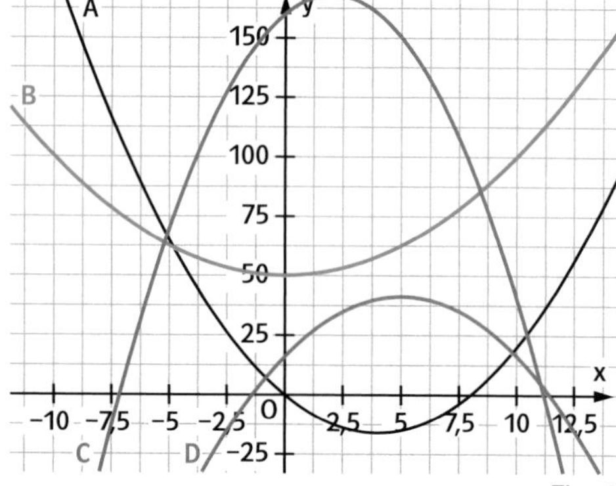

Fig. 1

Runden auf zwei Stellen hinter dem Komma ist hier sinnvoll.

4 Ermittle wie viele Lösungen die Gleichung hat und bestimme dann – falls vorhanden – die Lösungen.

a) $x^2 - 9x = 0$ b) $x^2 + 18x + 81 = 0$
c) $x^2 - 10x - 24 = 0$ d) $-x^2 + 10x + 24 = 0$

5 Forme wenn erforderlich zunächst in die Form $ax^2 + bx + c = 0$ um. Bestimme dann die Anzahl der Lösungen und löse zeichnerisch oder rechnerisch.

a) $3x^2 - 6x = -3$ b) $3x + 1 = 4x^2$ c) $12x = -6x^2 - 7$
d) $0 = 5x^2 - 3 + x - 8$ e) $12x^2 = 24x - 144$ f) $13x - 39 = 6{,}5x^2$
g) $3(5 - 2x) = 9x^2 + 9$ h) $-36 = x^2 - 12x$ i) $(x - 3)^2 = 2x^2 - 18$

6 Bestimme die Lösungen der quadratischen Gleichung mithilfe des GTR.

a) $3x^2 - 5x + 16 = 0$ b) $6x + 9{,}5x^2 - 6{,}3 = 0$ c) $1{,}11 - 5x^2 - 3x = 0$
d) $6{,}2x + 3{,}5 + x^2 = 0$ e) $0 = 2x - 3{,}7x^2 - 1{,}9$ f) $8{,}2x^2 - 3{,}8 = 5{,}99x$

Bist du sicher?

1 Bestimme die Lösungen der quadratischen Gleichung zeichnerisch ohne und mit GTR.

a) $6x^2 + 6x - 36 = 0$ b) $5x^2 - 10x + 5 = 0$ c) $-\frac{3}{2}x^2 + 6x - 6 = 0$ d) $x^2 - 9x = 19$

2 Bestimme die Lösungen rechnerisch.

a) $x^2 + 6x = 0$ b) $9{,}5x^2 + 19x - 95 = 0$ c) $3x = 5x^2 + 6$ d) $-6x + 3x^2 = -3$

Beachte:
$A \cdot B = 0$, wenn $A = 0$ oder $B = 0$.

7 **Geschickt rechnen**

Löse die vier Gleichungen von a) mit der abc- Formel und die vier von b) durch Faktorisieren und stoppe jeweils die Zeit, die du zum Lösen benötigt hast. Überlege anschließend gemeinsam mit deinem Nachbarn, welcher Lösungsweg im Vergleich besser ist.

a) $x^2 + 6x = 0$ $x^2 - 15x = 0$ $x^2 = 7{,}5x$ $-x^2 = 0{,}8x$
b) $x^2 + 8x = 0$ $x^2 - 13x = 0$ $x^2 = 5{,}5x$ $-x^2 = 0{,}5x$

8 Die Qualität eines Feuerwerks hängt sehr stark von der Höhe ab, in der es stattfindet. Beispielsweise wird die Gipfelhöhe (höchster Flugbahnpunkt) der Feuerwerksrakete „Roter Stern" der Firma „Fantastica" mit 300 m (in sieben Sekunden) angegeben. Die Funktionsgleichung $y = -0{,}488x^2 + 24{,}4x + 0{,}5$ beschreibt die Flugbahn, wobei y die Höhe und x die horizontale Entfernung zum Abschusspunkt jeweils in m angibt.

a) Ist die Angabe der Gipfelhöhe richtig?
b) Wo könnten Reste der Rakete landen? Ist das Ergebnis realistisch?

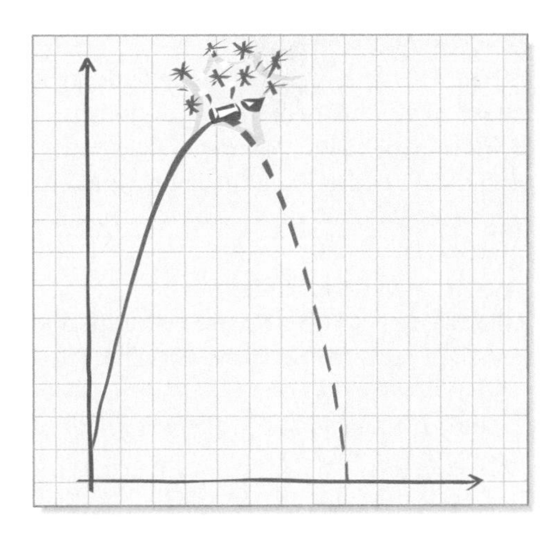

9 Baseball ist eine der größten und beliebtesten Sportarten der Welt. Beim Wurf erreicht der Ball beispielsweise beim „Fast Ball" Geschwindigkeiten bis zu 160 km/h. Wenn der Schlagmann den Ball trifft, kann die Flugbahn des Balles sehr unterschiedlich sein. Bei einem Schlag sei die Bahn des Balles durch die Funktion h mit $y = x - 0{,}0015x^2 + 2$ gegeben, wobei y die Höhe und x den horizontalen Abstand zum Schlagmann jeweils in feet angibt.

a) Zeichne die Parabel von h und begründe, warum sie nach unten geöffnet ist.
b) Bestimme die Höhe, in der der Schlagmann den Ball beim Abschlag trifft.
c) Ein Feldspieler steht 85 feet vom Schlagmann entfernt, als der Ball direkt über ihm ist. In welcher Höhe befindet sich der Ball hier?
d) Bestimme mithilfe der quadratischen Gleichung $x - 0{,}0015x^2 + 2 = 0$, wie weit der Ball bei diesem Schlag fliegt (gib dein Ergebnis in feet und Meter an). Begründe, warum diese Gleichung das richtige Ergebnis liefert.
e) Warum ist das Ergebnis in d) nur ein ungefährer Wert? Begründe.
f) Wann ist der Ball am höchsten? Verwende hierfür den GTR.
g) Wie weit ist der Ball entfernt, wenn er 90 feet hoch ist? Verwende hierfür den GTR.

10 feet = 3,14 m

10 Suche mit deinem Nachbarn quadratische Gleichungen, die eine Lösung bzw. keine Lösung bzw. zwei Lösungen besitzen. Schreibt danach auf, wie ihr vorgegangen seid.

11 a) Eine lineare Funktion mit $y = x - 4$ besitzt die Nullstelle $x = 4$. Stelle zwei quadratische Gleichungen auf, die die zwei Lösungen $x_1 = 4$ und $x_2 = 0$ besitzen. Warum gibt es unendlich viele quadratische Gleichungen, die diese Lösungen besitzen?
b) Gib drei quadratische Funktionen an, deren Graphen die x-Achse nicht schneiden.

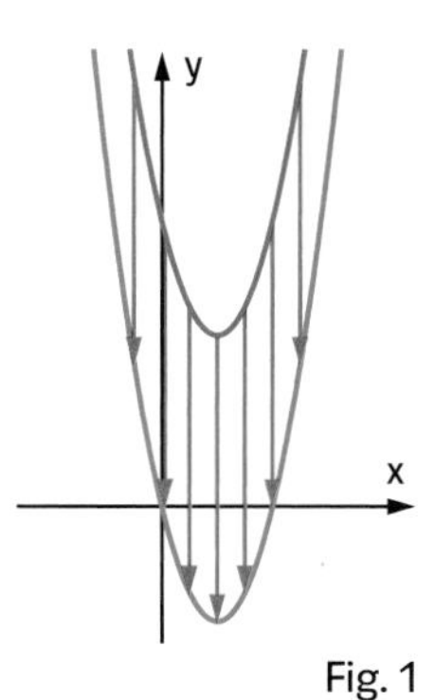

Fig. 1

Das Zeichen „$\pm\sqrt{\ }$“ ist eine Kurzschreibweise für die beiden Möglichkeiten „$+\sqrt{\ }$“ und „$-\sqrt{\ }$“.

12 Begründungen suchen
a) Herr Riemer behauptet: „Eine quadratische Gleichung der Form $x^2 + bx + c = 0$ besitzt immer zwei Lösungen, wenn c negativ ist.“ Begründe.
b) Herr Reimer sagt: „Wenn der Faktor vor dem x^2 und c verschiedene Vorzeichen haben, besitzt die quadratische Gleichung immer zwei Lösungen.“ Begründe.

Info

Herleiten der abc-Formeln
Um die abc-Formeln für die quadratische Gleichung $ax^2 + bx + c = 0$ allgemein herzuleiten, ist es sinnvoll, die Funktionsgleichung $y = ax^2 + bx + c$ zunächst in die sogenannte Scheitelform umzuformen. Dies kann nach dem Verfahren der Infobox von Seite 82 (siehe auch Fig. 1) erfolgen:
Scheitelpunkt $S\left(-\frac{b}{2a} \middle| -\frac{b^2}{4a} + c\right)$ und Scheitelform $y = a \cdot \left(x + \frac{b}{2a}\right)^2 - \frac{b^2}{4a} + c$.
Nun kann man die entsprechende quadratische Gleichung nach x auflösen:

$$a \cdot \left(x + \frac{b}{2a}\right)^2 - \frac{b^2}{4a} + c = 0 \qquad \left| + \frac{b^2}{4a} - c\right.$$

$$a \cdot \left(x + \frac{b}{2a}\right)^2 = \frac{b^2}{4a} - c \qquad |:a$$

$$\left(x + \frac{b}{2a}\right)^2 = \frac{b^2}{4a^2} - \frac{c}{a} \qquad |\sqrt{\ }$$

$$x + \frac{b}{2a} = \pm\sqrt{\frac{b^2}{4a^2} - \frac{c}{a}} \qquad \left| - \frac{b}{2a}\right.$$

$$x = -\frac{b}{2a} \pm \sqrt{\frac{b^2}{4a^2} - \frac{c}{a}} = -\frac{b}{2a} \pm \sqrt{\frac{b^2}{4a^2} - \frac{c \cdot 4a}{a \cdot 4a}} = -\frac{b}{2a} \pm \sqrt{\frac{b^2 - 4ac}{4a^2}}$$

Also hat man die zwei Lösungen: $x_1 = \frac{-b + \sqrt{b^2 - 4ac}}{2a}$; $x_2 = \frac{-b - \sqrt{b^2 - 4ac}}{2a}$.

Teamarbeit macht stark!

13 Leitet mithilfe der Infobox „Herleitung der abc-Formeln“ (siehe oben) aus der Funktionsgleichung $y = ax^2 + bx + c$ die Scheitelform $y = a \cdot \left(x + \frac{b}{2a}\right)^2 - \frac{b^2}{4a} + c$ her.

Diese Formeln für x_1 und x_2 werden auch ***p-q-Formeln*** *genannt.*

Siehe auch die Aufgabe 12 (S. 121) und die Aufgabe 14 (S. 122).

14 Betrachtet die quadratische Gleichung der Form $x^2 + px + q = 0$.
a) Bestimmt den Scheitelpunkt und stellt die Scheitelform auf.
b) $x_1 = -\frac{p}{2} + \sqrt{\frac{p^2}{4} - q}$ und $x_2 = -\frac{p}{2} - \sqrt{\frac{p^2}{4} - q}$ sind die Lösungen der quadratischen Gleichung $x^2 + px + q = 0$. Überlegt, wie man diese Lösungen herleiten kann.
c) Löst die Gleichungen $x^2 - 12x + 8 = 0$ und $x^2 + 6x - 9 = 0$ mit den abc-Formeln und den Formeln aus b). Vergleicht beide Lösungswege. Was fällt auf?

15 a) Fritz behauptet: „An der Scheitelform einer quadratischen Funktion mit $y = ax^2 + bx + c$ kann man leicht erkennen, wie viele Lösungen die quadratische Gleichung $ax^2 + bx + c = 0$ besitzt.“ Hat Fritz Recht? Begründe.
b) In einer mathematische Runde behauptet Rosi: „Der Wert von b in der quadratischen Gleichung $ax^2 + bx + c = 0$ hat meistens einen größeren Einfluss auf die Anzahl der Lösungen als der Wert von c.“ Ist diese Behauptung richtig? Begründe.

Kannst du das noch?

16 Um wie viel Prozent vergrößert sich bei einem Zinssatz von 3,5% pro Jahr ein Kapital von 1600 € bzw. 25 000 € in fünf Jahren?

5 Probleme lösen mit System

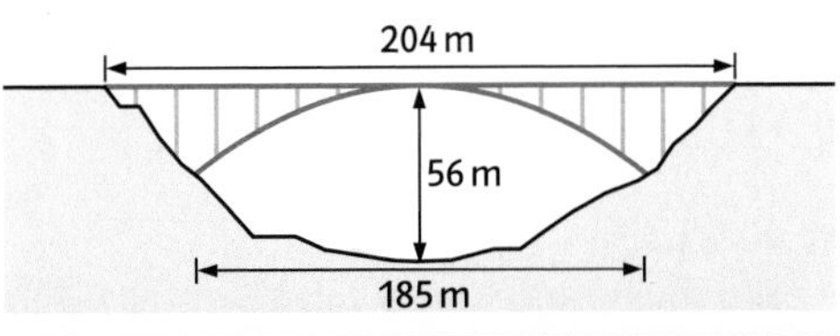

Zwischen Plan und Wirklichkeit: Die Argentobelbrücke.

In der Klasse 7 wurden Probleme bereits mit dem Vier-Stufen-Kreislauf gelöst. Er hilft, Problemstellungen in die „Sprache der Mathematik" zu übersetzen.

1 Verstehen der Aufgabe

1. Was ist gegeben und wesentlich?
2. Was ist unbekannt?

2 Ausdenken eines Plans

1. Führe für die gesuchten Größen Variablen ein.
2. Stelle aus den Textinformationen Terme und daraus eine Gleichung auf.

3 Durchführen des Plans

Mit einer geeigneten Lösungsmethode die Gleichung lösen.

4 Rückschau

1. Formuliere einen Antwortsatz.
2. Zurück zur Aufgabe: Ist das Ergebnis sinnvoll?

Weitere Informationen zum Vier-Stufen-Kreislauf findest du auch in der Infobox auf Seite 119.

Rita und Tim sollen den Rasen mähen. Er ist ca. 9 m breit und 12 m lang. Beide möchten sich die Arbeit fair teilen. Tim fängt an und mäht von außen nach innen. Nachdem er mit dem ca. 50 cm breiten Rasenmäher eine Runde gegangen ist, fragt er sich, wie viele Runden er mähen muss.

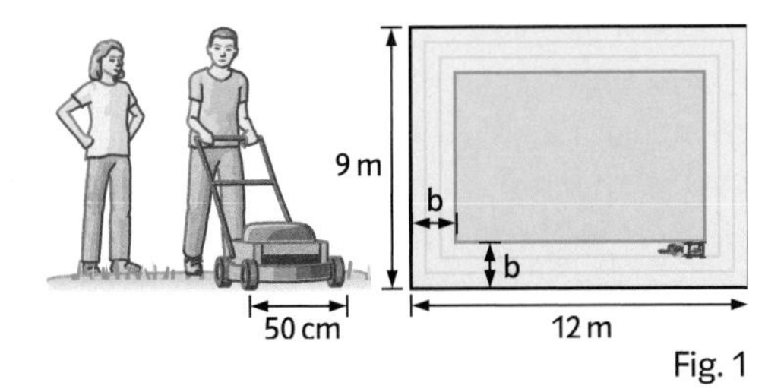

Fig. 1

I Verstehen der Aufgabe

1. Die wichtigen Daten sind die Maße des Rasens (9 m breit und 12 m lang), die Mähbreite des Rasenmähers (0,5 m) und dass Tim die Hälfte der Fläche mähen muss.
2. Gesucht ist die Breite des Randes, also die Anzahl der Bahnen, die Tim mähen muss.

II Ausdenken eines Plans

1. Die Breite des zu mähenden Rasenrandes sei b.
2. Der Skizze (Fig. 1) kann man entnehmen, dass der Flächeninhalt des Randes mit dem Term $2 \cdot 12 \cdot b + 2 \cdot (9 - 2b) \cdot b$ ermittelt werden kann. Tim muss die Fläche $0{,}5 \cdot (9 \cdot 12) = 54$, also $54\,m^2$ mähen. Daher gilt die Gleichung $2 \cdot 12 \cdot b + 2 \cdot (9 - 2b) \cdot b = 54$, die man lösen muss.

III Durchführen des Plans

Durch Umformen der Gleichung $2 \cdot 12b + 2 \cdot (9 - 2b)b = 54$ erhält man $-4b^2 + 42b - 54 = 0$. Mithilfe der abc-Formeln können nun die Lösungen $b_1 = 1{,}5$ und $b_2 = 9$ ermittelt werden.

IV Rückschau

1. Tim muss eine Breite von 1,5 m, also 3 Bahnen mähen. Die Breite $b = 9\,m$ ist nicht sinnvoll, da die doppelte Breite kleiner als 9 sein muss (Fig. 1) – hier wäre $2b = 18$.
2. Das Ergebnis ist realistisch wie auch die Probe zeigt:
$2 \cdot 12 \cdot 1{,}5 + 2 \cdot (9 - 2 \cdot 1{,}5) \cdot 1{,}5 = 54$.

Beispiel

Boris möchte mit einer Tennisballwurfmaschine Grundlinienschläge üben. Er stellt die Maschine auf eine „T-Linie" im Feld und stellt sie so ein, dass die Flugbahn des Tennisballes über dem Netz den höchsten Punkt von 1,20 m hat. Der Ball „schießt" dabei in einer Höhe von 1 m aus der Maschine. Landen die Bälle innerhalb des Feldes?

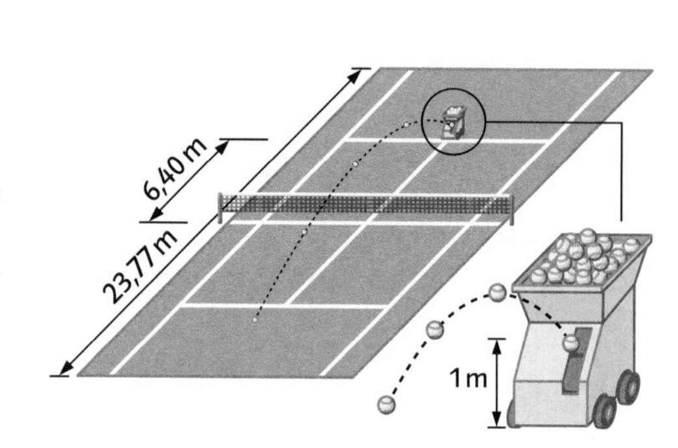

Zur Erinnerung:

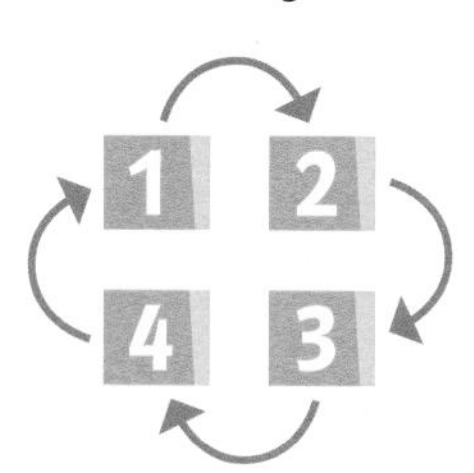

Lösung:

I Verstehen der Aufgabe

1. Der Ball startet in einem Punkt (0|1) und hat seinen höchsten Punkt bei (6,4|1,2).
2. Gesucht ist die Nullstelle der Funktion, deren Graph die Flugbahn beschreibt.

II Ausdenken eines Plans

1. Sei x die Entfernung des Balles zur Flugmaschine und y die Höhe des Balles.
2. Da es sich bei Flugbahnen annähernd um den Graphen einer quadratischen Funktion handelt, muss man die entsprechende Funktionsgleichung der Form $y = ax^2 + bx + c$ aufstellen. Gegeben sind zwei Flugpunkte des Balles: (0|1) und (6,4|1,2). Die notwendige dritte Angabe ist in der Information des höchsten Punktes (Scheitel) enthalten: Nach weiteren 6,4 m hat der Ball wieder die Anfangshöhe von 1 m, also liegt der Punkt (12,8|1) auf dem Graphen. Nun kann man die Funktionsgleichung und die Nullstellen bestimmen.

III Durchführen des Plans

Der Punkt (0|1) liefert $c = 1$. Aus den anderen beiden Punkten ergeben sich so die Gleichungen $1{,}2 = a \cdot 6{,}4^2 + b \cdot 6{,}4 + 1$ und $1 = a \cdot 12{,}8^2 + b \cdot 12{,}8 + 1$. Nun löst man das Gleichungssystem.

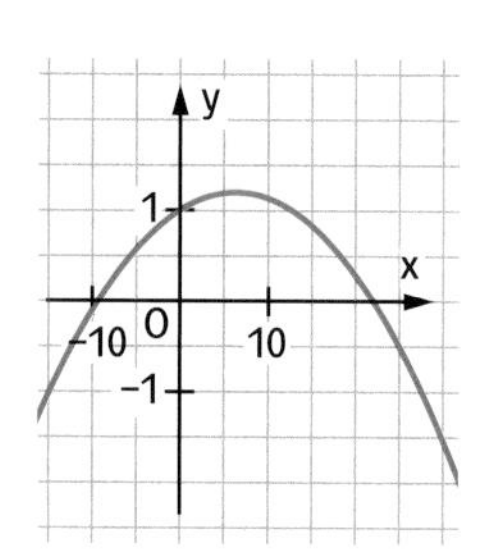

I: $0{,}2 = 40{,}96a + 6{,}4b$ | $\cdot(-2)$
II: $0 = 163{,}84a + 12{,}8b$

I a: $-0{,}4 = -81{,}92a - 12{,}8b$
II: $0 = 163{,}84a + 12{,}8b$

I a + II: $-0{,}4 = 81{,}92a$; also $a = -0{,}00488281$. Daraus folgt $b = 0{,}0625$.

Die Funktionsgleichung lautet: $y = -0{,}00488281x^2 + 0{,}0625x + 1$.
Die Nullstelle ist eine Lösung der Gleichung $-0{,}00488281x^2 + 0{,}0625x + 1 = 0$.
Die abc-Formeln liefern die Lösungen $x_1 \approx -9{,}28$ und $x_2 \approx 22{,}08$.

IV Rückschau

1. Der Ball landet etwa 22,08 m von der Maschine entfernt. Das liegt außerhalb des Platzes, weil zwischen Maschine und vorderer Grundlinie nur noch 18,285 m liegen (23,77 : 2 + 6,4). Die negative Lösung ist unrealistisch, da es keine negative Länge gibt.
2. Die Lösung ist realistisch, wie auch die Einsetzproben aller Punkte zeigen.

Aufgaben

1 Alex und Nino müssen bei einer Kanufahrt durch eine veraltete Schleuse. Beim Einfahren in die Schleuse erkennt Alex an einer Markierung, dass ihr aktueller Wasserstand 3,75 m beträgt. Als die Tür 1 geöffnet wird, misst Nino die Zeit. Nach fünfeinviertel Minuten haben sie erst eine Höhe von 4,80 m erreicht. Nun überlegen beide, wie lange es noch dauert bis sie oben sind.
a) Stelle zur Ermittlung der Höhe des Wasserstandes eine Formel auf. Ist der Zusammenhang linear oder quadratisch?
b) Bestimme grafisch und rechnerisch wie lange es noch dauert, bis das Kanu den oberen Wasserstand erreicht hat.
c) Vergleiche die Lösungsverfahren aus b) in Bezug auf Schnelligkeit und Genauigkeit.

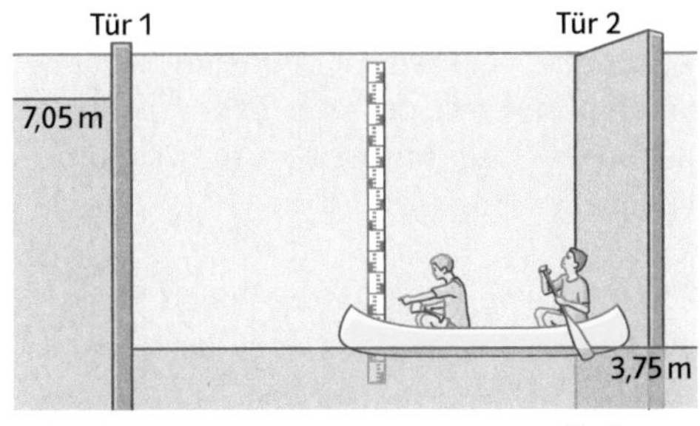

2 Bei Fallschirmspringern unterscheidet man je nach Ausbildungsgrad „Anfänger", „Fortgeschrittene" und „Experten". In der „Personalverordnung für Luftfahrtverkehr" ist gesetzlich geregelt, bei welcher Höhe der Fallschirmspringer seinen Fallschirm öffnen muss (Tabelle). Die verlorene Höhe während des freien Falls lässt sich in den ersten vier Sekunden annähernd mit dem Term $-5t^2$ beschreiben, wobei t die Freifallzeit in Sekunden ist. Anschließend hat der Springer einen gleich bleibenden Höhenverlust von ca. 34 m pro Sekunde.
a) Ein Fortgeschrittener und eine Expertin springen gleichzeitig aus 2000m Höhe ab. Die Expertin sagt zum Fortgeschrittenen: „Ich habe eine doppelt so lange Freifallzeit wie du." Hat sie Recht?
b) Aus welcher Höhe müsste ein Anfänger, Fortgeschrittener bzw. Experte abspringen, wenn die Freiflugzeit 10 Sekunden lang sein soll. Wäre der Flug erlaubt?
c) Welche Endgeschwindigkeit haben die Fallschirmspringer nach den ersten vier Sekunden? Gib in km/h an.
d) Warum verläuft der Höhenverlust nach etwa vier Sekunden linear?

Ausbildungsgrad	Mindesthöhe zum Öffnen des Schirms	empfohlene Abspringhöhe
Anfänger	1200 m	ca. 1500 m
Fortgeschrittene	1200 m	ca. 2000 m
Experten	700 m	ca. 4000 m

3 Werner denkt sich eine Zahl und multipliziert sie mit der Nachbarzahl. Als Produkt erhält er das Ergebnis 306. Wie lautet die gedachte Zahl?

4 Sarah liest im Urlaub in einer Broschüre: „Der Triumphbogen hat eine Höhe von 7m und ist parabelförmig gebaut worden." Sarah bezweifelt, dass der Bogen parabelförmig ist und misst zur Kontrolle drei Punkte des Bogens: P(0|0); Q(1|2,2) und R(11|0).
Führe mithilfe der Messdaten von Sarah die Kontrolle durch.

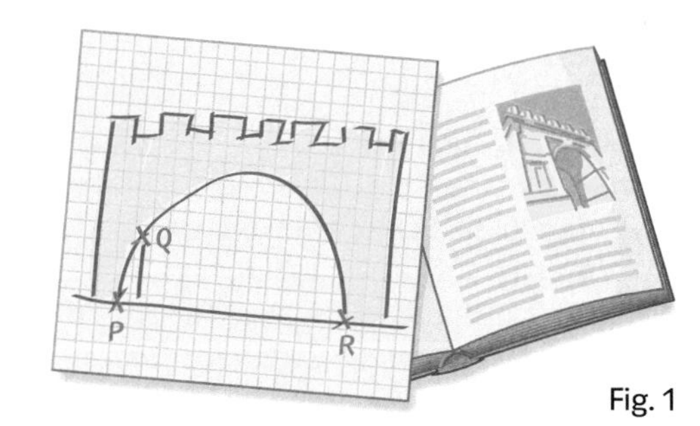

Fig. 1

5 Felix liest in seinem Biologiebuch: „Die Anordnung der Zähne in einem parabelförmigen Zahnbogen ist zusammen mit der Wölbung des Gaumens, der tiefen Lage des Kehlkopfes und der guten Beweglichkeit der Zunge wichtig für die Bildung von Sprachlauten. Die vorgeburtliche Verwachsung von Zwischen- und Oberkieferknochen verhindert eine Änderung des Zahnbogens, so dass die Sprachfähigkeit unverändert bleibt (Fig. 2)." Er glaubt nicht, dass ein Zahnbogen parabelförmig ist. Kontrolliere, ob der Zahnbogen des Milchgebisses und des Erwachsenengebisses parabelförmig ist.

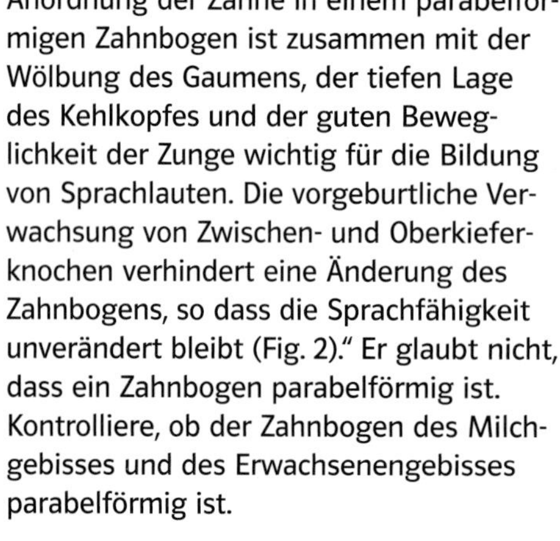

Eine Röntgenaufnahme deiner Zähne könntest du auch untersuchen.

Milchgebiss

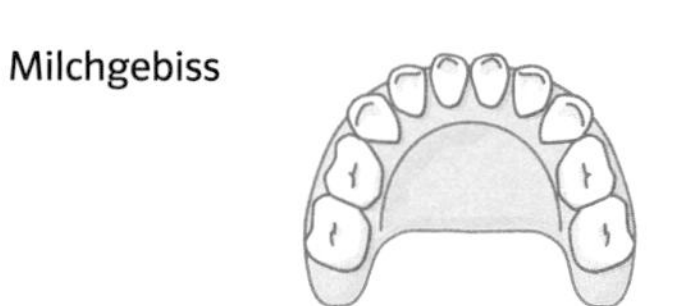

Erwachsenengebiss

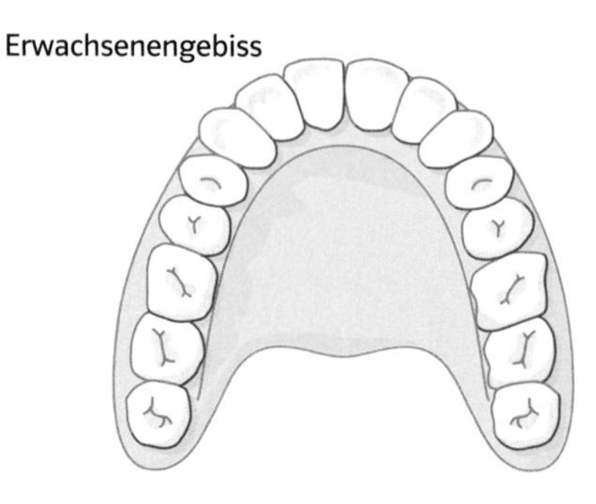

Fig. 2

6 Judith und Simon schauen eine Tierfilmsendung an, in der Riesenkängurus vorgestellt werden. Dabei erfahren sie, dass die Kängurus bis zu 90 km/h schnell laufen sowie bis zu drei Meter hoch und zehn Meter weit springen können. „Dann können sie ja auch über unser Wohnmobil springen, das etwa zwei Meter breit und zweieinhalb Meter hoch ist", behauptet Simon. Judith bezweifelt dies.
a) Erstelle eine Skizze, die die Situation darstellt. Gehe davon aus, dass die Sprungbahn des Kängurus parabelförmig ist.
b) Hat Judith Recht? Begründe.

7 Gisela und Hans-Josef stehen auf einer 35m hohen Brücke über einem Fluss. „Man kann mit einem Stein die Höhe der Brücke bestimmen; das haben wir gerade in der Schule gelernt", erzählt Gisela. „Ja, wir haben gelernt, dass die Fallhöhe (in m) 5-mal der Fallzeit (in s) zum Quadrat entspricht", berichtet Hans-Josef.
Wie lange fällt der Stein?

Fig. 3

Info

Polya-Fragen

Der Mathematiker George Polya (Ungarn, USA, 1887 – 1985) hat sich intensiv mit dem Lösen von mathematischen Problemen befasst und die Idee des Vier-Stufen-Kreislaufes entwickelt. Der zentrale Gedanke ist, sich mithilfe von Fragen der Lösung einer Aufgabe zu nähern.

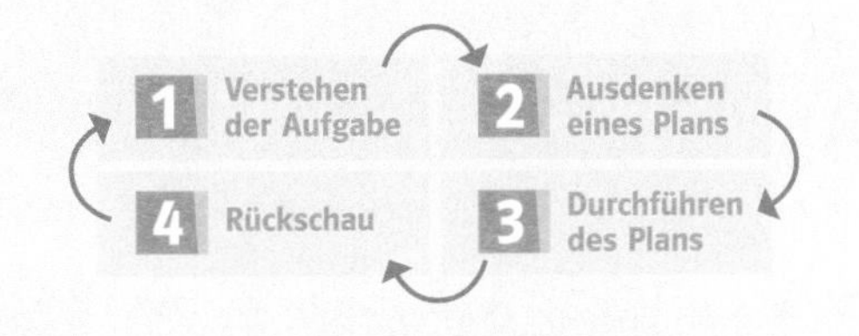

- Zeichne eine Figur und führe passende Beschriftungen ein. Ist es hilfreich?
- Kennst du ähnliche Aufgaben? Kennst du eine Regel oder einen Satz, die bzw. der helfen könnte? Kannst du den Lösungsweg der ähnlichen Aufgabe verwenden?
- Wenn du die Aufgabe nicht lösen kannst, versuche zunächst eine verwandte Aufgabe zu lösen. Kannst du die Aufgabe allgemeiner formulieren? Oder kannst du für Variablen Zahlen einsetzen?
- Wenn du deine Lösung durchführst, so kontrolliere jeden Schritt. Kannst du deutlich sehen, dass der Schritt richtig ist?

George Polya

Man nennt solche Fragen auch Polya-Fragen.

8 Stellt drei eigene Polya-Fragen auf und diskutiere ihre Qualität.

9 Susanne bekommt von ihren Großeltern zu Weihnachten ein Sparkonto mit 400 € Guthaben. Sie versprechen ihr, die nächsten zwei Jahre zu Weihnachten noch jeweils 100 € auf das Sparkonto zu überweisen, wenn Susanne das komplette Geld über mindestens zwei Jahre anspart. Susanne hält die zwei Jahre durch und schaut am Anfang des dritten Jahres, nachdem die Bank die Zinsen dem Konto gutgeschrieben hat, auf den Kontostand: 636,64 €. „Da war die Bank ja richtig großzügig und hat mir fast 40 € geschenkt!", stellt Susanne fest.
Bestimme den Zinssatz, mit dem das Sparguthaben verzinst wurde. Nimm dabei an, dass dieser über den gesamten Zeitraum konstant gewesen ist.

Kannst du das noch?

10 Begründe, dass die Summe der Winkel in jedem Dreieck 180° beträgt.

11 Anton und sein Vater sitzen in einem Flugzeug im Landeanflug zum Stuttgarter Flughafen. Sie entdecken die Orte Musberg und Echterdingen, die ca. 2 km voneinander entfernt liegen. Sie peilen Musberg ca. in einem Winkel von $\alpha = 74°$ an. Bei Echterdingen beträgt dieser Winkel $\beta = 34°$.
a) Erstelle in deinem Heft eine Zeichnung im Maßstab 1 : 20 000.
b) In welcher Höhe befindet sich das Flugzeug zum Zeitpunkt der Messung?

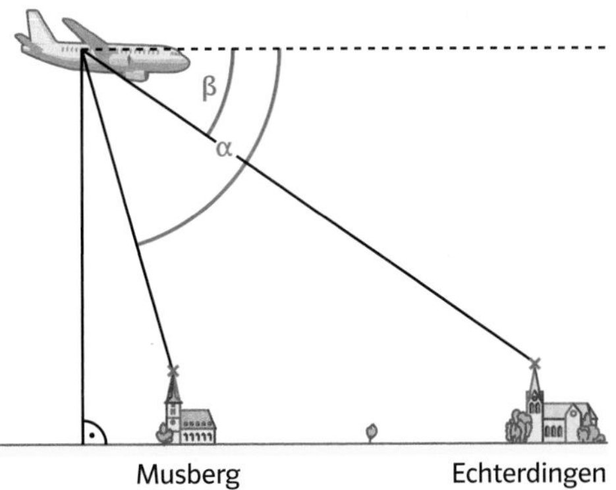

Fig. 1

12 Löse das Ungleichungssystem $3x - 5y < 4$ und $4x - 2y > -3$ zeichnerisch.

1 Ein Paket wiegt a kg, ein anderes b kg. Welche Aussage steckt hinter dem Term?
a) $a + b = 15$ b) $a = b + 5$ c) $b = 0{,}5 \cdot a$ d) $a = 2 \cdot b - 3$

2 Multipliziere aus und fasse soweit wie möglich zusammen.
a) $(a + 3)^2 + (3a + 1)^2$ b) $(x - 2)^2 - (5 - 2x)^2$ c) $x^2 + (x + \sqrt{5})^2$ d) $(xy + x)^2 - 2x^2y$
e) $3x^2 - (x - 5)^2 + 3x$ f) $9 - (a - \sqrt{7}a)^2 + a^2$ g) $(x - 4 + a)(x + 5)$ h) $(2 - x)(a + 2x - 7)$

3 Klammere aus und ermittle, für welche Zahlen der Term den Wert 0 annimmt.
a) $8x - x^2$ b) $5x + 15x^2 - 25x$ c) $\sqrt{7}x - 7x^2$ d) $x \cdot \sqrt{6} \cdot x - 6x$
e) $(x + 6)x - (6 + x)9$ f) $(3 - x)x + 4(3 - x)$ g) $x(7 - x) - x(-x + 7)$ h) $(x - 3)x - (3 - x)$

4 Ermittle zunächst, wie viele Lösungen die Gleichung hat. Wenn es Lösungen gibt, bestimme sie anschließend zeichnerisch und rechnerisch.
a) $x^2 + 6x + 9 = 0$ b) $x^2 + 5x - 1 = 0$ c) $5x^2 - 9x - 2 = 0$ d) $-5x + x^2 - 42 = 0$
e) $-9x + 2x^2 = 5$ f) $-6 - 2x = -3x^2$ g) $x^2 + 7 + 9x = 3x - 2$ h) $4x^2 = x^2 + 3 - 6x$

5 Frau Reich hat auf ihrem Konto Ende 2004 exakt 21 000 €. Die Bank fügt nun die Jahreszinsen hinzu. Gleichzeitig hebt Frau Reich 1630 € für ihren neuen Roller ab. Ein Jahr später – Ende 2005 – hat Frau Reich nach Zuschlag der Jahreszinsen 20 600 € Guthaben auf ihrem Konto.
Wie hoch war der Zinssatz, wenn er in beiden Jahren gleich war?

6 Eine quaderförmige Milchpackung (Tetrapack) besitzt näherungsweise eine Materialoberfläche von $644\,cm^2$. Dabei sind zwei Kanten gleich lang und die andere Kante ist um 12,5 cm länger.

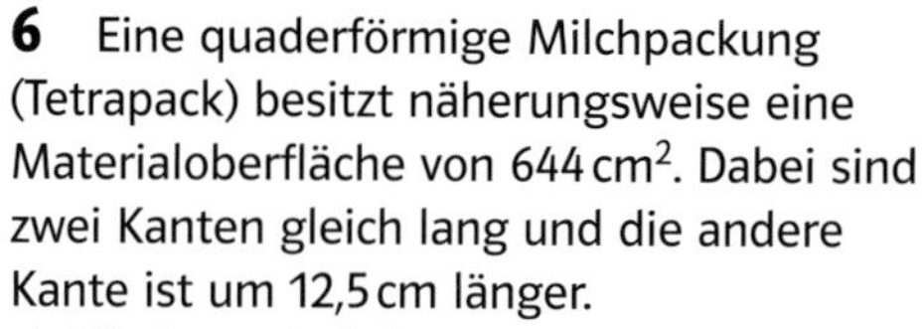

a) Wie lang sind die einzelnen Kanten?
b) Welches Volumen passt in die Packung?

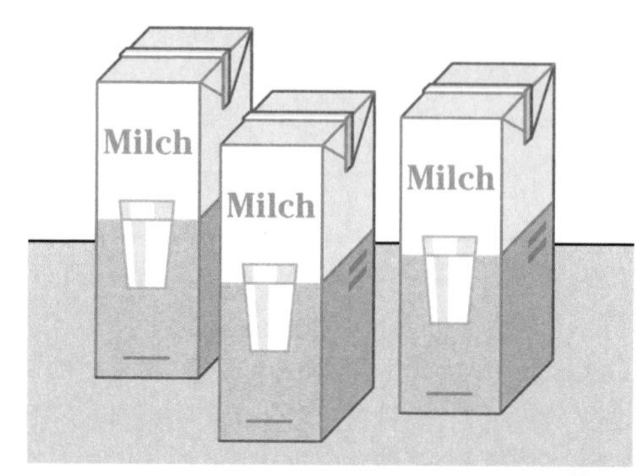

Fig. 1

7 Eine Mutter ist 51 Jahre alt, ihre Tochter ist gerade 15 Jahre alt geworden. Die Mutter behauptet: „In n Jahren bin ich genau n-mal so alt wie du dann sein wirst.“ „Das kann ja zweimal eintreten“, antwortet die Tochter. Stimmt das?

Der Höhenverlust (in m) eines Steines, der mit einer Anfangsgeschwindigkeit von 0 m/s geworfen wird, beträgt $-5t^2$.

8 Wenn man einen Stein aus 100 m Höhe mit einer Anfangsgeschwindigkeit von 3 m/s senkrecht nach unten wirft, wird die Höhe des Steins in Abhängigkeit von der Zeit mit der Funktionsgleichung $h(t) = 100 - 5t^2 - 3t$ beschrieben (h: Höhe in m; t: Zeit in s).
a) Berechne mit drei verschiedenen Methoden, wann der Stein am Boden ankommt.
b) Zeichne den Graphen von h und den Graphen der Funktion f mit $y = t^2 + 0{,}6t - 20$. Wie hängen die Funktionen h und f zusammen? Was fällt bei den Graphen auf?
c) Lutz wirft einen Stein ebenfalls aus 100 m Höhe senkrecht nach unten. Nach vier Sekunden trifft der Stein auf den Boden. Gib die Anfangsgeschwindigkeit v_0 in m/s an.

9 Ein Ball wird annähernd senkrecht nach oben geworfen. Seine Höhe kann mit der Funktion h mit $y = -5t^2 + 16t + 1{,}8$ ermittelt werden, wobei y die Höhe des Balles in Meter und t die Zeit in Sekunden nach dem Abwurf beschreiben.
a) Woher weiß man, dass die Person, die den Ball abwirft, ca. 1,80 m groß ist?
b) Ermittle, wie lange der Ball in der Luft ist (runde sinnvoll).
c) Nach wie vielen Sekunden ist der Ball ungefähr am höchsten Punkt?
d) Nach wie vielen Sekunden hat der Ball ungefähr eine Höhe von 12,5 m erreicht?

10 Im Jahre 800 n. Chr. hat der Gelehrte al-Khwarizmi in Bagdad aus einer geometrischen Betrachtung heraus die p-q-Formeln (siehe auch Aufgabe 14, Seite 114) entwickelt. Er zeichnete dazu das unterteilte Quadrat in Fig. 1. Dabei hat der Flächeninhalt der blauen Fläche die Größe q.

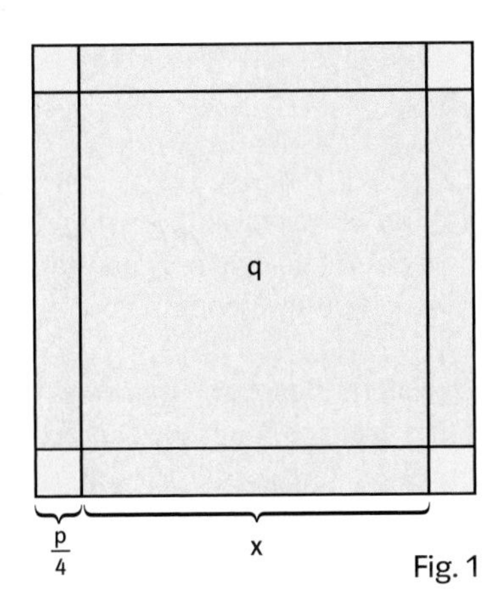

Fig. 1

a) al-Khwarizmi fand zwischen den Größen die Beziehung $q = x^2 + p \cdot x$. Erläutere anhand der Fig. 1, warum die Gleichung richtig ist.
b) Des Weiteren stellte al-Khwarizmi die Gleichung $x = \sqrt{q + 4\left(\frac{p}{4}\right)^2} - \frac{p}{2}$ auf. Erläutere auch diese Gleichung.
c) Stelle einen Zusammenhang zwischen al-Khwarizmis Gleichungen aus a) und b) und den p-q-Formeln $x_1 = \frac{-p + \sqrt{p^2 - 4q}}{2}$ und $x_2 = \frac{-p - \sqrt{p^2 - 4q}}{2}$ als Lösungen der quadratischen Gleichung $x^2 + px + q = 0$ her (siehe auch Aufgabe 14, Seite 114).

Die p-q-Formel einmal anders!

11 Auf einem Markt möchte Hansi bei einem Glücksspiel teilnehmen. Er überlegt sich, zweimal hintereinander zu spielen. Am Stand hängt ein Schild mit der Aufschrift: „Wer zweimal spielt, gewinnt mit einer Wahrscheinlichkeit von 70 % mindestens einmal." Nun überlegt sich Hansi, dass er dann mit einer Wahrscheinlichkeit von über 50 % schon beim ersten Spieldurchgang gewinnen müsste.
Zeichne ein beschriftetes Baumdiagramm, das die Situation beschreibt und bestimme die Wahrscheinlichkeit, mit der Hansi beim ersten Spieldurchgang gewinnt. Hat er mit seiner Überlegung Recht?

12 a) Gib für quadratische Funktionen eine allgemeine Scheitelform an.
b) Eine Parabel enthält den Punkt P(1|5) und den Scheitelpunkt S(10|15). Wie lautet die Funktionsgleichung?
c) Eine Parabel besitzt den Scheitelpunkt im Ursprung und verläuft durch P(3|−2). Bestimme die Funktionsgleichung.

Wiederholen – Vertiefen – Vernetzen

Siehe zur Bestimmung des Scheitels in c) auch die Infobox aus Kapitel III auf der Seite 82.

13 Funktionenscharen

a) Gegeben sind die Funktionsgleichungen $y = x^2 - k \cdot x + k$, wobei für den Parameter k jede beliebige reelle Zahl eingesetzt werden kann.
Bestimme den Scheitelpunkt und zeige, dass die Scheitelpunkte für jedes beliebige k auf der Parabel der Funktion mit $y_S = -x^2 + 2 \cdot x$ liegen.
b) Zeige, dass die Scheitelpunkte der Parabeln mit $y = x^2 - 2kx + k^2 - k$ auf der Geraden mit der Gleichung $y = -x$ liegen.

14 Zeige, wie man die quadratische Gleichung der Form $y = x^2 + px + q$ in die Scheitelform $y = \left(x + \frac{p}{2}\right)^2 - \frac{p^2}{4} + q$ umformen kann. Kommentiere dein Vorgehen dabei schriftlich.

15 a) Das Produkt der um 2 kleineren Zahl und der um 2 größeren Zahl ist um 50 größer als der dritte Teil des Quadrates der gedachten Zahl. Wie lautet die Zahl?
b) Erfinde eigene Aufgaben wie in a) und stelle sie deinem Nachbarn.

16 Experimentelles zum Forschen

Geo Florian baut sich aus zwei alten Spiegelplatten einen Winkelspiegel, bei dem die beiden Spiegel zu einem V zusammengelegt werden. In einem dunklen Raum richtet er einen Pointer (punktueller Lichtstrahl) auf einen der beiden Spiegel. Er beobachtet und notiert in einer Skizze (Fig. 1), dass der Lichtstrahl zuerst im Punkt B und dann im Punkt A reflektiert wird. Dann kreuzt sich der Ausgangsstrahl mit dem Eingangsstrahl im Winkel γ. Als Florian den Winkel δ bei S vergrößert, entdeckt er, dass sich der Winkel γ verkleinert. Er vermutet, dass zwischen diesen beiden Winkeln ein ganz besonderer Zusammenhang besteht.
a) Nach welcher Regel werden die Lichtstrahlen an den Spiegeln reflektiert?
b) Nimm an, dass gilt: $\delta = 50°$. Wie groß ist der Winkel γ dann?
c) Entwickle nun den allgemeinen Zusammenhang zwischen den Winkeln δ und γ.
d) Baue das Experiment nach oder simuliere es mit einem Geometrieprogramm und überprüfe deine Entdeckungen.

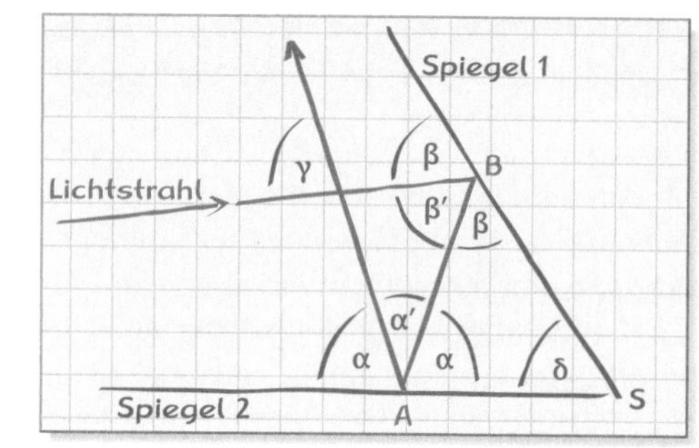

Fig. 1

Zum Knobeln!

17 Geschickt zählen ...

Guido hat aus Streichhölzern ein Muster gelegt. Als er fertig ist, überlegt er sich, wie viele Streichhölzer er verwendet hat.
a) Zählt die Anzahl der Streichhölzer in Fig. 2. Wer zählt am schnellsten?
b) Erläutert, was die Formel $a = \frac{r + 4 \cdot q}{2}$ bedeutet.
c) Guido hat nun 20 Streichhölzer und will neun zusammenhängende Quadrate legen. Geht das? Begründet auch mit der Formel.
d) Überlegt euch andere Möglichkeiten für 20 Hölzer. Variiert die Anzahl der Hölzer.
e) Kann r eine ungerade Zahl sein?

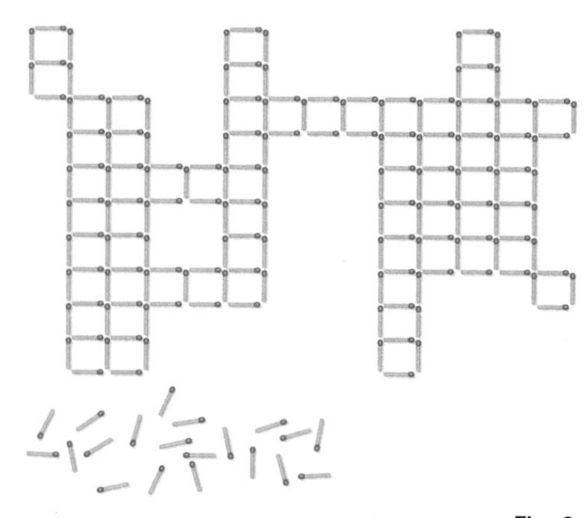
Fig. 2

Dem pascalschen Dreieck auf der Spur

Blaise Pascal (1623 – 1662) lebte überwiegend in Frankreich und hat sich im Bereich der Mathematik sehr verdient gemacht. Schon mit 16 Jahren hat Pascal einen wichtigen Satz in der Geometrie über sogenannte Kegelschnitte aufgestellt. Später war er einer der Mitbegründer der Wahrscheinlichkeitsrechnung – ein Gebiet der Mathematik, das man bis dahin nicht kannte. 1642 arbeitete er an der Konstruktion einer Rechenmaschine für die Addition und Subtraktion. Er war so berühmt, dass nach ihm die Einheit des Druckes (1 hPa = 1 mbar) und eine Programmiersprache (PASCAL) benannt wurden. Auch das „pascalsche Dreieck" geht auf ihn zurück. An diesem Dreieck kann man viel erforschen.

Forschungsauftrag I

1 Betrachte die einzelnen Zahlenzeilen. Addiere die Zahlen jeder Zeile und notiere die Ergebnisse. Was fällt auf?

1
1 1
1 2 1
1 3 3 1
1 4 6 4 1
1 5 10 10 5 1
1 6 15 20 15 6 1
1 ? ? ? ? ? ? 1
1 ? ? ? ? ? ? ? 1

Fig. 1

2 Betrachte die Diagonalen in Pfeilrichtung. Man kann feststellen, dass in der ersten Diagonalen lauter Einsen stehen.
a) Welche Zahlen stehen in der zweiten?
b) Die Zahlen der dritten Diagonalen werden auch Dreieckszahlen genannt. Betrachte Fig- 2 und erkläre diese Bezeichnung.

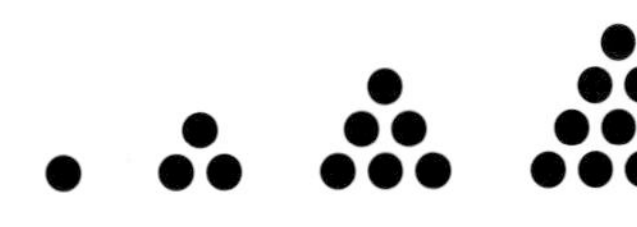

Fig. 2

3 Wie hängen die einzelnen Zahlenzeilen zusammen? Wie entsteht die dritte Zeile aus der zweiten, die vierte aus der dritten, usw.? Stelle eine Regel auf und ergänze die Zeilen.

4 Erstelle ein pascalsches Dreieck aus 20 Zeilen. Male nun alle geraden Zahlen bunt an. Was fällt auf? Mache das gleiche mit allen Zahlen, die durch 3; 4 bzw. 5 teilbar sind.

Forschungsauftrag II

1 In Fig. 3 ist oben ein zusammengesetzter Würfel dargestellt. Unten sind die Einzelbausteine dieses Würfels abgebildet. Die Bilder veranschaulichen die Formel
$(a + b)^3 = a^3 + 3a^2b + 3ab^2 + b^3$.
a) Beschreibe, welches Bild den Term $(a+b)^3$ bzw. den Term $a^3 + 3a^2b + 3ab^2 + b^3$ darstellt. Betrachte dazu die Volumina der Körper.
b) Multipliziere $(a + b)^3$ vollständig aus und überprüfe so obige Formel.
c) In welchem Zusammenhang steht diese Formel mit dem pascalschen Dreieck?

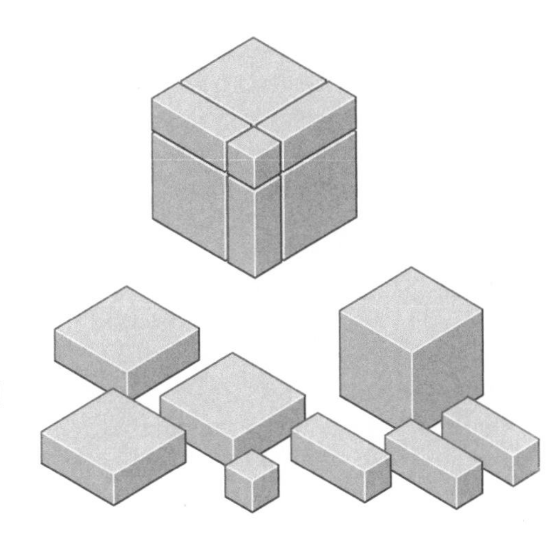

2 Multipliziere vollständig aus und untersuche den Zusammenhang dieser Formeln mit dem pascalschen Dreieck. Kannst du weitere Formeln dieser Art berechnen?
a) $(a + b)^2$ b) $(a + b)^4$ c) $(a + b)^5$ d) $(a + b)^6$

Rückblick

Umformen von Gleichungen bzw. Formeln
Formeln kann man nach den für Terme und Gleichungen geltenden Regeln umformen. Zur Berechnung einer Größe muss diese nach den Umformungen alleine auf einer Seite des Gleichheitszeichens stehen.

$A = \pi \cdot r^2 \quad | : \pi$
$\frac{A}{\pi} = r^2 \quad | \sqrt{\ }$
$r = \sqrt{\frac{A}{\pi}}$

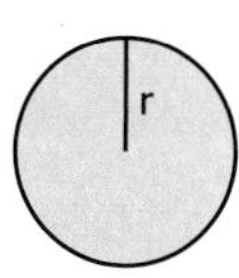

r: Radius
A: Flächeninhalt

Terme vereinfachen
Durch Anwenden des Distributivgesetzes kann man Produkte zu Summen und umgekehrt Summen zu Produkten umformen.
$(a + b) \cdot (c + d) = a \cdot c + a \cdot d + b \cdot c + b \cdot d$ (Ausmultiplizieren)
und
$a \cdot x + b \cdot x = (a + b) \cdot x$ (Faktorisieren)
In einer Summe darf man nur gleichartige Summanden zusammenfassen.

$(3 + x) \cdot (2 - x) = 3 \cdot 2 - 3x + 2x - x^2$
$= 6 - x - x^2$
$5x - x^2 = (5 - x)x$
$3x^2 + 5x - 2x^2 + 12 - 3x - 6$
$= 3x^2 - 2x^2 + 5x - 3x + 12 - 6 = x^2 + 2x + 6$

Allgemeine Funktionsgleichungen
Funktionsgleichungen können auch allgemein mit Parametern geschrieben werden.
Lineare Funktionen
$y = mx + c$ (m heißt Steigung und c y-Achsenabschnitt)
Quadratische Funktionen
$y = ax^2 + bx + c$ (a heißt Streckungsfaktor und c y-Achsenabschnitt)

Aufstellen von Funktionsgleichungen
1. Allgemeine Funktionsgleichung aufstellen
2. Einsetzen der bekannten Größen und Gleichungen aufstellen
3. Umformen nach den gesuchten Größen bzw. Gleichungssystem lösen
4. Antwortsatz

Gesucht ist die Funktionsgleichung der quadratischen Funktion f, deren Graph durch die Punkte $P(0|-1)$; $Q(2|-3)$ und $R(-2|-15)$ verläuft.
1. Ansatz: $y = ax^2 + bx + c$
2. Punkte einsetzen
$-1 = 0 \cdot a + 0 \cdot b + c$; *also* $c = -1$
$-3 = 2^2 \cdot a + 2b - 1$
$-15 = (-2)^2 \cdot a - 2b - 1$
3. Die letzten beiden Gleichungen ergeben ein LGS, man erhält: $a = -2$ und $b = 3$.
4. Die Funktionsgleichung der Funktion f lautet $y = -2x^2 + 3x - 1$.

Lösen von quadratischen Gleichungen der Form $ax^2 + bx + c = 0$
Quadratische Gleichungen können entweder zwei Lösungen oder eine Lösung oder keine Lösung haben.

1. Näherungsweises Lösen mittels zeichnerischer Methoden:
a) Nullstellen ablesen (auch mit GTR möglich)
Die Lösungen einer quadratischen Gleichung $ax^2 + bx + c = 0$ entsprechen den Nullstellen der quadratischen Funktion $y = ax^2 + bx + c$.
b) Schnittpunkte ablesen (auch mit GTR möglich)
Die Gleichung $ax^2 + bx + c = 0$ kann man zu $x^2 = -\frac{b}{a}x - \frac{c}{a}$ umformen. Die x-Werte der Schnittpunkte der zwei Graphen von den Funktionen f mit $y = x^2$ und g mit $y = -\frac{b}{a}x - \frac{c}{a}$ entsprechen den Lösungen.

2. Exaktes Lösen mit der abc-Formeln
$x_1 = \frac{-b + \sqrt{b^2 - 4ac}}{2a}$; $x_2 = \frac{-b - \sqrt{b^2 - 4ac}}{2a}$.

Gesucht sind die Lösungen der quadratischen Gleichung $3x^2 + 8x + 4 = 0$.

zu 1. a)

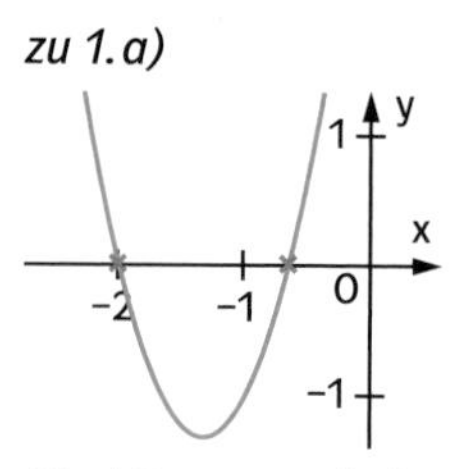

Die Lösungen sind etwa $x_1 \approx -2$ und $x_2 \approx -0{,}7$.

und 1. b)

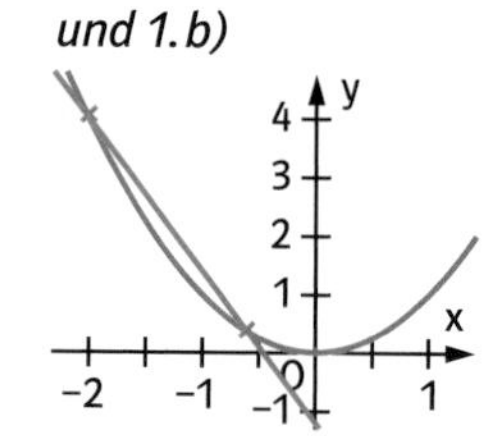

Die Lösungen sind etwa $x_1 \approx -2$ und $x_2 \approx -0{,}7$.

zu 2.
$x_1 = \frac{-8 + \sqrt{8^2 - 4 \cdot 3 \cdot 4}}{2 \cdot 3} = -\frac{2}{3}$ *und* $x_2 = \frac{-8 - \sqrt{8^2 - 4 \cdot 3 \cdot 4}}{2 \cdot 3} = -2$

Training

Runde 1

1 Multipliziere in a) und b) aus und fasse zusammen. Bilde in c) und d) ein Produkt.
a) $(2 - x)(x + 5)$ b) $x - (x + 2)^2 + 3x$ c) $12x - 36x^2$ d) $3a - a \cdot 12a + 6a^2$

2 Gegeben sind die drei Punkte $P(0|-2)$; $Q(2|0{,}9)$ und $R(6|15{,}7)$ des Graphen einer quadratischen Funktion f.
a) Bestimme die Funktionsgleichung der Funktion f.
b) Ermittle die x-Werte, bei denen die Funktion f den Wert 6,8 annimmt.

3 Tanja denkt sich eine Zahl, multipliziert sie mit der Vorgängerzahl und addiert 13. Als Ergebnis erhält sie 565.
Wie lautet Tanjas gedachte Zahl?

4 Susi hat zu ihrem Geburtstag zwei Kaninchen bekommen und möchte nun im Garten an der Haus-Garagen-Ecke eine Fläche für ihre neuen Haustiere einzäunen (siehe Fig. 1). Ihr Vater hat für sie noch ein altes 2m breites Holztor und einen ca. 9m langen Maschendrahtzaun. Ihre Freundin hat in einer Tierzeitschrift gelesen, dass die Grünfläche pro Kaninchen mindestens $5{,}5\,m^2$ betragen sollte.

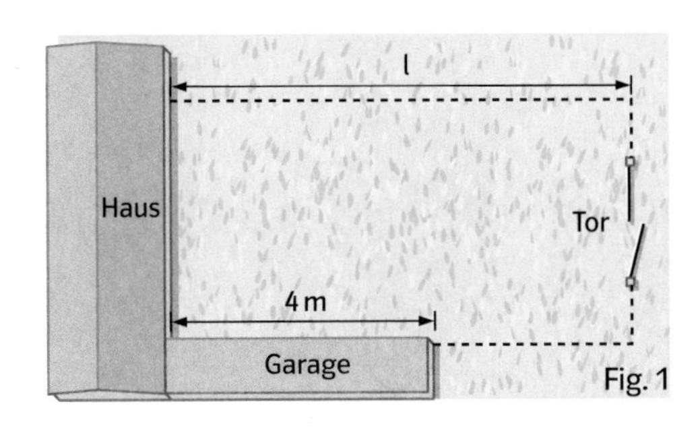

Fig. 1

a) Wie muss Susi ihr Kaninchengehege anlegen, dass alle Bedingungen erfüllt sind?
b) Ist dies die größt mögliche Fläche, die Susi einzäunen kann?
Begründe deine Antwort.

Runde 2

1 Bestimme, falls vorhanden, die Lösungen der Gleichung zeichnerisch und rechnerisch.
a) $-0{,}05x^2 + 3x - 2 = 0$ b) $8x^2 + 16 = 25x - 3x^2 + 1$ c) $11x - x^2 + 3 = 5x - 4x^2$

2 Gib drei quadratische Gleichungen an, die die Lösungen $x_1 = 2$ und $x_2 = -1$ haben. Begründe auch, warum es unendlich viele quadratische Gleichungen gibt, die diese beiden Lösungen besitzen.

3 Bei der Analyse eines Vorhandschlages einer Tennisspielerin werden folgende Daten ermittelt: Der Ball wird genau über der Aufschlaglinie in einer Höhe von 50cm getroffen und hat seine maximale Höhe von 2m über dem Netz (siehe auch Fig. 2).
Trifft der Ball im Tennisfeld auf?

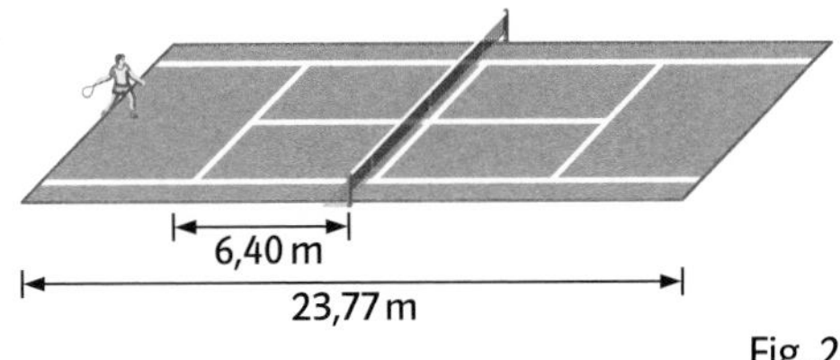

Fig. 2

4 Auf der Internetseite eines Treppenbauers steht geschrieben: „Eine Treppe muss vor allem bequem begehbar sein. Darum wird beim Treppenbau die normale menschliche Schrittlänge von etwa 64cm zugrunde gelegt. Es gilt die Treppenformel: doppelte Steighöhe plus Auftrittsbreite (Tiefe der Stufe) muss eine Schrittlänge ergeben. Die Steighöhe, also die Höhe einer Stufe sollte nicht mehr als 15cm betragen.
a) Stelle die Treppenformel auf.
b) Stelle für acht verschiedene sinnvolle Steighöhen die Auftrittsbreite tabellarisch dar.

Erfüllen die Treppen deiner Schule die Treppenformel?

Das kannst du schon

- Besondere Eigenschaften von Dreiecken erkennen
- Kongruenz und Symmetrie bei Figuren nachweisen und nutzen
- Terme und Variablen aufstellen und umformen

! Ein Fahrrad ist ein Fahrzeug mit zwei Rädern, zwei Pedalen und einer Kette, die mit dem Hinterrad verbunden ist.

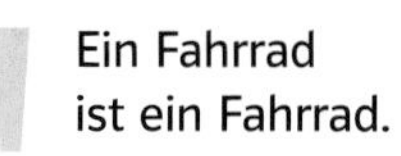

! Ein Fahrrad ist ein Fahrrad.

! Mountainbikes, Trekkingräder und Tandems sind Fahrräder – Roller und Motorräder jedoch nicht.

! Ein Fahrrad ist ein Fortbewegungsmittel mit zwei Rädern, das durch Muskelkraft angetrieben wird.

Zahl und Maß

Daten und Zufall

Beziehung und Änderung

Modell und Simulation

Muster und Struktur

Form und Raum

Überzeugend!

1 = 2

$$a = b \quad | \cdot a$$
$$a^2 = ab \quad | -b^2$$
$$a^2 - b^2 = ab - b^2$$
$$(a + b) \cdot (a - b) = b \cdot (a - b) \quad | :(a - b)$$
$$a + b = b$$

[da $a = b$ ist, ist $a + b = 2b$]

$$2b = b \quad | :b$$
$$2 = 1$$

Alles hat seinen Grund

Ein Beweis muss überzeugend sein wie eine gute Geschichte oder ein Film, er muss eine Handlung erzählen, damit man nicht das Interesse verliert.

Es muss dabei nicht alles, was passiert, genau dargestellt werden, denn man kann einfache Handlungen selbst mitdenken.

Entscheidend ist: Die Sache als Ganzes muss logisch aufgebaut sein und darf keine Lücken haben – und auf keinen Fall darf sie Fehler enthalten.

nach: „Die Zahlen der Natur" von Ian Stewart

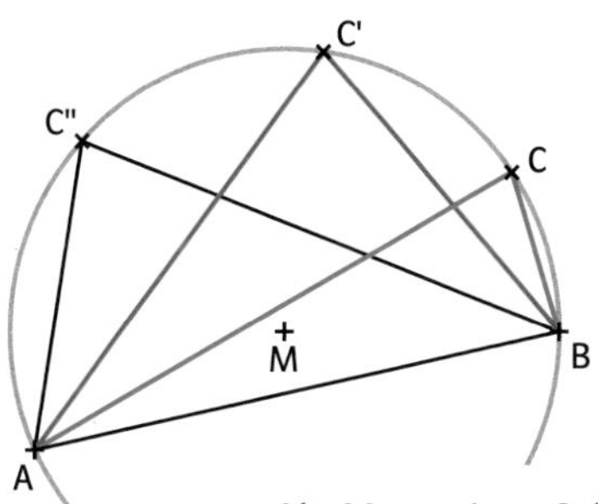

Als Max seiner Schwester erklären wollte, wie das mit dem Satz des Thales ist, unterlief ihm ein kleiner Fehler. Dabei machte er allerdings eine interessante Entdeckung.

Das kannst du bald

- Definitionen aufstellen
- Verschiedenartiges gezielt ordnen
- Mathematische Gesetzmäßigkeiten in einem strukturierten Satz formulieren
- Mathematische Sätze beweisen

1 Begriffe festlegen – Definieren

Tiere gehören zu Gattungen, z. B. Säugetiere, Vögel, Insekten …

Im Alltag und in der Mathematik fasst man gleichartige Dinge oft unter einer Bezeichnung zusammen. Dabei beschreibt man diese Dinge durch eine oder mehrere Eigenschaften, die eine Gleichartigkeit vermitteln, und gibt ihnen einen Namen.

Definition *(v. lat.: de* ab, weg; *finis* Grenze, *also Definitio* = Abgrenzung*) Eine Definition ist die genaue Bestimmung eines Begriffes durch Beschreibung und/oder Erklärung seines Inhalts.*

Z. B. werden Vierecke mit der Eigenschaft, dass gegenüberliegende Seiten parallel sind, als Parallelogramme bezeichnet. Eine solche Beschreibung heißt auch **Definition**.

Mit der Definition des Parallelogramms kann man prüfen, welche Vierecke in Fig. 1 Parallelogramme sind. Sie sind rot gezeichnet.

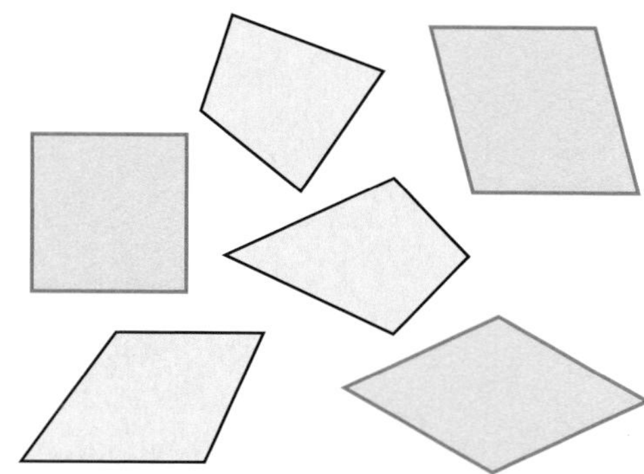

Fig. 1

Gleichartiges kann unter einem Namen zusammengefasst werden. Man nennt dieses Vorgehen **Definieren**.

Beim Definieren genügt es nicht, nur Beispiele anzugeben. Zur Beschreibung der Dinge darf man bei einer Definition nur bereits Bekanntes verwenden wie zum Beispiel beim Parallelogramm oben. Es wurden zur Definition nur „gegenüber liegende Seiten" und „parallel" verwendet.

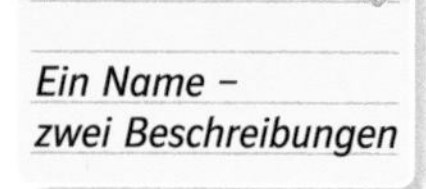

Beispiel 1 Eine Definition aufstellen
Definiere Rechteck auf zwei verschiedene Arten.
Lösung:
1. Wenn ein Viereck vier rechte Winkel hat, dann heißt es Rechteck.
2. Ein Viereck, dessen Mittelsenkrechten Symmetrieachsen sind, heißt Rechteck.

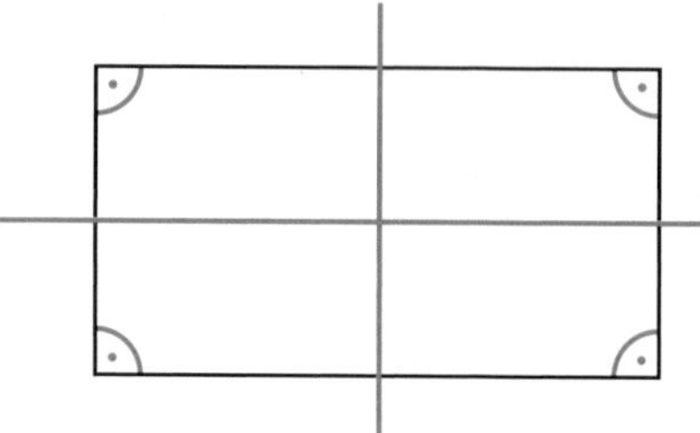

Fig. 2

Beispiel 2 Definition gegeben – Figuren prüfen

Wenn eine Figur aus vier Punkten A, B, C, D und vier Strecken so gezeichnet ist, dass von jedem Punkt genau zwei Strecken zu zwei anderen Punkten ausgehen, dann heißt die Figur „Vierpunktfigur".

Sind in Fig. 1 nur Vierpunktfiguren gezeichnet?

Lösung:

Die Figuren F_1, F_3 und F_4 sind Vierpunktfiguren. Bei den Figuren F_2 und F_5 gibt es mindestens einen Punkt, von dem nur eine Strecke ausgeht.

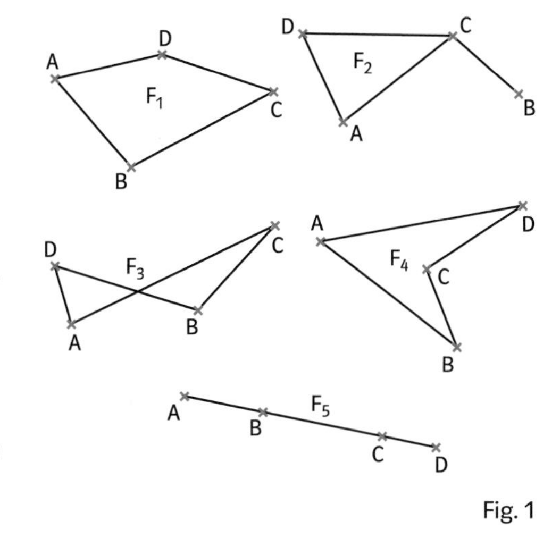

Fig. 1

Aufgaben

1 Schreibe eine Definition auf.

a) Geburtstag b) Taschengeld c) Jahreszeiten d) Weihnachten

2 Definiere.

a) Weltrekord b) Hattrick beim Fußball
c) Schrittfehler beim Basketball d) Pirouette

Tipp zu Aufgabe 2: Verwende geeignete Literatur oder recherchiere im Internet.

3 Definiere.

a) Lotgerade b) Mittelsenkrechte c) Winkelhalbierende d) Scheitelwinkel
e) Wechselwinkel f) Höhe im Dreieck g) Thaleskreis h) Parallelenschar

Die Definitionen in Aufgabe 3 können arbeitsteilig erstellt und vorgestellt werden.

4 Gib für die besondere Art von Dreiecken eine Definition an.

a) rechtwinklige Dreiecke b) gleichschenklige Dreiecke
c) Dreiecke mit gleichgroßen Winkeln d) gleichseitige Dreiecke

5 Schreibt je eine Definition für Parallelogramme, Rauten, Trapeze und Quadrate auf. Prüft mithilfe des Gitternetzes die Figuren in Fig. 2 auf eure Definitionen. Vergleicht eure Ergebnisse.

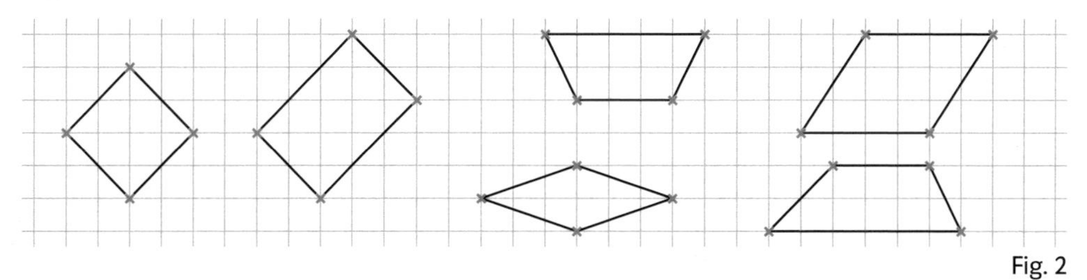
Fig. 2

Tipps für Zahlarten: Natürliche Zahlen, gerade Zahlen, rationale Zahlen, positive Zahlen, Dezimalzahlen, irrationale Zahlen …

6 **Zahlarten-Domino**

Sammelt möglichst viele Namen für besondere Zahlarten und schreibt jeden Namen auf die eine Hälfte eines rechteckigen Kärtchens. Schreibt anschließend die zugehörigen Definitionen auf die jeweils freie Seite eines anderen Kärtchens, sodass ihr ein Zahlenarten-Domino erhaltet. Das Spiel könnt ihr nach den üblichen Domino-Regeln spielen.

Bist du sicher?

... solche Drachen sind nicht gemeint!

1 Gehören zu den Beschreibungen (1) und (2) die gleiche Sorte von Dreiecken? Begründe deine Antwort.
(1) Dreiecke mit genau zwei gleich großen Winkeln.
(2) Dreiecke mit mindestens einer Symmetrieachse.

2 Gib für Raute und Drachen jeweils zwei Definitionen mit unterschiedlichen Beschreibungen an.

3 Definiere den Zahlbereich, indem du den Begriff Dezimalzahl und weitere Eigenschaften verwendest.
a) natürliche Zahlen b) rationale Zahlen c) irrationale Zahlen d) negative Zahlen

7 Entscheide dich als Quizmaster
Die Antworten von drei Kandidaten einer Quizsendung auf die Frage „Beschreiben Sie möglichst kurz, was ein Säugetier ist" sind nachfolgend angegeben. Der Quizmaster kann 0 bis 3 Punkte vergeben. Wie würdest du entscheiden?

1. Säugetiere sind Lebewesen, die ihren Nachwuchs mit Muttermilch ernähren.

2. Säugetiere sind Lebewesen, die ein oder mehrere lebende Junge zur Welt bringen und sie mit Muttermilch ernähren.

3. Säugetiere sind z. B. Kühe, Hunde, Affen und Menschen, aber Vögel und Eidechsen sind z. B. keine Säugetiere.

8 In der Mathematik versteht man unter einem **Streckenzug** eine Figur, die man ohne abzusetzen aus Strecken so zeichnen kann, dass Strecken Schnittpunkte haben können, aber von den Endpunkten der Strecken höchstens zwei Strecken ausgehen. Wenn zusätzlich der Endpunkt der letzten Strecke mit dem Anfangspunkt der ersten zusammenfällt, heißt die Figur **geschlossener Streckenzug**.
a) Welche Figuren in Fig. 1 und Fig. 2 sind Streckenzüge bzw. geschlossene Streckenzüge?
b) Zeichne fünf weitere Figuren, die Streckenzüge bzw. keine Streckenzüge sind.

F_1 F_2 F_3 F_4

Fig. 1

Tipp zu Aufgabe 9: Verwende die Definitionen von Aufgabe 8.

9 Definiere Viereck so, dass die geforderte Eigenschaft erfüllt ist.
a) Figuren wie V_1, V_2 und V_3 sind Vierecke.
b) Figuren wie V_1 sind keine Vierecke, aber V_2 und V_3 sind Vierecke.
c) V_1 und V_2 sind keine Vierecke, aber V_3 ist ein Viereck.

V_1 V_2 V_3

Fig. 2

10 Schreibe Definitionen für bekannte geometrische Figuren auf, bei denen die Definition „Streckenzug" nützlich ist (vgl. Aufgabe 8).

11 Definitionen verstecken
Jede Gruppe erstellt drei Definitionen für bekannte Dinge und vergibt einen Phantasienamen. Z. B.: „Ein Schrunk ist ein Viereck mit drei rechten Winkeln“ oder „Ein Schreck ist ein Haustier mit Fell und Steuermarke“. Die Definitionen werden danach reihum vorgelesen. Die anderen Gruppenmitglieder müssen dabei den üblichen Namen aufschreiben.

12 Spezielle Vierecke – Eigenschaften und Definitionen
Bildet mindestens zwei Gruppen. In den beiden Spalten unten stehen mögliche Namen und Eigenschaften von Vierecken. Verteilt die Namen auf die Gruppen. Ordnet zunächst jedem Namen eine typische Figur am Rand zu. Gebt dann Eigenschaften an, welche die benannten Figuren haben und stellt damit Definitionen auf. Welche anderen Namen werden dadurch auch noch erfasst? Gestaltet mit euren Ergebnissen für jede Vierecksart ein Plakat zum Aufhängen an der Wand.

Namen	Eigenschaften
Viereck	parallele Gegenseiten
Rechteck	gleich lange Gegenseiten
Parallelogramm	gleich lange Diagonalen
Raute	gleichseitig
Drachen	gleichwinklig
Trapez	rechtwinklig
Quadrat	punktsymmetrisch
schiefer Drachen	achsensymmetrisch

Fig. 1

13 Definitionen mit Termen
Welche besonderen Zahlen sind hier definiert?
a) Die Zahlen lassen sich schreiben in der Form $2 \cdot n + 1$ mit $n = 0; 1; 2; 3; 4 \ldots$
b) Die Zahlen haben die Form $5 \cdot n$, wobei n eine natürliche Zahl ist.
c) Die Zahlen haben die Form n^2 mit $n = 1; 2; 3; 4 \ldots$

14 Bei den natürlichen Zahlen heißen die Zahlen 2; 4; 6; 8; 10, … gerade Zahlen und die Zahlen 3; 6; 9; 12; 15 … durch drei teilbare Zahlen. Gib entsprechend Aufgabe 13 Definitionen mithilfe von Termen an.

15 In Fig. 2 sind so genannte „magische Quadrate“ abgebildet. Suche in der Fachliteratur oder im Internet nach einer Definition. Prüfe darauf die abgebildeten Quadrate. Schreibe eine Definition auf.

2	9	4
7	5	3
6	1	8

13	3	2	16
8	10	11	5
12	6	7	9
1	15	14	4

18	22	1	10	14
24	3	7	11	20
5	9	13	17	21
6	15	19	23	2
12	16	25	4	8

Fig. 2

16 Mathematik – Scharade
Bildet zwei Gruppen. Jede Gruppe wählt für die andere Gruppe gleich viele mathematische Begriffe aus. Abwechselnd wird einer Person einer Gruppe ein Begriff genannt. Diese muss nun, stumm und ohne zu schreiben, den Begriff an der Tafel zeichnerisch so darstellen, dass seine Gruppenmitglieder ihn nennen können. Es wird abwechselnd mit einer vorab vereinbarten maximalen Zeitspanne gespielt. Gewonnen hat die Gruppe, deren Gesamtzeit am kleinsten ist.

2 Spezialisieren – Verallgemeinern – Ordnen

Hermann hat zum Geburtstag ein Bücherregal bekommen. Nun will er seine Bücher übersichtlich ordnen. Seine Geschwister geben ihm tolle Ratschläge: „Du solltest die Bücher nach den Farben der Einbände aufstellen", „Stelle die Sachbücher nach oben, die Krimis in die Mitte und die Schulbücher mit den Heftordnern ganz nach unten", „Ordne doch alle nach den Titeln oder nach der Seitenzahl" …

Dinge, die durch eine Definition beschrieben sind, können noch sehr vielfältig sein – zum Beispiel Vierecke. Man kann jedoch eine bestimmte Sorte (Rechteck, Raute, …) beschreiben, indem man zur Definition des Vierecks weitere Eigenschaften hinzunimmt.

In Fig. 1 deuten die Pfeile nach rechts an, wie man vom Viereck aus durch hinzugenommene Eigenschaften ein Parallelogramm, ein Rechteck und ein Quadrat definieren kann.

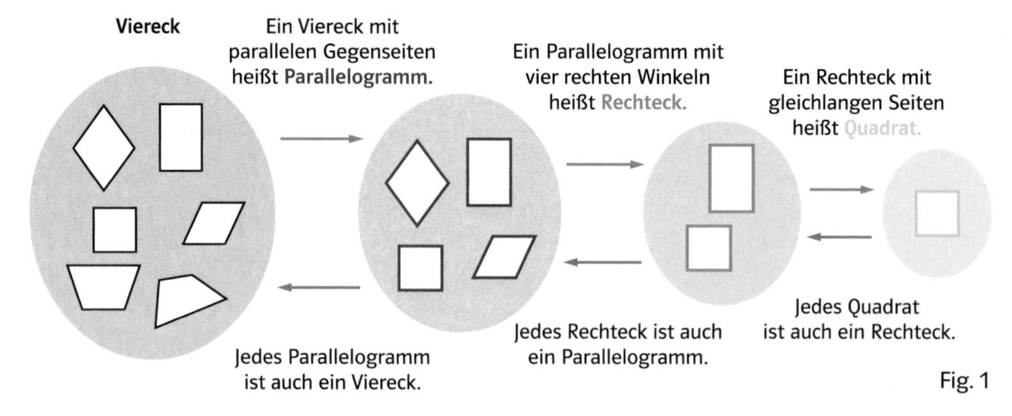

Fig. 1

Umgekehrt verdeutlichen in Fig. 1 die Pfeile nach links, dass man auch ausgehend vom Quadrat durch ganz bestimmte weggenommene Eigenschaften die Definitionen von Rechteck und Parallelogramm erhalten kann. In Fig. 2 verdeutlicht ein so genanntes Mengendiagramm in besonderer Weise, dass Vierecke durch Hinzunehmen von Eigenschaften spezieller und durch Wegnehmen von Eigenschaften allgemeiner werden. Dies kann man zum Ordnen nutzen. Z. B. ist jedes Quadrat auch ein Parallelogramm, aber nicht jedes Parallelogramm ist ein Quadrat.

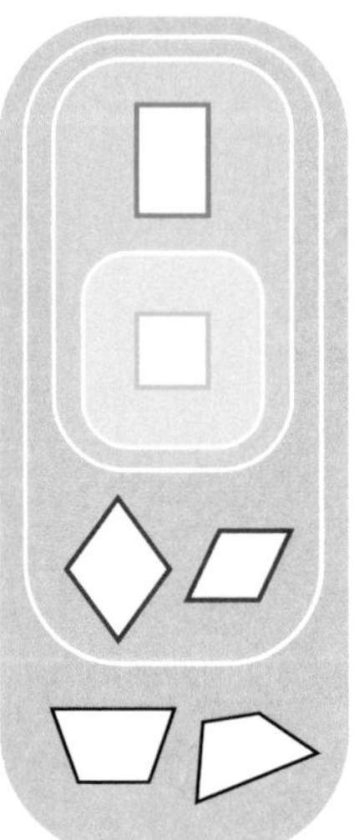
Fig. 2

Beim **Spezialisieren** nimmt man bei einer Definition Eigenschaften hinzu.
Beim **Verallgemeinern** nimmt man bei einer Definition Eigenschaften weg.
Durch Spezialisieren und Verallgemeinern kann man ordnen.

Beispiel Spezielle Zahlen
Im Mengendiagramm in Fig. 1 sind die reellen Zahlen mit ℝ, die rationalen mit ℚ, die ganzen mit ℤ und die natürlichen Zahlen mit ℕ bezeichnet. Welche Eigenschaften werden bei der jeweiligen Spezialisierung hinzugenommen, wenn man von ℝ ausgeht?

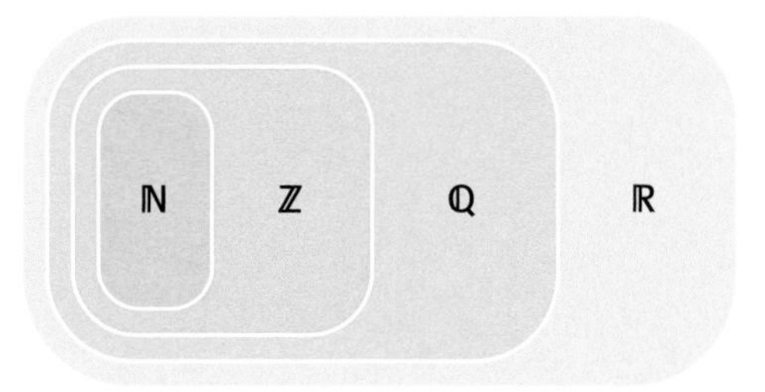

Fig. 1

Lösung:
Eine reelle Zahl, die eine abbrechende oder periodische Dezimaldarstellung hat, heißt rationale Zahl. Eine rationale Zahl, die eine Dezimalzahldarstellung ohne Komma besitzt, heißt ganze Zahl. Eine ganze Zahl, die nicht negativ ist, heißt natürliche Zahl.
Andere Möglichkeit: Eine reelle Zahl, die sich als Bruch schreiben läßt, heißt rationale Zahl. Eine rationale Zahl, die eine Bruchdarstellung mit dem Nenner 1 hat, heißt ganze Zahl. Eine ganze Zahl, die nicht negativ ist, heißt natürliche Zahl.

Nach dieser Definition ist die Zahl Null eine natürliche Zahl.

Aufgaben

1 a) Wie würdest du für deine Schule „Gesamte Schülerschaft" definieren? Nenne Spezialisierungen deiner Definition, die man zum Ordnen verwenden kann.
b) Nenne Spezialisierungen zum Ordnen der „Schülerinnen und Schüler einer Klasse".

2 Prüfe, ob die genannte Figurenart durch Hinzunahme der angegebenen Eigenschaft spezialisiert wird oder nicht. Wenn ja, nenne den Namen der spezialisierten Figurenart.
a) Dreieck. Es gibt eine Symmetrieachse.
b) Dreieck. Ein Eckpunkt des Dreiecks liegt auf dem Thaleskreis der Gegenseite.
c) Viereck. Die Winkelsumme beträgt 360°.
d) Viereck. Es gibt zwei parallele Seiten.

3 Prüfe, ob die genante Figurenart verallgemeinert wird. Wenn ja, schreibe eine verallgemeinerte Definition auf.
a) Quadrat. Es müssen nicht alle Winkel rechte sein.
b) Rechteck. Es müssen nicht alle Winkel die Größe von 90° haben.
c) Raute. Nur drei Seiten müssen die gleiche Länge haben.
d) Trapez. Es müssen keine zwei Seiten parallel sein.

4 In Fig. 2 ist das Mengendiagrammm von Seite 132 verkleinert abgebildet.
a) Benenne die Vierecke.
b) Welche speziellen Eigenschaften haben die Vierecke, die violett, grün oder gelb umrandet sind?

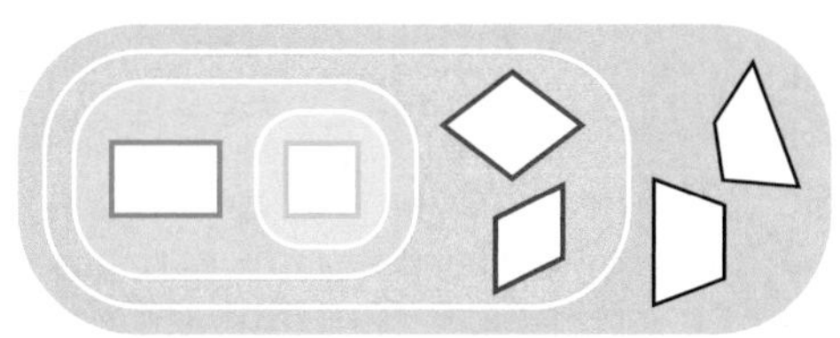
Fig. 2

5 Bearbeitet die Aufträge mit einem Partner. Vergleicht die Ergebnisse in der Klasse.
a) Mit dem Diagramm in Fig. 2 lassen sich z. B. die Aussagen „Jedes Quadrat ist auch eine Raute", und „Nicht jede Raute ist ein Rechteck" begründen. Schreibt möglichst viele solcher Aussagen auf.
b) Warum passen die Aussagen „Jede Raute ist ein Parallelogramm" und „Nicht jedes Parallelogramm ist eine Raute" nicht zu den in Fig. 2 durchgeführten Spezialisierungen?

Tipp:
Für die Aufgabe 5 sind die Überlegungen von Aufgabe 4 nützlich.

Bist du sicher?

Tipps zu Aufgabe 1:
2; 4; 6; 8; 10 ...
5; 10; 15; 20; 25 ...
1; 4; 9; 16; 25; 36 ...

1 Nenne Eigenschaften, mit der man natürliche Zahlen spezialisieren kann. Gib mindestens drei Beispiele an.

2 a) Warum ergibt die zusätzliche Eigenschaft „Ein Eckpunkt liegt auf dem Thaleskreis der Gegenseite" keine Spezialisierung des rechtwinkligen Dreiecks?
b) Verwende eine Figurenart und gib eine zusätzliche Eigenschaft an, die eine bzw. keine Spezialisierung zur Folge hat. Begründe dein Ergebnis.

3 Dreiecke kann man z. B. nach der Anzahl gleicher Seitenlängen, nach der Anzahl gleich großer Winkel oder nach der Anzahl von Symmetrieachsen spezialisieren. Begründe, warum alle diese Möglichkeiten dasselbe bewirken.

Dreiecke und Vierecke ordnen

*Hinweis zu Aufgabe 6: In dem mit *) gekennzeichneten Feld soll z. B. ein Name für die Dreiecke stehen, die genau zwei gleich lange Seiten und genau zwei gleiche Winkel haben.*

6 Die Tabelle in Fig. 1 dient zur Einteilung von Dreiecken. Dabei wird nach Anzahl gleicher Winkel und gleich langer Seiten geordnet. Übertrage die Tabelle ins Heft. Schreibe in die Felder schon bekannte Bezeichnungen für die speziellen Dreiecke oder erfinde passende Beschreibungen.

W \ S	0	1	2	3
0				
1				
2			*)	
3				

Fig. 1

7 Die zusätzliche Eigenschaft spezialisiert Vierecke. Gib den zugehörigen Namen an.
a) Das Viereck ist achsensymmetrisch zu einer Diagonalen.
b) Das Viereck ist punktsymmetrisch.
c) Das Viereck ist punkt- und achsensymmetrisch.

8 a) Fig. 2 zeigt Spezialisierungen bei Vierecken. Übertragt die Übersicht mit beschrifteten Pfeilen in euer Heft.
b) Überlegt euch eine Übersicht der Vierecke mit anderen Spezialisierungen. Präsentiert euer Ergebnis in einer grafischen Übersicht.

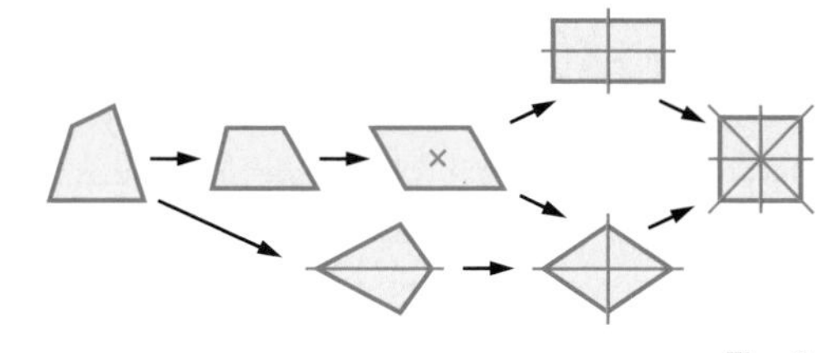

Fig. 2

Kannst du das noch?

9 Ein Wahrscheinlichkeitsexperiment
Fig. 3 zeigt einen Behälter mit 8 Kärtchen, auf denen die Buchstaben A, B, N oder U je zweimal vorkommen. Daraus werden zufällig zwei Kärtchen ohne Zurücklegen gezogen und von links nach rechts nebeneinandergelegt. Dadurch entsteht ein „Buchstaben-Wort".
a) Berechne die Wahrscheinlichkeiten für das Auftreten der Buchstaben-Worte „AB" und „AA". Gibt es Buchstaben-Worte, die mit einer anderen Wahrscheinlichkeit auftreten können?
b) Notiere alle Wörter, die in der Umgangssprache sinnvoll sind. Berechne damit die Wahrscheinlichkeit für das Auftreten eines sinnvollen Wortes.

Fig. 3

Info

Der mathematische Aufsatz

In der Mathematik wird häufig versucht, Überlegungen und Sachverhalte mit Formeln, Gleichungen oder Merksätzen möglichst knapp darzustellen. Oft fällt es aber gerade bei einem neuen Thema schwer, die Dinge kurz und genau zusammenzufassen. Dann bietet es sich an, einen kleinen „mathematischen Aufsatz" zu schreiben.

Zur Vorbereitung eines mathematischen Aufsatzes benötigt man zunächst einmal Informationen. Diese findet man z. B. in Schulbüchern, Lexika oder auch im Internet. Am besten schreibt man sich wichtige Informationen als Stichwörter auf. Mit dieser Stichwortliste kann man dann (wie im Deutschunterricht) eine Gliederung für den Aufsatz erstellen.

Im Folgenden wird anhand eines Beispiels vorgestellt, wie ein mathematischer Aufsatz zum Thema „Definitionen in der Mathematik" aussehen könnte. Einige Hinweise zum Schreiben findet man auf der Randspalte.

<u>Definitionen in der Mathematik</u>

*In der **Einleitung** kann man,*
- *Neugier wecken*
- *zum Thema hinführen*
- *darstellen, worüber man schreiben möchte oder warum das Thema in der Mathematik wichtig ist*

*Im **Hauptteil** stellt man das Thema ausführlich dar.*

Im Alltag gibt man Dingen einen Namen, damit man sich ohne Missverständnisse unterhalten kann. Wenn z. B. zwei Freunde über eine Katze sprechen, dann wäre es etwas komisch, wenn der eine eigentlich einen Hund meint. Irgendwann muss also jemand mal festgelegt haben, wann ein Tier ein Hund ist und wann eine Katze. Ohne diese Festlegung gäbe es sicher viele Verwechslungen.

Damit es auch in der Mathematik keine Missverständnisse gibt, sollten auch hier Begriffe eindeutig sein.

In der Mathematik gibt es z. B. den Begriff „Drache". Ein Drache ist zunächst einmal ein Viereck. Aber ein Viereck mit einer besonderen Eigenschaft: Bei einem Drachen ist mindestens eine Diagonale eine Symmetrieachse des Vierecks. Damit man die Definition gut (z. B. in einem Regelheft) aufschreiben kann, muss man sie noch möglichst kurz formulieren. Eine mögliche Definition wäre:

„Ein Viereck, bei dem mindestens eine Diagonale eine Symmetrieachse ist, nennt man Drachen."

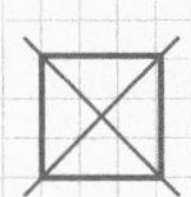
ein Drache

kein Drache

__Bilder__ können zur Verdeutlichung gezeichnet werden.

Mit dieser Definition kann man nun eindeutig überprüfen, ob eine Figur ein Drachen ist. Bei einem Quadrat sind beispielsweise beide Diagonalen Symmetrieachsen; ein Quadrat ist also auch ein Drache. Dagegen folgt aus der Definition, dass ein Rechteck mit verschieden langen Seiten kein Drache ist.

Definitionen sind also notwendig, um sich in der Mathematik zu unterhalten. Wenn jeder die Definition eines Drachens kennt, dann kann es zumindest beim Drachen in der Mathematik keine Verwechslungen geben. Und je mehr Dinge in der Mathematik definiert sind, desto weniger Fehler gibt es.

*Im **Schlussteil** kann man noch einmal*
- *alles zusammenfassen*
- *eine Schlussfolgerungen ziehen*
- *einen kleinen Ausblick geben oder*
- *eine persönliche Meinung ergänzen*

3 Aussagen überprüfen – Beweisen oder Widerlegen

$2^2 + 4^2 = 20$
$3^2 + 5^2 = 34$
$5^2 + 7^2 = 84$
...
Satz: Wenn man zwei natürliche Zahlen, die sich um 2 unterscheiden quadriert und dann zusammenzählt, erhält man eine gerade Zahl.

Michael hat auf einem Blatt einige Beispiele gerechnet und seine Überlegungen aufgeschrieben.
Vera glaubt nicht, dass er immer Recht hat.

„Ein Quadrat hat parallele Gegenseiten" und „Jedes Produkt zweier natürlicher Zahlen ist ungerade" sind Beispiele für mathematische **Aussagen**. Eine mathematische Aussage ist entweder wahr oder falsch. Ist eine Aussage falsch, kann dies durch ein **Gegenbeispiel** gezeigt werden. Die Richtigkeit einer Aussage zeigt man mit einem mathematischen **Beweis**, indem man mit logischen Schritten die Aussage begründet.

Ein Gegenbeispiel widerlegt eine Aussage.

Die Aussage „Die Summe dreier aufeinander folgenden natürlichen Zahlen ist immer eine gerade Zahl" ist falsch, denn das Gegenbeispiel $2 + 3 + 4 = 9$ widerlegt die Aussage.

Eine Aussage kann mit Beispielen allein nicht bewiesen werden.

Bei der Aussage „Wenn man drei aufeinander folgende Zahlen addiert, dann ist die Summe durch 3 teilbar" kann man vermuten, dass sie richtig ist, denn die Beispiele $1 + 2 + 3 = 6$ und $3 + 4 + 5 = 12$ stützen sie.

Zum Beweisen der Aussage geht man in drei Schritten vor.

1. **Voraussetzung** aufschreiben (Was ist gegeben bzw. sicher bekannt?)
   Man hat drei aufeinanderfolgende natürliche Zahlen
2. **Behauptung** aufschreiben (Was soll dann gelten?)
   Ihre Summe ist durch drei teilbar
3. **Beweis** führen
   Für die erste natürliche Zahl verwendet man die Variable n. Dann hat die zweite Zahl die Form $n + 1$ und die dritte Zahl die Form $n + 2$.
   Für ihre Summe gilt dann $n + (n + 1) + (n + 2) = 3n + 1 + 2 = 3n + 3 = 3(n + 1)$.
   Da der Term $3(n + 1)$ den Faktor 3 hat, ist die Summe der drei Zahlen durch 3 teilbar.

Eine bewiesene Aussage ist für jedes Beispiel richtig.

Damit ist die Aussage „Wenn man drei aufeinanderfolgende natürliche Zahlen addiert, dann ist ihre Summe durch 3 teilbar" bewiesen. Eine bewiesene Aussage nennt man in der Mathematik auch **Satz**. Mathematische Sätze werden oft in der **„Wenn ... dann ... Form"** notiert. Hierbei kann man leicht die Voraussetzung (Wenn ...) und die Behauptung (dann ...) erkennen.

Ein mathematischer Satz hat zwei logische Teile: In der Voraussetzung steht, was man sicher weiß bzw. als gegeben annimmt. In der Behauptung steht das, was aus der Voraussetzung folgt. Beim Führen eines Beweises begründet man, ausgehend von der Voraussetzung, in logischen Schritten die Behauptung.

Beispiel 1 Wenn ... dann ... Form, Beweis eines Satzes
Formuliere die Aussage „In einem rechtwinkligen Dreieck ist jeder andere Winkel kleiner als 90°" in der Wenn ... dann ... Form. Beweise die Aussage.
Lösung:
Wenn ein Dreieck einen rechten Winkel hat, dann ist jeder andere Winkel kleiner als 90°.
Voraussetzung: Ein Dreieck ist rechtwinklig.
Behauptung: Jeder andere Winkel ist kleiner als 90°.
Beweis: In jedem Dreieck ist die Summe der drei Winkel 180°. Nach Voraussetzung misst ein Winkel 90°. Deshalb ist die Summe der beiden anderen Winkel ebenfalls 90°. Da die Maßzahlen der beiden Winkelgrößen positiv sind, muss jeder dieser Winkel kleiner als 90° sein.

Beispiel 2 Widerlegen einer Aussage
Eine Primzahl ist eine Zahl, die außer sich selbst und der Zahl 1 keine weiteren Teiler hat.
Prüfe die Aussage: Jede Primzahl ist eine natürliche Zahl, die ungerade ist.
Lösung:
Die Aussage gilt für die Zahl 2 nicht. Die Aussage ist mit dem Gegenbeispiel widerlegt.

Aufgaben

1 Formuliere die Sätze in der Wenn ... dann ... Form.
a) In einem gleichschenkligen Dreieck sind die Basiswinkel gleich groß.
b) Ein Dreieck mit drei gleich großen Winkeln ist gleichseitig.
c) Ein Viereck mit vier gleich großen Winkeln ist ein Rechteck.

2 Gegeben ist der Anfang eines Satzes. Schreibe einen vollständigen Satz in der Wenn ... dann ... Form auf. Verwende für die Teilaufgabe b) und c) beschriftete Skizzen.
a) In einem Quadrat sind die Seiten ...
b) An parallelen Geraden sind Wechselwinkel ...
c) Stufenwinkel an parallelen Geraden sind ...

3 Ist die Aussage ein Satz? Verwende ein Gegenbeispiel oder führe einen Beweis.
a) Wenn ein Dreieck zwei spitze Winkel hat, dann ist der dritte Winkel stumpf.
b) Wenn ein Viereck drei spitze Winkel hat, dann ist der vierte Winkel stumpf.
c) Wenn ein Viereck zwei stumpfe Winkel hat, dann sind die beiden anderen spitz.

4 Formuliere die Aussagen, die sich nach Aufgabe 3a) und b) ergeben, wenn man „spitze Winkel", „stumpfe Winkel" durch „gleich lange Seiten" ersetzt.
Gib ein Gegenbeispiel an oder beweise die Aussage.

5 Gegeben ist die Voraussetzung: Zwei natürliche Zahlen a und b sind ungerade und die Zahl b ist um 2 größer als a. Kann damit die Behauptung bewiesen werden?
a) Die Summe $a + b$ ist gerade
b) Das Produkt $a \cdot b$ ist ungerade
c) Die Differenz $b - a$ ist ungerade
d) Der Quotient $a : b$ ist kleiner als 1

6 Beweise die Aussage über natürliche Zahlen oder widerlege sie.
a) Eine durch 6 teilbare Zahl ist durch 2 und 3 teilbar.
b) Die Quadratzahl einer geraden natürlichen Zahl ist ebenfalls gerade.
c) Die Quadratzahl einer ungeraden natürlichen Zahl ist gerade.

7 Nenne die Voraussetzung und die Behauptung. Beweise oder widerlege die Aussage.
a) Ein Dreieck mit drei gleichen Winkeln ist gleichseitig.
b) In gleichschenkligen Dreiecken ist die Länge der Basis nie kleiner als die der Schenkel.
c) Gleichschenklige Dreiecke können keinen rechten Winkel haben.

8 Beweise den Satz.
a) Ein gleichseitiges Dreieck ist nicht rechtwinklig.
b) Wenn in einem Dreieck die Summe zweier Winkel 90° ist, dann hat das Dreieck einen rechten Winkel.

Bist du sicher?

1 Nenne die Voraussetzung und die Behauptung. Beweise oder widerlege die Aussage.
a) Ein rechtwinkliges Dreieck kann nicht gleichseitig sein.
b) Zwei Dreiecke, die in zwei Seiten übereinstimmen, haben zwei gleiche Winkel.

2 Formuliere eine Aussage in der Wenn … dann … Form. Beweise oder widerlege die Aussage.
a) Ein Dreieck mit einem 60°-Winkel und zwei gleich langen Seiten ist gleichseitig.
b) Bilde die Summe von vier aufeinanderfolgenden natürlichen Zahlen. Prüfe, ob die Summe durch vier teilbar ist.

9 Prüfe die Aussage. Führe einen Beweis oder verändere die Behauptung so, dass eine wahre Aussage entsteht, und führe dann einen Beweis.
a) Verdreifacht man eine Zahl, so ist das Quadrat der neuen Zahl neun mal so groß wie das Quadrat der Ausgangszahl.
b) Teilt man eine Zahl durch 2, so ist das Quadrat der neuen Zahl halb so groß wie das Quadrat der Ausgangszahl.
c) Wenn zwei Zahlen Vielfache einer anderen Zahl sind, dann ist auch ihre Summe ein Vielfaches dieser anderen Zahl.

10 Jede Figur in Fig. 1 veranschaulicht einen unvollständigen Satz der Teilaufgaben a) bis c). Ergänze den Satz. Führe einen Beweis mithilfe von Variablen und Termen.
a) Verdoppelt man die Seiten eines Quadrates, so ist der Flächeninhalt der neuen Figur …
b) Werden bei einem Rechteck die Seiten … , so ist der Flächeninhalt des neuen Rechtecks …
c) Wenn man bei einem Quadrat …

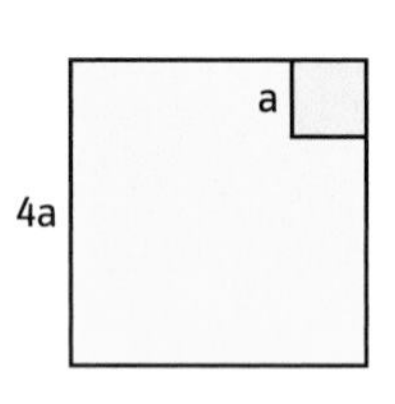

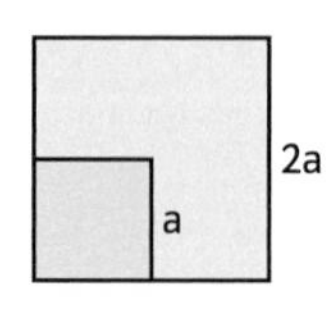

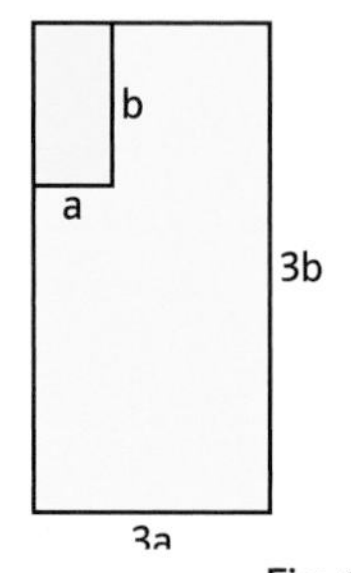

Fig. 1

11 a) Schreibe entsprechend Aufgabe 10 drei unvollständige Sätze über Volumenvergleiche bei Würfeln oder Quadern und veranschauliche den jeweiligen Sachverhalt mit einem Schrägbild. Stelle die Aufgaben deinem Partner. Erstellt aus den entstandenen Aufgaben eine Aufgabensammlung.
b) Stellt mithilfe von Fig. 2 einen möglichst allgemeinen Satz über den Vergleich des Volumens zweier Quader auf.

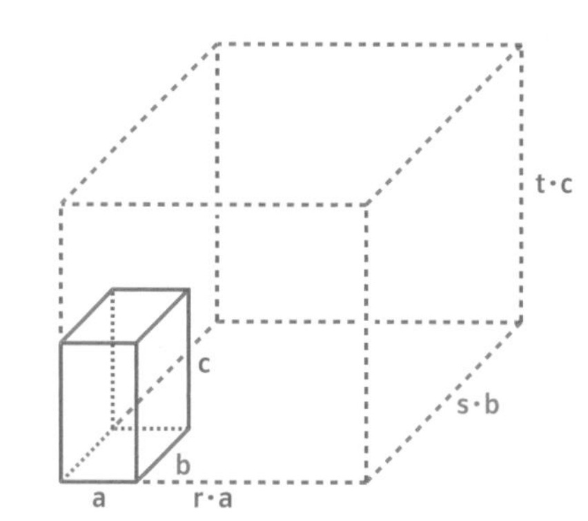

4 Beweise führen – Strategien

Die nebenstehende Figur wird für den Beweis des Satzes über die Winkelsummen im Dreieck verwendet. Hier ist zum Dreieck ABC zusätzlich eine zur Seite AB parallele Gerade g durch den Punkt C gezeichnet worden.
Nun kann man mit dem Wissen über Winkel an parallelen Geraden beweisen, dass $\alpha + \beta + \gamma$ immer 180° ist.

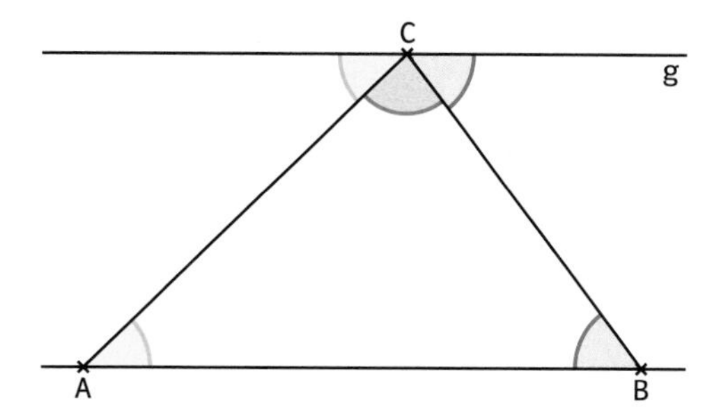

Beim Führen von Beweisen sind zwei Dinge sehr wesentlich. Zum einen muss man die mathematischen Definitionen und Sachzusammenhänge gut kennen, um sie beim Beweisen nutzen zu können. Zum anderen benötigt man häufig einen ganz besonderen Einfall. Es gibt jedoch bestimmte Strategien, die bei Beweisaufgaben helfen können, eine solche „zündende Idee" zu bekommen. Einige davon sind auf den folgenden Merkzetteln notiert.

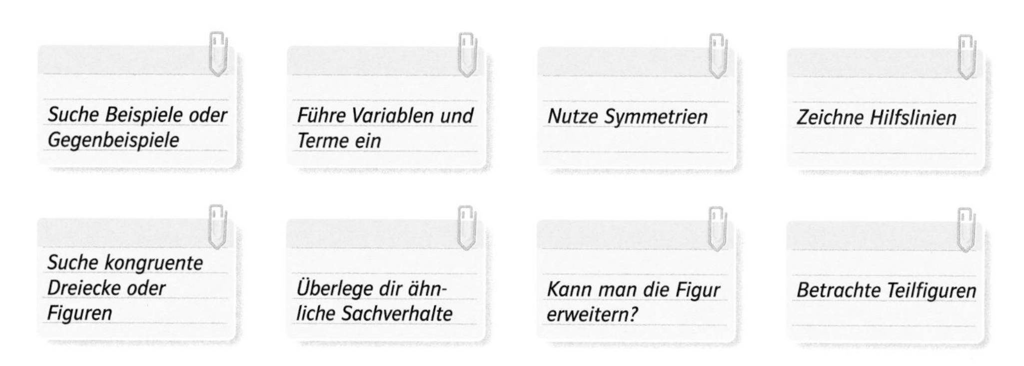

Wenn man einen Beweis führen will, ist es oft hilfreich, die Beweisstrategien nacheinander auszuprobieren. In den folgenden Beispielen werden einige der genannten Beweisstrategien verwendet.

Beispiel 1
Beweise den Satz des Thales
Lösung:
Voraussetzung: Gegeben ist eine Strecke $\overline{AB}$ und der Kreis um den Mittelpunkt M durch die Endpunkte der Strecke (vgl. Fig. 1).
Behauptung: Für jeden Punkt C auf dem Kreis ist der Winkel ∢ ACB ein rechter.

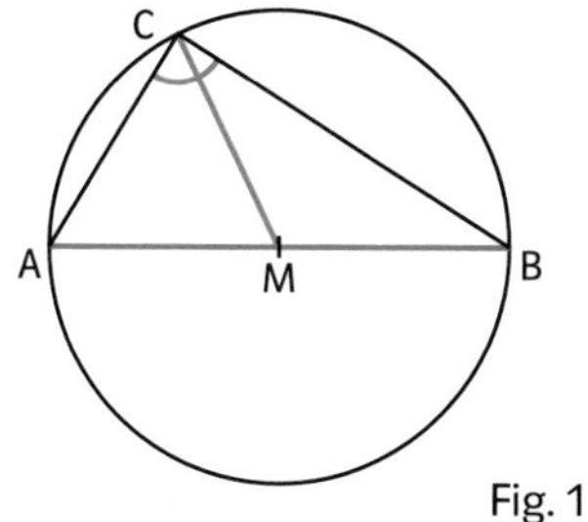

Fig. 1

Zeichne Hilfslinien

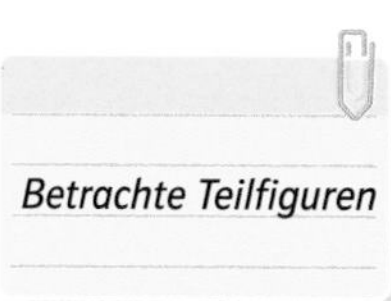

Beweis: *In Fig. 1 liegen die Punkte A, B und C auf dem selben Kreis um M. Zeichnet man die Radien $\overline{AM}$, $\overline{MB}$ und $\overline{MC}$ ein, erkennt man zwei gleichschenklige Dreiecke AMC und MBC.*
Der Winkel bei C setzt sich aus zwei Basiswinkeln der Dreiecke AMC und MBC zusammen. Nach dem Winkelsummensatz im Dreieck ABC ergeben alle Basiswinkel zusammen 180°. Die Basiswinkel der beiden gleichschenkligen Dreiecke ergeben dann zusammen 90°. Deshalb ist der Winkel bei C ein rechter.

Führe Variablen und Terme ein

Beispiel 2
Beweise den Satz: Die Summe zweier gerader natürlicher Zahlen ist eine gerade Zahl.
Lösung:
Voraussetzung: Es sind zwei gerade natürliche Zahlen gegeben.
Behauptung: Die Summe ist eine gerade Zahl.
Beweis: Wenn eine natürliche Zahl gerade ist, hat sie eine Darstellung die Form $2n$, wobei n eine natürliche Zahl ist. Für die zweite Zahl wird entsprechend die Darstellung $2m$ gewählt.
Dann gilt $2n + 2m = 2(n + m) = 2k$ mit der natürliche Zahl $k = n + m$. Deshalb ist die Summe der beiden Zahlen eine gerade Zahl.

Nutze Symmetrie

Beispiel 3
Beweise: Wenn zwei Seiten eines Vierecks die gleiche Mittelsenkrechte haben, dann ist das Viereck ein gleichschenkliges Trapez.
Lösung:
Voraussetzung: Im Viereck ABCD in Fig. 1 ist die Gerade m Mittelsenkrechte der Strecken $\overline{AB}$ und $\overline{CD}$. *Benachbarte Seiten kommen dafür nicht in Frage.*
Behauptung: Das Viereck ABCD ist ein gleichschenkliges Trapez.
Beweis:

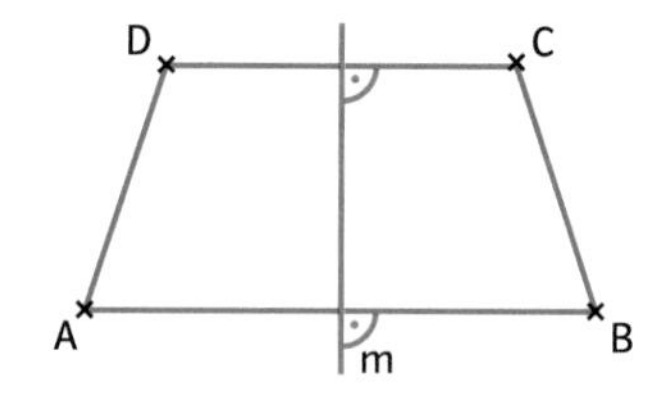

Fig. 1

Die Gerade m ist Mittelsenkrechte der Strecken $\overline{AB}$ und $\overline{CD}$. Deshalb sind beide Strecken $\overline{AB}$ und $\overline{CD}$ senkrecht zu m. Dann sind sie aber auch zueinander parallel. Spiegelt man die Strecke $\overline{AD}$ an der Geraden m, liegt die Bildstrecke $\overline{A'D'}$ auf der Strecke $\overline{BC}$. Deshalb sind die Strecken $\overline{AD}$ und $\overline{BC}$ gleich lang. Damit ist das Viereck ein gleichschenkliges Trapez.

Aufgaben

1 Der nachfolgende Text zur Abbildung in Fig. 2 ist ein Beweis für des Satz des Thales. Schreibe die Voraussetzung und die Behauptung des Satzes auf. Nenne die angewendeten Strategien.
Beweis:
In Fig. 2 gilt $\alpha + \beta + \gamma = 180°$ (Winkelsumme). Da die Strecken AM, BM und CM gleich lang sind, sind die Dreiecke AMC und CMB gleichschenklig.
Deshalb gilt $\gamma = \alpha + \beta$ (Basiswinkel)
In der Gleichung $\alpha + \beta + \gamma = 180°$ kann man nun $\alpha + \beta$ durch γ ersetzen.
Dann ergibt $\gamma + \gamma = 180°$. Also gilt $\gamma = 90°$.

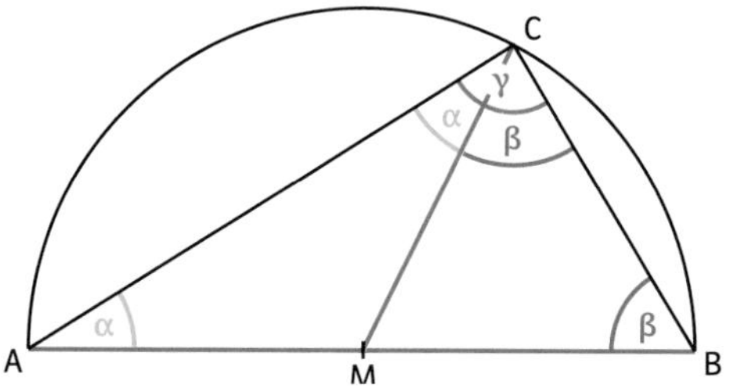

Fig. 2

Führe Variablen und Terme ein

2 Beweise den Satz.
a) Die Summe zweier ungerader natürlicher Zahlen ist eine gerade Zahl.
b) Das Produkt zweier ungerader natürlicher Zahlen ist ungerade.

Betrachte Beispiele

3 a) Beweise: Die Summe von vier aufeinander folgenden Zahlen ist niemals durch 4, aber immer durch zwei teilbar.
b) Beweise: Wenn zwei natürliche Zahlen den gleichen Teiler haben, dann hat auch ihre Summe diesen Teiler.

4 Verwende die angegebene Strategie. Beweise den Satz: Die Winkelsumme im Viereck beträgt 360°.

Zeichne Hilfslinien
Betrachte Teilfiguren

5 Fig. 1 zeigt zwei parallele Geraden g und h. In den Punkten A und B sind gleiche Winkel angetragen. Beweise, dass die Strecken $\overline{AD}$ und $\overline{BC}$ die gleiche Länge haben. Formuliere einen Satz.

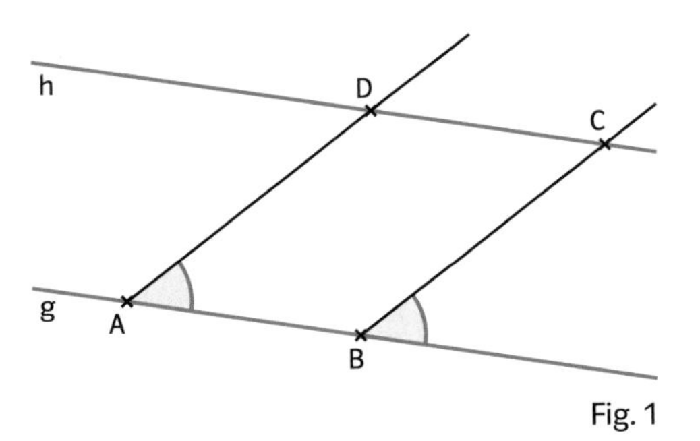

Fig. 1

Suche kongruente Dreiecke oder Figuren

Bist du sicher?

Ähnliche Sachverhalte überlegen, Symmetrie nutzen, Beispiele suchen, Variablen und Terme einführen.

1 a) Beweise den Satz: „Wenn ein Viereck zur Mittelsenkrechten einer Seite symmetrisch ist, dann sind die Diagonalen gleich lang."
b) Formuliere einen weiteren Satz mit der gleichen Voraussetzung wie in Teilaufgabe a). Führe einen Beweis.

2 a) Vervollständige zu einem Satz und führe einen Beweis: „Wenn man drei gerade und eine ungerade Zahl addiert …"
b) Beweise einen Satz über die Summe von vier ungeraden natürlichen Zahlen.

Wende selbst geeignete Strategien an.

6 a) Konstruiere ein 4 cm hohes gleichschenkliges Trapez ABCD mit der Seite $\overline{AB} = 6\,\text{cm}$ und der Seite $\overline{CD} = 10\,\text{cm}$.
b) Beweise: Ein gleichschenkliges Trapez hat stets zwei Paare von Winkeln mit jeweils der gleichen Größe.

7 Prüfe die Aussagen mit Beispielen. Beweise oder widerlege die Aussage.
a) Die Summe von sieben aufeinander folgenden natürlichen Zahlen ist durch 7 teilbar.
b) Die Summe einer geraden Anzahl von ungeraden Zahlen ist immer gerade.

8 a) Erstelle eine aussagekräftige Zeichnung und beweise den Satz: „Ein Quadrat wird durch jede Gerade durch den Schnittpunkt der Diagonalen in zwei kongruente Teilfiguren geteilt."
b) Gibt es punktsymmetrische Vierecke, für die eine Aussage wie in Teil a) falsch ist?

Tipp zu Aufgabe 8: Eine Konstruktionsidee von Teilaufgabe a) ist eine Strategie für den Beweis in Teilaufgabe b).

9 a) Beweise die Aussage: Wenn ein Dreieck die Winkel 30° und 60° hat, dann ist eine Dreiecksseite halb so lang wie die andere.
b) Gilt der Satz: Wenn in einem Dreieck eine Seite halb so lang wie die andere ist, dann hat es die Winkel 30° und 60°?

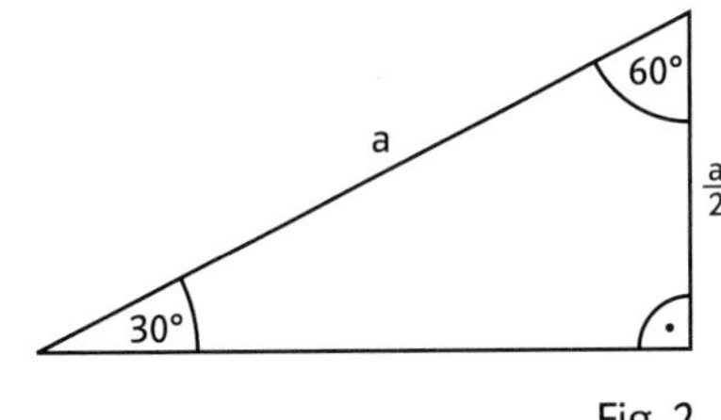

Fig. 2

Tipp zu Teilaufgabe 9 b): Nimm einen Teil der Behauptung zur Voraussetzung.

Kannst du das noch?

10 Weise nach, dass die beiden Terme für jede Zahl x jeweils den gleichen Wert haben.
a) $2(x-3)^2 + 12x$ und $2x^2 + 18$
b) $32x - 110$ und $2(x^2 + 9) - 2(x - 8)^2$

5 Sätze entdecken – Beweise finden

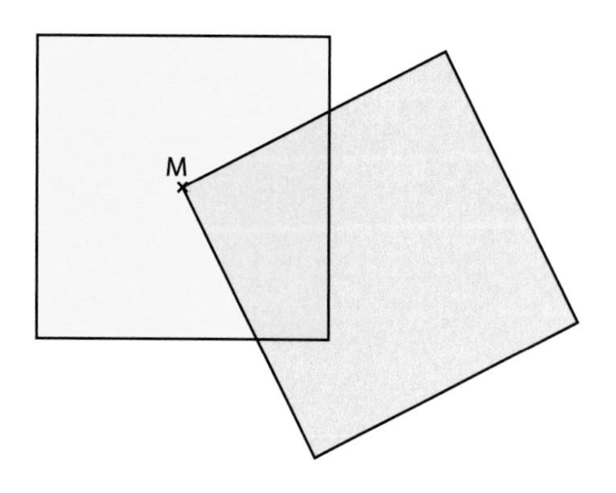

Ein Experiment mit zwei Quadraten
In der nebenstehenden Figur wird um den Mittelpunkt M eines Quadrates ein dazu kongruentes Quadrat gedreht. Dabei ändert sich die Form der gemeinsamen Fläche, aber es bleibt auch etwas erhalten.

Experimentiere auch mit anderen Figuren, z. B. mit zwei Kreisen oder mit kongruenten gleichseitigen Dreiecken mit einem geeigneten Drehpunkt.

Wie werden Aussagen gefunden, die durch Beweise zu mathematischen Sätzen werden? Man kann gedanklich experimentieren und Skizzen zu geometrischen Sachverhalten zeichnen. Es gibt auch hilfreiche Strategien. Oft geht man dabei von einem bekannten Satz aus und variiert den Sachverhalt. Auf den Merkzetteln sind einige Strategien notiert.

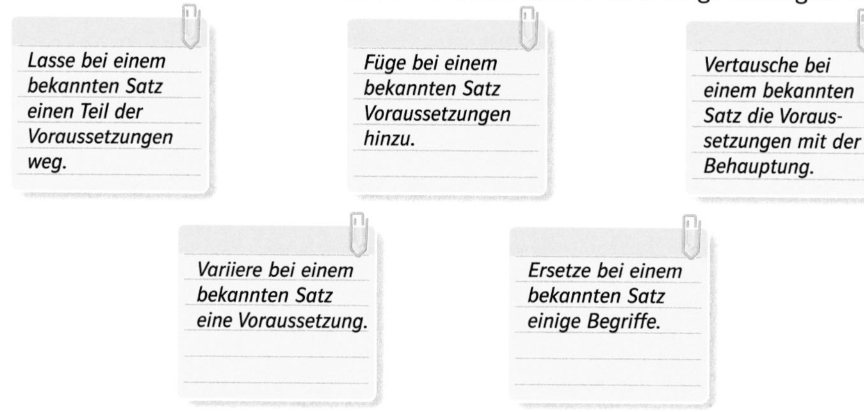

Die nachfolgenden Beispiele verdeutlichen die Strategien.

Voraussetzung variieren

Beispiel 1 Variieren der Voraussetzung beim Satz des Thales
Was kann man vermuten, wenn man beim Satz des Thales wie in Fig. 1 annimmt, dass der Punkt C außerhalb des Thaleskreises liegt?
Lösung:
Vermutung: Wenn der Punkt C außerhalb des Thaleskreises zur Strecke $\overline{AB}$ liegt, dann ist der Winkel $\sphericalangle$ ACB spitz.
Beweis:
Da C außerhalb des Thaleskreises liegt, schneidet die Strecke $\overline{AC}$ den Thaleskreis in einem Punkt D. Nach dem Satz des Thales hat das Dreieck BCD einen rechten Winkel im Punkt D. Dann sind nach dem Winkelsummensatz die beiden anderen Winkel im Dreieck BCD kleiner als 90°. Deshalb ist der Winkel bei C spitz.

Entsprechend ist der Winkel bei C stumpf, wenn C innerhalb des Thaleskreises liegt (vgl. Aufgabe 6).

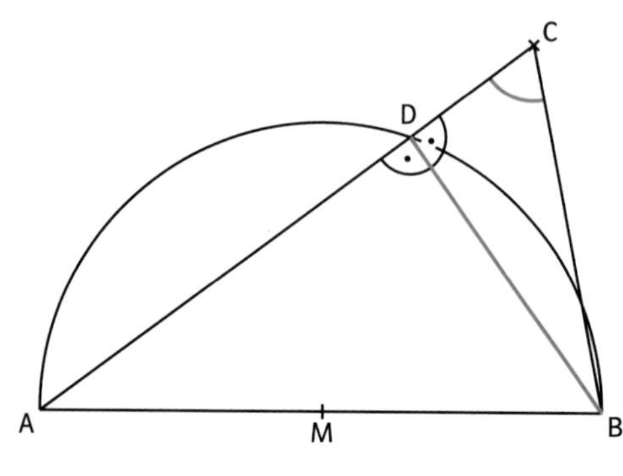

Fig. 1

Beispiel 2: Umkehrung zum Satz des Thales

Vertausche beim Satz des Thales die Voraussetzung mit der Behauptung. Schreibe die zugehörige Aussage auf. Beweise oder widerlege die Aussage.

Vertauschen der Voraussetzung mit der Behauptung

Lösung:

Aussage: Wenn ein Dreieck rechtwinklig ist, dann liegt der zum rechten Winkel gehörende Eckpunkt auf dem Thaleskreis der gegenüberliegenden Strecke.

Beweis: Gegeben ist das Dreieck ABC mit einem rechten Winkel bei C. Spiegelt man den Punkt C am Mittelpunkt M der Strecke $\overline{AB}$, so sind die beiden Dreiecke ABC und AC'B kongruent. Sie bilden zusammen das punktsymmetrische Rechteck AC'BC. Die Diagonalen schneiden sich im Symmetriepunkt M. Deshalb gilt $\overline{MA} = \overline{MC} = \overline{MB}$. Somit liegen die Punkte A, B und C auf dem Thaleskreis zur Strecke $\overline{AB}$.

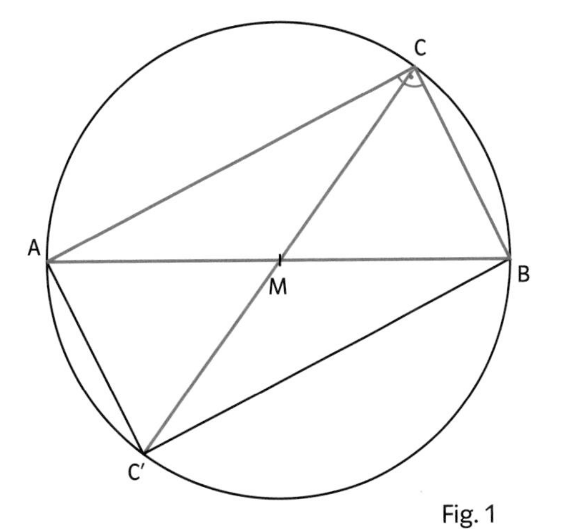

Fig. 1

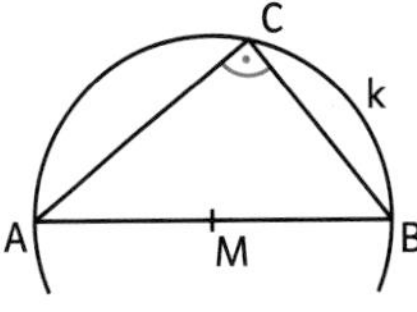

Vgl. dazu Aufgabe 5

Beispiel 3: Vierecke mit Umkreis

Betrachte diejenigen Vierecke, deren Eckpunkte auf einem Kreis liegen. Untersuche mit Beispielen Beziehungen zwischen ihren Winkeln. Stelle eine Vermutung auf und beweise sie.

Ersetzen eines Begriffs durch einen anderen

Lösungsvorschlag:

Man experimentiert z. B. mit einem Geometrieprogramm und misst (vgl. Fig. 2) die Winkel verschiedener Vierecke, deren Eckpunkte auf einem Kreis liegen. Dabei kann man feststellen, dass sich gegenüberliegenden Winkel zu 180° ergänzen.

Vermutung: Beim Viereck mit Umkreis ergänzen sich gegenüberliegende Winkel zu 180°.

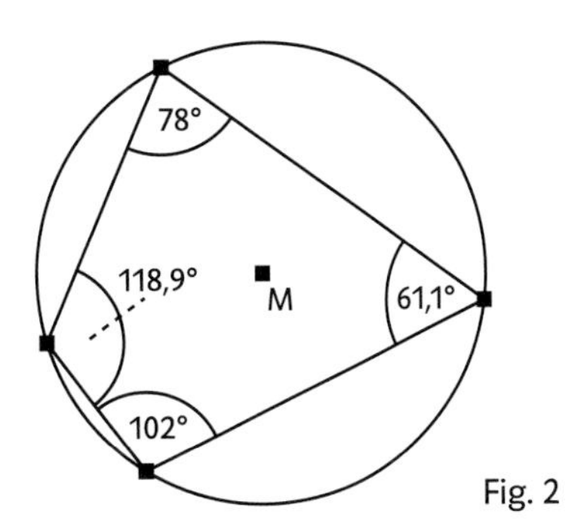

Fig. 2

102° + 78° = 180° und 118,9° + 61,1° = 180°

Für den Beweis erweitert man die Figur, indem man die Radien von M zu den Eckpunkten zeichnet. Dabei wird das Viereck in vier gleichschenklige Dreiecke aufgeteilt. Es gibt dabei 4 Paare gleich großer Basiswinkel.

Nach dem Winkelsummensatz ist die Winkelsumme im Viereck 360°. Die Winkel des Vierecks setzen sich aus den 8 Basiswinkeln der vier gleichschenkligen Dreiecke zusammen. Je vier Basiswinkel der vier Dreiecke haben die Summe 180°. In Fig. 3 kommen an gegenüberliegenden Ecken alle vier dieser Basiswinkel vor. Deshalb gilt der Satz: „Wenn ein Viereck einen Umkreis hat, dann ergänzen sich gegenüberliegende Winkel zu 180°."

Beweisstrategien:
Beispiele betrachten,
Figur erweitern,
Teilfiguren betrachten.

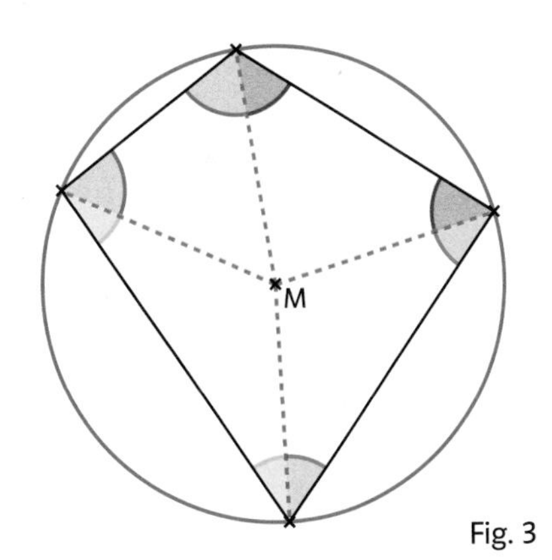

Fig. 3

Ein Viereck mit Umkreis heißt auch Sehnenviereck *(vgl. Seite 146).*

Aufgaben

1 a) Beweise den Satz: Wenn ein Viereck vier rechte Winkel hat, dann sind gegenüberliegende Seiten parallel.
b) Bilde die Umkehrung des Satzes aus a) durch Vertauschen der Voraussetzung mit der Behauptung. Widerlege diese Aussage mit einem Gegenbeispiel.
c) Füge zur Umkehrung in Teilaufgabe b) eine Voraussetzung hinzu, so dass die Aussage richtig ist. Beweise deinen Satz.

2 Zeichne eine Beispielfigur zum Satz: „Wenn in einem Viereck die Mittelsenkrechten zweier benachbarter Seiten Symmetrieachsen des Vierecks sind, dann ist das Viereck ein Rechteck." Variiere die Voraussetzung des Satzes wie unten angegeben und stelle dazu eine Behauptung so auf, dass die Aussage richtig ist. Beweise deine Aussage und schreibe den neuen Satz auf.
a) Beim Viereck ist nur die Mittelsenkrechte einer Seite eine Symmetrieachse.
b) Das Viereck hat eine Symmetrieachse, die durch gegenüberliegende Eckpunkte geht.
c) Beim Viereck sind die Geraden durch gegenüberliegende Eckpunkte parallel.
d) Das Viereck hat mindestens drei Symmetrieachsen.

3 Gegeben ist der Satz: „Wenn das Quadrat einer natürlichen Zahl n eine gerade Zahl ist, dann sind die Quadrate ihrer Nachbarn $n - 1$ und $n + 1$ ungerade.
a) Gib dazu einige Beispiele an. Führe einen Beweis.
b) Formuliere die Umkehrung des Satzes. Beweise oder widerlege die Aussage.
c) Vervollständige den angefangenen Satz „Wenn eine natürliche Zahl ungerade ist, dann ist ihr Quadrat …". Beweise ihn. Kannst du deinen Satz so ändern, dass er mit einer geraden natürlichen Zahl in der Voraussetzung richtig ist?

Tipp zu Aufgabe 3 a: Wenn n eine natürliche Zahl ist, dann sind ihre Nachbarn die Zahlen $n - 1$ und $n + 1$.

4 In einem Rechteck sind wie in Fig. 1 abgebildet jeder Ecke Kreisteile mit dem selben Radius hinzugezeichnet worden.
a) Stelle eine Formel für den Flächeninhalt der gefärbten Teilfläche auf.
b) Ersetze das Wort Rechteck durch ein anderes spezielles Viereck, z. B. Raute, Parallelogramm usw. Prüfe die Gültigkeit der Formel aus Teilaufgabe a).
c) Gibt es auch eine Formel für den Flächeninhalt, wenn man in Fig. 1 von Dreieck ausgeht?
d) Ersetze in a) bis c) das Wort Flächeninhalt durch Umfang. Gehe dann entsprechend vor.

Das weißt du noch:

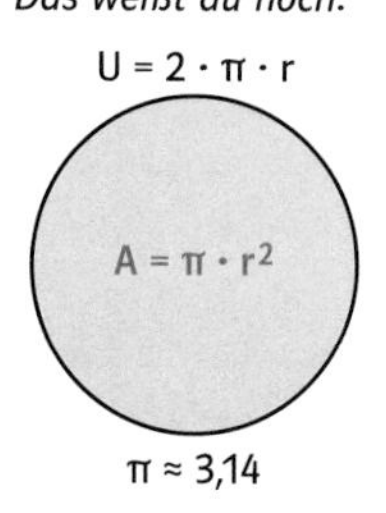

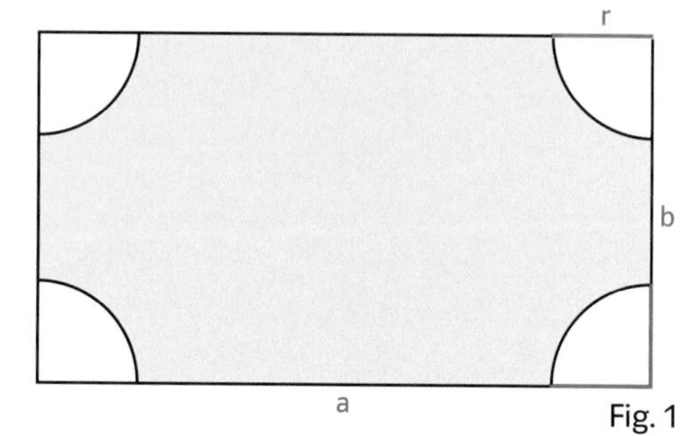

Fig. 1

5 Geo Das gefärbte Viereck in Fig. 2 heißt Mittenviereck zum äußeren Viereck, weil die Mittelpunkte der Seiten des äußeren Vierecks seine Eckpunkte sind. Zeichne Beispiele und versuche, eine Eigenschaft des Mittenvierecks zu finden. Formuliere gegebenenfalls eine Vermutung und beweise sie.

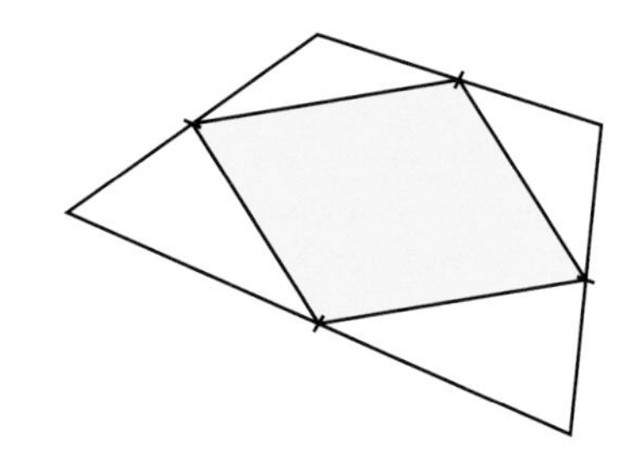
Fig. 2

Die Teilaufgaben von Aufgabe 6 können auch arbeitsteilig bearbeitet und vorgetragen werden.

6 Geo **Variationen zum Satz des Thales**

Die folgenden Aufgaben geben Anregungen, wie man beim Satz des Thales durch Veränderungen zu weiteren Sätzen kommt. Betrachtet Beispiele, findet Vermutungen, beweist oder widerlegt sie. Schreibt eure Überlegungen und die Ergebnisse auf.

a) Fragen zum Weiterdenken:
Alle Dreiecke im Taleskreis über einer Strecke haben einen rechten Winkel. Aber worin unterscheiden sich diese Dreiecke? Gibt es bei rechtwinkligen Dreiecken eine Beziehung zwischen den beiden anderen Winkeln? Gibt es im Thaleskreis Dreiecke mit besonderen Eigenschaften?

b) Kann man etwas über den Flächeninhalt der Dreiecke im Thaleskreis aussagen? Gibt es ein Dreieck mit größtem Flächeninhalt?

c) In Fig. 1 wurden im Thaleskreis über der Strecke AB zwei Dreiecke gezeichnet. Dabei ergibt sich auch ein „Thales-Viereck". Findet Eigenschaften von Thales-Vierecken.

d) In Fig. 2 wurde anstelle des Thaleskreises über der Strecke AB ein „Thales-Rechteck" gezeichnet. Untersucht die Eigenschaften der zugehörigen Dreiecke.

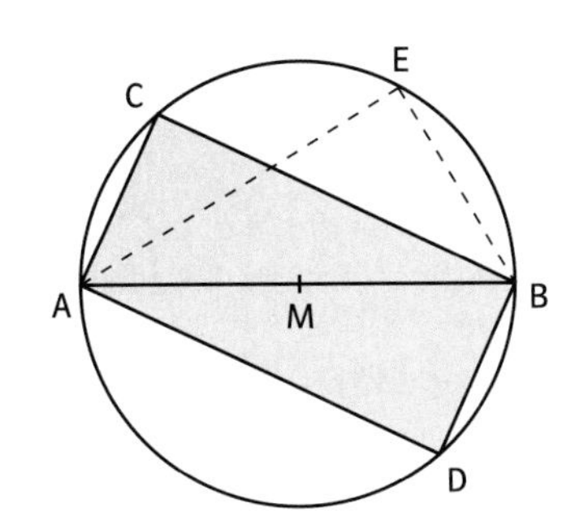

Fig. 1

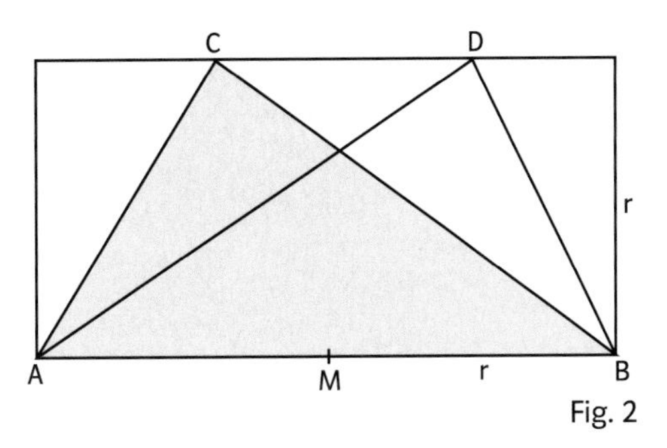

Fig. 2

Welche weitere Variation der Teilaufgabe 6c) ist im Beispiel 3, Seite 143, erfolgt?

7 Fig. 3 zeigt zwei Beispiele für gleichartige Berechnungen. Formuliere jeweils eine Vermutung und versuche, sie zu beweisen.

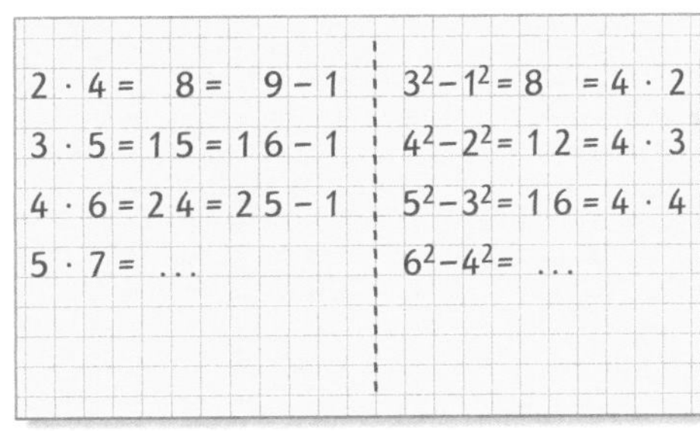

Fig. 3

8 **Weniger ist manchmal mehr ...**

Schon in der Grundschule soll C. F. Gauß mit der in Fig. 4 aufgeschriebenen Rechnung für die Summe der Zahlen von 1 bis 100 aufgefallen sein.

a) Schreibe zu den Überlegungen von Gauß einen kleinen Aufsatz.

b) Kann man die Methode aus Teilaufgabe a) auch für die Summe der natürlichen Zahlen von 1 bis 200 nutzen?

c) Bestimme die Summen der Zahlen von 1 bis 1000 und von 1 bis 1 000 000.

d) Berechne die Summenwerte von
$2 + 4 + 6 + 8 + 10 + \dots + 200$ und
$5 + 10 + 15 + 20 + \dots + 500$.

e) Welche Formel erhält man, wenn man wie in Fig. 5 anstelle der Zahl 100 die Variable n für eine beliebige natürliche Zahl verwendet?

$$\begin{array}{rcccccccccccc} & 1 & + & 2 & + & 3 & + & 4 & + & \dots & + & 100 & = ? \\ & 100 & + & 99 & + & 98 & + & 97 & + & \dots & + & 1 & \\ \hline = & 101 & + & 101 & + & 101 & + & 101 & + & \dots & + & 101 & \end{array}$$

$= 100 \cdot 101 = 10\,100$

Deshalb gilt:
$1 + 2 + 3 + 4 + 5 + \dots + 100 = 5050.$

Fig. 4

Carl Friedrich Gauß (1777–1855) ist einer der bedeutendsten Mathematiker allerzeiten. Er war schon zu seiner Zeit sehr berühmt.

$1 + 2 + 3 + 4 + \dots + n = ?$

Fig. 5

Punkte in gleicher Farbe bedeuten eine Zahl ...

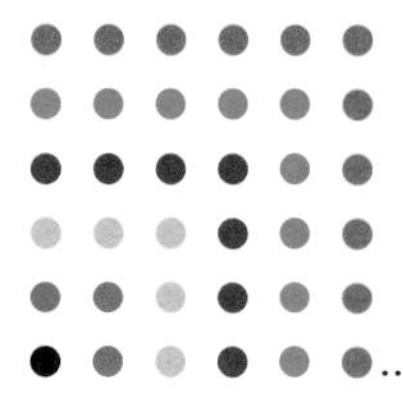

Fig. 1

9 a) Der Term $2 + 4 + 6 + 8 + 10 + \ldots + 2 \cdot n$ definiert, mit 2 beginnend, die Summe von n aufeinander folgenden geraden natürlichen Zahlen. Berechne für $n = 1; 2; 5$ und 10 den Summenwert.
b) Bestimme nach Teilaufgabe a) die Summenwerte von $4 + 8 + 12 + 16 + \ldots + 4 \cdot n$ und $10 + 20 + 30 + 40 + 50 + \ldots + 10 \cdot n$.
c) Fig. 1 enthält einen Tipp, um den Wert der Summe $1 + 3 + 5 + 7 + 9 + \ldots + (2n + 1)$ mit einem einfachen Term zu berechnen? Findest du eine Lösung?

10 Viereck und Kreis
Vierecke mit einem Kreis wie in Fig. 2 bzw. Fig. 3 sind speziell definiert. Welche Eigenschaften ergeben sich aus den zusätzlich eingezeichneten Linien?
a) Ein Viereck, das einen Umkreis hat, heißt **Sehnenviereck**.
b) Ein Viereck, das einen Inkreis hat, heißt **Tangentenviereck**.

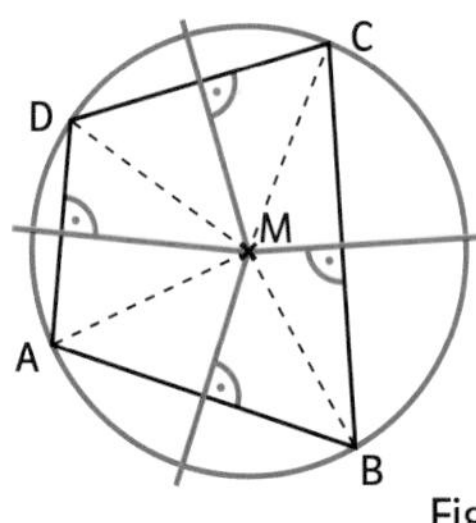

Fig. 2

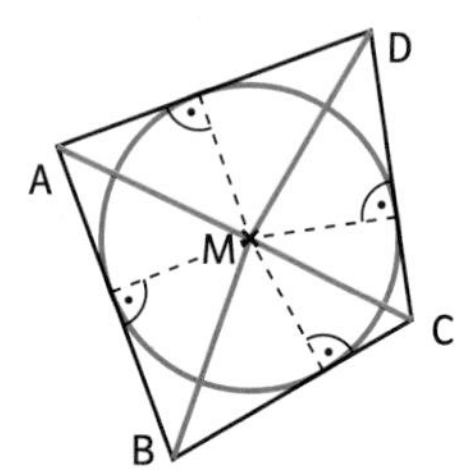

Fig. 3

Aufgabe 11 ist Voraussetzung für die Aufgaben 12 bis 14.

Drachen
Gleichseitiges Trapez
Parallelogramm
Quadrat
Rechteck
Raute
Schiefer Drachen
Trapez
Viereck

11 Die Klasse wird in Gruppen geteilt, die Sehnenvierecke bzw. Tangentenvierecke untersuchen. Die Ergebnisse werden aufgeschrieben und in Kurzvorträgen vorgestellt und verglichen. Die folgenden Arbeitsaufträge sind Hilfen zur Vorgehensweise.
a) Was muss für die Mittelsenkrechten bzw. die Winkelhalbierenden in einem Viereck gelten, damit das Viereck einen Umkreis bzw. Inkreis hat?
b) Macht Beispiele zu den am Rand angegebenen Arten von Vierecken und untersucht sie darauf, ob sie einen Umkreis bzw. Inkreis haben. Stellt Sätze auf und beweist sie.

12 a) In Beispiel 3 auf Seite 143 ist ein Experiment zu Sehnenvierecken beschrieben und ein Satz bewiesen. Vollziehe den Beweis nach und schreibe ihn mit eigenen Worten auf. Der zugehörige Satz heißt auch „Winkelsatz im Sehnenviereck“. Formuliere ihn.
b) Die Überlegungen in Teil a) lassen sich geeigneten variiert auf das Tangentenviereck übertragen. Welche Strategien sind dazu geeignet? Schreibt eure Überlegungen auf und versucht, einen Satz über Tangentenvierecke zu finden und zu beweisen. Tauscht eure Überlegungen und Ergebnisse aus.

13 Sätze bei Konstruktionen nutzen
a) In Fig. 3 sind von den Punkten A und B aus die Tangenten an den Kreis gezeichnet. Was haben die Dreiecke AB_1M und AMB_2 sowie MB_3C und CB_4M gemeinsam?
b) Konstruiere nach den Überlegungen von Teilaufgabe a) zuerst die Punkte B_1, B_2, B_3 und B_4. Zeichne dann die Tangenten.

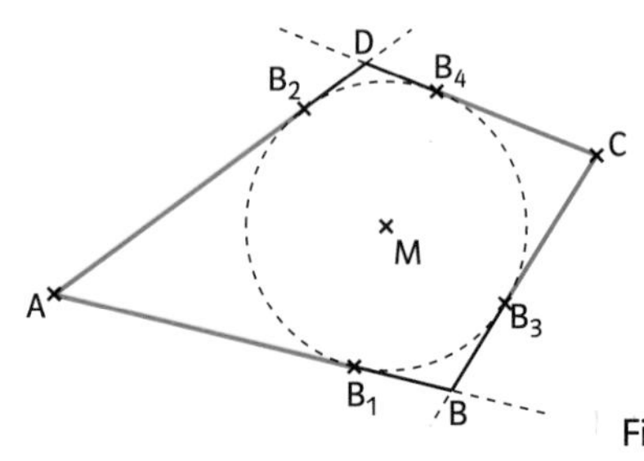

Fig. 4

Tipp zu Aufgabe 14: Die Punkte B_1 und B_2 liegen auf einem „berühmten Kreis“, der in Fig. 3 noch nicht gezeichnet ist. Gleiches gilt für B_3 und B_4.

14 Beantworte die Frage „Welche besonderen Vierecke haben einen Umkreis?“ in einem kleinen Aufsatz.

1 a) Schreibe eine Definition für das regelmäßige Fünfeck auf.
b) In Fig. 1 ist ein Fünfeck in fünf kongruente gleichschenklige Dreiecke aufgeteilt worden. Verwende diese Figur zum Beweis eines Satzes über die Größe der Winkel im Fünfeck.

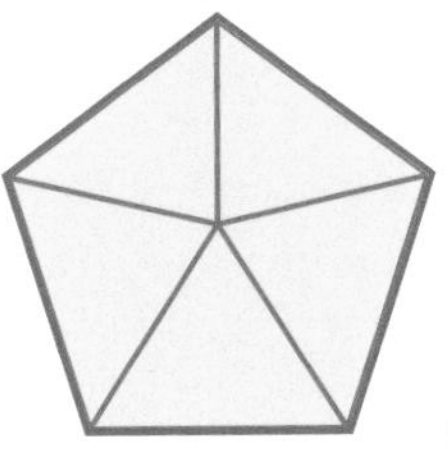

Fig. 1

c) Bearbeite die Teilaufgabe a) und b) entsprechend für regelmäßige Sechsecke. Haben hier die sechs gleichschenkligen Dreiecke noch eine weitere Besonderheit?
d) Schreibe eine Definition für das „regelmäßige n-Eck" auf. Stelle eine Formel über die Winkel in einem regelmäßigen n-Eck auf. Begründe sie.

2 Geo a) In einem Quadrat (Fig. 2) entsteht durch die Verbindungsstrecken der Mittelpunkte ein besonderes Viereck. Zeichne Beispiele, stelle eine Vermutung auf und beweise deine Aussage.
b) Ersetze in Teilaufgabe a) das Wort Quadrat durch „achsensymmetrisches Trapez" (vgl. Fig. 3). Gehe wie in Teilaufgabe a) vor.
c) Untersuche, ob es bei anderen Vierecken einen ähnlichen Sachverhalt gibt. Versuche auch, allgemein einen Satz für Vierecke zu finden und zu beweisen.

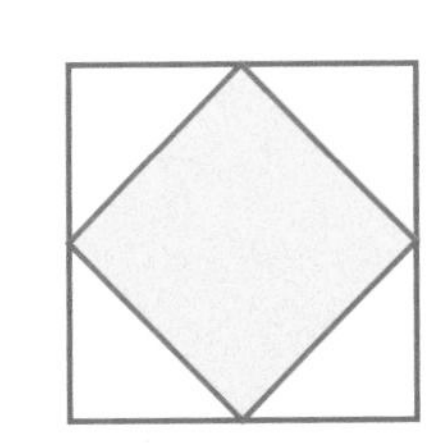

Fig. 2

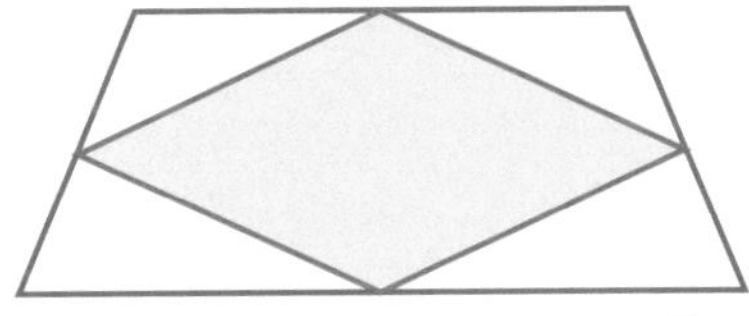

Fig. 3

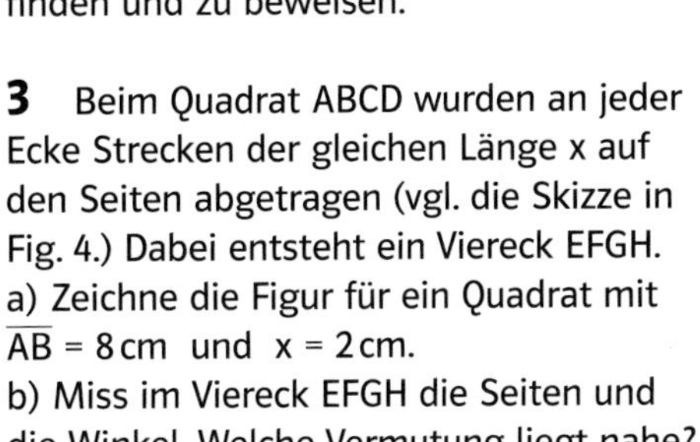

3 Beim Quadrat ABCD wurden an jeder Ecke Strecken der gleichen Länge x auf den Seiten abgetragen (vgl. die Skizze in Fig. 4.) Dabei entsteht ein Viereck EFGH.
a) Zeichne die Figur für ein Quadrat mit $\overline{AB} = 8\,cm$ und $x = 2\,cm$.
b) Miss im Viereck EFGH die Seiten und die Winkel. Welche Vermutung liegt nahe? Beweise oder widerlege sie.

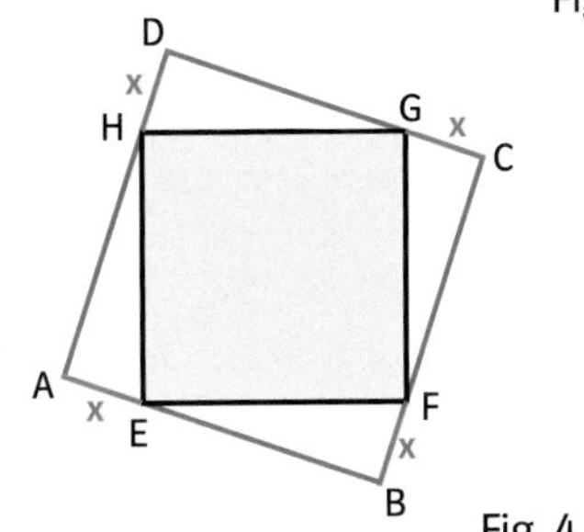

Fig. 4

4 a) Verändere in Aufgabe 3 die Voraussetzung so, dass die Strecke auf den Verlängerungen der Quadratseiten nach außen abgetragen werden. Gehe dann wie in Aufgabe 3a) und b) vor.
b) Ersetze in den Aufgaben 3 und 4a) das Wort Quadrat durch „gleichseitiges Dreieck". Welche Vermutungen lassen sich jetzt aufstellen? Beweise oder widerlege sie.

5 Die Abbildung in Fig. 5 zeigt ein Dreieck mit fünf Angaben. Wenn man einige davon zu einer Voraussetzung zusammenfasst, kann man die anderen daraus herleiten.
Formuliert mögliche Sätze und beweist sie. Tragt eure Ergebnisse vor und vergleicht sie.

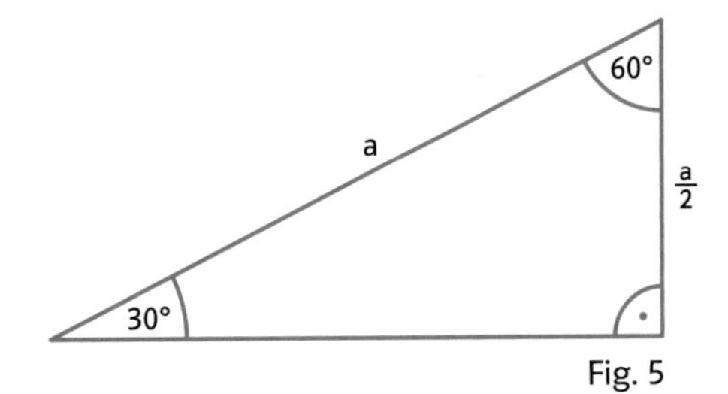

Fig. 5

Weiterdenken bei Figuren – Experimente und Sätze

Entscheide bei den Aufgaben dieser Seite selbst, ob ein Geometrieprogramm für deine Überlegungen und Experimente nützlich ist.

6 Thales und kein Ende ...

Bearbeitet die vorgeschlagenen Experimente in Gruppen. Schreibt eure Überlegungen und Ergebnisse auf. Präsentiert die Ergebnisse vor der Klasse.

Die vier Abbildungen in Fig. 1 zeigen vier Variationen des Satzes des Thales. Die Pfeile deuten an, wie man beim Experimentieren vorgeht. Die Fragezeichen geben Hinweise auf Abhängigkeiten, die man beobachten soll. Nutzt die folgenden Tipps und Fragen.

1) Welche Größen stehen zueinander in Bezug?

2) Experimentiert, beschreibt eure Beobachtungen und dokumentiert eure Ergebnisse.

3) Formuliert Vermutungen.

4) Verwendet die Beweisidee „gleichschenklige Dreiecke erzeugen".

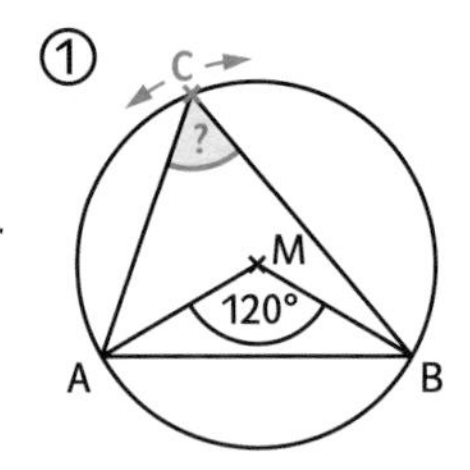

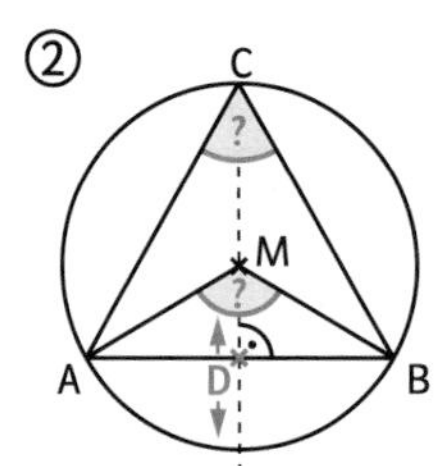

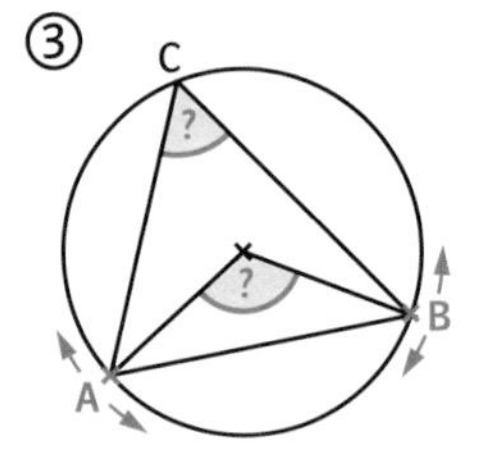

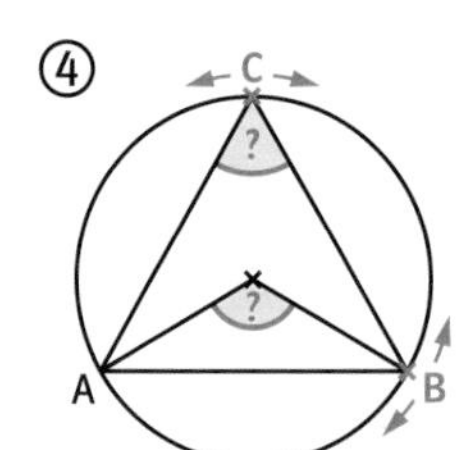

Fig. 1

7 Mitten- und Außendreieck

In Fig. 2 ist das blaue Dreieck das Mittendreieck des roten Dreiecks. Man kann aber auch sagen, dass das rote Dreieck das **Außendreieck** des blauen Dreiecks ist.

Bearbeitet die folgenden Aufgaben.

a) Definiere Mittendreieck und Außendreieck eines Dreiecks nach Fig. 2.

b) Formuliere einen Satz über die Beziehung zwischen den Seitenlängen der beiden Dreiecke und beweise ihn.

Fig. 2

8 Höhe oder Mittelsenkrechte

a) Zeichnet zwei Dreiecke wie in Fig. 2. und bearbeitet die Aufträge b) bis d). Erstellt einen Aufsatz über eure Ergebnisse.

b) Zeichnet die Mittelsenkrechten im äußeren Dreieck. Welche Bedeutung haben sie für das innere Dreieck? Zeichnet die Höhen im inneren Dreieck. Welche Bedeutung haben sie für das äußere Dreieck?

c) Welchen Satz über eine Eigenschaft der Mittelsenkrechten eines Dreiecks kennt ihr?

d) Stellt mithilfe der gewonnenen Einsichten aus den Teilaufgaben a) bis c) einen Satz über die Höhen in einem Dreieck auf und beweist ihn.

9 Anregungen für mathematische Aufsätze

Die Teilaufgaben geben Themenvorschläge für mathematische Aufsätze. Orientiere dich bei der Bearbeitung an der Vorlage auf Seite 135.

a) Thema: „Terme und ihre Verwendung"

b) Thema: „Über spezielle Linien im Dreieck – Zusammenfassung der Ergebnisse über die Eigenschaften der Mittelsenkrechten, Höhen und Seitenhalbierenden im Dreieck".

c) Thema: „Was im Dreieck gilt, ist manchmal auch im Viereck richtig – Die Untersuchung von Sätzen für Dreiecke auf ihre Gültigkeit bei Vierecken oder besonderen Vierecken.

10 **Weitere besondere Linien im Dreieck – die Seitenhalbierenden**

In Fig. 1 sind im Dreieck ABC die Mittelpunkte der Seiten beschriftet. Die Strecken $\overline{AM_a}$ und $\overline{BM_b}$ und die nicht gezeichnete Strecke $\overline{CM_c}$ heißen **Seitenhalbierenden** des Dreiecks. Der Punkt M ist der Schnittpunkt der Seitenhalbierenden $\overline{AM_a}$ und $\overline{BM_b}$. Zusätzlich ist das Mittendreieck des Dreiecks ABM und das Dreieck MM_aM_b eingezeichnet.

Lest die Erläuterung zu Fig. 1 und beantwortet die Fragen der Teilaufgaben a) bis d).

a) Welche der in Fig. 1 gezeichneten Dreiecke sind kongruent? Welche Strecken sind demnach gleich lang? Welche Winkel haben die gleiche Größe?

b) Der Punkt M teilt die Seitenhalbierenden $\overline{AM_a}$ und $\overline{BM_b}$ jeweils in zwei Teilstrecken auf. Kann man mit den Ergebnissen von Teilaufgabe a) beweisen, dass die Teilstrecken ein bestimmtes Verhältnis zueinander haben?

c) Die Seitenhalbierende $\overline{CM_c}$ schneidet auch die Seitenhalbierenden $\overline{AM_a}$ und BM_b. Gibt es dabei jedesmal einen neuen Schnittpunkt?

d) In der Mathematik ist ein Satz über die Seitenhalbierenden im Dreieck bekannt. Recherchiert in einem Mathematikbuch oder im Internet; um den Satz mit einem Beweis zu finden. Stellt das Ergebnis schriftlich dar.

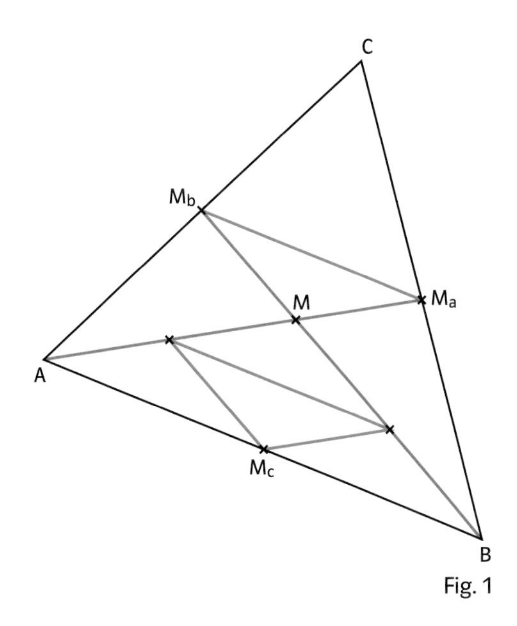

Fig. 1

11 **Logikuss beweist: Alle Dreiecke sind gleichschenklig – Wer sieht den Fehler?**

Kürzlich hat Logikuss an der Tafel wie in Fig. 2 irgend ein Dreieck ABC skizziert und dann die Mittelsenkrechte m der Strecke $\overline{AB}$ und die Winkelhalbierende w des Winkels γ eingezeichnet. Dann wurden vom Schnittpunkt D der Geraden m und w die Lote auf die Seiten $\overline{AC}$ und $\overline{BC}$ und die Strecken $\overline{AD}$ und $\overline{DB}$ gezeichnet. Nun hat Logikuss wie folgt argumentiert:

Herr Logikuss ist Mathelehrer am Albert-Einstein-Gymnasium in Zeichenhausen. Manchmal verblüfft er seine Schüler mit unglaublichen Beweisen.

1. Die Dreiecke DCF und DEC stimmen in drei Winkeln überein. Da der Punkt D auf w liegt, sind zudem die Strecken $\overline{DE}$ und $\overline{EF}$ gleich lang. Deshalb sind die Dreiecke DCF und DEC kongruent. Insbesondere ist dann $\overline{CF}$ genauso lang wie $\overline{EC}$.
2. Der Punkt D liegt auf m. Deshalb ist die Strecke $\overline{AD}$ so lang wie die Strecke DB. Dann sind aber auch die Dreiecke ADF und DBE kongruent, denn sie stimmen in der Länge zweier Seiten und dem 90°-Winkel der größeren Seite überein (sSw). Dann ist AF genauso lang wie BE.
3. Aus 1. und 2. folgt, dass $\overline{AC}$ so lang wie $\overline{BC}$ ist. Deshalb ist das Dreieck ABC gleichschenklig.

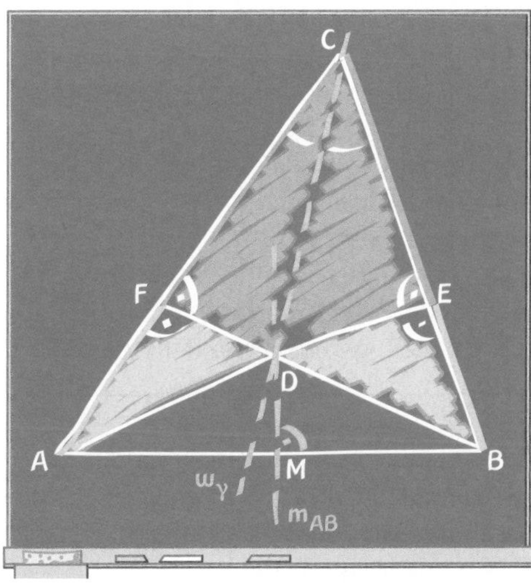

Fig. 2

Wiederholen – Vertiefen – Vernetzen

Variablen und Terme nutzen

12 In der nebenstehenden Additionsmauer müssen für x und y Zahlen gefunden werden, so dass in jedem Stein die Summe der beiden darunterliegenden Zahlen steht.
a) Sucht nach verschiedenen Möglichkeiten für die Belegung von x und y. Tauscht eure Ergebnisse mit den anderen Gruppen aus und vergleicht die Zahl in dem grau unterlegten Feld. Welche Vermutung liegt nahe?
b) Beweist die Vermutung aus Teilaufgabe a) mit einer Rechnung.

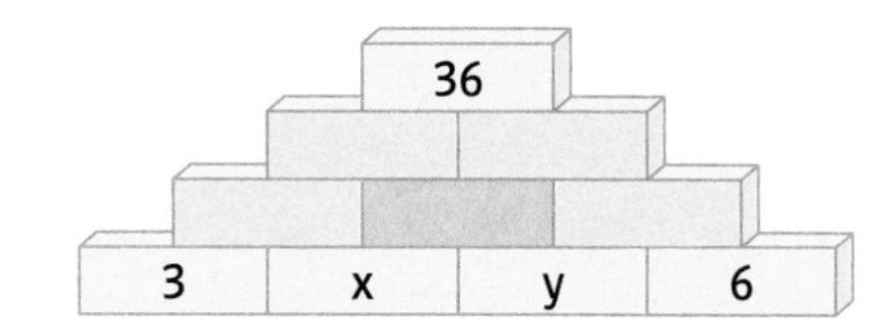

Fig. 1

13 In der Rechenmauer von Aufgabe 12 ergeben die beiden Zahlen in den Ecksteinen der untersten Schicht zusammengesetzt die Zahl im obersten Stein. Untersucht, ob es für andere zweistellige Zahlen mit dieser Eigenschaft ähnliche Sätze gibt.

Tipp: Überlege zuerst, wie man die Seiten der Figuren mithilfe von Termen schreibt.

14 Terme und Flächen
In der rechtsstehenden Abbildung kann man die Produkte der Variablen a und b geometrisch als Flächeninhalte deuten und Flächeninhalte von Teilflächen durch Produkte von Termen darstellen.
a) Gib die Flächeninhalte der rechteckigen Teilflächen mithilfe von Termen an.
b) Weise die Richtigkeit der Gleichung
$a^2 - 4b((a - b) : 2) - 4((a - b) : 2)^2 = b^2$
geometrisch und rechnerisch nach.

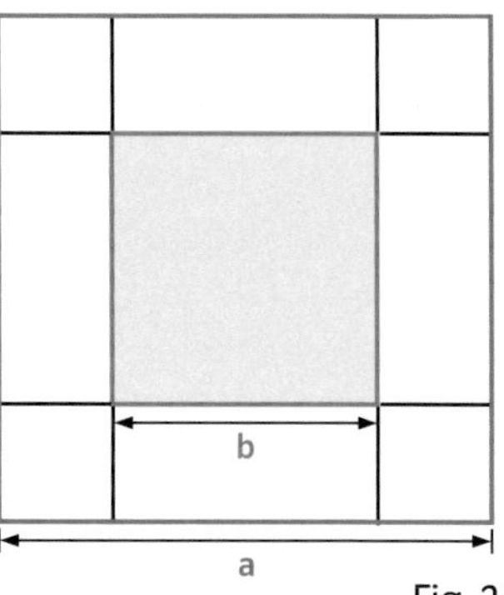

Fig. 2

Kannst du das noch?

15 a) Begründe: Von den beiden Produkten $\sqrt{3} \cdot \sqrt{5}$ und $\sqrt{6} \cdot \sqrt{24}$ ist ein Ergebnis irrational und eines rational. Stelle die Ergebnisse möglichst einfach dar.
b) Begründe: In der Summe $1{,}030\,030\,003\,000\,03\ldots + 1{,}303\,303\,330\,333\,30\ldots$ ist jeder Summand irrational, aber das Ergebnis ist rational. Bestimme den Summenwert.

16 a) Zeige, dass die drei Punkte in Fig. 3 auf einer Parabel liegen. Verwende ein Koordinatensystem.
b) Haben die Graphen der Funktionen mit den Funktionsgleichungen $y = x^2 + 4$ und $y = -(x - 2)^2$ gemeinsame Punkte?

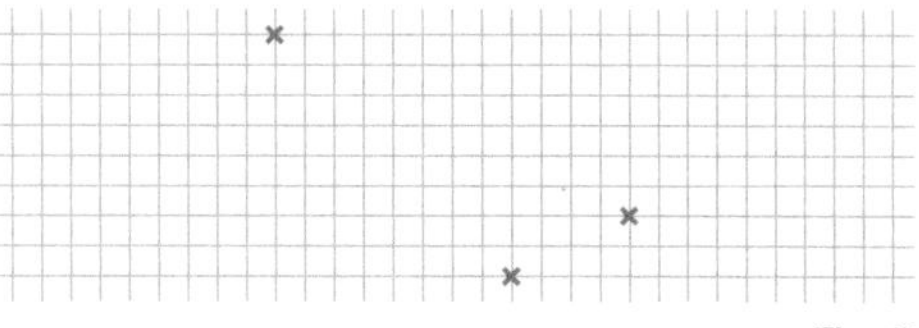
Fig. 3

17 Ordnen von Termen mit Produkten
Wenn man einen Term mit einer Variablen wie z. B. $a^2(a - 3)(a + 4)$ als Produkt schreibt, sagt man auch, dass er faktorisiert ist. Faktorisiere wenn möglich den Term.

a) $a^4 - 4a^3 + 4a^2$
b) $a^4 - 4a^2$
c) $a^3 - 8a^2 + 16a$
d) $a^4 + 16a^3 + 64a^2$

Die andere Hälfte des Lebens

Felicitas Hoppe

Wenn Ordnung das halbe Leben ist, wie meine Mutter so gerne behauptet, wie sieht dann die andere Hälfte aus? Vermutlich wie das letzte Zimmer im oberen Stockwerk unseres Hauses, das ich noch nie betreten habe. Denn dort herrscht angeblich das reine CHAOS, weil dort oben meine Großmuter wohnt, die ihre ganz eigene Ordnung hat, die nicht jeder auf Anhieb begreift.

Sie will allein sein mit ihren Gedanken und Erinnerungen und mit allem, was sie sonst noch aus ihrem langen Leben mit in unser Haus gebracht hat: Mit alten Büchern und Briefen und Bildern, mit Fotos von Großvater, Kindern und Enkeln, mit zerkratzten Schallplatten und angeschlagenem Porzellan, mit gepressten Blumen und Blättern, mit staubigen Muscheln und Steinen, die sie auf Reisen gesammelt hat. Und mit den Kleidern von früher, die außer ihr niemand mehr trägt. Aber das kümmert Großmutter wenig, sie pfeift auf unsere Ordnung und auf unsere Moden sowieso.

Großmutter möchte auf nichts verzichten, sie wirft nie etwas weg, weshalb sich im Zimmer alles stapelt, in Kisten bis unter die Decke hinauf, weil Schrank und Regale schon längst nicht mehr reichen und die Schubladen sich nicht mehr schließen lassen. So jedenfalls stelle ich mir das vor, denn ich habe das Zimmer ja nie gesehen, und auch meine Mutter kommt nur selten hinein, weil Großmutter ziemlich starrköpfig ist. Selbst unsere Putzfrau hat keine Chance. Die bringt mir nur Unordnung in meine Dinge, sagt Großmutter entschieden, wenn wie jede Woche wieder ein Dienstag kommt und die Putzfrau an ihre Tür klopft. Die Tür bleibt zu!

Das treibt meine Mutter an den Rand der Verzweiflung, denn in unserem Haus herrschen strenge Gesetze. Jeder Mantel hat seinen Haken, jedes Messer seinen eigenen Schubladenplatz, jedes Glas steht gewaschen an der richtigen Stelle, und die Handtücher sind nach Farben sortiert. Die Schuhe stehen grundsätzlich im Flur, und unser Hund wird sich niemals ins Wohnzimmer wagen. Selbst mein Vater achtet genau darauf, wohin er seine schmutzigen Socken wirft, denn auch die Wäsche wird bei uns nach Farben sortiert, genau wie die leeren Flaschen, die er jede Woche zum Altglas trägt.

Rechnungen werden sofort bezahlt und hinterher gründlich abgeheftet, damit man sie jederzeit finden kann. Was mich betrifft: Meine Schultasche steht immer links neben dem Schreibtisch, und mein Füller liegt rechts vom Papier. Und bevor ich am Morgen das Haus verlasse, ist mein Bett längst gemacht, so als hätte ich gar nicht darin geschlafen. Denn Ordnung ist schließlich das halbe Leben, und wo kommen wir hin, sagt meine Mutter, wenn jeder so leben kann, wie er will.

Vielleicht träume ich deshalb andauernd davon, das Zimmer meiner Großmutter zu betreten. Denn bevor ich erwachsen werde, will ich einmal das reine Chaos sehen! Mit ungeputzten Schuhen will ich auf dem Sofa meiner Großmutter sitzen und ihr dabei zusehen, wie sie mühelos, ohne lange zu suchen, alles findet, was ihr Herz begehrt. Und das kann nur sie, denn sie hat ihren eigenen Überblick! Mit leichter Hand holt sie aus Schachteln und Kisten alles von unten nach oben und erzählt mir dabei Geschichten von früher, von der schöneren, besseren Hälfte des Lebens, in der eine andere Ordnung herrscht. Und andere Gesetze, die nur begreift, wer das wirkliche Leben kennt.

Die Spuren der Antike

Die europäische Kultur ist in ihrer Entwicklung von Wissenschaft und Politik stark von den Ideen der Mathematiker und Philosophen der Antike geprägt. Die in den folgenden vier Steckbriefen vorgestellten griechischen Mathematiker haben wesentliche Beiträge zum logischen Denken und für die Grundlagen der Mathematik und ihrer Anwendungen geliefert.

I Aristoteles 384 – 322 v. Chr.

Aristoteles gilt als Begründer der formalen Logik. „Logik“ kommt vom griechischen Wort „logos“, was Wort, Vernunft oder Geist bedeuten kann. Die mathematische Logik ist nicht unbedingt das, was man sich im Alltag unter Logik vorstellt. Es geht nicht darum, ob gewisse Dinge logisch erscheinen und deshalb richtig sind, sondern um eine genaue Festlegung der mathematischen Sprache. Hierbei ist zunächst die Aussagenlogik wichtig. Sie beschreibt, wie Aussagen durch Worte wie z. B. „folgt aus“, „oder“, „und“ verknüpft sind.

Aus der Aussage „Es hat geregnet“ folgt beispielsweise schlüssig die Aussage „Die Straße ist nass“. Man erhält dann die Aussage: „Wenn es regnet, ist die Straße nass.“ Die umgekehrte Aussage „Wenn die Straße nass ist, hat es geregnet“ muss dann allerdings nicht zwingend richtig sein.

Ein weiteres Beispiel zeigt die Verwendung des Wortes „oder“. Für Aristoteles hat das Wort „oder“ nicht die Bedeutung von „entweder - oder“, wie im normalen Sprachgebrauch. Es bedeutet, dass wenigstens eine der mit oder verknüpften Aussagen gelten soll. Im Alltag bedeutet z. B. die Aussage „Du isst jetzt auf oder du gehst sofort ins Bett“ dass, wenn man nicht aufisst, man sofort ins Bett gehen muss. Nach Aristoteles wäre es möglich, dass man aufisst und trotzdem sofort ins Bett geht.

II Euklid etwa 365 – 300 v. Chr.

Von Euklids Leben ist nicht viel bekannt. Er lebte etwa eine Generation nach Aristoteles und eine vor Archimedes. Die große Leistung von Euklid bestand darin, dass er das mathematische Wissen seiner Zeit in einer Enzyklopädie sammelte und in einer einheitlichen Form zusammenfasste. Etwa dreihundert Jahre nach Thales hat Euklid sein berühmtes Werk, die „Elemente“, geschrieben.
Euklid versuchte in dem Werk die Geometrie „axiomatisch“ aufzubauen. „Axiome“ sind Aussagen, die so elementar sind, dass sie nicht bewiesen werden müssen. Aus wenigen Axiomen wurde die gesamte „euklidische Geometrie“ aufgebaut.

Das Buch Elemente beginnt mit **Definitionen,**
z. B. „*Ein Punkt ist, was keine Teile hat. Eine Linie breitenlose Länge ...*“
gefolgt von **Postulaten** (Grundlegende Eigenschaften und Beziehungen zwischen den definierten Objekten),
z. B. „*Gefordert soll sein: daß man von jedem Punkt nach jedem Punkt die Strecke ziehen kann; daß man eine begrenzte gerade Linie zusammenhängend gerade verlängern kann ...*“
und Axiomen (Sätze, die so einsichtig sind, dass sie ohne Beweis anerkannt sind),
z. B. „*Was demselben gleich ist, ist auch einander gleich. Wenn Gleichem Gleiches hinzugefügt wird, sind die Ganzen gleich ...*“

III Archimedes 285 – 212 v. Chr.

Archimedes war ein Wegbereiter der modernen Naturwissenschaften und ein großer Mathematiker und Ingenieur. Archimedes erkannte, dass man physikalische Vorgänge mit mathematischen Rechnungen erklären konnte und forderte ein, Ergebnisse aus Berechnungen durch Experimente zu bestätigen.

Archimedes verbrachte die meiste Zeit seines Lebens in der sizilianischen Hafenstadt Syrakus. Er studierte in Alexandria in Ägypten. Diese Stadt war damals Zentrum der griechischen Kultur und Sitz der legendären Bibliothek. Archimedes machte viele Entdeckungen und praktische Erfindungen. Er bewies Hebel- und Schwerpunktgesetze und entdeckte Formeln zur Volumen- und Oberflächenberechnung von Körpern. Mit dem „Gesetz des Auftriebs von Körpern in Flüssigkeiten" erklärte er, warum Körper schwimmen. Er entwickelte auch eine Wasserschraube, die noch heute Verwendung findet.

IV Eratosthenes 275 – 195 v. Chr.

Eratosthenes wurde in Kyrene (im heutigen Schahhad in Libyen) geboren und starb in Alexandria, wo er auch Leiter der berühmten Bibliothek war. Er war ein Schüler des Kallimachos und ein Freund des Archimedes. Unter anderem beschäftigte er sich mit Geographie, Astronomie und Mathematik.

Zu einer Zeit, als die meisten Menschen die Erde noch für eine Scheibe hielten, vermaß er die Erdkugel und bestimmte den Erdumfang mit 252.000 „Stadien". Mit einem Koordinatensystem aus Parallelkreisen und Meridianen entwarf er eine Karte der Erde. Weiterhin stellte Eratosthenes einen Sternenkatalog mit 675 Sternen auf und erfand ein Verfahren zum Auffinden von Primzahlen: das „Sieb des Eratosthenes".

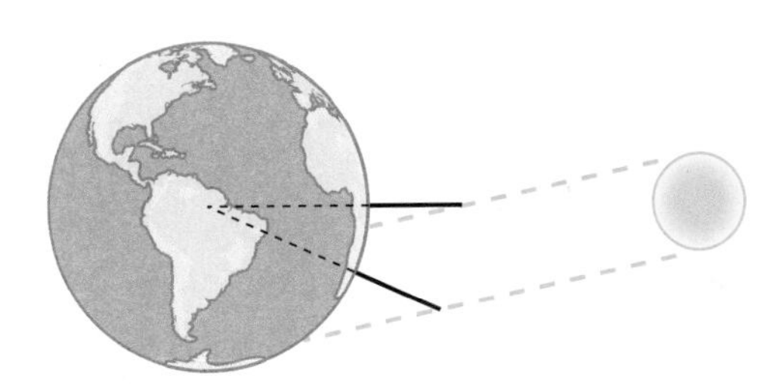

Stadion:
Das Stadion ist ein antikes Längenmaß. Es richtet sich nach der Laufbahn der am Ort befindlichen Wettkampfstätte. Sie betrug zwischen 164 und 192 m. Das Olympische Stadion umfaßte 600 Fuß (etwa 192 m).

Vorschlag für ein Klassen-Projekt
Bildet Gruppen, die in Fachbüchern oder im Internet über einen der vorgestellten Mathematiker recherchieren. Sucht hierbei auch nach Informationen über ihren Lebenslauf, ihre Entdeckungen und Erkenntnisse. Präsentiert eure Ergebnisse in einem Vortrag oder bereitet eine Plakatausstellung vor.

Spezielle Tipps: Welches sind die Überlegungen zur Aussagenlogik bei Aristoteles? Gebt Beispiele für Definitionen, Postulate und Axiome in Euklids Elementen und tragt einige Beweise vor. Wie funktioniert die von Aristoteles entwickelte Bewässerungsschraube? Warum schwimmen manche Gegenstände in Flüssigkeiten und manche nicht? Erklärt das „Sieb des Eratosthenes" und die Bestimmung des Erdumfangs nach seiner Methode.

Rückblick

Definieren und Ordnen
Bei einer **Definition** beschreibt man Gleichartiges mithilfe von Eigenschaften und gibt ihnen einen gemeinsamen Namen.

Beim **Spezialisieren** werden Eigenschaften hinzugenommen.
Beim **Verallgemeinern** werden Eigenschaften weggelassen.

Mit Spezialisierungen und Verallgemeinerungen kann man Dinge **ordnen**: „Ein Viereck mit parallelen Gegenseiten ist ein Parallelogramm", „Ein Parallelogramm mit gleich langen Seiten ist eine Raute", „Eine rechtwinklige Raute ist ein Quadrat".
Umgekehrt ist jedes Quadrat eine Raute und ein Parallelogramm.

Definition:
Ein Quadrat ist ein Viereck mit gleich langen Seiten und (mindestens) einem rechten Winkel.

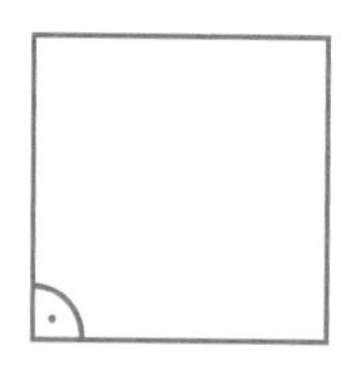

Verallgemeinerung:
Die Eigenschaft „ein rechter Winkel" wird weggelassen.
Dann sind Rauten durch die Definition beschrieben.

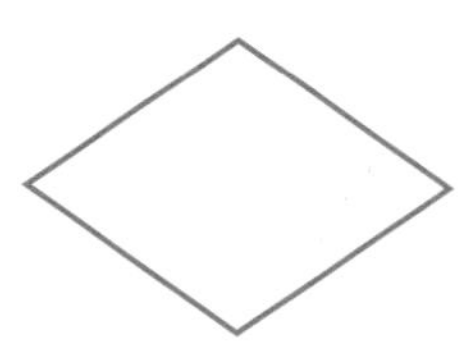

Wenn ... dann ... Form eines Satzes
In der Wenn ... dann ... Form ist die Voraussetzung und die Behauptung eines Satzes besonders deutlich zu erkennen.

Aussagen prüfen – Beweisen oder Widerlegen
Eine mathematische Aussage enthält eine **Voraussetzung**, die angibt, was sicher gilt oder als richtig angenommen wird, und eine **Behauptung**, die angibt was dann gelten soll.
Ein **Gegenbeispiel** beweist, dass eine Aussage falsch ist.
Beim Beweis einer Aussage geht man aus von ihrer Voraussetzung aus und begründet in logischen Schritten die Behauptung.
Eine bewiesene Aussage nennt man **Satz**.

- Beispiele oder Gegenbeispiele suchen
- Variablen einführen und Terme aufstellen
- Symmetrie nutzen
- Hilfslinien zeichnen
- Kongruente Dreiecke oder Figuren suchen
- Ähnliche Sachverhalte überlegen
- Figur erweitern
- Teilfiguren betrachten

Satz in der Wenn-dann-Form:
Wenn eine Zahl ungerade ist, dann ist auch ihr Quadrat ungerade.
Beweis:
Eine natürliche ungerade Zahl hat die Form $2n + 1$. Beim Quadrieren gilt $(2n + 1)^2 = 4n^2 + 4n + 1$. In der Summe sind die beiden ersten Summanden gerade. Deshalb ist ihre Summe gerade. Addiert man noch 1, dann ist das Ergebnis ungerade.

Satz: Ein Viereck mit vier gleich langen Seiten hat mindestens 2 Symmetrieachsen.

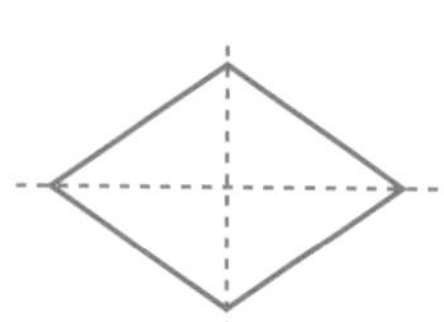

Strategie: Diagonalen einzeichnen, Teilfiguren betrachten.
Beweis: Jede Diagonale teilt das Viereck in je zwei gleichschenklige Dreiecke. Da die Diagonalen auf den Symmetrieachse der Dreiecke liegen, sind diese auch Symmetrieachsen des Vierecks.

Strategien zum Finden neuer Sätze
- Hinzunehmen oder Weglassen von Teilen bei den Voraussetzungen bekannter Sätze
- Umkehrung von Sätzen
- Variieren der Voraussetzungen bei bekannten Sätzen, z.B. durch Ersetzung eines Begriffs

Umkehrung des Satzes:
Ein Viereck mit mindestens zwei Symmetrieachsen hat 4 gleich lange Seiten.
Die Umkehrung ist falsch, denn das Rechteck ist ein Gegenbeispiel.

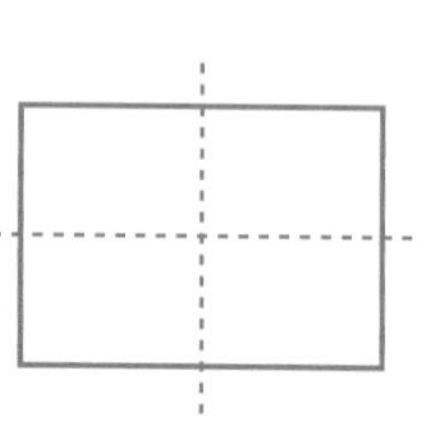

Training

Runde 1

1 a) Warum ist die Definition „Eine kreisrunde Linie heißt Kreis“ ungeeignet?
b) Definiere „spitzer Winkel“.

2 Gib die fehlende Eigenschaft der Definition an.
a) Ein Rechteck mit … heißt Quadrat. b) Ein Drachen mit … nennt man Raute.

3 Gegeben ist ein Dreieck mit $\gamma = 90°$. Stelle eine Formel auf zur Berechnung von α in Abhängigkeit von β.

4 a) Formuliere einen Satz über die Winkelsumme im Viereck und führe einen Beweis.
b) Stelle für das regelmäßige Achteck einen Satz auf über die Größe der Winkel in den Eckpunkten. Beweise ihn.

5 Auf einem Kreis liegen die Eckpunkte eines Vierecks so, dass eine Diagonale des Vierecks durch den Mittelpunkt des Kreises geht (vgl. Fig. 1). Welche speziellen Eigenschaften hat das Viereck? Formuliere dazu mindestens zwei Sätze und beweise sie.

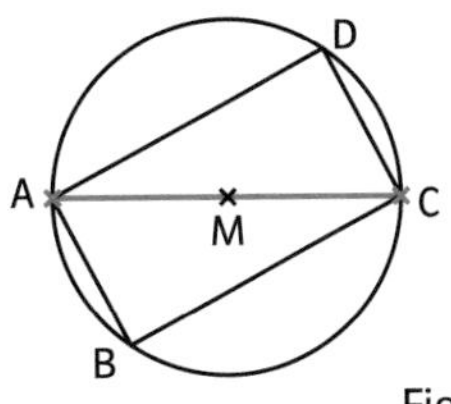

Fig. 1

Runde 2

1 Skizziere den Sachverhalt. Beweise den Satz.
Wenn ein Viereck zur Mittelsenkrechten einer Seite symmetrisch ist, dann ergänzen sich gegenüberliegende Winkel zu 180°.

2 Welche Vermutung über die beiden rechts abgebildeten Teilfiguren lässt sich aufstellen, wenn man verschiedene Geraden durch den Diagonalenschnittpunkt eines Rechtecks zeichnet? Beweise die Vermutung mit zwei verschiedenen Strategien.

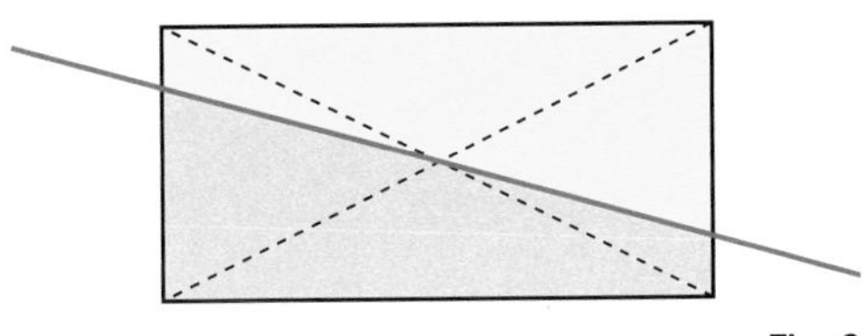
Fig. 2

3 Beweise oder widerlege die Aussage.
a) Wenn ein Viereck zwei Symmetrieachsen hat, dann ist es ein Rechteck.
b) In einem Dreieck mit den Winkel der Größe 60° und 30° gibt es eine Seite, die halb so lang ist wie die andere.
c) Wenn in einem rechtwinkligen Dreieck eine Seite halb so lang wie eine andere ist, dann hat das Dreieck die Winkel 30° und 60°.

4 Suche zum genannten Sachverhalt Beispiele. Formuliere eine Vermutung für einen Satz und führe einen Beweis.
a) Addiere sieben aufeinanderfolgende natürliche Zahlen.
b) Multipliziere zwei beliebige ungerade natürliche Zahlen.
c) Multipliziere eine gerade und eine ungerade natürliche Zahl.
d) Addiere die Zahlen $3 + 6 + 9 + 12 + 15 + \ldots + 3n$, wobei n eine natürliche Zahl ist.

Das kannst du schon

- Wahrscheinlichkeiten bei Zufallsgeräten bestimmen
- Summenregel und Pfadregel bei einfachen Situationen

Ein Fluggast, der eine Phobie vor Schlangen hat, erkundigt sich bei einem Mathematiker, wie hoch die Wahrscheinlichkeit ist, dass eine Schlange im Flugzeug ist. Der Mathematiker rechnet eine Woche lang und verkündet dann: „Die Wahrscheinlichkeit ist ein Zehntausendstel!"

Dem Fluggast ist das zu hoch, und er fragt den Mathematiker, ob es nicht eine Methode gibt, die Wahrscheinlichkeit zu senken. Der Mathematiker verschwindet wieder für eine Woche und hat dann die Lösung: „Nehmen Sie selbst eine Schlange mit! Die Wahrscheinlichkeit, dass außer Ihrer Schlange noch eine Schlange an Bord ist, ist dann das Produkt (1/10 000) · (1/10 000) = Eins zu Hundertmillionen. Damit können Sie beruhigt fliegen!"

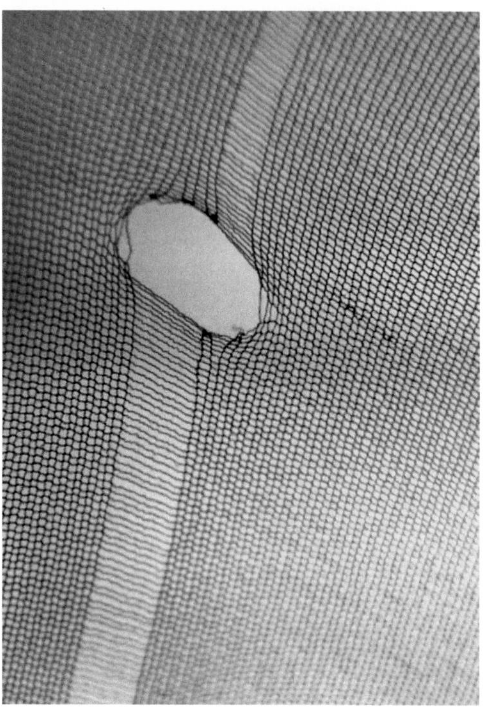

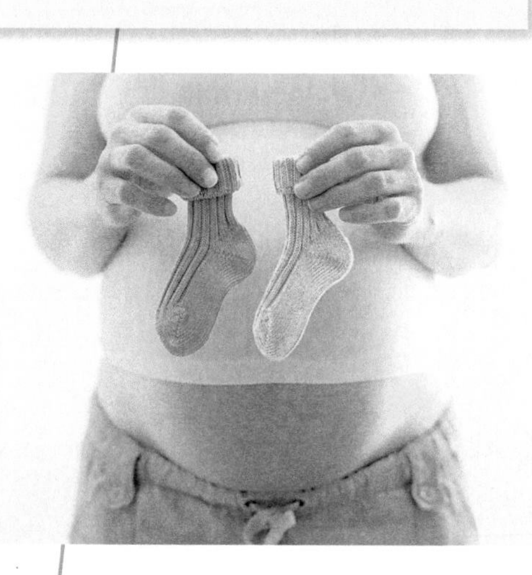

Zahl und Maß

Daten und Zufall

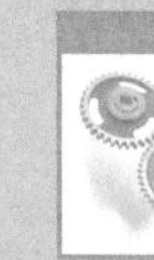

Beziehung und Änderung

Modell und Simulation

Muster und Struktur

Form und Raum

Mit dem Zufall muss man immer rechnen

Je planmäßiger die Menschen vorgehen, desto wirksamer trifft sie der Zufall.

Friedrich Dürrenmatt

Das kannst du bald

- Gesetze bei Wahrscheinlichkeits-verteilungen geschickt anwenden
- Baumdiagramme zur Berechnung von Wahrscheinlichkeiten umfassend einsetzen
- Probleme lösen durch Modellieren und Simulieren

1 Umgang mit Wahrscheinlichkeiten

Tim und Lisa werfen drei Spielwürfel. Tim gewinnt, wenn keine Sechs dabei ist, sonst gewinnt Lisa.

In Klasse 7 hast du gelernt, wie man Wahrscheinlichkeiten bestimmen und wie man damit in einfachen Fällen Entscheidungen treffen kann. Nun werden weitere Vorgehensweisen beim Umgang mit Wahrscheinlichkeiten behandelt. Damit behältst du auch in komplizierten Fällen den Überblick.

Wahrscheinlichkeiten sind Werte zwischen 0 und 1 bzw. 0 % und 100 %

Wahrscheinlichkeit

0 — 0,5 — 1

gering — mittel — hoch

0% — 50% — 100%

Ergebnis	Wahrscheinlichkeit
1	10%
2	2%
3	45%
4	31%
5	2%
6	10%
	Summe: 100%

Fig. 1

Bei einem Zufallsversuch stellt man die Ergebnisse und ihre Wahrscheinlichkeiten übersichtlich in einer Tabelle dar. Man nennt die Tabelle **Wahrscheinlichkeitsverteilung** des Zufallsversuchs.
Fig. 1 zeigt die Wahrscheinlichkeitsverteilung für das Würfeln mit einem Legoachter, die aus einer langen Versuchsreihe ermittelt wurde.

Beim „Mensch-ärgere-dich-nicht" in Fig. 2 kann man beim nächsten Wurf ins Haus gelangen, wenn man eine 3, 4, 5 oder 6 würfelt. Zur Bestimmung der zugehörigen Wahrscheinlichkeit kann man auf zwei Arten vorgehen.

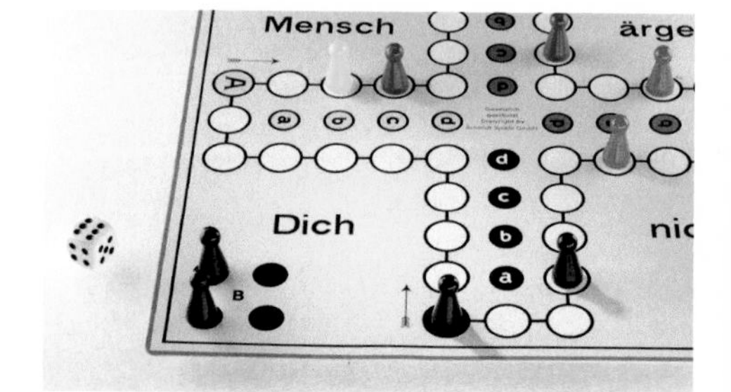

Fig. 2

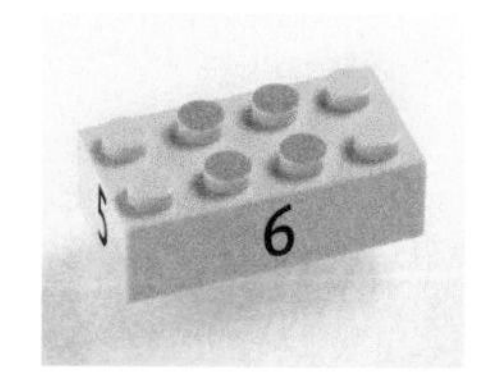

1. Man addiert nach der Summenregel die Wahrscheinlichkeiten der zugehörigen Ergebnisse. Diese sind in der Wahrscheinlichkeitsverteilung grün markiert. Beim Würfeln mit dem Legoachter ergibt sich so die Wahrscheinlichkeit
45% + 31% + 2% + 10% = 88%.

2. Man bestimmt die **Wahrscheinlichkeit für das Gegenteil** des Gefragten. Die Wahrscheinlichkeit, nicht ins Haus zu kommen, beträgt 10% + 2% = 12% (rot markierte Ergebnisse). Da alle Wahrscheinlichkeiten zusammen 100% ergeben, erhält man daraus auch die Wahrscheinlichkeit für das Erreichen des Hauses. Man rechnet 100% − 12% = 88%.

Die Wahrscheinlichkeiten für alle Ergebnisse eines Zufallsversuchs stellt man übersichtlich mit einer Wahrscheinlichkeitsverteilung dar.
Die Summe der Wahrscheinlichkeiten aller Ergebnisse eines Zufallsversuches ergibt immer 1 bzw. 100 %.

Beispiel 1 Mit der Pfadregel zur Wahrscheinlichkeitsverteilung
Aus einem Korb mit vier Orangen, drei Äpfeln und zwei Birnen wählt man zufällig zwei Früchte aus.
a) Mit welcher Wahrscheinlichkeit bekommt man zwei Birnen?
b) Mit welcher Wahrscheinlichkeit bekommt man eine Birne und einen Apfel?
Lösung:
Man erstellt zunächst ein Baumdiagramm (Fig. 1) und bestimmt mit der Pfadregel die Wahrscheinlichkeitsverteilung (siehe Tabelle).
a) Wahrscheinlichkeit für BB: $\frac{2}{72} = \frac{1}{36}$.
b) Wahrscheinlichkeit für AB und BA:
$\frac{6}{72} + \frac{6}{72} = \frac{12}{72} = \frac{1}{6}$.

Fig. 1

Ergebnis	Wahrscheinlichkeit
OO	$\frac{12}{72}$
OA	$\frac{12}{72}$
OB	$\frac{8}{72}$
AO	$\frac{12}{72}$
AA	$\frac{6}{72}$
AB	$\frac{6}{72}$
BO	$\frac{8}{72}$
BA	$\frac{6}{72}$
BB	$\frac{2}{72}$

Beispiel 2 Rechnen mit dem Gegenteil
Versuchsreihen bei einem Medikament haben gezeigt, dass es bei etwa 80 % der behandelten Personen eine heilende Wirkung zeigt. Eine Ärztin behandelt drei Patienten mit dem Medikament. Wie kann sie die Wahrscheinlichkeit dafür berechnen, dass mindestens ein Patient geheilt wird?
Lösung:
Die Ärztin kann davon ausgehen, dass die Wahrscheinlichkeit für heilende Wirkung bei der Behandlung einer Person 0,8 beträgt. Sie berechnet zunächst die Wahrscheinlichkeit, dass kein Patient geheilt wird. Der zugehörige Pfad im Baumdiagramm ist in Fig. 2 rot markiert. Der erhaltene Wert wird von 1 abgezogen.
Wahrscheinlichkeit, dass kein Patient geheilt wird: $0{,}2 \cdot 0{,}2 \cdot 0{,}2 = 0{,}008$.
Wahrscheinlichkeit, dass mindestens ein Patient geheilt wird: $1 - 0{,}008 = 0{,}992$.
Mit etwa 99 % Wahrscheinlichkeit wird mindestens ein Patient geheilt.

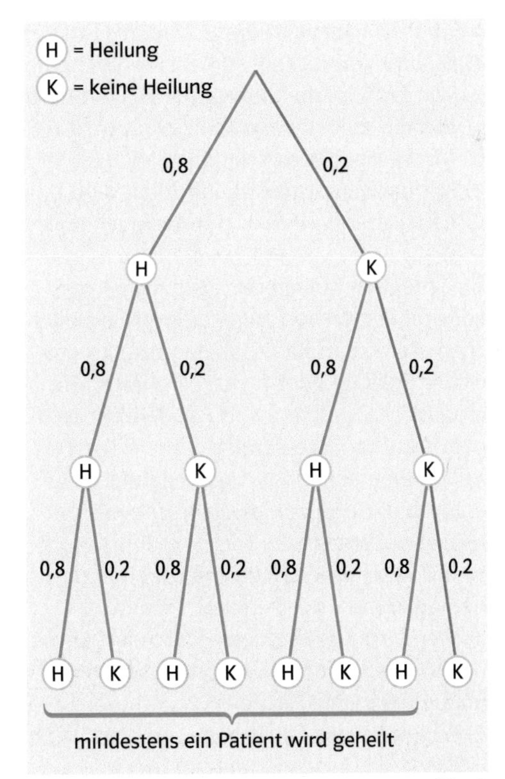

Fig. 2

Das Rechnen mit dem Gegenteil erspart oft viel Arbeit.

Aufgaben

1 a) Gib die Wahrscheinlichkeitsverteilung für das Drehen des Kreisels an (Fig. 1).
b) Mit welcher Wahrscheinlichkeit bleibt der Kreisel auf dem roten oder dem gelben Feld liegen?
c) Mit welcher Wahrscheinlichkeit bleibt der Kreisel nicht auf dem blauen Feld liegen?
d) Beschreibe eine Situation, bei der die Wahrscheinlichkeit 50 % beträgt.

Fig. 1

2 Ein normaler Spielwürfel wird geworfen. Wie groß ist die Wahrscheinlichkeit
a) mindestens eine „3" zu werfen?
b) mindestens eine „2" und höchstens eine „5" zu werfen?
c) höchstens eine „2" oder mindestens eine „5" zu werfen?
d) weder eine „1" noch eine „6" zu werfen?

Ergebnis	Wahrscheinlichkeit
a	$\frac{1}{10}$
b	$\frac{1}{4}$
c	$\frac{3}{8}$
d	$\frac{1}{4}$
e	$\frac{1}{16}$

3 Die Eltern haben beim Lotto die Zahlen 1, 7, 13, 22, 23, 37 getippt. Mit welcher Wahrscheinlichkeit wird beim ersten Zug der Lottoziehung keine Kugel mit einer dieser Zahlen gezogen?

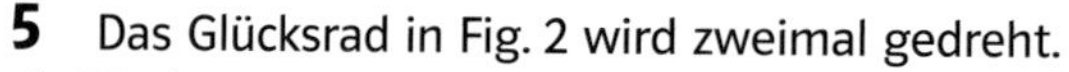

4 Als Sonja die Wahrscheinlichkeitsverteilung in der nebenstehenden Tabelle sieht, meint sie: „Da stimmt doch was nicht!" Was meinst du?

5 Das Glücksrad in Fig. 2 wird zweimal gedreht.
a) Gib die Wahrscheinlichkeitsverteilung an.
b) Wie groß ist die Wahrscheinlichkeit dafür, dass zweimal rot angezeigt wird?
c) Mit welcher Wahrscheinlichkeit wird zweimal die gleiche Farbe angezeigt?
d) Mit welcher Wahrscheinlichkeit wird mindestens einmal gelb angezeigt?
e) Mit welcher Wahrscheinlichkeit wird beim zweiten Drehen blau angezeigt?
f) Vervollständige: Mit 75 % Wahrscheinlichkeit wird ...

Fig. 2

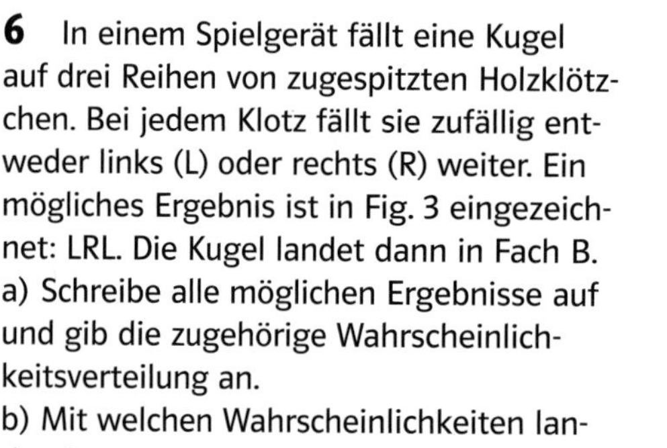

6 In einem Spielgerät fällt eine Kugel auf drei Reihen von zugespitzten Holzklötzchen. Bei jedem Klotz fällt sie zufällig entweder links (L) oder rechts (R) weiter. Ein mögliches Ergebnis ist in Fig. 3 eingezeichnet: LRL. Die Kugel landet dann in Fach B.
a) Schreibe alle möglichen Ergebnisse auf und gib die zugehörige Wahrscheinlichkeitsverteilung an.
b) Mit welchen Wahrscheinlichkeiten landet die Kugel in den Fächern A, B, C, D?
c) Wenn man 1000 Kugeln durch das Gerät laufen lässt: Wie viele Kugeln erwartet man etwa in den Fächern?
d) Erweitere das Gerät noch um eine Reihe und löse die Aufagbenteile a) bis c).

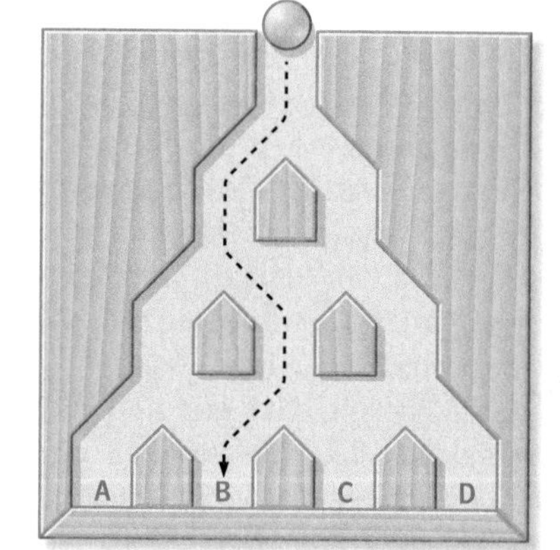

Fig. 3

Baue selbst einen solchen Spielautomaten und überprüfe damit die Ergebnisse.

Bist du sicher?

1 Beim Pfeilwerfen trifft Felix mit 30% Wahrscheinlichkeit ins Schwarze. Er wirft dreimal hintereinander und notiert die Ergebnisse dieses Zufallsversuches in der Form TFT (T = Treffer, F = Fehlwurf).
a) Schreibe alle möglichen Ergebnisse auf.
b) Gib die Wahrscheinlichkeitsverteilung für den Zufallsversuch an.
c) Mit welcher Wahrscheinlichkeit trifft Felix zweimal?
d) Mit welcher Wahrscheinlichkeit trifft Felix mindestens einmal?

7 Hanna und Christoph würfeln mit zwei Würfeln. Hanna gewinnt, wenn die Augensumme höchstens 5 oder mindestens 10 ist. Wer hat die besseren Gewinnchancen?

8 Ein Skatspiel enthält die Karten 7, 8, 9, 10, Bube, Dame, König, As in jeder der vier „Farben" Kreuz, Pik, Herz und Karo. Du ziehst zufällig eine Karte heraus.
a) Mit welcher Wahrscheinlichkeit ist es nicht Kreuz Bube?
b) Mit welcher Wahrscheinlichkeit ist es keine Kreuz-Karte?
c) Überlege dir mit deinem Banknachbarn eine ähnliche Aufgabe. Erstellt eine Lösung. Tauscht die Aufgabe dann mit eurer Nachbargruppe aus.
Kommen die Nachbarn auf dieselbe Lösung?

9 Aus einer Statistik des Heilmittels Dormobon mit vielen Patienten ist bekannt, dass es bei 90 Prozent aller Patienten eine heilsame Wirkung zeigt. Drei Kranke in einem Zimmer des Loretto-Krankenhauses erhalten das Medikament.
Mit welcher Wahrscheinlichkeit wirkt es bei höchstens zwei Patienten?

10 Ein Computerbauteil wird nach der Fertigung kontrolliert. Untersuchungen haben ergeben, dass trotzdem etwa 5% der schadhaften Bauteile übersehen wurden. Daher wurde der Vorschlag gemacht, ob eine doppelte oder sogar dreifache Kontrolle den Anteil der schadhaften Bauteile entscheidend senken könnte.
Beurteile, wie wirkungsvoll die vorgeschlagenen Maßnahmen wären. Schreibe dazu einen passenden Bericht an die Geschäftsleitung.

11 Der Legostein und der Quader (Fig. 1) sind wie ein normaler Spielwürfel so mit den Augenzahlen 1 bis 6 bezeichnet, dass die Summe der Augenzahlen auf gegenüberliegenden Seiten immer sieben beträgt. Jeder wurde 500-mal geworfen. Die Tabelle zeigt die absoluten Häufigkeiten der Ergebnisse.

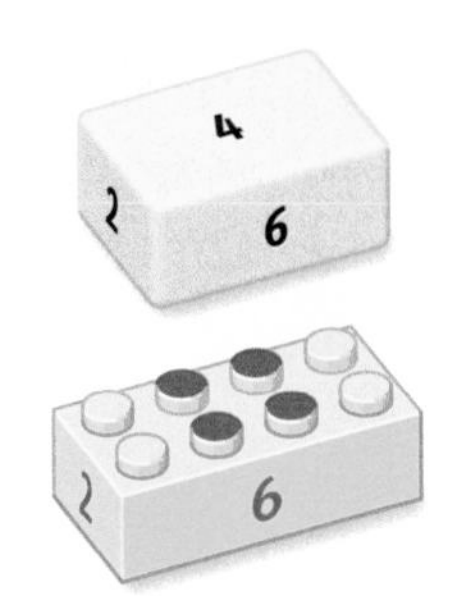

Fig. 1

Augenzahl	1	2	3	4	5	6
Legostein	50	6	235	143	8	58
Quader	75	24	146	155	23	77

a) Gib einen Schätzwert für die Wahrscheinlichkeit an, dass man bei beiden „Würfeln" jeweils mindestens eine 3 wirft.
b) Mit welcher Wahrscheinlichkeit wirft man etwa bei einem Wurf mit beiden „Würfeln" die Augensumme 10?
c) Beschreibe eine Situation, bei der für einen Wurf mit beiden „Würfeln" die Wahrscheinlichkeit etwa $\frac{1}{6}$ beträgt.

2 Der richtige Blick aufs Baumdiagramm

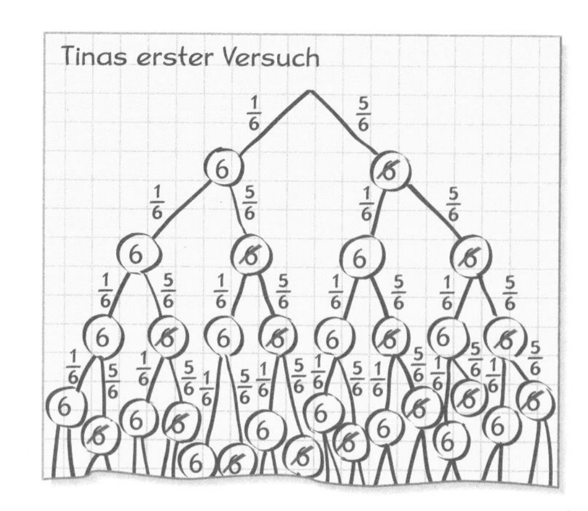

Tina versucht, mithilfe eines Baumdiagramms herauszubekommen, mit welcher Wahrscheinlichkeit sie beim sechsmaligen Würfeln mindestens eine Sechs erzielt.
Toni meint: „So viele Zweige kannst du gar nicht zeichnen."

Das vollständige Zeichnen eines Baumdiagramms ist oft aufwändig und unübersichtlich. Man kann sich Arbeit sparen, wenn man zur Berechnung einer gesuchten Wahrscheinlichkeit nur einen Teil des Baums aufzeichnet.

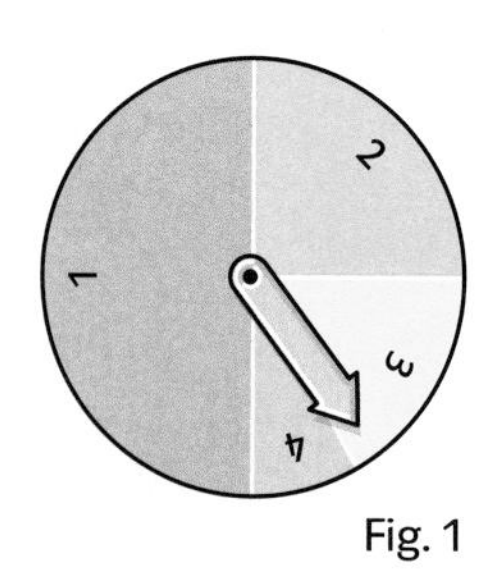

Fig. 1

Das Glücksrad in Fig. 1 wird dreimal gedreht. Man gewinnt, wenn die Summe der erzielten Zahlen mindestens 11 beträgt. In Fig. 2 sind nur die Pfade gezeichnet, die zu Gewinnergebnissen führen.
Nach der Pfadregel und der Summenregel ergibt sich für den Gewinn die Wahrscheinlichkeit
$\frac{1}{6} \cdot \frac{1}{12} \cdot \frac{1}{12} + \frac{1}{12} \cdot \frac{1}{6} \cdot \frac{1}{12} + \frac{1}{12} \cdot \frac{1}{12} \cdot \frac{1}{6}$
$+ \frac{1}{12} \cdot \frac{1}{12} \cdot \frac{1}{12} = \frac{7}{1728} \approx 0{,}4\,\%$.

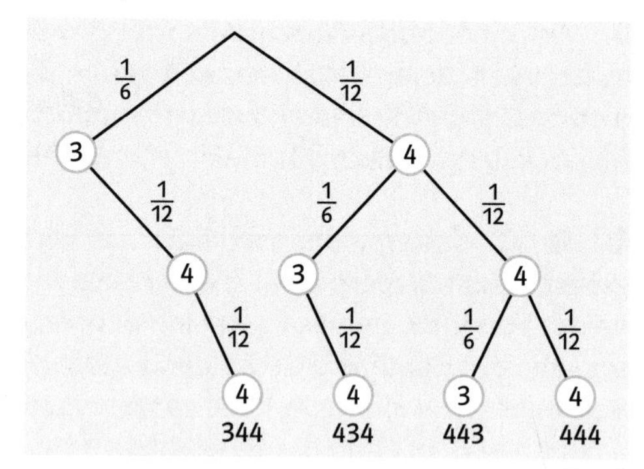

Fig. 2

Um bei einem mehrstufigen Zufallsversuch Wahrscheinlichkeiten zu bestimmen, verwendet man nur den Teil des Baumdiagramms, der die benötigten Pfade enthält.

Beispiel 1 Auswahl eines Pfades
In einem Behälter (Fig. 3) sind Kugeln mit Buchstaben gemischt. Man zieht dreimal eine Kugel, notiert den gezeigten Buchstaben und legt sie jedes Mal zurück. Wie groß ist dabei die Wahrscheinlichkeit, dass das Wort NUN entsteht?
Lösung:
Die Wahrscheinlichkeit für NUN beträgt
$\frac{1}{6} \cdot \frac{2}{6} \cdot \frac{1}{6} = \frac{1}{108}$ (Pfad in Fig. 4).

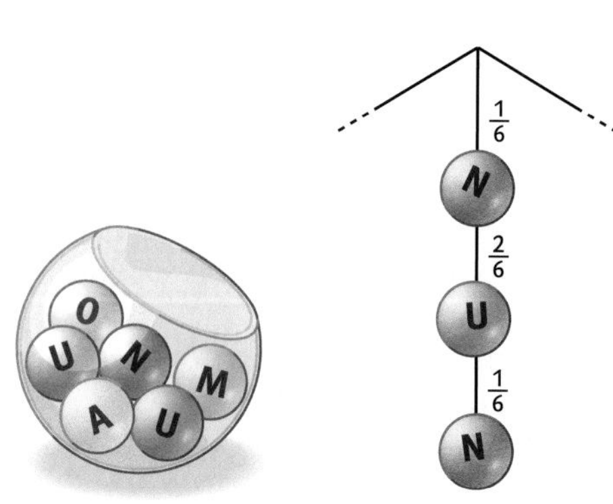

Fig. 3 Fig. 4

Beispiel 2 Lange Pfade

Kai trifft beim Basketballfreiwurf mit 55 % Wahrscheinlichkeit. Er trainiert Freiwürfe und wirft sechs Mal.

a) Wie groß ist die Wahrscheinlichkeit, dass er nur Treffer erzielt?

b) Wie groß ist die Wahrscheinlichkeit, dass er mindestens einmal trifft?

Lösung:

Da die benötigten Pfade lang sind, deutet man sie nur an oder stellt sie sich sogar nur vor (Fig. 1).

a) Die Wahrscheinlichkeit, sechsmal zu treffen beträgt

$0{,}55 \cdot 0{,}55 \cdot 0{,}55 \cdot 0{,}55 \cdot 0{,}55 \cdot 0{,}55 = 0{,}55^6$
$\approx 2{,}8\,\%$.

b) *„Mindestens ein Treffer" ist das Gegenteil von „nur Fehlversuche".*

Die gesuchte Wahrscheinlichkeit beträgt

$1 - 0{,}45^6 \approx 99{,}2\,\%$.

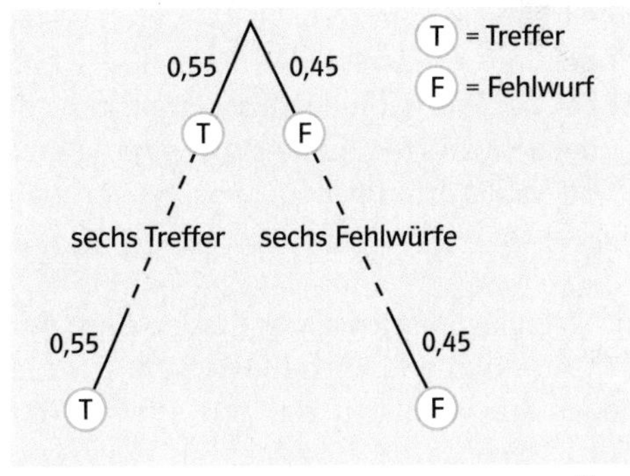

Fig. 1

Aufgaben

1 Tim zieht nacheinander aus dem Behälter in Fig. 2 drei Kugeln und notiert die Buchstaben. Mit welcher Wahrscheinlichkeit zeigen die drei Kugeln seinen Namen, wenn er

a) die Kugeln nach jedem Ziehen zurücklegt

b) die Kugeln nach jedem Ziehen nicht zurücklegt?

Fig. 2

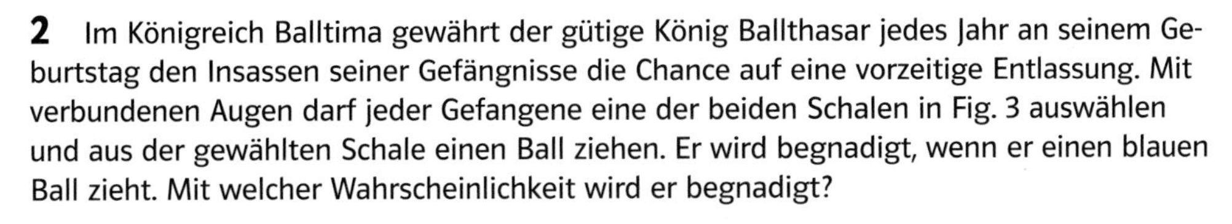

2 Im Königreich Balltima gewährt der gütige König Ballthasar jedes Jahr an seinem Geburtstag den Insassen seiner Gefängnisse die Chance auf eine vorzeitige Entlassung. Mit verbundenen Augen darf jeder Gefangene eine der beiden Schalen in Fig. 3 auswählen und aus der gewählten Schale einen Ball ziehen. Er wird begnadigt, wenn er einen blauen Ball zieht. Mit welcher Wahrscheinlichkeit wird er begnadigt?

Fig. 3

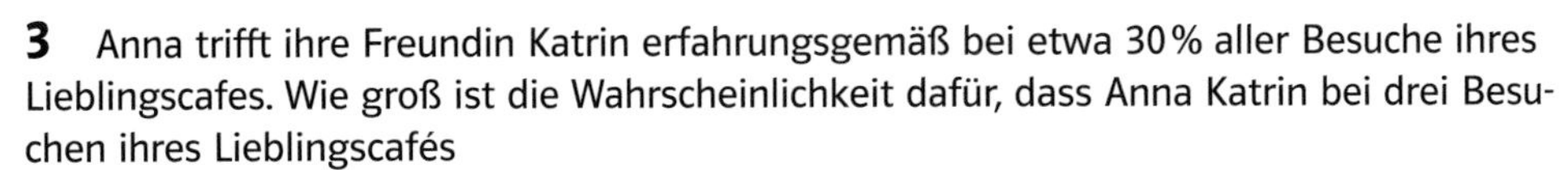

3 Anna trifft ihre Freundin Katrin erfahrungsgemäß bei etwa 30 % aller Besuche ihres Lieblingscafes. Wie groß ist die Wahrscheinlichkeit dafür, dass Anna Katrin bei drei Besuchen ihres Lieblingscafés

a) dreimal trifft?

b) dreimal nicht trifft?

c) einmal trifft und zweimal nicht trifft?

d) mindestens einmal trifft?

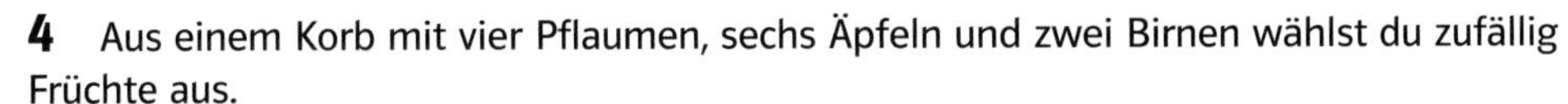

4 Aus einem Korb mit vier Pflaumen, sechs Äpfeln und zwei Birnen wählst du zufällig Früchte aus.

a) Du nimmst drei Früchte. Mit welcher Wahrscheinlichkeit sind es zwei Birnen und ein Apfel?

b) Du nimmst vier Früchte. Mit welcher Wahrscheinlichkeit sind es nur Äpfel?

c) Mit welcher Wahrscheinlichkeit erhältst du beim Herausnehmen von drei Früchten eine Pflaume, einen Apfel und eine Birne?

5 Kommissarin Lena O. hat neun Verdächtige verhört, unter denen sich die vier lange gesuchten Einbrecher befinden. Sie nimmt drei der Verdächtigen fest und alle entpuppen sich als Einbrecher. Mit welcher Wahrscheinlichkeit hätte die Kommissarin rein zufällig so ein gutes Ergebnis erzielt?

6 Das Glücksrad in Fig. 1 wird viermal gedreht. Man gewinnt, wenn die Summe der erzielten Zahlen höchstens 1 beträgt.
Wie groß ist die Wahrscheinlichkeit zu gewinnen?

Bist du sicher?

1 Du würfelst mit einem Dodekaeder, das ist ein regelmäßig geformter Körper mit zwölf Seitenflächen (Fig. 2). Wie groß ist die Wahrscheinlichkeit, dass du
a) bei drei Würfen die Wurffolge 12 – 1 – 12 wirfst?
b) bei vier Würfen jedes Mal mindestens die Augenzahl 10 erzielst?
c) bei acht Würfen mindestens eine 12 erzielst?
d) bei vier Würfen genau zwei Zwölfen erzielst?

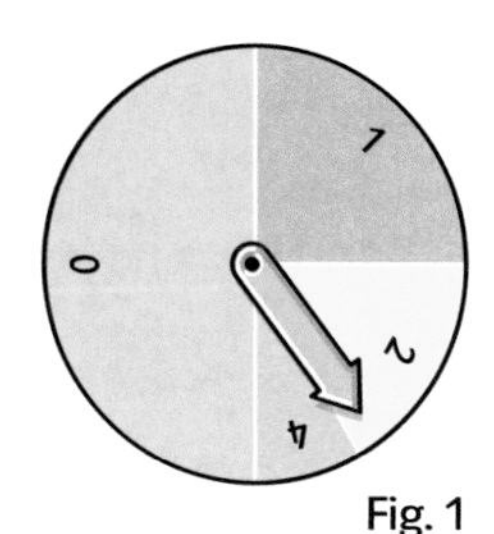

Fig. 1

Fig. 2

7 Familie Emsig hat vier Kinder. Nach dem Mittagessen wird jedes Mal ausgelost, wer den Abwasch erledigen muss. Dazu zieht jedes Kind eine von vier verdeckten Karten, von denen drei weiß sind und eine schwarz ist. Wer schwarz zieht, ist dran.
a) Ist es günstiger, als erstes, als zweites, als drittes oder als viertes zu ziehen?
b) Mit welcher Wahrscheinlichkeit kommt ein Kind in einer Woche gar nicht dran?

8 Ein Computer-Zeichen wird durch einen Nachrichtenkanal als Folge von acht Nullen oder Einsen übertragen (Fig. 3). Aufgrund von Störungen wird jede Ziffer mit einer Wahrscheinlichkeit von 1,5 % falsch empfangen; statt einer 0 kommt dann eine 1 an oder umgekehrt. Mit welcher Wahrscheinlichkeit wird
a) das gesamte Zeichen richtig empfangen?
b) das Zeichen falsch empfangen, d.h., mindestens eine Ziffer falsch übertragen?

Ein Computer-Zeichen:

In diesem Byte ist zum Beispiel der Buchstabe A gespeichert

Fig. 3

9 Überlege dir zu dem rot markierten Teilbaum in Fig. 4 eine passende Aufgabe. Tausche dann die Aufgabe mit deinem Nachbarn oder deiner Nachbarin. Löse die getauschte Aufgabe und überprüfe, ob die Lösung wirklich zu dem Teilbaum in Fig. 4 passt.

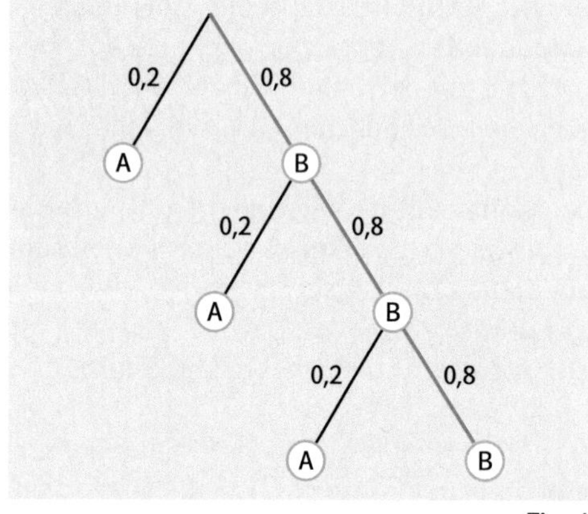

Fig. 4

10 Bei den Verkehrsbetrieben einer Großstadt ist aus einer großen Zahl von Fahrscheinkontrollen bekannt, dass etwa zwei Prozent der Benutzer ohne gültigen Fahrausweis sind („Schwarzfahrer"). Zwei Kontrolleure überprüfen einen Bus mit sieben Fahrgästen.
a) Mit welcher Wahrscheinlichkeit ist kein Schwarzfahrer dabei?
b) Formuliere ein Problem, bei dessen Lösung man die Wahrscheinlichkeit mit dem Term $1 - 0{,}98^7$ ($\approx 13{,}2\,\%$) berechnen kann.
c) Niko berechnet die Wahrscheinlichkeit, dass höchstens ein Schwarzfahrer dabei ist, auf folgende Weise: $0{,}98^7 + 0{,}98^6 \cdot 0{,}02 \approx 88{,}6\,\%$.
Welchen Fehler macht Niko?

11 Beim 15-km-Biathlon müssen die Teilnehmerinnen einen Skilanglauf absolvieren und dabei vier Mal auf fünf Scheiben schießen. Für jeden Fehlschuss wird der Laufzeit eine Minute Strafzeit hinzugerechnet. Eine Läuferin trifft erfahrungsgemäß mit 90 % Wahrscheinlichkeit.
a) Mit welcher Wahrscheinlichkeit hat sie höchstens einen Fehlschuss?
b) Mit welcher Wahrscheinlichkeit bekommt sie eine Minute Strafzeit?
c) Mit welcher Wahrscheinlichkeit bekommt sie mindestens eine Minute Strafzeit?

12 Klinische Tests mit dem Medikament Fibrofort haben ergeben, dass in 85 % aller Anwendungen die erwünschte Wirkung eintrat, aber bei 2 % unerwünschte Nebenwirkungen vorkamen. Ansonsten zeigte Fibrofort gar keine Wirkung. Fünf Patienten werden mit Fibrofort behandelt.
a) Mit welcher Wahrscheinlichkeit zeigt sich bei allen fünf Patienten die erwünschte Wirkung?
b) Überlege dir mit deinem Nachbarn zusammen eine weitere ähnliche Fragestellung wie in Teil a). Erstellt eine Lösung eurer Aufgabe und gebt die Aufgabe – ohne Lösung – eurer Nachbargruppe. Anschließend vergleichen beide Gruppen ihre Lösungen.

13 In Fig. 1 siehst du einen Glücksspielautomaten mit zwei Glücksrädern und je sechs Bildern, drei Schnecken (S), zwei Pferden (P) und einem Windhund (W). Die Räder werden gleichzeitig zufällig angehalten und der Ausgang erscheint im Glücksfenster. Ein Spiel kostet 10 ct Einsatz. Die Auszahlung beträgt 1 € bei Ausgang WW, 20 ct bei Ausgang PP und 10 ct bei Ausgang SS. Du spielst dreimal. Mit welcher Wahrscheinlichkeit beträgt dein Gewinn

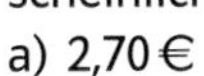

a) 2,70 € b) 0,70 €
c) 10 ct d) 0 €?

Fig. 1

Kannst du das noch?

14 Zeichne den Graph der Funktion mit der Gleichung:
a) $y = \frac{1}{2}(x-2)^2 - 1$ b) $y = \frac{1}{4}x^4$ c) $y = \frac{1}{4}x - 1$ d) $y = -x^3$.

15 Bestimme die Nullstellen der Funktionen aus Aufgabe 1.

16 Löse die Gleichung. Mache die Probe.
a) $3x + 5 = 7x - 3$ b) $4x^2 - 9x + 5 = 0$
c) $x^2 - 3x = -5x^2 - 6x + 3$ d) $x \cdot (x-1) = 1 - (x-1) \cdot (x-2)$

3 Wahrscheinlichkeiten bestimmen durch Simulieren

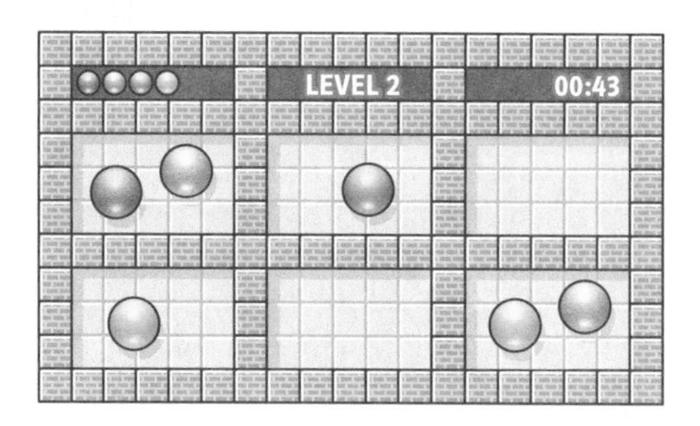

Bei einem Computerspiel fallen sechs Kugeln zufällig in sechs Fächer. Man gewinnt, wenn sich in jedem Fach eine Kugel befindet.
Jonathan und Heike überlegen sich ein ähnliches Spiel mit einem Würfel, bei dem sie dieselben Gewinnchancen haben. Sie möchten damit die Gewinnchancen schätzen.

Bei Zufallsversuchen lassen sich durch lange Versuchsreihen Schätzwerte für Wahrscheinlichkeiten ermitteln. Oft lässt sich ein Zufallsversuch aber nicht ohne weiteres durchführen. Dann kann man ihn durch einen Zufallsversuch mit den gleichen Wahrscheinlichkeiten ersetzen, der leichter durchzuführen ist. Man spricht vom **Simulieren** des Zufallsversuchs.

Johann kreuzt bei einem Test mit zehn Fragen (Fig. 1) bei jeder Frage zufällig eine Antwort an. Mit welcher Wahrscheinlichkeit beantwortet Johann mindestens fünf Fragen richtig?
Das Problem soll durch eine Simulation mit einem Würfel näherungsweise gelöst werden.
Die Wahrscheinlichkeit, dass Johann eine Frage richtig ankreuzt, beträgt $\frac{1}{3}$. Man legt daher z. B. fest: Richtig ist eine Antwort, wenn 1 oder 2 gewürfelt werden, sonst falsch. Mit zehn Würfen erhält man so die Anzahl der richtigen Antworten bei Johanns Test als Simulation.

Zehn Fragen zum Stoff der Klasse 7
(jeweils eine Antwort ist richtig)

1. 15 % von 2500 sind
□ 300 □ 375 □ 400

2. 500 € ergeben bei einem Zinssatz von 4 % in zwei Jahren
□ 544,40 € □ 540,40 € □ 540,80 €

3. Die Gleichung
$4 \cdot (5 + x) - 3 \cdot (2x - 4) = 0$
hat die Lösung
□ x = 4 □ x = −0,8 □ x = 16

Fig. 1

```
rand
      .1243030539
      .4500308631
      .4665800473
      .2860325359
      .8168852098
      .9816817201
```

Fig. 2

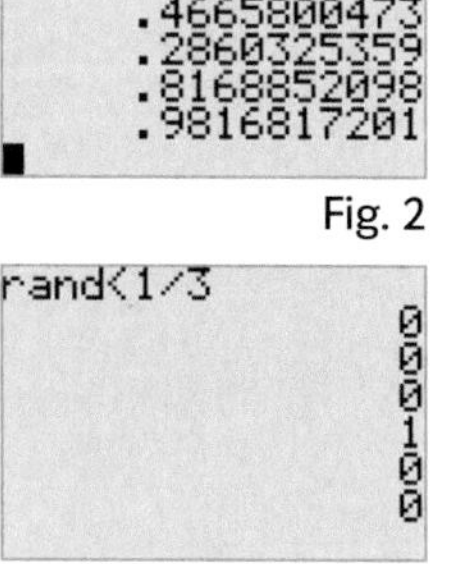

Fig. 3

```
sum(rand(10)<1/3
)
                7
                4
                5
                4
                1
```

Fig. 4

Simulationen kann man oft schneller mithilfe des GTR oder eines Computers durchführen. Der Rechner liefert dafür **Zufallszahlen**, die gleichmäßig zwischen 0 und 1 verteilt sind (Fig. 2). Für die Simulation wird eine Antwort bei Johanns Test z. B. als richtig festgelegt, wenn die Zufallszahl kleiner als $\frac{1}{3}$ ist. Der Rechner zeigt als Ergebnis 1 an, wenn das der Fall ist, sonst 0 (Fig. 3). Die Summe von zehn Ergebnissen ergibt so die Anzahl der richtigen Antworten bei Johanns Test (Fig. 4).
Bekommt man bei 100 Simulationen z. B. 24-mal mindestens fünf richtige Antworten, so erhält man als Schätzung für die gesuchte Wahrscheinlichkeit $\frac{24}{100} = 24\,\%$.

Schätzwerte für Wahrscheinlichkeiten ergeben sich aus langen Versuchsreihen, die man durch eine Simulation erhalten kann.

Beispiel Gewinne beim Lotto
Beim Lotto gewinnt man, wenn man mindestens drei Richtige hat. Die Wahrscheinlichkeit dafür beträgt etwa 1,86 %. Durch eine Simulation soll die Wahrscheinlichkeit geschätzt werden, bei 100 Spielen mindestens zweimal zu gewinnen. Beschreibe dein Vorgehen.
Lösung:
Man bestimmt eine Liste von 100 Zufallszahlen. Ein Gewinn liegt vor, wenn eine Zufallszahl kleiner als 0,0186 ist. Die Gewinne werden gezählt und notiert. Dieses Vorgehen wird z. B. zehnmal wiederholt. Man erhält dabei z. B. folgende Anzahlen von Gewinnen bei jeweils 100 Spielen: 3, 0, 2, 2, 0, 2, 1, 2, 1, 0. In fünf der 10 Fälle wurden also mindestens zwei Gewinne erzielt. Die Wahrscheinlichkeit, bei 100 Spielen mindestens zweimal zu gewinnen, wird also auf 50 % geschätzt.

Durch Zusammentragen der Ergebnisse aller Schülerinnen und Schüler lässt sich die Schätzung verbessern.

Aufgaben

1 In Österreich wird Lotto 6 aus 45 gespielt. Die Wahrscheinlichkeit für einen Gewinn – mindestens drei Richtige – beträgt 2,38 %.
a) Schätze mithilfe einer Simulation die Wahrscheinlichkeit, bei 50 Spielen mindestens zweimal zu gewinnen.
b) Tragt die Ergebnisse der Klasse zusammen und verbessert damit die Schätzung.

2 Bei einem Test gibt es acht Fragen mit jeweils vier Antworten, von denen eine richtig ist. Eine Versuchsperson kreuzt bei jeder Frage rein zufällig eine Antwort an. Mit welcher Wahrscheinlichkeit hat sie trotzdem mindestens vier richtige Antworten?
a) Gib eine Schätzung an für die Wahrscheinlichkeit mithilfe von 50 Durchführungen einer Simulation des Tests.
b) Bildet Gruppen von etwa vier und tragt alle Ergebnisse zusammen. Welche Schätzung ergibt sich nun?
c) Tragt nun alle Ergebnisse der Klasse zusammen und gebt eine „endgültige" Schätzung an.
d) Mit welcher Wahrscheinlichkeit hat die Versuchsperson höchstens zwei richtige Antworten?

3 Lukas und Mareike haben lange Elfmeterschießen geübt. Ihre Trefferquoten betragen 80 % und 75 %.
a) Simuliere jeweils zwanzig Elfmeter für die beiden. Wie gehst du vor?
b) Beschreibe, wie man mithilfe einer Simulation die Wahrscheinlichkeit schätzen kann, dass Lukas (Mareike) bei zwanzig Elfmetern mindestens 15-mal trifft. Führe die Simulation durch.
c) Überlege dir mit deinem Nachbarn oder deiner Nachbarin zusammen eine ähnliche Fragestellung wie bei Teil b). Präsentiert die Fragestellung und die Idee der Durchführung und lasst von allen eine Simulation nach euren Vorgaben durchführen.

4 In den Schulen von Simulatia werden für jede Note vier Münzen geworfen, dann die Zahl der Wappen bestimmt und noch 1 addiert.
a) Bestimme die Wahrscheinlichkeitsverteilung für die Notengebung.
b) Führt eine Simulation für die Notenermittlung in Vierergruppen durch. Jede(r) in der Gruppe wirft 50-mal eine Münze. Jede Gruppe erstellt damit ihre Notenverteilung.
c) Die Ergebnisse von b) werden zusammengefasst. Welche Schätzung für die Wahrscheinlichkeitsverteilung von Teil a) ergibt sich damit?
d) Führt eine entsprechende Simulation mithilfe des GTR durch.

Gregor Mendel (1822 – 1884)

5 Der Augustinermönch Gregor Mendel publizierte 1865 die von ihm erkannten Regeln der Vererbung. Mendel beobachtete, dass es bei Erbsenpflanzen entweder hoch oder niedrig wachsende gab. Er züchtete zunächst reine Sorten, indem er hoch und niedrig wachsende Erbsen getrennt aufzog. Danach kreuzte Mendel hohe mit niedrig wachsenden Pflanzen. Erstaunlicherweise entstanden dabei nur hohe Pflanzen (erste Generation). Als er dann diese hohen Pflanzen untereinander kreuzte, entstanden in der zweiten Generation etwa drei Viertel hohe und ein Viertel niedrige Pflanzen. Man nennt die hohen Pflanzen der ersten Generation gemischtwüchsig im Gegensatz zu den reinwüchsigen Pflanzen, die zu Beginn verwendet wurden.
a) Wie groß ist also die Wahrscheinlichkeit, dass bei der Kreuzung zweier gemischtwüchsiger hoher Pflanzen eine niedrige Pflanze entsteht?
b) Bestimme mithilfe einer Simulation einen Näherungswert für die Wahrscheinlichkeit, dass in der zweiten Generation von 20 Pflanzen höchstens vier niedrig sind.

Fig. 1

```
seq(int(rand*6+1
),X,1,3)
         {1 3 6}
         {2 5 6}
         {2 3 1}
         {6 1 1}
         {4 6 6}
```

Fig. 2

6 Drei Würfel werden geworfen. Mithilfe einer Simulation soll die Wahrscheinlichkeitsverteilung für die Summe der Augenzahlen näherungsweise bestimmt werden. Bildet dazu Gruppen von etwa vier Teilnehmern.
a) Fig. 1 zeigt, wie man den Wurf eines Würfels mit dem Rechner simulieren kann. Fig. 2 zeigt, wie man den Wurf von drei Würfeln simulieren kann. Erklärt mithilfe des Rechnerhandbuches, wie die Simulation funktioniert. Eine Gruppe präsentiert ihre Erklärung.
b) Jeder „wirft" mithilfe der Simulation 50-mal die drei Würfel und bildet die Summe der Augenzahlen. Notiert in einer Tabelle, wie oft jede Summe vorkommt.
c) Die Ergebnisse aller Gruppen werden an der Tafel zusammengetragen. Welche Näherungswerte der Wahrscheinlichkeitsverteilung ergeben sich daraus?

Die ziellose Bewegung von sehr kleinen Teilchen in einer Flüssigkeit oder einem Gas wurde erstmals 1827 von dem britischen Botaniker Robert Brown beschrieben. Man erklärt die Bewegung mit der inneren Bewegung der Moleküle der Flüssigkeit bzw. des Gases. Sie stoßen unregelmäßig an die Schwebeteilchen und setzen sie in Bewegung.

7 Man kann die Brown'sche Molekularbewegung simulieren, indem man ein Teilchen in einem Gitter verfolgt. Am Anfang befindet sich das Teilchen am Punkt 0. Es bewegt sich dann in einem Zeitschritt mit der Wahrscheinlichkeit $\frac{1}{8}$ zu einem der benachbarten Punkte im Gitter. Von dort bewegt es sich nach derselben Regel weiter. Führe eine Simulation für 25 Zeitschritte durch. Ist einer in der Klasse wieder bei 0 angekommen?

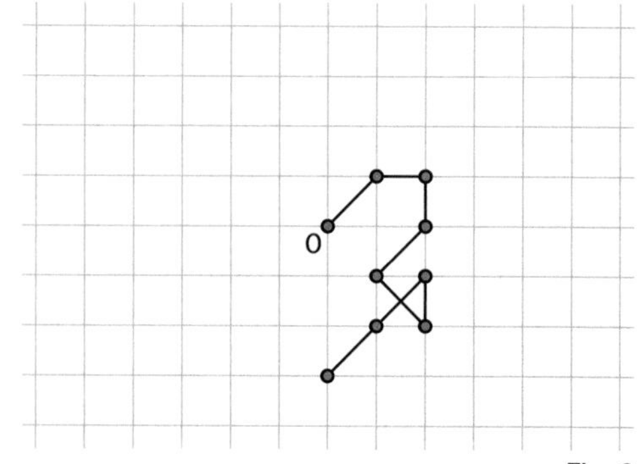

Fig. 3

8 Bei einer Party mit Albert, Anna, Birgit, Bernd, Carola, Christian, Dennis, Daniela, Erika und Ellis wird bei einem Tanzspiel jedem Mädchen ein Junge zugelost. Bestimme näherungsweise die Wahrscheinlichkeit dafür, dass es kein Paar mit gleichen Anfangsbuchstaben gibt, mithilfe einer Simulation.

Info

Simulation mit einer Tabellenkalkulation

Mithilfe einer Tabellenkalkulation wie Excel kann man Simulationen übersichtlich darstellen. Der Befehl =ZUFALLSZAHL() erzeugt in Zeile 5 zehn Zufallszahlen zwischen 0 und 1. In Zeile 6 werden diese Zufallszahlen mit 360 multipliziert und gerundet. In Zeile 7 wird die WENN-Funktion verwendet, um das Ergebnis der Simulation zu bestimmen. Wenn in Zeile 6 ein Winkel kleiner als 150° steht, wird rot angezeigt, sonst blau. Durch Betätigen der Taste F9 wird eine neue Simulation gestartet.

B7 fx =WENN(B6<D3;"rot";"blau")

	A	B	C	D	E	F	G	H	I	J	K
1	Drehen eines Glücksrades			Winkel		Winkel					
2				rot		blau					
3				150		210					
4	Nr.	1	2	3	4	5	6	7	8	9	10
5	Zufallszahl	0,479	0,767	0,369	0,087	0,936	0,841	0,343	0,896	0,238	0,891
6	Winkel °	172,5	276,3	132,3	31,3	337,1	302,6	123,6	318,9	85,8	320,6
7	Farbe	blau	blau	rot	rot	blau	blau	rot	blau	rot	blau

9 Sina trifft mit 60 % Wahrscheinlichkeit beim Freiwurf den Basketballkorb. Bestimme mithilfe einer Simulation einen Näherungswert für die Wahrscheinlichkeit, dass sie
a) bei 20 Freiwürfen auf einen Basketballkorb mindestens 13 Treffer erzielt.
b) bei 100 Freiwürfen auf einen Basketballkorb mindestens 65 Treffer erzielt.

10 Sonja und Luis werfen abwechselnd eine Münze. Sonja gewinnt, wenn dabei nacheinander dreimal Kopf fällt, Luis gewinnt, wenn Zahl-Kopf-Zahl fällt.
Wer hat die größere Gewinnchance?

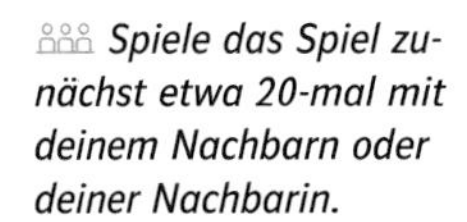

Spiele das Spiel zunächst etwa 20-mal mit deinem Nachbarn oder deiner Nachbarin.

11 Die Parabel mit der Gleichung $y = x^2$ schließt mit der x-Achse und der Geraden $x = 1$ eine Fläche ein, deren Inhalt man durch eine Simulation mit dem „Monte-Carlo-Verfahren" näherungsweise bestimmen kann. Dabei bestimmt man im Quadrat mit den Eckpunkten $O(0|0)$, $A(1|0)$, $B(1|1)$, $C(0|1)$ zufällig eine Anzahl von Punkten $P(x|y)$. Alle Punkte, für die $y < x^2$ gilt, liegen in der Fläche. Der Anteil dieser Punkte ist eine Näherung für den gesuchten Flächeninhalt.
a) Bestimme mithilfe von 100 (500) Punkten eine Näherung für den Flächeninhalt.
b) Wende das Verfahren auf die Fläche an, welche die Parabel mit der Gleichung $y = 1 - x^2$ mit den Koordinatenachsen für $x > 0$ einschließt.

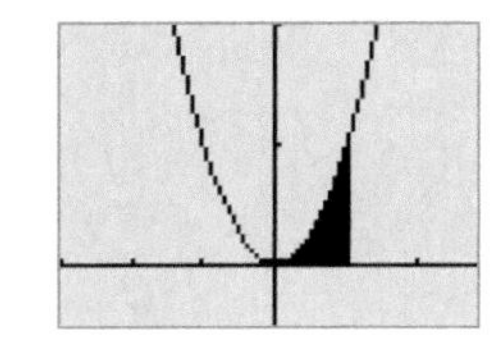

12 Zehn Enten landen auf einer Wiese. Darauf haben zehn Jäger gewartet. Jeder zielt sofort auf eine Ente. Alle Jäger drücken gleichzeitig ab, und jeder trifft die von ihm ausgewählte Ente. Jonas meint: „Alle Enten sterben!". Was meinst du?

Kannst du das noch?

13 Konstruiere ein Dreieck mit
a) $a = 5{,}3\,cm$; $b = 6{,}8\,cm$; $\gamma = 44°$ b) $a = 5{,}3\,cm$; $b = 6{,}8\,cm$; $\beta = 44°$.

14 Begründe: Bei einem gleichschenkligen Dreieck teilt die Mittelsenkrechte zur Basis das Dreieck in zwei kongruente Dreiecke.

15 Zerlege die Zahl 60 so in zwei Summanden, dass ihr Produkt möglichst groß wird.

Wiederholen – Vertiefen – Vernetzen

1 a) Gib die Wahrscheinlichkeitsverteilung für das Drehen des Glücksrads in Fig. 1 an.
b) Mit welcher Wahrscheinlichkeit wird rot oder gelb angezeigt?
c) Mit welcher Wahrscheinlichkeit wird weder blau noch gelb angezeigt?
d) Gib eine Situation an, bei der die Wahrscheinlichkeit mindestens 50 % beträgt.

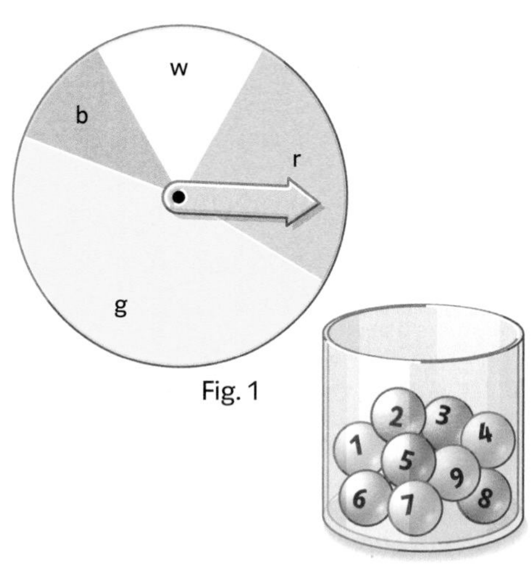

Fig. 1

2 Svenja meint: „Bei dem Behälter in Fig. 2 sind alle Ergebnisse gleich wahrscheinlich." Toni findet: „Das kann nicht sein, weil nicht von jeder Farbe gleich viele Kugeln da sind." Was meinst du?

Fig. 2

3 In einer Schublade liegen vier schwarze, sechs rote und zwei weiße Socken durcheinander. Du greifst ohne hinzusehen hinein und ziehst zwei Socken heraus. Wie groß ist die Wahrscheinlichkeit, dass sie beide die gleiche Farbe haben?

4 Erfindet zu dem Baumdiagramm aus Fig. 3 eine Aufgabe aus dem Alltag. Schreibt die Lösung auf und stellt die Aufgabe dann der Nachbargruppe. Vergleicht anschließend eure Lösungen.

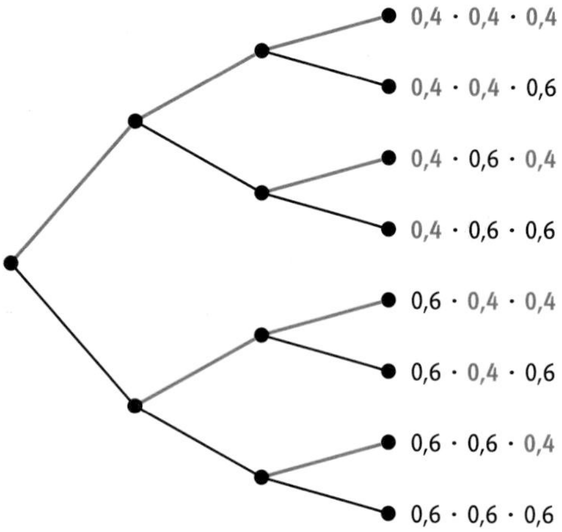

5 Nach einer Statistik der Deutschen Bahn verkehren etwa 95 Prozent der Fernzüge pünktlich.
Du fährst in einem Jahr fünf Mal mit einem Fernzug. Wie groß ist etwa die Wahrscheinlichkeit, dass höchstens vier der Züge pünktlich sind?

0,4 · 0,4 · 0,4
0,4 · 0,4 · 0,6
0,4 · 0,6 · 0,4
0,4 · 0,6 · 0,6
0,6 · 0,4 · 0,4
0,6 · 0,4 · 0,6
0,6 · 0,6 · 0,4
0,6 · 0,6 · 0,6

Fig. 3

6 45 Prozent aller im Jahre 2003 verkauften Autos hatten die Farbe silbergrau. Auch in den Folgejahren änderte sich dieser Wert kaum.
Mit welcher Wahrscheinlichkeit trifft man unter zehn Autos aus diesem Jahrgang mindestens neun silbergraue an?

7 Aus dem Behälter in Fig. 4 werden nacheinander ohne Zurücklegen zwei Kugeln gezogen. Die Zahl auf der ersten Kugel wird für a und die Zahl auf der zweiten Kugel für c in die Funktionsgleichung $y = a(x - 1)^2 + c$ eingesetzt.
Die zugehörige Funktion hat dann entweder keine Nullstelle oder zwei Nullstellen – was ist wahrscheinlicher?

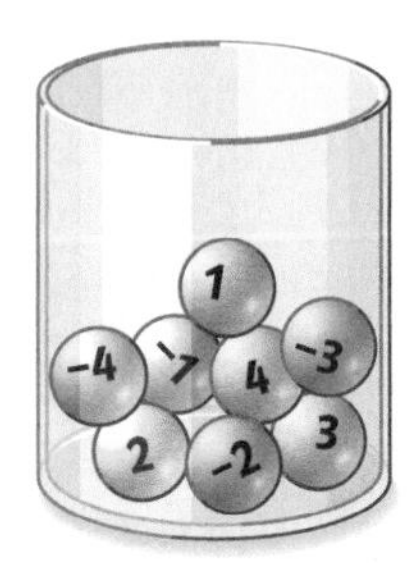

Fig. 4

8 Bei dem Würfelspiel „Chicago" werden drei Würfel geworfen. Jede „1" zählt 100 Punkte, jede „6" zählt 60 Punkte und alle anderen wie angezeigt. Bestimme die Wahrscheinlichkeit für die Situation:
a) Ein Wurf ergibt 300 Punkte.
b) Ein Wurf ergibt mindestens 210 Punkte.
c) Ein Wurf ergibt 163 Punkte.
d) Ein Wurf ergibt weniger als 6 Punkte.

9 Die 36 Ergebnisse für das Würfeln mit zwei Würfeln kann man mithilfe eines Koordinatensystems wie in Fig. 1 darstellen. Die roten Punkte sollen markieren, wann man bei einem Spiel gewinnt. Bei dem Spiel zu Fig. 1 gewinnt man bei einem Pasch (gleiche Augenzahlen).
a) Mit welcher Wahrscheinlichkeit gewinnt man bei Fig. 1 (Fig. 2)?
b) Man gewinnt, wenn beide Würfel gerade Augenzahlen zeigen. Stelle die Ergebnisse dazu ebenso dar und bestimme die Gewinnwahrscheinlichkeit.
c) Bearbeite Teil b) für die Gewinnregel „der erste Würfel zeigt eine größere Augenzahl als der zweite".
d) Bearbeite Teil b) für die Gewinnregel „die Augensumme der Würfel beträgt 9".

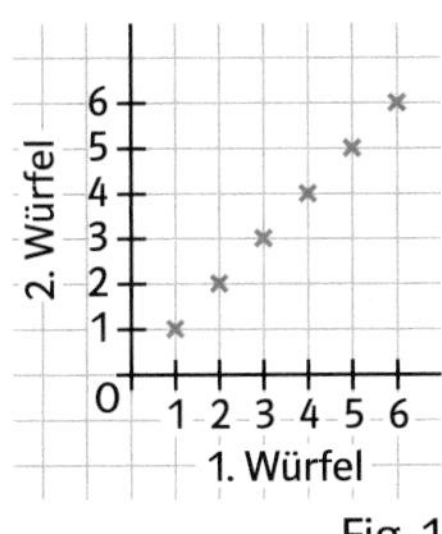

Fig. 1

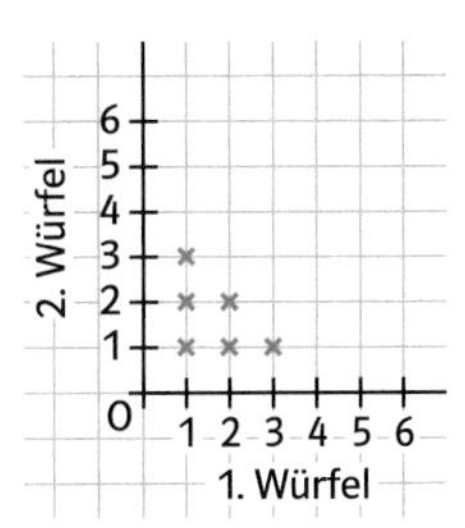

Fig. 2

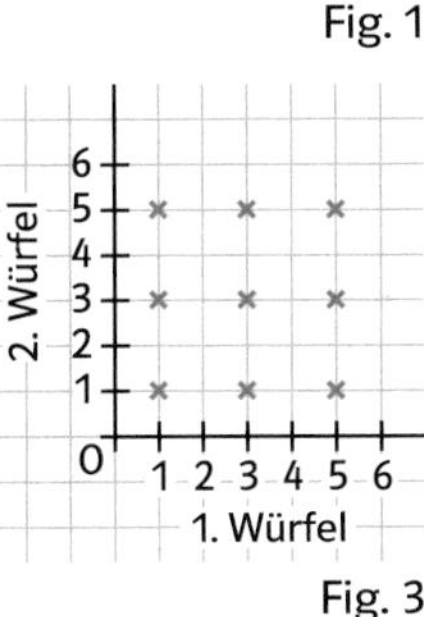

Fig. 3

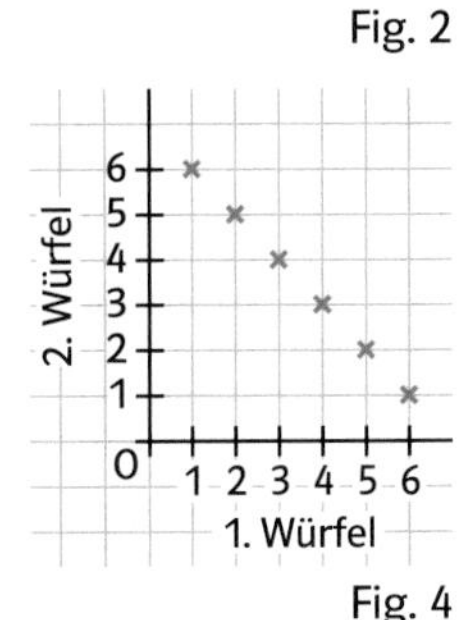

Fig. 4

10 Beschreibe wie in Aufgabe 9 eine Gewinnregel, die zu den roten Punkten
a) in Fig. 3
b) in Fig. 4 gehört.
Gib die Gewinnwahrscheinlichkeit an.

11 Überlegt euch eine Gewinnregel für das Würfeln mit zwei Würfeln. Zeichnet dann ein ähnliches Diagramm wie in Aufgabe 9. Überlegt euch die zugehörige Wahrscheinlichkeit. Lasst dann die anderen Gruppen die Gewinnregel und die Gewinnwahrscheinlichkeit finden.

12 Eine Aufgabe, die zuerst von Galilei gelöst wurde:
Der Fürst der Toskana war ein begeisterter Würfelspieler. Ihm fiel auf, dass beim Würfeln mit drei Würfeln die Augensumme 10 wahrscheinlicher ist als die Augensumme 9, obwohl beide Summen auf sechs Arten auftreten können:
$10 = 1 + 3 + 6 = 1 + 4 + 5 = 2 + 2 + 6 = 2 + 4 + 4 = 2 + 3 + 5 = 3 + 3 + 4;$
$9 = 1 + 2 + 6 = 1 + 3 + 5 = 1 + 4 + 4 = 2 + 2 + 5 = 2 + 3 + 4 = 3 + 3 + 3.$
Der Fürst fragte Galilei um Rat. Was könnte Galilei ihm gesagt haben?

Galileo Galilei (1564 – 1642)

13 Der Chevalier de Méré, ein Philosoph und Literat am Hofe von Ludwig XIV., wandte sich im Jahre 1654 mit folgendem Problem an den Mathematiker Blaise Pascal. „Was ist wahrscheinlicher – bei einem Wurf mit vier Würfeln mindestens eine Sechs oder bei 24 Würfen mit zwei Würfeln mindestens einen Sechserpasch zu werfen? Ich habe beobachtet, dass der erste Fall etwas häufiger auftritt, kann es mir aber nicht erklären. Kann das denn richtig sein?"
Schreibe einen mathematischen Aufsatz zum Thema: „Pascal antwortet de Méré".

14 Etwa 20 % der Deutschen sind Linkshänder.
a) Mit welcher Wahrscheinlichkeit ist in einer Gruppe von zehn Deutschen mindestens eine Linkshänderin oder ein Linkshänder dabei?
b) Wie groß muss eine Gruppe von Deutschen mindestens sein, damit mit mindestens 95 % Wahrscheinlichkeit mindestens eine Linkshänderin oder ein Linkshänder dabei ist?
Tipp: Führe für die unbekannte Anzahl eine Variable ein und löse die Aufgabe dann durch Probieren mit passenden Einsetzungen.

15 Das Rosinenproblem
Ein Bäcker bäckt Lagen von 10 Brötchen. Wie viele Rosinen muss er dem Teig für eine Lage hinzufügen, so dass jedes Brötchen mit 95 % Wahrscheinlichkeit mindestens eine Rosine enthält?

16 Das Geburtstagsproblem
a) Wie groß ist die Wahrscheinlichkeit, dass fünf Personen an verschiedenen Tagen in einem Jahr Geburtstag feiern?
Drei Schüler haben je einen Lösungsvorschlag:

Inka geht so vor: „Bei zwei Personen muss eine an einem anderen Tag Geburtstag haben als die andere, die Wahrscheinlichkeit dafür beträgt $\frac{364}{365}$. Bei drei Personen muss die dritte an einem anderen Tag Geburtstag haben als die ersten beiden, die Wahrscheinlichkeit dafür beträgt $\frac{364}{365} \cdot \frac{363}{365}$. Wenn ich das so fortführe, ergibt sich für die gesuchte Wahrscheinlichkeit $\frac{364}{365} \cdot \frac{363}{365} \cdot \frac{362}{365} \cdot \frac{361}{365} \approx 97{,}3\,\%$."

Ruben überlegt: „Die Wahrscheinlichkeit dafür, dass man an einem bestimmten Tag Geburtstag hat, beträgt $\frac{1}{365}$. Daher ist die Wahrscheinlichkeit, dass einer nicht am Tag des anderen Geburtstag hat, $\frac{364}{365}$. Also ist die gesuchte Wahrscheinlichkeit $\left(\frac{364}{365}\right)^5 \approx 98{,}6\,\%$."

Maria meint: „Jeder muss an einem anderen Tag Geburtstag haben, also bleiben 360 Tage in einem Jahr mit 365 Tagen übrig. Daher ist die gesuchte Wahrscheinlichkeit $\frac{360}{365} \approx 98{,}6\,\%$."

Wer hat Recht?
Entscheide dich zunächst für einen Weg. Überlege dir dazu, wieso die anderen beiden falsch sind. Diskutiere dann mit deinem Nachbarn oder deiner Nachbarin; einigt euch auf eine Lösung. Begründet eure Antwort.
Setzt euch nun mit einer anderen Zweiergruppe zusammen und einigt euch wieder auf eine Lösung. Wählt eine Sprecherin bzw. einen Sprecher, der eure Meinung präsentiert.
b) Mit welcher Wahrscheinlichkeit haben 10 Personen an verschiedenen Tagen Geburtstag?
c) Würdest du darauf wetten, dass in einer Klasse mit 30 Schülern mindestens zwei am selben Tag im Jahr Geburtstag feiern?

17 Anna hat Besuch von Rita, Fritjof und Oliver. Ihr Vater kommt herein und begrüßt die vier und sagt: „Ich wette, dass mindestens zwei von euch am selben Wochentag Geburtstag haben." Würdest du dagegen wetten?

18 Das Zollhundproblem

Der Hund eines Zollbeamten bellt, wenn er Rauschgift erschnuppert. 98 % aller Rauschgift-Schmuggelfälle entdeckt er. In 3 % aller Fälle, in denen kein Rauschgift geschmuggelt wurde, bellt er versehentlich trotzdem. Die Erfahrung zeigt, dass bei 1 % sämtlicher Grenzübertritte Rauschgift geschmuggelt wird.

a) Wie groß ist die Wahrscheinlichkeit, dass der Hund bellt, wenn er einen Grenzgänger überprüft? Wieso ist diese Wahrscheinlichkeit ziemlich klein?

b) Nun bellt der Hund bei einem gerade ankommenden Grenzgänger.
Wie sicher kann der Zollbeamte sein, dass der Grenzgänger tatsächlich Rauschgift schmuggelt?

c) Nun bellt der Hund bei einem gerade ankommenden Grenzgänger nicht. Wie sicher kann der Zollbeamte sein, dass dieser Grenzgänger kein Rauschgift schmuggelt?

19 Faires Spiel?

Bei einem Computerspiel wird bei Drücken der Taste F zufällig eines der zwei Ergebnisse „Flip" oder „Flop" ausgegeben. Bei einem Spiel gewinnt man, wenn bei zweimaligem Drücken der Taste F mindestens einmal „Flip" erscheint.

a) „Flip" wird mit 40 % Wahrscheinlichkeit ausgegeben. Mit welcher Wahrscheinlichkeit gewinnt man?

b) Bei dem Spiel soll die Gewinnwahrscheinlichkeit 50 % betragen. Mit welcher Wahrscheinlichkeit muss dann „Flip" erscheinen?

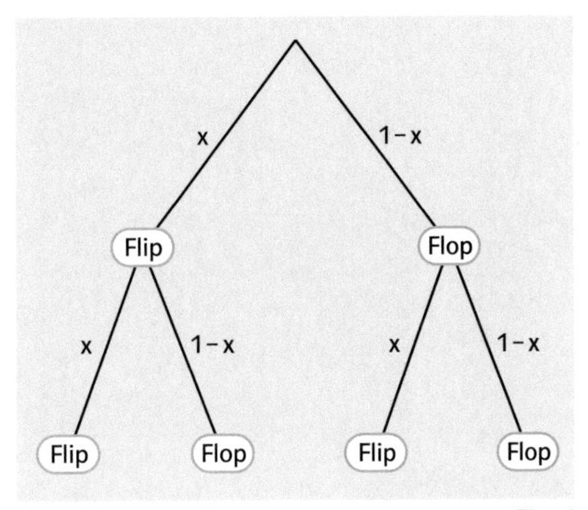

Fig. 1

Tipp zu Aufgabe 19b): Führe eine Variable ein.

20 Zuverlässigkeit

Bei technischen Anlagen kommt es auf das fehlerfreie Funktionieren mehrerer Bauteile an. Zum Beispiel arbeiten bei Rohrleitungen zwei Pumpen P_1 und P_2 unabhängig voneinander. Dabei gibt es zwei Möglichkeiten. Eine Pumpenkette mit zwei Pumpen P_1 und P_2 funktioniert nur, wenn beide Pumpen arbeiten. Eine Parallelpumpe funktioniert, wenn mindestens eine Pumpe arbeitet.

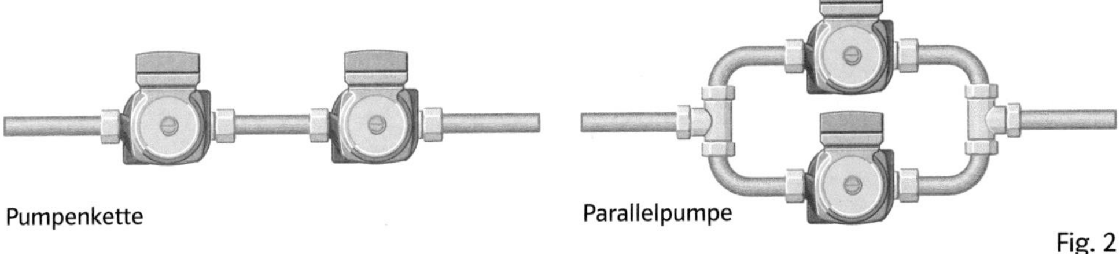

Fig. 2

a) Man verwendet zwei Pumpen P_1 und P_2, die mit den Wahrscheinlichkeiten x bzw. y funktionieren. Begründe, dass dann die Parallelpumpe mit der Wahrscheinlichkeit $x + y - x \cdot y$ funktioniert.

b) Mit welcher Wahrscheinlichkeit funktioniert die Pumpenkette?

c) Bei einer Parallelpumpe verwendet man zwei gleiche Pumpen. Mit welcher Wahrscheinlichkeit muss jede einzelne Pumpe funktionieren, damit die Parallelpumpe mit 99 % Wahrscheinlichkeit funktioniert?

Das Ziegenproblem

Wechseln oder nicht?

Immer wieder gibt es Fragestellungen, die von Menschen kontrovers diskutiert werden. Oft liegt dies daran, dass es keine eindeutige Antwort gibt. Erstaunlicherweise gibt es auch in der Mathematik solche Fragestellungen. Erstaunlich deshalb, weil man eigentlich annehmen könnte, dass die Mathematik immer klare und eindeutige Antworten liefert. Mit dem Ziegenproblem wird nun eine interessante Fragestellung aufgezeigt, bei der viele Menschen durch das Vertrauen auf ihre Intuition zu einer falschen Antwort gelangen.

Fig. 1

Am Ende einer Quizsendung darf der Kandidat eine von drei Türen wählen.
Hinter einer der Türen verbirgt sich der Hauptgewinn: ein Auto. Hinter den beiden anderen Türen befindet sich je eine Ziege. Nachdem der Kandidat eine Tür ausgewählt hat, öffnet der Quizmaster eine der beiden anderen Türen. Eine Ziege meckert ihn an.
Der Quizmaster bietet dem Kandidaten die Möglichkeit, seine ursprüngliche Wahl zu ändern und die andere noch geschlossene Tür zu nehmen. Was soll der Kandidat tun: Wechseln, die Erstwahl beibehalten, oder ist es sowieso egal?

Die Frage, ob der Kandidat die Tür wechseln sollte, wurde in den Sitzungssälen des CIA und den Baracken der Golfkriegspiloten diskutiert.
Sie wurde von Mathematikern am Massachusetts Institute of Technology und von Programmierern am Los Alamos National Laboratory in New Mexico untersucht und in über tausend Schulklassen des Landes analysiert.

Aus der New York Times vom 21.7.1991

Das Ziegenproblem

1 Spiele mit deinem Banknachbarn das Auto-Ziege-Spiel für zwei, damit ihr auf die Frage des Kandidaten vielleicht eine Antwort findet.
Erstellt dazu einen Spielplan wie unten angegeben.
- Der Quizmaster (einer von euch) schreibt auf ein Blatt – geheim! – die Tür, hinter der das Auto steht.
- Der Kandidat (der andere von euch beiden) kreuzt die Tür seiner Wahl an.
- Der Quizmaster „öffnet“ dem Kandidaten eine Tür (mit Kreis markieren).
- Der Kandidat kann auf die verbleibende Tür wechseln (Karo eintragen) oder er bleibt bei seiner Wahl.
- Der Quizmaster löst das Spiel auf und trägt bei Wechsel ein Kreuz ein, wenn der Kandidat gewechselt hat, und bei einem Gewinn noch ein Kreuz in das entsprechende Kästchen.
- Nach 10 Spielen werden die Rollen gewechselt.
- Notiert am Ende die Zahl der Spiele mit und ohne Wechsel sowie die Zahl der Gewinne mit bzw. ohne Wechsel. Könnt Ihr einen Trend entdecken?

Spiel / Tür	1	2	3	4	5	6	7	8	9	10
A										
B										
C										
Wechsel										
Gewinn										

2 Nun werden die Ergebnisse aller Gruppen gesammelt und ausgewertet.
Gibt es nun einen Trend?
Wieso lässt sich der Trend nicht bei jeder Gruppe eindeutig erkennen?

3 Man kann das Spiel auch simulieren. Ein Applet dazu findet man bei www.klett.de.
Erstelle selbst eine Simulation, z. B. mit Excel.
Simuliere z. B. 100 Durchführungen der Quizsendung. Was stellst du fest?

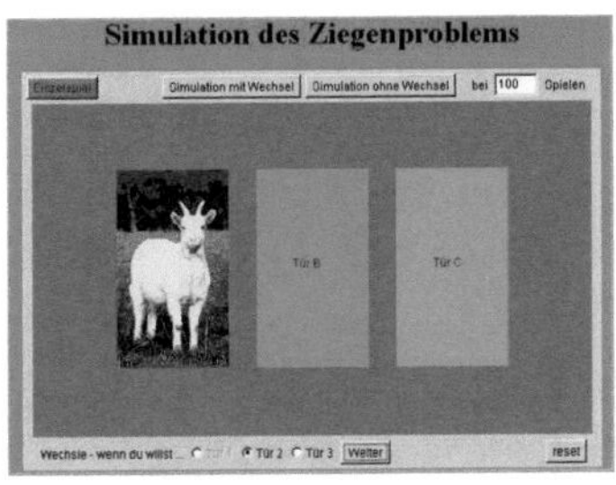

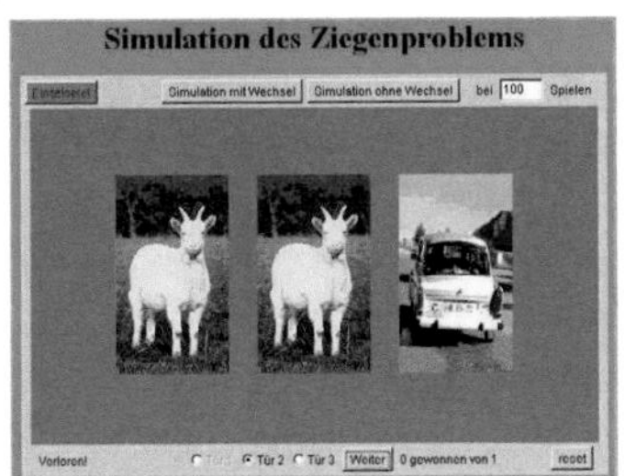

4 Mithilfe einer großen Anzahl von Durchführungen soll nun das Problem durch Überlegungen gelöst werden. Nimm an, die Quizsendung findet 300-mal statt.
a) Der Quizmaster wählt jedesmal zufällig eine andere Tür, hinter der das Auto versteckt wird. Wie oft wird er jede Tür etwa wählen?
b) Wie oft etwa werden die Kandidaten gleich am Anfang die richtige Tür wählen?
c) Der Quizmaster öffnet eine der nicht gewählten Türen, hinter der sicher eine Ziege steht. Wie oft etwa steht hinter der anderen Tür das Auto?
d) Was ergibt sich aus den Antworten zu b) und c)?

Entdeckungen

Das Ziegenproblem

5 Das bei der vorigen Aufgabe gewonnene Ergebnis kann auch mithilfe von Wahrscheinlichkeiten begründet werden.
a) Der Quizmaster wählt jedes Mal zufällig eine andere Tür, hinter der das Auto versteckt wird. Mit welcher Wahrscheinlichkeit wählt er jede Tür?
b) Mit welcher Wahrscheinlichkeit wählen die Kandidaten sofort die richtige Tür?
c) Der Quizmaster öffnet eine der nicht gewählten Türen, hinter der sicher eine Ziege steht. Mit welcher Wahrscheinlichkeit steht hinter der anderen Tür das Auto?
d) Was ergibt sich aus den Antworten zu b) und c)?

HomePage von Marilyn vos Savant:

http://www.marilynvos-savant.com/

Das Ziegenproblem sorgte vor allem für großes Aufsehen, weil sich die Frau mit dem angeblich höchsten Intelligenzquotienten in den USA, Marilyn vos Savant, dazu äußerte. Sie gab in ihrer Kolumne „Frag Marilyn" in der amerikanischen Illustrierten Parade den Rat „Wechseln". Dies rief einen Sturm der Entrüstung quer durch die USA hervor. Es gab nicht viele Leute, die ihr zustimmten, wohl aber genug, die sich über ihre Behauptung entsetzten. Darunter waren viele Universitätsprofessoren.

host = Quizmaster
contestant = Kandidat
switch = wechseln
initially = anfangs
behavior = Verhalten

6 Der abgedruckte Brief enthält eine Kritik an Marilyns Beweisführung, wie sie im wesentlichen in den Aufgaben 4 und 5 wiedergegeben ist.
Was würdest du anstelle von Marilyn auf diesen Brief antworten?

Sorry, Marilyn,
there's nothing wrong with your math.
But if I were the game show host, and you were the contestant, I'd offer you the option to switch only if you initially chose the correct door. In this case, the first door has a 100% chance of winning, the second door has a 0% chance, and switching would be a sure loser.
Unless you understand the motives and behavior of the game show host, all the mathematics in the world won't help you answer this question.

7 Es gibt einige Varianten zum Ziegenproblem, die in der Diskussion auftauchten.
a) Angenommen, Anna und Boris sind Kandidaten. Anna wählt Tür 1, Boris wählt Tür 2. Nun öffnet der Quizmaster Tür 3. Sollen jetzt Anna und Boris ihre Türen tauschen, um ihre Chancen zu erhöhen? Überlege, wieso hier die Argumentation aus den Aufgaben 4 und 5 nicht anwendbar ist.
b) Statt zwei Ziegen und einem Auto sind nun zwei Autos und eine Ziege hinter den Türen versteckt. Die Kandidatin wählt Tür 1. Nun sagt der Quizmaster: „Soll ich Ihnen mal zeigen, hinter welcher Tür ein Auto steht?" Dann macht er eine Tür auf, und ein Auto ist zu sehen. „Soll ich nun wechseln oder nicht?" überlegt die Kandidatin. Überlege dir mit deinem Banknachbarn, welchen Tipp man der Kandidatin geben sollte.

Fig. 1

Als ob

Felicitas Hoppe

Wenn einmal im Jahr die Verwandtschaft kommt, stehen wir stramm. Besser gesagt, wir tun so, als ob. Wir tun so, als ob wir uns wirklich freuen, wir üben Lächeln und Händeschütteln und wie man eine Tante umarmt, die wir niemals umarmen wollten.

Als hätten wir das ganze Jahr über nur auf diesen Sonntag gewartet! Tausend Mal haben wir das geprobt, alles genau vorher durchgespielt, wie im Theater, als säßen alle mit uns am Tisch: Links neben meinem Vater der Onkel, rechts neben meiner Mutter die Tante. Zwischen mir und der Tante sitzt die Cousine, die keiner von uns wirklich ausstehen kann, denn sie redet immer mit vollem Mund: Erst über Kleider, dann über Geld, zum Schluss über Reisen und wohin sie in diesem Jahr fahren wird. Diesmal auf eine Südseeinsel, deren Namen ich nicht buchstabieren kann, auf der ich selbst nie gewesen bin und auf die ich, aller Wahrscheinlichkeit nach, auch für den Rest meines Lebens nicht komme.

Alles haben wir gründlich geprobt: Wie ich den Mund halte und dass ich mir einfach nichts anmerken lasse. Als wäre mir egal, dass die Cousine so durch die Welt kommt, während ich zuhause herumsitzen muss und sonntags auf diese Verwandten warte. Egal, wohin wir sie setzen würden, sie würden mir trotzdem nicht besser gefallen. Der Onkel, der alles besser weiß und immer dieselbe Frage stellt: Was willst du mal werden? Und während ich nach einer Antwort suche, wird die Tante mich von oben betrachten und rufen: Du bist ja noch dünner geworden! Und dass ich endlich mehr essen soll. Dann wird sie, aller Wahrscheinlichkeit nach, die Gabel neben den Teller legen und sagen: Das ist auch kein Wunder, weil deine Mutter nicht weiß, wie man kocht.

Auch das haben wir tausend Mal geprobt: Dass meine Mutter sich einfach nichts anmerken lässt, wenn meine Tante aufhört zu essen und stattdessen anfängt, vom Essen zu reden. Denn niemand soll wissen, wie sehr meine Mutter die Tante fürchtet und dass sie, bevor die Verwandten kommen, nächtelang wach liegt, weil sie nicht weiß, was sie kochen soll. Denn egal, was sie kocht, der Tante schmeckt nichts, weshalb aller Wahrscheinlichkeit nach das Essen auch diesmal anbrennen wird, bevor sie das Huhn auf den Tisch bringen kann.

Aber all diese Proben nützen uns nichts. Wir können üben, so viel wir wollen, sobald am Sonntag die Klingel ertönt, geht garantiert wieder alles schief. Weil die Wirklichkeit keine Aufgabe ist, kein Theater, kein Spiel, sondern ein Onkel aus Fleisch und Blut, der bei Tisch einen richtigen Namen hat und fragt, was ich später werden will. Und die Tante, die wider Erwarten findet, ich sei plötzlich viel zu dick geworden, während unter dem Tisch die Cousine heftig gegen mein Schienbein tritt und behauptet, dass sie nach Afrika fährt.

Und während im Ofen das Huhn verbrennt und meine Mutter leise zu weinen beginnt, stehe ich endlich entschlossen auf und beginne zu knurren. Wie unser Hund, der unter dem Tisch der Einzige ist, der kein Geheimnis daraus macht, wie verhasst ihm die ganze Verwandtschaft ist. Denn das Huhn im Ofen riecht gut und ist echt! Und ich fahre morgen nach Afrika, während, Wahrscheinlichkeit hin oder her, die Cousine in Wirklichkeit nur tut, als ob.

Rückblick

Die Wahrscheinlichkeiten für alle Ergebnisse eines Zufallsversuchs stellt man übersichtlich in einer Tabelle dar. Man nennt sie **Wahrscheinlichkeitsverteilung** des Zufallsversuchs. Die Summe der Wahrscheinlichkeiten aller Ergebnisse eines Zufallsversuches ergibt immer 1 bzw. 100 %.

Die Tabelle zeigt die Wahrscheinlichkeitsverteilung für die Anzahl der Wappen (W) beim Werfen von vier Münzen.

Ergebnis	Wahrscheinlichkeit
0 W	$\frac{1}{16}$
1 W	$\frac{1}{4}$
2 W	$\frac{3}{8}$
3 W	$\frac{1}{4}$
4 W	$\frac{1}{16}$
Summe	1

Summenregel – Rechnen mit dem Gegenteil
Wenn zu einer Situation mehrere Ergebnisse gehören, bestimmt man die Wahrscheinlichkeit, indem man die Wahrscheinlichkeiten der zugehörigen Ergebnisse addiert. Manchmal ist es günstiger, die gesuchte Wahrscheinlichkeit mithilfe der Wahrscheinlichkeit des Gegenteils zu bestimmen.

Die Wahrscheinlichkeit, bei einem Wurf von vier Münzen mindestens einmal Wappen zu werfen, beträgt
$\frac{1}{4} + \frac{3}{8} + \frac{1}{4} + \frac{1}{16} = \frac{15}{16}$ *oder* $1 - \frac{1}{16} = \frac{15}{16}$.

Teilbaum bei mehrstufigen Zufallsversuchen
Um bei einem mehrstufigen Zufallsversuch Wahrscheinlichkeiten zu bestimmen, verwendet man nur den Teil des Baumdiagramms, der die benötigten Pfade enthält. Anhand des Teilbaums wird die gesuchte Wahrscheinlichkeit mit der Pfadregel und der Summenregel bestimmt.

Aus der Schale werden blind drei Kugeln gezogen. Gesucht ist die Wahrscheinlichkeit dafür, dass mindestens zwei Kugeln blau sind.

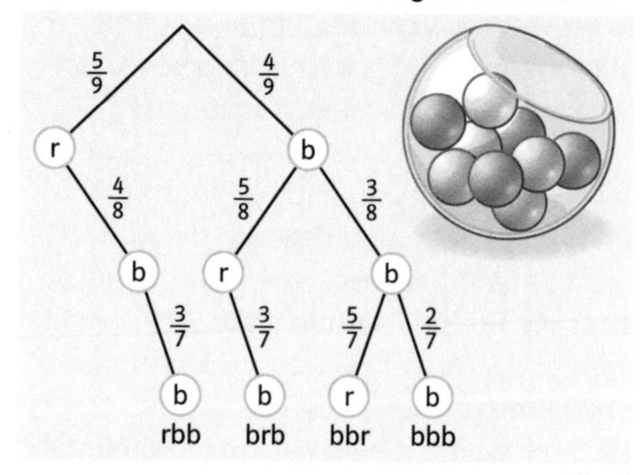

Fig. 1

Die gesuchte Wahrscheinlichkeit beträgt
$\frac{5}{9} \cdot \frac{4}{8} \cdot \frac{3}{7} + \frac{4}{9} \cdot \frac{5}{8} \cdot \frac{3}{7} + \frac{4}{9} \cdot \frac{3}{8} \cdot \frac{5}{7} + \frac{4}{9} \cdot \frac{3}{8} \cdot \frac{2}{7} \approx$
40,5 %.

Schätzwerte für Wahrscheinlichkeiten ergeben sich aus langen Versuchsreihen, die man durch eine Simulation erhalten kann.

Zufallsversuche lassen sich mithilfe von Zufallszahlen simulieren. Jedes Ergebnis eines Zufallsversuchs entspricht dabei einem Bereich von Zufallszahlen, der dieselbe Wahrscheinlichkeit hat wie das Ergebnis.

Simulation eines Reißnagelwurfs mit den Wahrscheinlichkeiten 0,4 für „Kopf“ und 0,6 für „Seite“: Man erzeugt eine Zufallszahl; ist sie kleiner oder gleich 0,4, fällt der Reißnagel auf den Kopf, sonst auf die Seite.

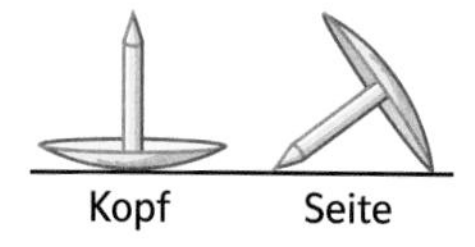

Training

Runde 1

1 Ein Kartenspiel enthält die Karten Ass, 2, 3, 4, 5 ,6, 7, 8, 9, 10, Bube, Dame, König in jeder der vier „Farben" Kreuz, Pik, Herz und Karo. Du ziehst zufällig eine Karte heraus. Mit welcher Wahrscheinlichkeit ist es
a) keine Herz-Karte?
b) eine Dame oder eine Herz-Karte?

2 Aus einem Korb mit fünf roten, vier gelben und drei grünen Äpfeln wählst du zufällig vier Früchte aus. Mit welcher Wahrscheinlichkeit bekommst du
a) nur rote Äpfel?
b) mindestens einen grünen Apfel?

3 Bei einem Test sind bei zehn Fragen jeweils fünf mögliche Antworten angegeben, von denen eine anzukreuzen ist. Es ist aber jeweils nur eine Antwort richtig. Ein Kandidat hat alles vergessen und setzt rein zufällig seine Kreuzchen.
a) Mit welcher Wahrscheinlichkeit setzt er bei der fünften Frage das Kreuz richtig?
b) Wie groß ist die Wahrscheinlichkeit, dass er bei mindestens einer Frage das Kreuz richtig setzt?

4 Eine Lostrommel enthält anfangs sechs nummerierte Kugeln mit den Nummern 1 bis 6. Es werden wie beim Lotto vier Kugeln gezogen und ihre Nummern notiert. Danach werden die Kugeln zurückgelegt. Anschließend werden nochmals vier Kugeln gezogen. Mit welcher Wahrscheinlichkeit zieht man nochmals die Kugeln mit den gleichen Nummern wie bei der ersten Ziehung?

Runde 2

1 a) Gib die Wahrscheinlichkeitsverteilung für das Drehen des Glücksrades an.
b) Mit welcher Wahrscheinlichkeit bleibt der Zeiger auf einem blauen oder roten Feld stehen?

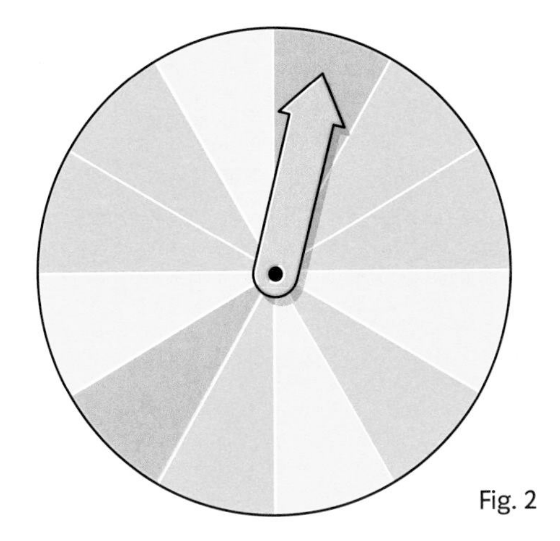

Fig. 2

2 Vier Patienten erhalten ein Medikament, das mit 60 % Wahrscheinlichkeit eine bestimmte Krankheit heilt.
a) Wie groß ist die Wahrscheinlichkeit dafür, dass höchstens drei Patienten geheilt werden?
b) Wie groß ist die Wahrscheinlichkeit dafür, dass nur der dritte behandelte Patienten geheilt wird?

3 Beim Torwandschießen trifft Lukas erfahrungsgemäß mit 20 % Wahrscheinlichkeit. Er hat sechs Versuche. Mit welcher Wahrscheinlichkeit trifft er
a) mindestens einmal?
b) höchstens einmal?

4 Laura hat beobachtet, dass 20 % der Autos, die an ihrem Fenster vorbei fahren, eine dunkle Farbe haben. Als sie eines Tages aus dem Fenster schaut, ist erst das sechste vorbeifahrende Auto dunkel. „Das war jetzt aber sehr unwahrscheinlich", denkt sie. Wie groß war die Wahrscheinlichkeit dafür?

Mathematik gibt es nicht nur im Mathematikunterricht oder in Mathematikbüchern. Wer mit offenen Augen herumgeht, wird fast überall in seiner Umgebung Mathematik entdecken. Mithilfe der Mathematik lassen sich viele Dinge im Alltag besser verstehen – für manche Sachverhalte ist die Mathematik sogar unentbehrlich.

Auf den folgenden Seiten wird am Beispiel von Freiburg verdeutlicht, wie sich eine Stadt mithilfe der Mathematik genauer und von einer ganz neuen Perspektive betrachten lässt. Viele der Überlegungen lassen sich auch auf andere Städte übertragen. In diesem Sinne soll das Sachthema auch als Anregung gesehen werden, eure eigene oder eine nahe gelegene Stadt einmal „mathematisch" zu untersuchen und sich überraschen zu lassen, was man dabei alles entdecken kann...

Mit Atlas und Lexikon

Freiburg im Breisgau liegt im Südwesten von Baden-Württemberg. Wenn man die Stadt noch nicht kennt, kann man zunächst einmal im Atlas nachschlagen, wo sie liegt. Weitere Informationen findet man beispielsweise in einem Lexikon:

> Freiburg im Breisgau, Stadt in Bad.-Württ., 191600 Ew., an den Hängen des Schwarzwaldes und in der Oberrhein. Tiefebene, Erzbischofssitz, Münster (13. Jh.), Univ., viele wiss. und kulturelle Einrichtungen; Fremdenverkehr; vielseitige Ind. – F., 1120 von den Zähringern gegründet, seit 1368 habsburgisch, kam 1805 nach Baden.

Brockhaus, 1994

Findest du die Lösung?

Bei einem Lexikon muss man allerdings damit rechnen, dass einige der Angaben nicht mehr ganz aktuell sind. Welche Angaben des Lexikons könnten inzwischen überholt sein und sollten daher überprüft werden?

Sehr aktuelle Angaben findet man z.B. im Internet. Recherchiere die aktuelle Einwohnerzahl von Freiburg und von deiner Stadt und bestimme, um wie viel Prozent der aktuelle Wert von dem im Lexikon angegebenen Wert abweicht.

Recherchiere, wie viele Studenten in Freiburg leben. Wie groß ist die Wahrscheinlichkeit, dass sich unter den ersten 10 Menschen, denen man in Freiburg begegnet, kein Student befindet? Wie groß wäre die Wahrscheinlichkeit in deiner Stadt? Welche Annahmen müssen hierbei getroffen werden?

Bauwerke einer Stadt

Das Stadtbild von Freiburg wird von dem großen Münster geprägt, das schon von weitem zu sehen ist. Im Internet erfährt man, dass das Münster als Pfarrkirche und Grablege der Zähringer um 1200 begonnen wurde und dass es um 1330 mit einer Höhe von 113,4 m vollendet wurde.

Zu der Zeit, als das Münster gebaut wurde, wurden Längen noch nicht in Meter gemessen. Viele Städte hatten ihre eigene Längeneinheit. So wurden in Freiburg Längen in „Ellen" gemessen. In die Außenmauer des Münsters ist ein Metallstab mit der Länge 1 Elle eingelassen. Er misst 54 cm.

Fig. 1

Findest du die Lösung?

Erläutere, wieso die Erbauer des Münsters eine so „krumme" Höhe von 113,4 m wählten.

Sobald man vor dem Westtor des Münsters steht, ist man von der Größe und der Schönheit des Münsterturms beeindruckt. Der Basler Historiker und Schriftsteller Carl Jakob Burckhardt hat ihn als „den schönsten Turm der Christenheit" bezeichnet. Ein Grund für die Schönheit des Münsters liegt in der Berücksichtigung des goldenen Schnitts.

Der goldene Schnitt teilt eine Strecke in zwei Teilstrecken a und b, sodass gilt:

$\frac{a+b}{a} = \frac{a}{b}$

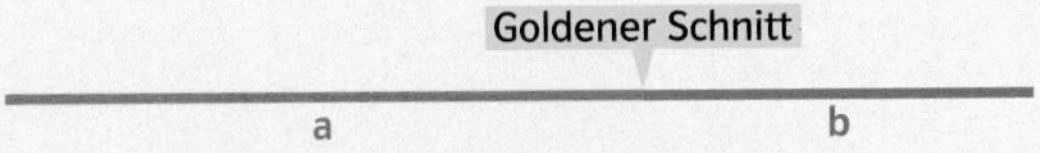

Goldener Schnitt

a b

Dabei ist a die längere der beiden Teilstrecken.

Findest du die Lösung?

Überprüfe an der Abbildung in Fig. 1, in welcher Form der goldene Schnitt beim Bau des Freiburger Münsters berücksichtigt wurde.

Suche im Internet oder in Fachzeitschriften nach mindestens drei weiteren Beispielen, in denen der goldene Schnitt vorkommt.

Beim goldenen Schnitt ist das Verhältnis $\frac{a}{b}$ irrational. Schreibe in einem kleinen Aufsatz, was rationale, irrationale und reelle Zahlen sind.

Bestimme rechnerisch das Verhältnis $\frac{a}{b}$ und begründe, dass dieses Verhältnis irrational ist.
Tipp: Zeige zunächst, dass für den goldenen Schnitt die Gleichung $\frac{a}{b} = 1 + \frac{1}{\frac{a}{b}}$ gilt.

Ersetze dann das gesuchte Teilverhältnis $\frac{a}{b}$ durch x und berechne x.

Findest du die Lösung?

Teile die Strecke PQ der Länge s nach folgender Konstruktionsvorschrift im goldenen Schnitt:

1. Konstruiere in einem Endpunkt (z. B. Q) der Strecke s eine senkrechte Strecke der Länge $\frac{s}{2}$. Nenne den Endpunkt M.
2. Verbinde P mit M; trage von M ausgehend auf dieser Verbindungsstrecke $\frac{s}{2}$ ab. Man erhält den Punkt R.
3. Trage die Länge PR von P ausgehend auf PQ ab. Man erhält den Punkt T.

Der Punkt T teilt PQ im goldenen Schnitt.

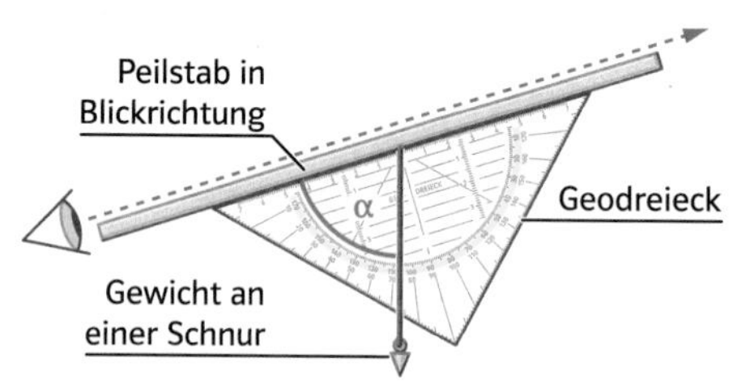

Peilt man entlang des Stabes ein Gebäude an, so kann man den Winkel α an der Schnur ablesen.

Die Höhe des Münsterturms ließe sich auch geometrisch bestimmen: Ein einfaches „Försterdreieck" lässt sich mit einem Geodreieck, einem Peilstab, einer Schnur und einem Gewicht leicht herstellen. Mit ihm können die Winkel gemessen werden, unter denen eine bestimmte Stelle des Turms gegenüber der Senkrechten zu sehen ist.

Findest du die Lösung?

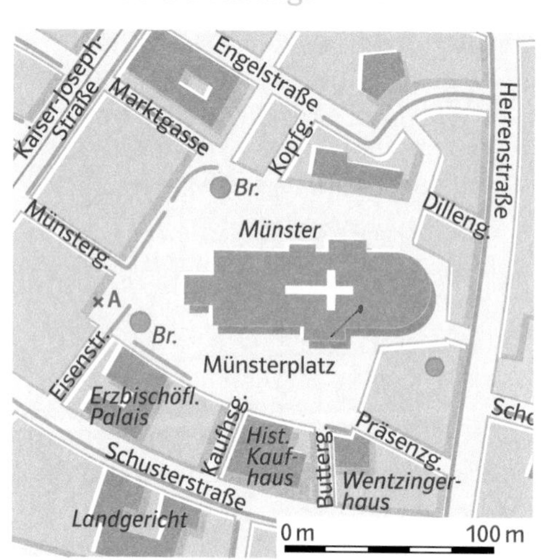

Die nebenstehende Abbildung zeigt den Freiburger Münsterplatz auf einer Karte. Bestimme den Winkel α gegenüber der Senkrechten, wenn man im Punkt A die Turmspitze anpeilt.

Wie hoch ist die höchste begehbare Höhe des Münsters in Meter und Ellen, wenn man von A aus diese Stelle unter einem Winkel von 30° gegenüber der Senkrechten sehen kann?

Fertigt euch ein eigenes Försterdreieck an und bestimmt damit in eurer Stadt verschiedene Höhen von Gebäuden.

Die Höhe eines Gebäudes ließe sich theoretisch auch mit der Flugzeit eines herunterfallenden Gegenstandes bestimmen. Erläutere, warum man die Höhenbestimmung nur theoretisch und auf keinen Fall wirklich durchführen darf.

Von welcher Höhe wäre ein Gegenstand gefallen, wenn die Flugzeit 3 Sekunden betragen würde? Verwende dazu die Formel auf Seite 71. Wie lang wäre die Flugzeit des Gegenstandes, wenn er vom Münsterturm fallen würde? Berechne die entsprechende Flugzeit bei dem höchsten Gebäude deiner Stadt.

Betrachtet man das Freiburger Münster unter geometrischen Gesichtspunkten, so erkennt man, dass der obere Teil des Turmes, der so genannte „Turmhelm", eine Pyramide mit achteckiger Grundfläche ist, während der untere Teil ein Quader mit quadratischer Grundfläche ist.

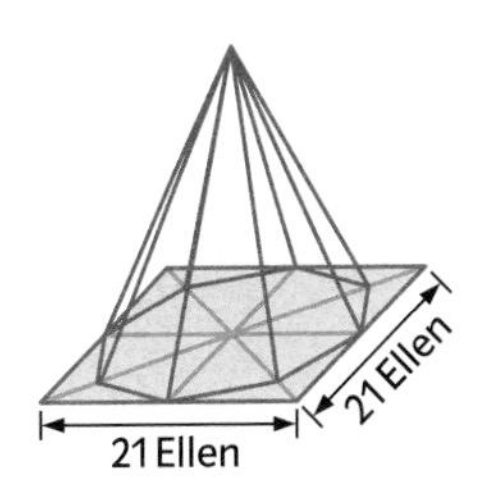

Findest du die Lösung?

Der quadratische Quader des unteren Teiles des Turms hat eine Kantenlänge von 21 Ellen. Bestimme durch Konstruktion die Seitenlänge des regelmäßigen Achtecks in Meter.

Von jeder Ecke des Achtecks geht eine Verbindungsstrebe bis zur Turmspitze. Bestimme die Länge der Verbindungsstreben in Meter und Ellen.

Sucht in eurer Stadt möglichst viele verschiedene Gebäude mit unterschiedlichen geometrischen Körpern. Dokumentiert eure Ergebnisse schriftlich.

Tipp:
Konstruiere das Achteck mithilfe eines Quadrates, seinen Diagonale und mithilfe eines Kreises.

Tipp:
Die Höhe des Turmhelms kannst du mit Fig. 1 auf Seite 181 bestimmen.

Straßen und Wege
Annähernd alle Gassen im Freiburger Innenstadtbereich sind mit Pflastersteinen bedeckt. Es scheinen unzählig viele Steine zu sein. Trotzdem lässt sich die Anzahl der Steine zumindest ungefähr abschätzen.

Findest du die Lösung?

Welchen Schätzwert kann man für die Oberfläche eines Pflastersteines annehmen, wenn man 465 Steine auf einer Fläche von $2\,m^2$ zählt?

Gib mit dem berechneten Schätzwert die Funktionsgleichung für die Funktion *Fläche des Platzes → Anzahl der Pflastersteine* an. Um welchen Funktionstyp handelt es sich? Zeichne den dazugehörigen Graphen und lies am Graphen ab, welche Fläche sich mit 100 000 Steinen bepflastern ließe. Überprüfe das Ergebnis rechnerisch.

Bestimme mithilfe der Karte auf Seite 182, wie viele Pflastersteine dieser Größe man ungefähr für den Münsterplatz benötigt, wenn dieser vollständig mit Pflastersteinen gepflastert ist.

Sucht in eurer Stadt einen gepflasterten Platz und bestimmt, wie viele Steine man für den gesamten Platz ungefähr benötigt.

Fig. 1

Brücken
Viele Brücken haben aus statischen Gründen einen parabelförmigen Brückenbogen. Dieser kann entweder wie bei einer Hängebrücke nach oben oder – wie bei der Abbildung einer Freiburger Brücke – nach unten geöffnet sein.

Findest du die Lösung?

Bestimme mit den Angaben in Fig. 1 die Höhe h des Brückenbogens, wenn der Bogen parabelförmig ist.

Untersuche, ob ein 4,65 m hoher und 3,10 m breiter Schwertransporter unter der Brücke aus Fig. 1 durchfahren kann, ohne über den Mittelstreifen zu fahren.

Sucht in eurer Stadt nach einer Brücke, bei der sich ein parabelförmiger Brückenbogen vermuten lässt. Macht ein Foto von der Brücke und überprüft, ob der Bogen wirklich die Form einer Parabel hat. Bestimmt mit geeigneten Vergleichsgrößen (Höhe eines Menschen oder eines Autos) die Höhe und Breite der Brücke und stellt euch gegenseitig mathematische Aufgaben.

Flüsse und Bäche in einer Stadt
Durch fast jede Stadt fließt ein Fluss oder ein Bach. In Freiburg gibt es hier sogar etwas ganz Besonderes: Die Freiburger „Bächle". Sie sind kleine Kanäle, die sich entlang der Gassen durch die gesamte Altstadt ziehen. Ursprünglich waren sie für die Versorgung mit Brauchwasser und als Schmutzwasserkanäle gedacht.

Findest du die Lösung?

Im Sommer fließt durch die Bächle jeden Tag ununterbrochen Wasser. Mit der Formel $V = A \cdot v$ lässt sich mit der Fließgeschwindigkeit v (in m/s) und dem Wasserquerschnitt A (in m^2) das Wasservolumen V (in m^3) bestimmen, das pro Sekunde durch ein Bächle fließt. Bestimme, wie viel Kubikmeter Wasser pro Tag bei einer Fließgeschwindigkeit von 0,6 m/s durch ein Bächle fließt, wenn es 30 cm breit ist und die Wasserhöhe 10 cm beträgt.

Wie tief müsste das Bächle bei gleicher Breite und gleicher Fließgeschwindigkeit mindestens sein, damit pro Tag etwa 4 Mio. Liter Wasser durch das Bächle fließen können?

Ein Bächle mit einer Breite und einer Tiefe von je 20 cm soll um x cm verbreitert und gleichzeitig die Tiefe um x cm verringert werden. Bestimme x so, dass sich das Fassungsvermögen des Bächles halbiert.

Hinweis:
Das Wasservolumen, das pro Zeit durch einen Fluss fließt, wird auch „Abfluss" genannt.

Erkundigt euch im Internet, wie groß das Wasservolumen ist, das pro Tag durch den Fluss in eurer Stadt fließt. Bestimmt anschließend durch einen geeigneten Versuch die Fließgeschwindigkeit des Wassers. Berechne mit diesen Angaben den Querschnitt des Flusses.

Straßen- und Schienenverkehr
Wenn man in einer Stadt wie Freiburg von A nach B kommen will, so hat man verschiedene Möglichkeiten. Am günstigsten fährt man kurze Strecken natürlich mit dem Fahrrad. Mit einem Fahrrad läuft man nicht Gefahr, in einen Stau zu geraten. Lediglich an Ampeln muss man halten.

Findest du die Lösung?

In der nebenstehenden Karte sind alle Ampeln auf dem Werder- bzw. dem Rotteckring in Freiburg eingezeichnet. Alle Ampeln sollen unabhängig voneinander entsprechend der Grafik geschaltet sein. Berechne die Wahrscheinlichkeit, dass man auf dem Weg von der Kronenbrücke bis zum Fahnenplatz an allen Ampeln höchstens einmal „rot" vorfindet.

Überlege dir, wie lange die Grünphasen an zwei unabhängig hintereinander geschaltet Ampeln sein müssten, damit man mit einer Wahrscheinlichkeit von 50 % bei beiden Ampeln grün vorfindet.

Bei schlechtem Wetter oder wenn man schwere Sachen transportieren will, bietet die Straßenbahn Vorteile. Die Fahrtarife von Freiburg sind in der Tabelle dargestellt.

Wie viele Fahrten muss man mindestens mit der Straßenbahn fahren, damit sich eine Punktekarte für Erwachsene (für Kinder) gegenüber Einzelfahrscheinen lohnt?

Eine Mutter möchte mit ihren zwei Kindern mit der Straßenbahn in die Stadt fahren. Welche Fahrkarte(n) würdet ihr empfehlen?

Fahrschein	Preis	
Einzelfahrschein	Erwachsene	1,90 €
	Kinder	0,90 €
2 x 4-Fahrten-Karte	Erwachsene	12,70 €
	Kinder	6,80 €
Punktekarte 60 Punkte = 13,60 €	Erwachsene	7 Punkte
	Kinder	4 Punkte
REGIO24 (gültig 24 Stunden ab Entwertung)	1 Person und 4 Kinder	4,60 €
	5 Personen	6,50 €

Bequemer und auch oft schneller kann man mit dem Taxi fahren. Bei einer Taxifahrt muss man pro gefahrenen Kilometer mit 1,40 € rechnen. Hinzu kommen 3,10 € Grundgebühr.

Bei welchen Fahrtstrecken ist ein Taxi gegenüber der Straßenbahn (Einzelfahrschein) günstiger, wenn man zu viert unterwegs ist?

Die längste Strecke, die man in Freiburg mit der Straßenbahn fahren kann, beträgt etwa 10 km. Wie viele Fahrgäste müssten im Taxi mitfahren, damit das Taxi auch bei solch einer 10 km langen Fahrt günstiger als die Straßenbahn ist?

Energie und Umwelt

Für die privaten Haushalte, die öffentlichen Einrichtungen, den Straßenverkehr und die verschiedenen Industrien benötigt die Stadt Freiburg pro Tag im Jahresdurchschnitt insgesamt eine Energiemenge von etwa 2,5 Millionen kWh (Kilowattstunden). Um die Umwelt zu schonen, versucht die Stadt, die Nutzung der erneuerbaren Energien zu verstärken. Zu den erneuerbaren Energien zählen in Freiburg neben der Wasser- und der Bioenergie vor allem die Wind- und Sonnenenergie.

Auf einem bei Freiburg gelegenen Berg stehen vier baugleiche Windkrafträder. Die Rotorblätter haben eine Länge von r = 35 m. Ab einer Windgeschwindigkeit von 2,5 m/s werden die Windkrafträder eingeschaltet. Eine Sturmabschaltung erfolgt ab einer Windgeschwindigkeit von 30 m/s.

Windenergie
Für die Energie E (in kWh), die ein Windrad pro Stunde leisten kann, gilt die Formel:
$E = 0{,}0003 \cdot F \cdot v^3$
F: Von den Rotorblättern überstrichene Fläche (in m^2), (vgl. auch Fig. 1)
v: Windgeschwindigkeit (in m/s)

Findest du die Lösung?

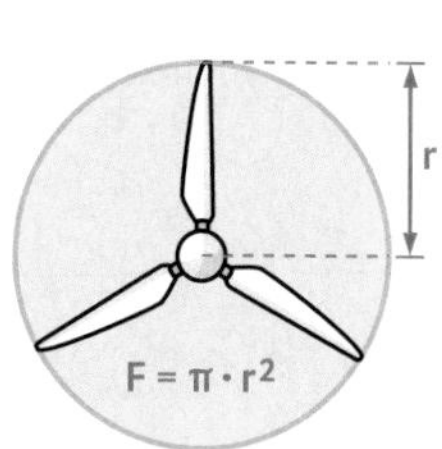

Fig. 1

Wie groß ist die maximale Energie, die man mit allen vier Windrädern pro Jahr gewinnen kann?

Pro Windkraftrad rechnet man im Jahr etwa mit einem Energieertrag von 3 000 000 kWh. Von welcher mittleren Windgeschwindigkeit geht man dabei aus?

Wie viele Windkrafträder würde man in Freiburg benötigen, um den gesamten Energiebedarf von Freiburg zu decken?

Sonnenenergie
Bei modernen Photovoltaikanlagen kann man pro Jahr und pro m^2 mit einer elektrische Energie von E = 120 kWh rechnen. Die Anschaffungskosten liegen bei etwa 750 € pro m^2.

In Freiburg wird mit Photovoltaikanlagen pro Jahr eine elektrische Energie von 3,5 Millionen kWh erzielt. Überschlage die Gesamtfläche aller Photovoltaikanlagen von Freiburg.

Von der Sonne trifft im Jahr eine Energiemenge von etwa $1{,}08 \cdot 10^{18}$ kWh auf der Erdoberfläche ein. Dies entspricht etwa dem 10 000fachen des Weltprimärenergiebedarfs und damit weit mehr als alle verfügbaren Energiereserven. Wie groß wäre eine Photovoltaikanlage, die den gesamten Energiebedarf der Menschen decken würde?

Welche Vor- und Nachteile hätte eine ausschließliche Energiegewinnung durch Windkrafträder und Photovoltaikanlagen?

Erkundige dich, welche regenerativen Energieformen in deiner Stadt genutzt werden.

Kunst in einer Stadt
In den meisten Städten findet man auf Plätzen Denkmäler oder auch Kunstplastiken. Im Freiburger Eschholzpark steht ein mehrere Meter großer Wasserhahn mit einem angeschlossenen „Schlauch" in der dazu passenden Größe. Auf dem Foto kann man anhand der Personen bei dem Schlauch verschiedene Größen im Bild schätzen.

Findest du die Lösung?

Wie hoch wird der Hahn ungefähr sein? Wie lange ist vermutlich der dazugehörige „Schlauch"?

Wie groß wäre ungefähr ein Mensch, der den Hahn aufdrehen würde? Welche Schuhgröße hätte der Mensch?

Wie viel Wasser würde ungefähr durch den Schlauch pro Tag fließen, wenn die Fließgeschwindigkeit 1 m/s beträgt?

Der Tabelle kann man entnehmen, wie viel Wasser durch den Freiburger Fluss, die Dreisam, pro Sekunde fließt. Mit welcher Fließgeschwindigkeit müsste das Wasser durch den Schlauch fließen, wenn das gesamte Wasser der Dreisam durch den Schlauch der Plastik fließen würde? (Verwende hierzu die Formel $V = A \cdot v$ von Seite 184.)

Fluss Dreisam					
Länge	darunter schiffbar	Niederschlagsgebiet	höchster	niedrigster	mittlerer
km		km²	beobachteter Abfluss in m³/s		
43	–	1141	355	0,5	21,3

Suche in deiner Stadt nach geeigneten Plastiken oder Denkmälern. Ist bei einem Denkmal ein bedeutender Mensch überlebensgroß dargestellt, so bieten sich folgende Fragen an:
- Wie groß ist der dargestellte Mensch?
- Wie viel wird der dargestellte Mensch ungefähr wiegen?
- Welche Schuhgröße wird der dargestellte Mensch haben?

Besonders spannend sind solche Fragen, wenn das Denkmal nur einen Teil des Menschen zeigt (z. B. nur den Kopf).

Welche Schuhgröße hätte Konrad Adenauer?

Mit Artikeln kann man rechnen

Wenn man Zeitungen oder Zeitschriften liest, stößt man regelmäßig auf Artikel, in denen mit Zahlen, Formeln oder Grafiken argumentiert wird. Die Mathematik kann hier beim Lesen helfen, Informationen zu verstehen oder auch kritisch zu hinterfragen. Zeitungs- und Zeitschriftenartikel können so Ausgangspunkt für weitere Überlegungen sein.

Im Artikel in Fig. 1 wird über die Festnahme eines „Autobahnrasers" berichtet. Einige der in dem Artikel angegebenen Zahlen können genauer untersucht werden. So liest man, dass der Mann im Baustellenbereich mit 123 km/h statt der erlaubten 80 km/h fuhr. Außerdem hatte der Mann 0,9 Promille Alkohol im Blut. Folgende Fragestellungen könnten in diesem Zusammenhang von Interesse sein:

Findest du die Lösung?

Tipps:
1. Eine Formel zur Berechnung des Bremsweges findest du in Aufgabe 14 auf Seite 109.
2. Ein erwachsener Mensch hat zwischen 4 und 6 Liter Blut.

Um wie viel Prozent fuhr der Fahrer schneller als die erlaubte Höchstgeschwindigkeit?
Um wie viel Prozent verlängerte sich durch die überhöhte Geschwindigkeit sein Bremsweg?
Wie viel Liter Bier mit einem Alkoholgehalt von 5% müsste der Fahrer mindestens vor seiner Festnahme getrunken haben?

In gleicher Weise können die Artikel auf Seite 189 näher untersucht werden. Zu einigen Artikeln findest du im Folgenden Anregungen.

Schätze mithilfe des Fotos in Fig. 3, wie weit die Tore beim Kunstprojekt „The Gates" voneinander entfernt sind. Wie lang wäre dann der Tore-Parcours insgesamt? Wäre er lang genug, damit er einmal um deine Stadt geht?

Erkundige dich über andere Projekte von Christo und Jeanne-Claude.

Wie viel Stoff benötigte Christo für sein Projekt, wenn jedes Stoffstück quadratisch mit der Seitenlänge 3 m ist? Schätze, wie schwer und wie teuer allein der Stoff für das Kunstwerk sein dürfte. Würde die Stoffmenge ausreichen, um eure gesamte Schule zu „verpacken"?

Stelle mithilfe des Artikels in Fig. 7 eine Formel auf, mit der sich beim Handytest das Gesamtqualitätsurteil mit den Einzelbewertungen (Telefonieren, Textnachrichten ...) berechnen lässt. Berechne für die vier Handys das Gesamtqualitätsurteil, wenn man jede Einzelbewertung gleich gewichtet hätte.

Herr Beckers legt bei einem Handy keinen Wert auf die Fotofunktion. Außerdem verschickt er nur selten Textnachrichten. Überlege dir mit deinem Nachbarn für Herrn Beckers eine geeignete Berechnungsformel für das Gesamtqualitätsurteil. Formuliert anschließend eine kurze Kaufempfehlung für Herrn Beckers.

Stelle eine Berechnungsformel für das Gesamtqualitätsurteil auf, wenn du das Handy für dich selbst kaufen würdest. Für welches Produkt würdest du dich entscheiden? (Beachte auch den Verkaufspreis.)

Formuliere für die vier Artikel in Fig. 2 und 4 bis 6 selbst geeignete Fragen und tausche sie mit deinem Nachbarn aus.

Autobahnraser festgenommen
Gestern Nacht nahm die Polizei gegen 23.00 Uhr einen 38-jährigen Mann aus Karlsruhe fest, der auf der Autobahn wegen überhöhter Geschwindigkeit auffiel. In einem Baustellenbereich fuhr der Mann mit 123 km/h statt der erlaubten 80 km/h. Wie sich bei der anschließenden Überprüfung herausstellte, hatte der Fahrer 0,9 Promille Alkohol im Blut. Der Mann muss nun mit einer empfindlichen Geldbuße und einem mehrmonatigen Fahrverbot rechnen.

Fig. 1

Energie lässt sich sparen
Statt so genannter „Niedrigenergiehäuser" rechnen sich echte Passivhäuser mit 35 bis 45 Zentimeter Wärmedämmung und Dreifachverglasung trotz zunächst etwa fünf bis acht Prozent voll verzinster Mehrkosten in rund 30 Jahren.
Ein Drei-Liter-Auto spart bei 200 000 Kilometern Nutzungsdauer bis zu 10 000 Euro Spritkosten. Technisch möglich sind Großserien aerodynamischer, leichter Fahrzeuge mit vier Insassen, die unter 1,9 Liter auf 100 Kilometern verbrauchen.

Fig 2, (März 2005, Badische Zeitung)

Eröffnet: Im Central Park leuchten Christos Tore

Das Kunstprojekt „The Gates" des Künstlers Christo ist am Samstag im Central Park in New York eröffnet worden. Es ist das größte Freiluftkunstwert in der Geschichte der Metropole. „The Gates" besteht aus 7500 mit orangenfarbenem Stoff behängten Toren.

Fig. 3, (März 2005, Frankfurter Allgemeine Sonntagszeitung)

Niederschlagswahrscheinlichkeiten für die nächsten Tage
Montag: 5 %
Dienstag: 20 %
Mittwoch: 10 %
Donnerstag: 10 %
Freitag: 15 %
Samstag: 20 %
Sonntag: 30 %

Fig. 4

Der Placebo-Effekt
Die Palette der Leiden, die bereits mit Zuckerpastillen und Kochsalz-Injektionen gelindert oder geheilt wurden, ist kaum mehr überschaubar – von Migräne über Bluthochdruck bis hin zu Herzerkrankungen. Und nach der Durchsicht von fast 7000 Einzelstudien kam heraus: Auch bei klinisch vollends wirkungslosen Therapien, die gar nicht gezielt als Placebo-Medizin angewendet wurden, war das Heilresultat von 70 Prozent der Patienten gut bis sehr gut.

Fig. 5, (März 2005, natur + kosmos)

Stausalz
Pech für gut 450 Lastzüge aus ganz Europa, die derzeit auf dem Festplatz festsitzen. Oft sechs Stunden und länger sind sie auf Abruf da und werden nacheinander per Funk ins sechs Kilometer entfernte Salzbergwerk gelotst, wo sie ihre zurzeit besonders kostbare Fracht laden dürfen. Denn Streusalz ist europaweit knapp geworden. Eine Entspannung der Situation ist vorerst nicht zu erwarten. „Salz haben wir genug", sagt Emil Freudenreich, der Vorstandssprecher der Nordwestdeutschen Salzwerke AG. Die langen Wartezeiten entstünden deshalb, weil täglich 35 Mitarbeiter zwischen 10 000 und 13 000 Tonnen Streusalz verladen, das entspricht immerhin der Ladung von etwa 500 Lastwagen.

Fig. 6, (März 2005, Schwäbische Zeitung)

Handys mit integrierter Digitalkamera

Produkt		M 78	SN 1006	NGC 6992	NGC 2623
Mittlerer Preis in Euro ca.		199	230	490	189
Gesamtqualitätsurteil	100 %	GUT (2,3)	GUT (2,3)	GUT (2,5)	BEFRIEDIGEND (2,7)
Kommentar		Gute Telefonierqualität, aber lange Akku-Ladedauer.	Gute Telefonierqualität. Mit FM-Radio.	Fotofunktion gut, klangstarker MP3-Spieler.	Touchscreen. Gute Telefonierqualität. Fototransfer zum PC mangelhaft.
Telefonieren	30 %	gut (2,1)	gut (2,1)	gut (2,4)	befriedigend (3,1)
Textnachrichten (SMS)	10 %	gut (2,5)	gut (2,1)	befriedigend (2,6)	gut (2,3)
Fotofunktion (MMS)	10 %	befriedigend (3,1)	befriedigend (3,4)	gut (2,3)	ausreichend (4,0)
Vielseitigkeit	10 %	gut (2,2)	gut (1,8)	gut (1,9)	befriedigend (2,7)
Akkubetrieb	20 %	gut (2,0)	gut (2,3)	befriedigend (2,7)	befriedigend (2,6)
Menüführung	5 %	befriedigend (2,7)	befriedigend (2,7)	gut (2,2)	gut (2,2)
Abmessungen	10 %	gut (2,1)	gut (2,4)	befriedigend (3,1)	gut (1,9)
Haltbarkeit	5 %	gut (2,5)	gut (1,9)	befriedigend (2,9)	gut (1,6)

Fig. 7

Tipp:
Wenn du selbst Zeitungsausschnitte verwendest, kannst du wichtige Stellen auch direkt im Text mit einem Textmarker markieren.

Wichtige Informationen erkennen
Will man mithilfe des ersten Artikels auf Seite 191 bestimmen, wie viel Liter Kerosin der Airbus A380 mitführen kann, so benötigt man nicht alle im Artikel angegebenen Zahlen. In diesen Fällen bietet es sich an, zunächst alle notwendigen Zahlenangaben aufzuschreiben. Aus dem Artikel entnimmt man beispielsweise:
1) Der Airbus A380 kann 555 Passagiere transportieren
2) Die Reichweite des A380 beträgt bis zu 15000 Kilometer
3) Der Kerosinverbrauch des A380 beträgt 2,9 Liter auf 100 Kilometer pro Passagier bei voll besetztem Flugzeug.

Findest du die Lösung?

Bestimme mit diesen Angaben, wie viel Liter Kerosin der Airbus A380 mitführen kann.

Formuliere zu den Artikeln in Fig. 1 und Fig. 2 insgesamt vier Aufgaben und tausche sie mit deinem Nachbarn aus. Notiere dir anschließend zu jeder Aufgabe die zur Lösung notwendigen Angaben und löse die Aufgabe. Vergleicht eure Ergebnisse gemeinsam.

Graphen in Artikeln
Im Wirtschafts- und Finanzteil einer Zeitung stößt man häufig auf Graphen. Hier ergeben sich neue Forschungsaufträge:

Findest du die Lösung?

Bestimme, zu welchen Zeiten der Kurswert der Cewe-Color-Aktie seit Börsengang ein Maximum bzw. ein Minimum hatte. Beschreibe die Skalierung der Hochachse. Welcher Eindruck wird durch die besondere Skalierung erreicht?

Die rot dargestellte Gerade „Langfristiger Abwärtstrend" ist durch zwei Punkte bestimmt. Ermittle die Steigung der Geraden.

Mit zusätzlichen Informationen arbeiten
Bei einigen Artikeln benötigt man für weitere Überlegungen zusätzliche Informationen. Diese findet man z.B. in Fachbüchern oder im Internet.

Findest du die Lösung?

Um wie viel Prozent sinkt der Leistungsbedarf und damit auch der Verbrauch, wenn das im Artikel von Fig. 4 vorgestellte Auto statt der möglichen Höchstgeschwindigkeit von 213 km/h nur die von Naturschutzverbänden empfohlene Höchstgeschwindigkeit von 130 km/h fährt?

Bei einem Auto lässt sich die aufzubringende Motorleistung P (in Watt) mit folgender Formel berechnen: $P = 0{,}014 \cdot c_W \cdot A \cdot v^3$
c_W: eine Konstante, die von der Form des Autos abhängt
A: die Stirnfläche des Autos (in m^2)
v: die Geschwindigkeit des Autos (in km/h)

Toulouse – Europas größter Flugzeugkonzern Airbus hat im Wettlauf mit seinem amerikanischen Konkurrenten Boeing eine neue Ära eingeläutet: In einer farbenprächtigen Lasershow wurde mit dem A380 das größte Passagierflugzeug der Welt am Dienstag in Toulouse vorgestellt.
Ab 2006 soll der neue Airbus A380 auf regulären Flügen eingesetzt werden und dann 555 Passagiere auf zwei Stockwerken transportieren. Dies ist ein Drittel mehr als in der Boeing 747. Als eng bestuhlter Billigflieger könnte der Riese sogar 853 Reisende aufnehmen.
Der A380 ist gemessen an der Passagierzahl das größte jemals gebaute Verkehrsflugzeug der Welt. Mit 73 Metern ist es länger als die Boeing 747 (70,7 Meter) und mit 24,1 Metern deutlich höher als der Jumbo (19,4 Meter). Auch bei der Flügelspannweite von 80 Metern übertrumpft das europäische Riesenflugzeug seinen Konkurrenten aus Seattle, der nur auf 64,4 Meter kommt.
Mit einer Reichweite von bis zu 15.000 Kilometern kann das Flugzeug in 16 Stunden ohne Zwischenlandung zwischen den Kontinenten verkehren. Durch die Verwendung neuer Verbundstoffe ist der Airbus mit 270 Tonnen Leergewicht etwa die Hälfte leichter als ein vergleichbares Boeing-Modell. Das maximale Abfluggewicht liegt bei 560 Tonnen. Airbus rühmt vor allem den geringen Kerosinverbrauch des A380 von 2,9 Litern auf 100 Streckenkilometer pro Passagier.

Fig. 1, (Januar 2005)

Schwarz-Gelb fehlen 745 Stimmen

Bei der Landtagswahl in Schleswig-Holstein hatte es am Sonntagabend zunächst nach einem Überraschungs-Sieg der bisherigen Opposition ausgesehen. CDU und FDP erhielten nach ersten Auszählungen eine absolute Mehrheit mit einem Vorsprung von einem Sitz. Im Laufe des Abends drehte sich das Resultat. Nach dem vorläufigen amtlichen Endergebnis ist die CDU mit 40,2 Prozent der Stimmen und 30 Mandaten zwar nun stärkste Kraft im Kieler Landtag, aber auch gemeinsam mit der FDP (6,6 Prozent, 4 Sitze) verfehlt sie die absolute Mehrheit der Sitze (35 Mandate). SPD (38,7 Prozent, 29 Sitze) und Grüne (6,2 Prozent, 4 Sitze) erreichen zusammen jedoch auch nur 33 Mandate. Insgesamt haben 1 455 094 Bürgerinnen und Bürger abgestimmt. Das entspricht einer Wahlbeteiligung von 66,5 Prozent, 3 Prozentpunkte weniger als bei der Landtagswahl 2000.

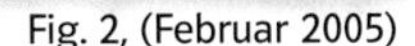

Fig. 2, (Februar 2005)

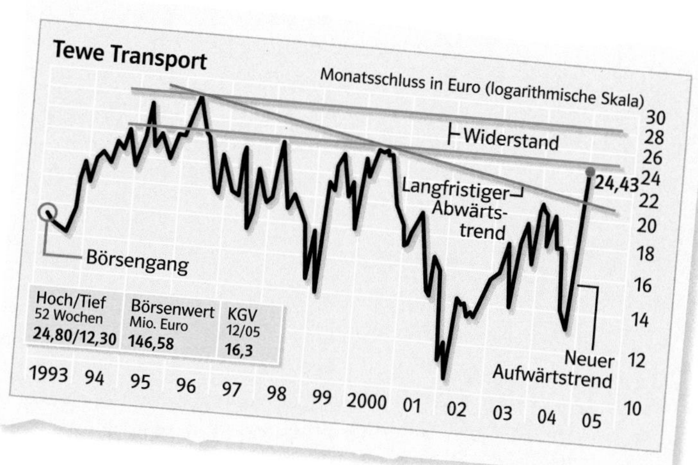

Fig. 3, (Februar 2005)

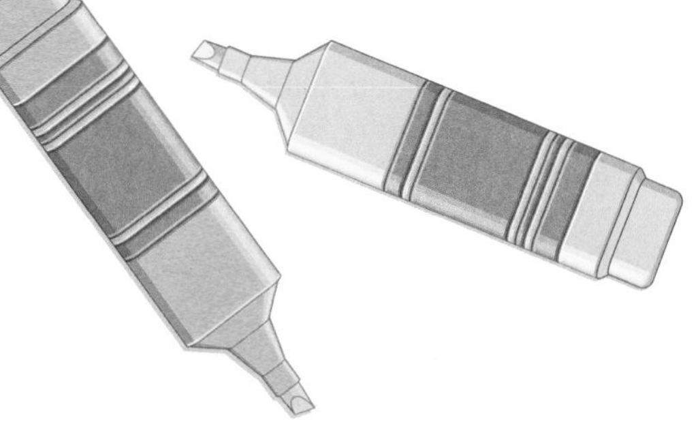

Nach über 13 Millionen VW Passat startet am 11. März die neuste Auflage. Der rundum neue Wagen ist innen und außen frisch gestylt, in den Dimensionen legte er deutlich zu. Dazu übernimmt er entscheidende Technikmodule aus dem Golf. Die Aerodynamik des neuen Passats wurde aufwändig in verschiedenen Windkanälen optimiert. Der c_w-Wert beträgt 0,29 (mit Sportfahrwerk 0,28), die Stirnfläche misst 2,26 m^2.

Fig. 4, (März 2005)

Wenn Sachverhalte mit Mathematik kompliziert werden

Zahlen und Formeln können in Artikeln aber gelegentlich auch sehr verwirrend sein. Ein Beispiel hierfür ist der Artikel „Perfekte Amtssprache“ in Fig. 1 von Seite 193. Hier werden Dinge unnötig mithilfe der Mathematik kompliziert gemacht. Dies erkennt man, wenn man sich genauer mit der im Artikel angegebenen Formel beschäftigt.

Findest du die Lösung?

Wie lautet die Funktionsgleichung der im Text beschriebenen Funktion *Widerristhöhe* $\longrightarrow$ *Mindestfläche*?

Stelle den Graphen der Funktion mithilfe eines GTR in einem Koordinatensystem dar.

Bestimme die Funktionsgleichung einer linearen Funktion, deren Graph der dargestellten Parabel näherungsweise entspricht. Worin liegen die Vorteile einer linearen Funktion?

Schreibe einen geeigneten Leserbrief mit einem Verbesserungsvorschlag für das bayerische Innenministerium.

Und jede Menge Fehler...

Gelegentlich sind Artikel nicht nur schwer verständlich oder unvollständig, sondern eindeutig falsch.

Findest du die Lösung?

Finde die Fehler in den Artikeln in Fig. 2 bis 6. Beschreibe auch, welche Denkfehler die Autoren vermutlich gemacht haben, und formuliere jeweils einen neuen, fehlerfreien Artikel.

Fig. 7 verdeutlicht, wie teuer die Übertragungsrechte für die Fußballbundesliga waren. Welchen Eindruck gewinnt man aufgrund des Diagramms? Welchen Funktionstyp könnte man für die Funktion *Jahr* $\mapsto$ *Preis* vermuten? Schreibe einen Artikel zum Diagramm.

Stelle die Werte von Fig. 7 in einem Diagramm dar, bei dem die Abstände der Jahre gleich groß gewählt sind und bei dem die Skalierung der Hochachse bei 0 beginnt. Schreibe einen Artikel zu dem erstellten Diagramm.

Betrachte in Fig. 8 zunächst nur die in der Grafik angegebenen Zahlen. Welche (großzügige) Annahme hat der Autor gemacht?

Vergleiche in der Grafik den abgebildeten LKW von Frankreich für 1995 mit dem abgebildeten LKW von Polen für 2010. Welcher Fehler wird deutlich?

Betrachte in der Grafik nur die abgebildeten LKWs von Polen. Nach welchen Gesichtspunkten hat der Autor wohl die Größe der LKWs gewählt? Schreibe einen Leserbrief an die Autoren des Diagramms mit geeigneten Verbesserungsvorschlägen. Verwende dabei die Begriffe „Volumen“ und „Potenzfunktion“.

Perfekte Amtssprache
Die Perfektion der deutschen Vorschriftenmacher ist vom bayrischen Innenminister Georg Tandler im Münchner Landtag mit dem Verlesen des Entwurfes für eine Kälbererhaltungsverordnung des Bundes belegt worden. Darin heißt es, was immer das im Klartext heißen mag: „Bei Gruppenhaltung muss für jedes Kalb in Abhängigkeit von der Widerristhöhe in Zentimetern eine frei verfügbare Mindestfläche gemäß nachstehender Formel vorhanden sein: Mindestfläche (in Quadratzentimeter) gleich 0,4 mal Widerristhöhe hoch 2 plus 70 mal Widerristhöhe plus 2720."

(nach Bielefelder Anzeiger), Fig. 1

Ehescheidung
Jede dritte Ehe in Deutschland wird geschieden, in Großstädten sogar jede vierte.

(Wochenpost, 1995), Fig. 2

Zufriedene Deutsche
Tübingen – Jeder neunte Deutsche (90,2 Prozent) ist mit dem 1993 Erreichten zufrieden. Das ist das Ergebnis einer Wickert-Umfrage. Seit der Gründung 1951 haben die Wickert-Institute noch nie so viel Zufriedenheit ermittelt.

(Bild, 1994), Fig. 3

Olympisches
Sydneys Hoteliers haben sich reichlich verrechnet. In der Olympia-Stadt herrscht ein Überangebot an Hotelbetten. Die Folge: Die Preise stürzen teilweise um über 100 Prozent.

(Süddeutsche Zeitung, 2000), Fig. 4

Um zwanzig nach elf stand das Rathaus plötzlich Kopf

Sie dürfen Ihren Augen ruhig trauen, das Bild ist nicht verkehrt herum auf diese Seite gelangt. Hannovers Rathaus steht kopf, genauer: Es spiegelt sich im von keinerlei Windhauch gekräuselten Wasser des Maschparkteiches. Zwanzig nach elf war es, als der Fotograph auf den Auslöser drückte, und fünf vor zwölf ist es, wenn der Rat heute und morgen über den Haushalt berät und Beschlüsse fassen muss.

(Hannoversche Allgemeine Zeitung), Fig 5

Ärzte bilden mehr Helferinnen aus
(ts) Die Bremer Ärzte bilden derzeit sehr viel mehr Arzthelferinnen aus als vor einem Jahr. Zum Stichtag 30. September 1999 ergaben sich für das Land Bremen 203 Ausbildungsverträge, davon 165 in Bremen und 38 in Bremerhaven. Im September 1998 waren es insgesamt 163 Verträge gewesen. Der erfreuliche Anstieg mache deutlich, „dass sich die niedergelassenen Ärzte ihrer Verantwortung hinsichtlich ausreichender Ausbildungsplätze sehr wohl bewusst sind", kommentierte Ärztekammer-Präsidentin Ursula Auerswald. Da bei der Kammer täglich noch weitere Verträge eingingen, rechne man mit einem Plus von über 20 Prozent.

(Weser Kurier, 1999), Fig. 6

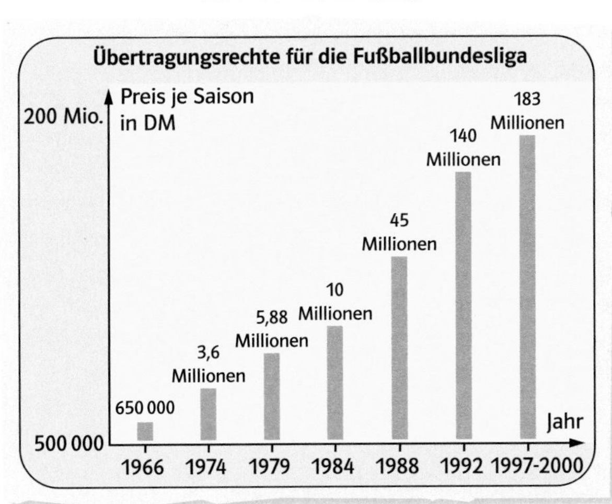

(Hannoversche Allgemeine Zeitung), Fig. 7

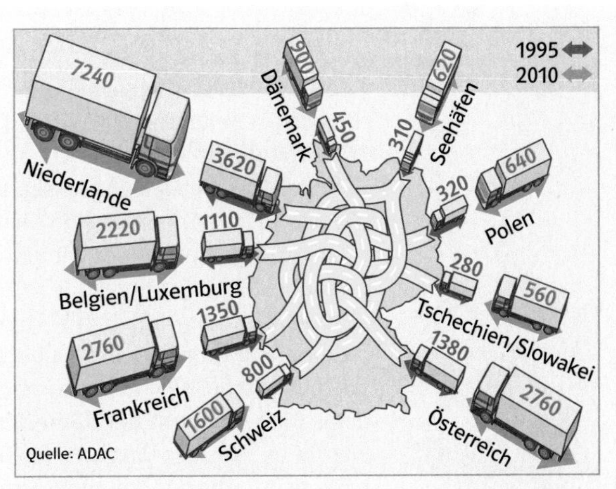

Weniger Kontrolle, mehr Straßenverkehr: Bis 2010 wird sich die Zahl der jährlich auf die Bundesrepublik zurollenden Lkw verdoppeln, beispielsweise aus den Niederlanden von 3,6 auf 7,2 Millionen. Angaben in Tausender-Einheiten.

(Rheinische Post, 1995), Fig. 8

Lupenreiner Rohdiamant in Mannheim. Wie gestern bekannt wurde, hat der Juwelier König in Amsterdam einen lupenreinen Rohdiamanten erworben. Der Diamant hat die Form eines Oktaeders mit der Kantenlänge 1,75 cm. Experten schätzen den Wert des Steines auf etwa 100 000 . Er gehört somit zu den wertvollsten Steinen in Deutschland. Zurzeit wird der Diamant in einem Safe des Juweliers in der Rheinstraße 124 gelagert. Er soll in den nächsten Wochen zu einem Brillianten geschliffen werden. Anschließend soll er beim Verkauf Höchstpreise erzielen. (Fortsetzung auf S.2)

Ede grinste immer noch, obwohl es schon Stunden her war, seit er den Artikel in der Zeitung gelesen hatte. „100 000 Euro" murmelte er immer wieder verzückt zu sich selbst und stellte sich vor, was er sich alles mit dem Geld kaufen würde.
Ede war ein erfahrener Gauner, aber bisher hatte er sich eher auf Trickbetrug, als an Einbrüche gewagt. Für diese Nummer brauchte er ein paar alte Freunde, Experten auf ihrem Gebiet.

Auf Seite 32 erfährst du mehr über Oktaeder.

Ede holte ein kleines Büchlein hervor. Das Büchlein, das er liebevoll Enigma getauft hatte, enthielt Telefonnummern von Arbeitskollegen. Ede hatte die Nummern verschlüsselt, so dass kein Fremder sie lesen kann. Hinter jedem Namen stand eine Gleichung. Die Lösung der Gleichung ergab hintereinander geschrieben die dazugehörige Telefonnummer. Hierbei wird die positive Lösung (ohne Vorzeichen und Komma) als erstes verwendet.

Maier	$x^2 + 130x - 24\,675 = 0$
Leliwa	$x^2 - 12 - 47{,}75x = 0$
Schwarz	$x^2 + 559{,}99x = 5{,}6$
Hartmann	$0{,}01x^2 = 166 + 6{,}39x$
Kleinschmidt	$x^2 - 15\,625 = 0$
Bach	$x^2 + 1450x = -x^2 + 1{,}08x + 783$

Findest du die Lösung?

- Ede wählte die Nummern von Lola (02548) und von Pepe (125 125). Wie heißen die beiden mit Nachnamen?
- Verschlüssele nach Edes Code deine Telefonnummer und tausche sie mit deinem Nachbarn. Kontrolliert eure Ergebnisse anschließend gemeinsam.

Zwei Tage später traf sich Ede mit Lola und Pepe, um den Coup zu planen. Ihnen war klar, dass das kein Kinderspiel werden würde. Ein Rohdiamant war etwas anderes als Bargeld. „Wie wollt ihr so einen Klunker zu Geld machen ohne geschnappt zu werden?" fragte Ede. „Ist doch klar!", Lola klang lässig, als hätte sie schon hundertmal einen Diamanten geklaut. „So wie er ist, können wir ihn nicht verticken." Sie schwieg, um ihrem Vorschlag mehr Gewicht zu verleihen: „Aber wir können ihn in kleinere Rohdiamanten zerteilen und dann verkaufen." „Und wenn wir den Gewinn für ein paar Jahre im Ausland anlegen bis uns keiner mehr mit dem Raub in Verbindung bringen kann...", ergänzte Ede die Idee.
„Wie viel Karat hat der Stein überhaupt?" Die Frage von Pepe klang kleinlaut und unsicher. Ede betrachtete sich noch einmal genau den Zeitungsartikel. „Der Rohdiamant hat die Form eines Oktaeders mit der Kantenlänge 1,75 cm", murmelte er vor sich her. Als Fachmann wusste er, dass ein Diamant der Größe 1 cm³ etwa 3,5 g wiegt und dass ein Karat 200 mg entspricht. „Mit der Volumenformel für Pyramiden müsste es doch eigentlich gehen..."

Volumen einer Pyramide

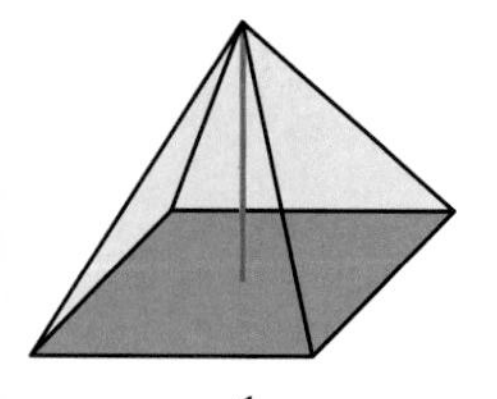

$V = \frac{1}{3}Gh$

G: Grundfläche, h: Höhe

Findest du die Lösung?

Bestimme, wie viel Karat der Rohdiamant des Juweliers hat.

Findest du die Lösung?

- Pepe überlegte: „Wie viele Steine in der Größe 3 Karat lassen sich etwa aus dem Ausgangsstein herstellen?"
- Lola rechnete schon: „Angenommen, der Erlös würde jedes Jahr etwa 3 % an Wert gewinnen. Wie viele Zinsen würden wir nach 12 Jahren erhalten? Wie viele Jahre müsste man den Erlös bei diesem Prozentsatz anlegen, damit sich das Geld verdoppelt?"

„Schön! Trotzdem müssen wir ihn erst einmal haben!" Ede blieb realistisch, denn der Safe des Juweliers lag nicht irgendwo, sondern im sechsten, dem obersten Stockwerk der Rheinstrasse 124. Von unten bis oben war es ein langer und gut gesicherter Weg. Als hätte Lola Edes Gedanken gelesen, schlug sie vor: „Ich habe einen Onkel, der in der Rheinstraße 121 wohnt. Wir könnten uns von dessen 8-stöckigem Hausesdach mit einer Seilwinde auf das schräg gegenüberliegende Dach Nr. 124 abseilen.

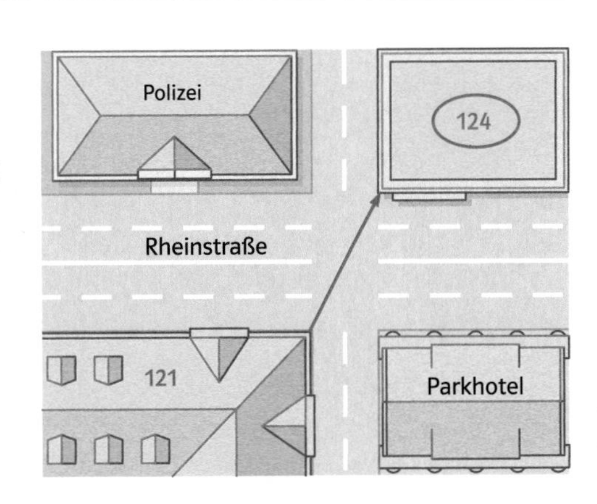

Findest du die Lösung?

- Ede überlegte: „Wie lang muss die Seilwinde mindestens sein, wenn man für ein Stockwerk 3 m und pro Straßenspur 2,5 m rechnet?"
- Lola wurde bei dem Gedanken, in windiger Höhe an einem Seil zu hängen, ganz übel. Sie gab zu Bedenken, das die Fahrt zu schnell würde, wenn das Seil steiler als unter 30° abfällt. Ist dies hier der Fall?

„Direkt an der Polizei vorbei!", strahlte Pepe. „Der Safe ist mit einem stillen Alarm gesichert", warnte Lola. Ihr Hobby war es, alle Sicherheitsanlagen der Stadt zu kennen. Man konnte ja nie wissen! „Wie lange?" Ede war begeistert. Es war zu schön, um war zu sein. Ein schlecht gesicherter Juwelier, ein zufälliger Nachbar und ein kleines Vermögen. „Zwei Minuten." Lola grinste. Für einen Verbrecher waren zwei Minuten eine Ewigkeit. Fand auch Ede. „Ihr zwei holt den Stein, werft ihn in einem Beutel auf die Ladefläche meines Lasters, entfernt die Winde. Ohne belastenden Stein und in Sicherheit."

Das Gaunertrio überlegte jetzt, wo Ede den Laster auf der Rheinstraße parken müsste, wenn der Beutel waagrecht aus dem Fenster geworfen auf die Ladefläche fallen soll. Ede versuchte zu bestimmen, wie lange der Beutel ungefähr in der Luft bleiben wird.

Findest du die Lösung?

Beschreibe, wo Ede den Laster parken muss. Wie lange braucht der Beutel, bis er unten gelandet ist?

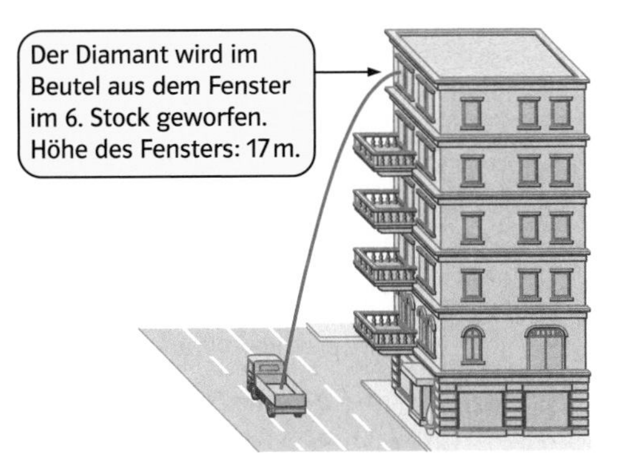

Die Stockwerke 2 bis 5 haben einen 1 m hohen Balkon, der 3 m über die Straße ragt.

Tipp:
Verwende hierzu die Formel von Seite 71

„Sobald der Beutel gelandet ist, fahre ich unauffällig mit der erlaubten Höchstgeschwindigkeit los." Ede grinste verschwörerisch. „Und je weiter ich vom Tatort weg bin, desto geringer ist die Gefahr, dass ich angehalten und mit dem Diebstahl in Verbindung gebracht werde."

Findest du die Lösung?

- Wie lange wird Ede brauchen, um von Kreuzung A zu Kreuzung B zu gelangen?
- Beschreibe, wie sich die Zeit berechnen lässt, die Ede von Kreuzung A für n Straßenblöcke in südlicher und m Straßenblöcke in östlicher Richtung benötigt.

„Bleibt die Frage, wie wir die Beute teilen", riss Ede ihn aus seinen Berechnungen. „Da ich den Stein aus der Stadt bringe und da ich seit 16 Jahren der Anführer unserer Gruppe bin, möchte ich, dass mein prozentualer Anteil um 16% höher ist als eurer", erklärte Ede. Diese Überlegungen klangen logisch, gingen aber für Pepe, der ein völliger Mathematikdilettant war, etwas zu schnell. Verwirrt warf er Lola einen fragenden Blick zu. Diese zuckte unschlüssig mit den Achseln und versuchte an fünf Fingern nachzurechnen, wie viel mehr Ede verlangte. Schließlich nickte sie. Damit war die Sache für Pepe entschieden.

Findest du die Lösung?

- Wie hoch ist der prozentuale Anteil von Pepe, Lola und Ede? Wie viel würde jeder von der Beute bekommen, wenn diese nach den Ausgaben noch 80 000 € beträgt?
- Wie groß ist Unterschied bei einer Beute von 80 000 € für jeden gegenüber einer Teilung in drei gleich große Anteile?

Zwei Tage später war es soweit. Es war eine sternenklare Nacht. Lola und Pepe gelangten wie geplant mit der Seilwinde auf das Dach des Juweliers und durch ein ungesichertes Lüftungsfenster in das Büro.
„Das glaube ich ja einfach nicht! Auch noch hinter einem Bild versteckt!", stöhnte Lola, um nicht laut aufzulachen. Hier hatte jemand eindeutig zu viele schlechte Gangsterfilme gesehen. „Aber wenigstens ist es kein einfaches Schloss", meinte sie fachmännisch. „Zum Öffnen des Safes muss man zunächst eine dreistellige Zahlenkombination und anschließend eine vierstellige Buchstabenkombination eingeben." Insgeheim war sie dankbar, dass wenigstens das Schließsystem eine Herausforderung war.

Findest du die Lösung?

- Wie groß wäre die Wahrscheinlichkeit, dass die Tür bei einer zufälligen Eingabe verschlossen bleibt?
- Wie groß wäre die Wahrscheinlichkeit bei einer siebenstelligen Eingabe von Zahlen oder Buchstaben?

Als es Lola schließlich gelang, die Tür des Safestandardmodels zu öffnen, lag der Diamant wie auf einem Präsentierteller vor ihr. Keine weiteren Absicherungen oder Überraschungen. „Leicht verdientes Geld", lachte Lola und warf Pepe übermütig den Stein zu. Ohne zu zögern warf er die wertvolle Beute wie geplant aus dem Fenster, wo sie zielsicher auf Edes Lasterladefläche landete. Ede fuhr mit quietschenden Reifen los.

Wenige Minuten später wimmelte es im gesamten Innenstadtbereich von Streifenwagen. Ede wurde etwas unruhig. Verunsichert rechnete er sich die Wahrscheinlichkeit aus, ins „Netz" der Polizei zu geraten:

Findest du die Lösung?

- „Wenn jede vierte Kreuzung kontrolliert wird, wie groß ist dann die Wahrscheinlichkeit, die nächsten fünf Kreuzungen unbehelligt zu passieren?"
- Ede vermutete, dass der Stein in einer Polizeikontrolle in drei von vier Fällen gefunden wird. Wie groß wäre demnach die Wahrscheinlichkeit, durch zwei Polizeikontrollen zu kommen, ohne dass der Stein entdeckt wird?
- Wie groß müsste die Wahrscheinlichkeit sein, dass der Stein bei einer Kontrolle gefunden wird, wenn er bei zwei Kontrollen durchsucht wird und die Wahrscheinlichkeit, bei beiden Kontrollen nicht entdeckt zu werden, 50 % beträgt?

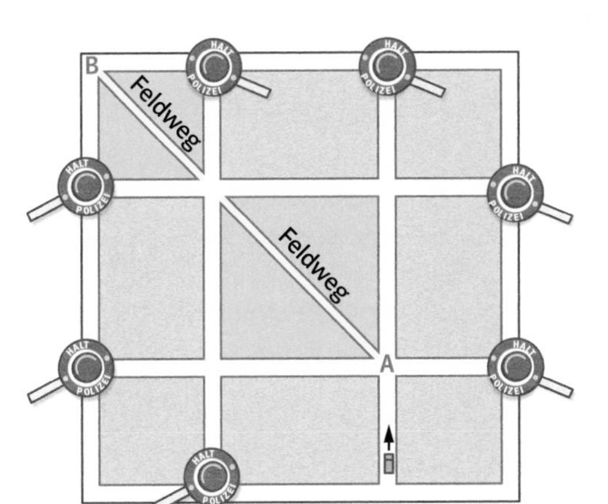

Doch schon an der nächsten Kreuzung wurde ihm klar, dass die Polizei wesentlich schneller als geplant war. Sie hatten das Stadtviertel bereits mit mehreren Streifenwagen abgeriegelt. Aber das machte nicht viel. Ede kannte einen Schleichweg über zwei Felder.

Findest du die Lösung?

Wie lange ist der Fluchtweg von A nach B, wenn die nebenstehende Abbildung das Viertel im Maßstab 1 : 5000 darstellt?

Aber wieder zeigte sich, dass die Polizei an alles gedacht hatte. Als Ede gerade aus dem Feldweg bog und mit voller Geschwindigkeit weiterfahren wollte, versperrte ihm ein Streifenwagen den Weg. Nur durch eine Vollbremsung gelang es Ede, noch rechtzeitig zu halten. Doch dank seiner langjährigen Erfahrung ließ sich Ede nichts anmerken. Er wusste, dass ihn niemand mit dem Verbrechen in Verbindung bringen konnte. Nicht einmal sein Lieblingsbeamter Herr Maier, der ihn schon viermal wegen Lappalien hinter Gitter gebracht hatte.
„Oh! Hallo Ede! Wohl zufällig in der Gegend, wie?!", Maier gab sich keine Mühe, seinen Argwohn zu verbergen. „Machen wir es kurz! Bitte zeigen Sie mir die Tachoscheibe."

Bei einem LKW wird die Geschwindigkeit ihrer Fahrt mithilfe einer Tachoscheibe aufgezeichnet

An den Fahrtenschreiber hatte Ede nicht gedacht. Ihm war sofort klar, dass man mit der Tachoscheibe die Fahrt rekonstruieren konnte. Trotzdem gelang es ihm mithilfe eines einfachen Taschenspielertricks, die Tachoscheibe gegen eine gefälschte Scheibe auszutauschen, die eigentlich dazu gedacht gewesen war, seinen Boss zu betrügen.

Bei einer Fahrtenscheibe wird die Geschwindigkeit (in km/h) auf der Hochachse dargestellt.

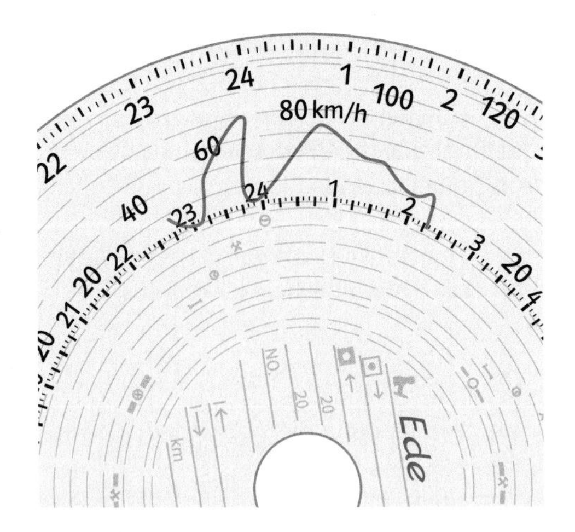

Der Beamte schaute sich die Karte in Ruhe an. Dann betrachtete er die Bremsspur von Edes Laster. Er nahm einen Stift, rechnete kurz und meinte dann lächelnd: „Tut mir Leid, Ede, aber die Tachoschreibe kann nicht richtig sein."

Findest du die Lösung?

- Erläutere, wie der Beamte mithilfe der Bremsspur erkannt hat, dass die Tachoschreibe ausgetauscht wurde?
  Tipp: Verwende hierzu die Formel von Aufgabe 14 auf Seite 109

Findest du die Lösung?

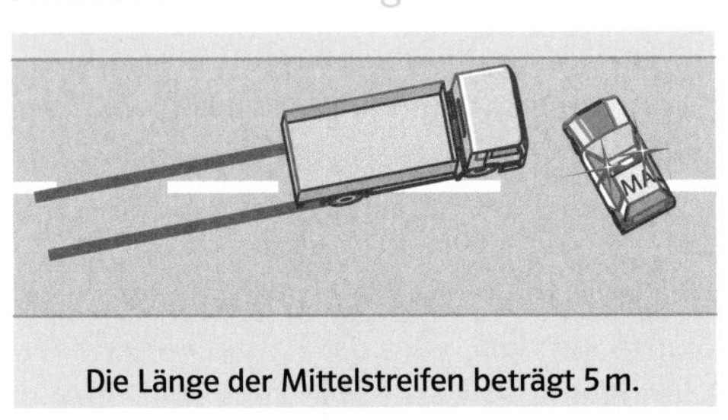

Die Länge der Mittelstreifen beträgt 5 m.

- Wie lange hätten die Bremsstreifen höchstens sein dürfen, wenn Ede mit der Geschwindigkeit gefahren wäre, die der Fahrtenschreiber angibt?
- Bestimme eine Formel, mit der sich die Bremsverzögerung b berechnen lässt, wenn man den Bremsweg s für die Geschwindigkeit v kennt.

- Bei einer Vollbremsung setzt sich der Anhalteweg aus dem Reaktionsweg und dem Bremsweg zusammen. Der Reaktionsweg hängt von der Reaktionszeit des Fahrers ab, die zwischen 1 und 2 Sekunden liegt.
  Begründe, warum der Reaktionsweg für die obigen Überlegungen keine Bedeutung hat.

Als sich Maier die Tachoscheibe weiter ansah, musste er plötzlich laut lachen. „Das gibt es doch gar nicht." Maier streckt Ede die Scheibe hin. „Die Tachoscheibe ist ja selbst erstellt. Und das auch noch schlecht. Die kann ja gar nicht von einer wirklichen Fahrt stammen".

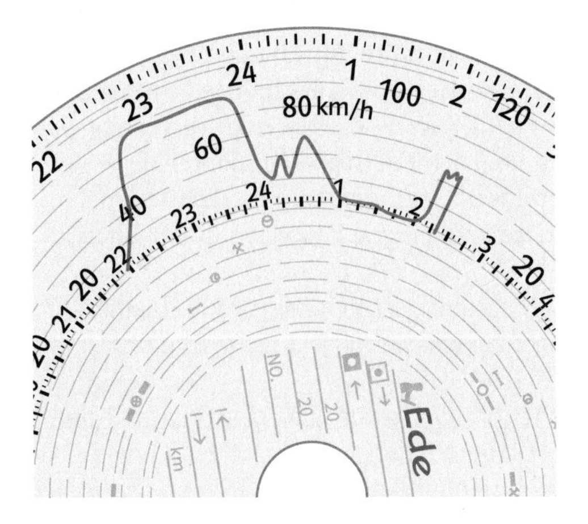

Findest du die Lösung?

- Wie hat Maier erkannt, dass die Scheibe nicht von einer wirklichen Fahrt stammen kann?
- Wie hatte Maier ihn bloß durchschaut? Ede rutschte nervös auf seinem Sitz herum, während der Polizist mit einer Taschenlampe in den Wagen leuchtete. Zielsicher auf die richtige Tachoscheibe.
- Beschreibe mithilfe der nebenstehenden Tachoscheibe eine mögliche Fahrt in eigenen Worten.

„Kommissar?!" Ein zweiter Beamte hob einen Beutel von der Ladefläche hoch. „Was mag da wohl drin sein?" Maier lächelte süffisant und überprüfte den Inhalt. „Kommissar Maier, ich versichere Ihnen, diesen Beutel habe ich noch nie gesehen", verteidigte Ede. Erst einmal mussten die Beamten ihm beweisen, dass er etwas mit diesem Beutel zu tun hatte! „Und jeder hätte den auf die Ladefläche legen können. Sogar Sie!"
„Genau dafür gibt es die Spurensicherung, Ede! Wenn Sie bei diesem Diebstahl keinen Fehler gemacht haben, sind Sie frei und wir sehen uns beim nächsten Raub wieder, oder wir überführen Sie schon dieses Mal!", Maier lächelte.
Im Labor stellte sich wenig später heraus, dass es sich um den gestohlenen Rohdiamanten handelte.
„Wir haben herrliche Kapilarlinien gefunden!", erklärte Maier Ede. Dieser wirkte verständnislos. „Fingerabdrücke!", verdeutlichte Maier.
„Ach? Na, dann werden Sie ja gleich sehen, dass ich unschuldig bin." Ede war sich seiner Sache vollkommen sicher. Seine Abdrücke waren es nicht und Lola und Pepe trugen immer Handschuhe. Kein Abdruck, kein Beweis.

Fingerabdruck auf dem Diamanten

Der Mann von der Spurensicherung machte Abzüge von den Fingerabdrücken, speiste sie in den Computer ein und ließ sie durch die Datei laufen.

Ede

Willi

Lola

Pepe

Findest du die Lösung?

Beschreibe in einem Polizeigutachten, warum gegen Lola und Pepe ein dringender Tatverdacht besteht. Verwende dabei auch die Begriffe „kongruent" und „Beweis".

„Lola und Pepe", murmelte der Beamte leise. „Das sind doch Freunde von Ihnen?!"
„Ja, aber das beweist nichts. Meine Fingerabdrücke sind nicht auf dem Diamanten!" Ede wusste, er konnte nur noch seine eigene Haut retten. Lola und Pepe waren aber auch selber schuld! Warum grabbelten sie den Diamanten ohne Handschuhe an?! „Ich versichere Ihnen, Kommissar, dass ich mit der Sache nichts zu tun habe. Ich bin zwar vorhin bei dem Juwelier vorbei gefahren, aber ich schwöre, dass ich mit den Gestalten, die ich durch das Fenster des Büros gesehen habe, nichts zu tun habe."
Maier lächelte, er wusste nun, dass Ede log und an der Tat beteiligt war. Und er konnte es beweisen und würde Ede und seine Kollegen für lange Zeit hinter schwedische Gardinen stecken – Vollpension inklusive.

Findest du die Lösung?

Mit welchem Fehler hat sich Ede verraten? Schreibe einen Polizeibericht, indem du die Beweise verwendest.

Dreiecke konstruieren

1 Konstruiere das Dreieck ABC, wenn möglich, aus den angegebenen Längen der Seiten (Angaben in cm).

	a)	b)	c)	d)	e)	f)	g)
a	7	10	4	9	6,3	5,8	12,1
b	8	7	10	5	2,7	2,8	5,3
c	9	11	12	8	5,5	10	17,4

2 Konstruiere das Dreieck ABC, wenn möglich, aus den angegebenen Längen der zwei Seiten (Angaben in cm) und dem eingeschlossenen Winkel.

	a)	b)	c)	d)	e)	f)	g)
a			12	9	5	5,4	3
b	9	8		7			5
c	10	11	8		10	6,2	
α	40°	75°					
β			50°				
γ				90°	124°	129°	47°

3 Konstruiere ein Dreieck ABC mit
a) $a = 3\,cm;\ \beta = 45°;\ \gamma = 90°$;
b) $b = 5{,}5\,cm;\ \alpha = 60°;\ \beta = 70°$;
c) $c = 7{,}5\,cm;\ \alpha = 75°;\ \gamma = 60°$;
d) $c = 7\,cm;\ \alpha = 30°;\ \beta = 55°$.

4 Konstruiere ein Dreieck mit
a) $a = 5{,}3\,cm;\ c = 3{,}9\,cm;\ \alpha = 40°$;
b) $a = 3{,}8\,cm;\ c = 4{,}6\,cm;\ \gamma = 72°$;
c) $b = 7{,}5\,cm;\ c = 6{,}4\,cm;\ \beta = 30°$;
d) $b = 4{,}7\,cm;\ c = 5{,}5\,cm;\ \gamma = 40°$.

Kongruenzsätze anwenden

1 Untersuche, ob die Dreiecke ABC und A'B'C' nach dem Kongruenzsatz sss kongruent sind.
a) $\overline{AB} = 3\,cm;\ \overline{BC} = 4\,cm;\ \overline{AC} = 5\,cm$ und $\overline{A'B'} = 3\,cm;\ \overline{B'C'} = 5\,cm;\ \overline{A'C'} = 4\,cm$
b) $\overline{AB} = 3\,cm;\ \overline{BC} = 9\,cm;\ \overline{AC} = 7\,cm$ und $\overline{A'B'} = 7\,cm;\ \overline{B'C'} = 3\,cm;\ \overline{A'C'} = 9\,cm$
c) $\overline{AB} = 4\,cm;\ \overline{BC} = 8\,cm;\ \overline{AC} = 7\,cm$ und $\overline{A'B'} = 7\,cm;\ \overline{B'C'} = 3\,cm;\ \overline{A'C'} = 8\,cm$

2 Untersuche, ob die Dreiecke nach dem Kongruenzsatz sws zueinander kongruent sind.
a) $\overline{AB} = 4\,cm;\ \overline{AC} = 7\,cm;\ \alpha = 70°$ und $\overline{A'B'} = 4\,cm;\ \overline{A'C'} = 7\,cm;\ \alpha' = 70°$
b) $a = 5\,cm;\ b = 6{,}5\,cm;\ \gamma = 68°$ und $a' = 5\,cm;\ b' = 6{,}5\,cm;\ \gamma = 86°$
c) $\overline{BC} = 7{,}5\,cm;\ \overline{AC} = 5{,}7\,cm;\ \gamma = 110°$ und $\overline{B'C'} = 7{,}5\,cm;\ \overline{A'C'} = 5{,}7\,cm;\ \alpha' = 110°$
d) $a = 7{,}8\,cm;\ b = 8{,}7\,cm;\ \beta = 45°$ und $b = 7{,}8\,cm;\ c = 8{,}7\,cm;\ \alpha = 45°$

Lösungen auf den Seiten 226–233.

Selbsttraining

3 Übertrage die Tabelle in dein Heft und ergänze sie so, dass die Dreiecke alle zueinander kongruent sind.

Dreieck	Seite	Seite	Winkel
ABC	$\overline{AB} = 4{,}3\,\text{cm}$		$\beta = 40°$
A'B'C'		$\overline{A'C'} = 5{,}7\,\text{cm}$	$\gamma' = 40°$
A''B''C''	$\overline{A''B''} = 5{,}7\,\text{cm}$	$\overline{A''C''} = 4{,}3\,\text{cm}$	

4 Untersuche, ob die Dreiecke nach dem Kongruenzsatz wsw zueinander kongruent sind.

a) $\overline{AB} = 4\,\text{cm};\ \alpha = 70°;\ \beta = 65°$ und $\overline{A'B'} = 4\,\text{cm};\ \alpha' = 70°;\ \gamma' = 45°$
b) $a = 5\,\text{cm};\ \beta = 55°;\ \gamma = 68°$ und $b' = 5\,\text{cm};\ \gamma' = 68°;\ \alpha' = 55°$
c) $\overline{BC} = 7{,}5\,\text{cm};\ \alpha = 20°;\ \gamma = 110°$ und $\overline{B'C'} = 7{,}5\,\text{cm};\ \alpha' = 110°;\ \beta' = 20°$
d) $c = 8{,}7\,\text{cm};\ \beta = 45°;\ \gamma = 67°$ und $b' = 8{,}7\,\text{cm};\ \alpha' = 45°;\ \beta' = 67°$

5 Übertrage die Tabelle in dein Heft und ergänze sie so, dass die Dreiecke alle zueinander kongruent sind.

Dreieck	Seite	Winkel	Winkel
ABC	$\overline{AB} = 4{,}3\,\text{cm}$	$\alpha =$	$\beta = 40°$
A'B'C'	$\overline{B'C'} = 4{,}3\,\text{cm}$	$\beta' = 60°$	$\gamma' =$
A''B''C''	$\overline{A''B''} = 4{,}3\,\text{cm}$	$\alpha'' =$	$\gamma'' = 80°$

6 Untersuche, ob die Dreiecke nach dem Kongruenzsatz Ssw zueinander kongruent sind.

a) $\overline{AB} = 7\,\text{cm};\ \overline{AC} = 4\,\text{cm};\ \gamma = 70°$ und $\overline{A'B'} = 7\,\text{cm};\ \overline{A'C'} = 4\,\text{cm};\ \gamma' = 70°$
b) $a = 5\,\text{cm};\ b = 6{,}5\,\text{cm};\ \alpha = 68°$ und $a' = 5\,\text{cm};\ b' = 6{,}5\,\text{cm};\ \alpha = 68°$
c) $a = 7{,}8\,\text{cm};\ c = 8{,}7\,\text{cm};\ \alpha = 45°$ und $a' = 7{,}8\,\text{cm};\ c' = 8{,}7\,\text{cm};\ \alpha' = 45°$

7 Welche der folgenden Dreiecke sind zueinander kongruent? Gib an, welchen Kongruenzsatz du als Begründung verwenden kannst.

(1)
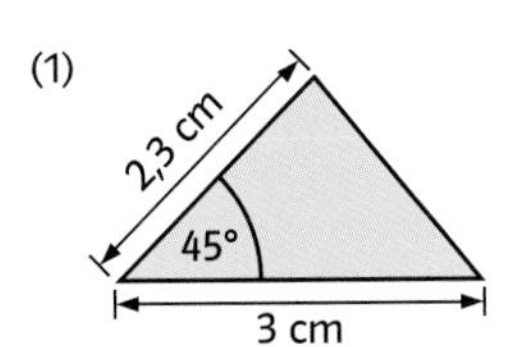

(2)
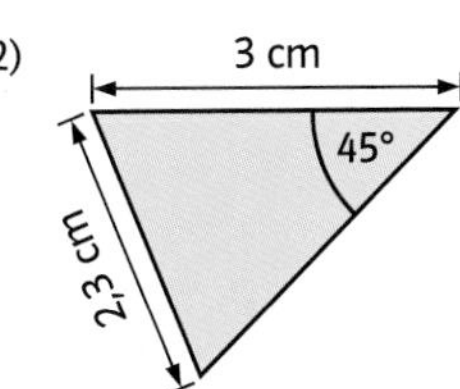

(3)
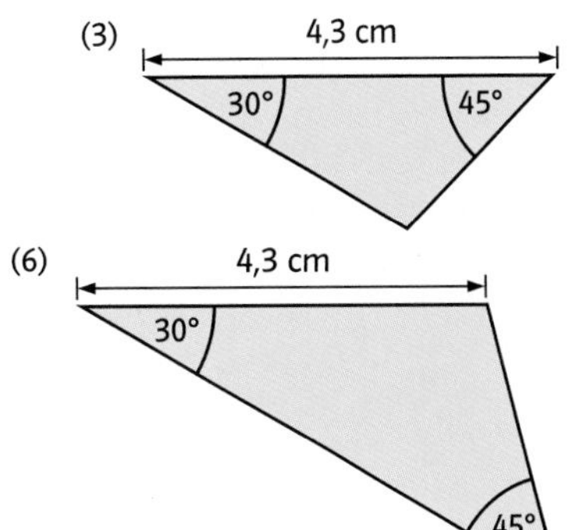

(4)
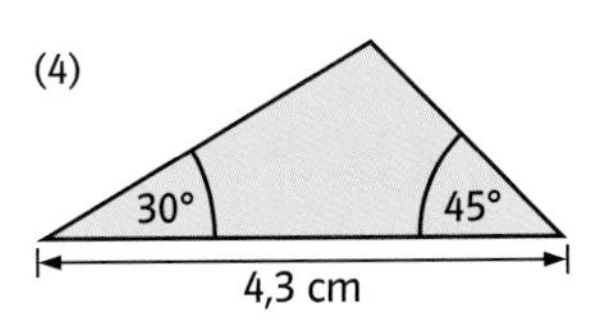

(5)
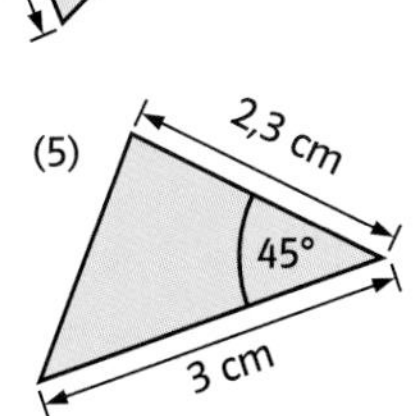

Lösungen auf den Seiten 226–233.

Quadratwurzeln

1 Ziehe die Wurzel ohne Benutzung des Taschenrechners.
a) $\sqrt{169}$ b) $\sqrt{16\,900}$ c) $\sqrt{1{,}69}$ d) $\sqrt{\frac{1}{169}}$ e) $\sqrt{1\frac{25}{144}}$

2 Bestimme mithilfe des Taschenrechners auf 2 (auf 5) Nachkommastellen genau.
a) $\sqrt{200}$ b) $\sqrt{0{,}96}$ c) $\sqrt{16{,}75}$ d) $\sqrt{0{,}007}$ e) $\sqrt{100{,}05}$

3 Berechne ohne Benutzung des Taschenrechners.
a) $3 \cdot \sqrt{16}$ b) $\frac{1}{2} \cdot \sqrt{0{,}04}$ c) $\frac{3}{4} \cdot \sqrt{0{,}81}$ d) $0{,}8 \cdot \sqrt{0{,}36}$
e) $\sqrt{36} \cdot \sqrt{81}$ f) $\sqrt{64} \cdot \sqrt{\frac{9}{16}}$ g) $5 \cdot \sqrt{0{,}25} \cdot \sqrt{0{,}09}$ h) $\sqrt{0{,}64} \cdot \sqrt{121} \cdot \sqrt{\frac{1}{25}}$
i) $(\sqrt{16})^2$ j) $(\sqrt{0{,}04})^2$ k) $\left(\sqrt{\frac{1}{25}}\right)^2$ l) $(\sqrt{2^2})^2$

4 Zwischen welchen aufeinander folgenden ganzen Zahlen liegt
a) $\sqrt{50}$, b) $\sqrt{250}$, c) $\sqrt{720}$, d) $\sqrt{1000}$, e) $\sqrt{1500}$?

5 Gib eine rationale Zahl an, deren Quadratwurzel
a) zwischen 2 und 3, b) zwischen 1 und $\sqrt{2}$, c) zwischen $\sqrt{2}$ und $\sqrt{3}$ liegt.

6 Bestimme alle Zahlen x mit
a) $x^2 = 49$, b) $x^2 = 0$, c) $x^2 = 1{,}44$, d) $x^2 = 2$, e) $x^2 = -9$.

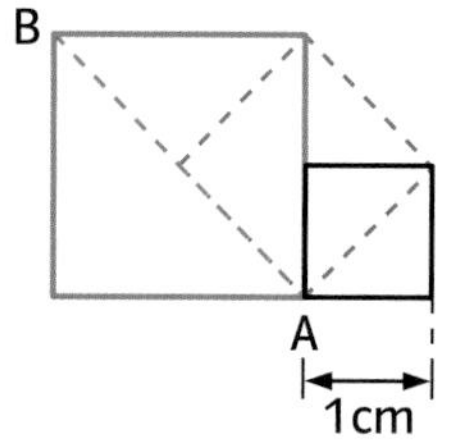

7 Wie lang sind die Kanten eines Würfels, dessen Oberflächeninhalt
a) $150\,\text{cm}^2$, b) $0{,}96\,\text{dm}^2$, c) $8{,}64\,\text{m}^2$ beträgt?

8 Wie lang ist die Strecke $\overline{AB}$ in Fig. 1?
Gib einen auf vier Nachkommastellen genauen Näherungswert an.

B
A
1cm
Fig. 1

Rationale und irrationale Zahlen

1 Schreibe als Dezimalzahlen und ordne sie aufsteigend der Größe nach.
a) $1{,}\overline{8}$; $\sqrt{3{,}6}$; $1\frac{8}{9}$; 1,9 b) $\frac{9}{20}$; $0{,}\overline{4}$; $\frac{4}{9}$; $\sqrt{0{,}16}$; $\sqrt{0{,}2}$

2 Welche Zahl ist größer?
a) $\sqrt{2}$ oder $1{,}41\overline{42}$ b) $\sqrt{3}$ oder 1,732 332 233 3222... c) $\sqrt{8}$ oder $\frac{31}{11}$

3 Ordne nach der Größe. Beginne mit der kleinsten Zahl.
a) 2,42; $2{,}4\overline{2}$; $2{,}\overline{42}$ b) $-1{,}732$; $-1{,}73\overline{2}$; $-1{,}7\overline{32}$; $-1{,}\overline{732}$

4 Verwandle durch Division in Dezimalzahlen.
a) $\frac{5}{3}$ b) $\frac{4}{7}$ c) $\frac{5}{6}$ d) $\frac{63}{11}$ e) $\frac{29}{12}$ f) $\frac{4}{21}$ g) $\frac{13}{30}$ h) $\frac{14}{225}$

5 Schreibe als Bruchzahl.
a) $0{,}\overline{7}$ b) $1{,}\overline{2}$ c) $7{,}\overline{4}$ d) $0{,}\overline{34}$ e) $1{,}\overline{69}$ f) $3{,}\overline{11}$ g) $0{,}\overline{185}$ h) $0{,}\overline{9}$

Lösungen auf den Seiten 226–233.

6 Wie könnte man die nicht abbrechenden Dezimalzahlen fortsetzen? Welche Zahlen sind dann rational, welche irrational?

a) 1,216 666...   b) 4,636 336 333...   c) 0,3557557557...
d) 0,505 505 55...   e) 2,728 727 272...   f) 3,210 121 011 210...

7 Welche der Produkte sind irrational?

a) $7 \cdot \sqrt{3}$ b) $\sqrt{11} \cdot \sqrt{11}$ c) $\sqrt{2}(1 + \sqrt{2})$ d) $\sqrt{3} \cdot (\sqrt{27} + \sqrt{12})$

Rechnen mit Wurzeln

1 Berechne ohne Benutzung des Taschenrechners.

a) $10 - \sqrt{81}$ b) $\sqrt{4,41} + \sqrt{0,81}$ c) $4 \cdot \sqrt{2,25}$ d) $\sqrt{256} : 6$

2 Berechne die Quadratwurzeln ohne Taschenrechner.

a) $\sqrt{2} \cdot \sqrt{18}$ b) $\sqrt{27} \cdot \sqrt{3}$ c) $\sqrt{6} \cdot \sqrt{54}$ d) $\sqrt{7} \cdot \sqrt{28}$
e) $\sqrt{2,5} \cdot \sqrt{10}$ f) $\sqrt{12\frac{1}{2}} \cdot \sqrt{50}$ g) $\sqrt{9,8} \cdot \sqrt{5}$ h) $\sqrt{4,8} \cdot \sqrt{30}$
i) $\sqrt{3} \cdot \sqrt{0,2} \cdot \sqrt{5,4}$ j) $\sqrt{40} \cdot \sqrt{5} \cdot \sqrt{4,5}$ k) $\sqrt{6} \cdot \sqrt{3,2} \cdot \sqrt{30}$ l) $\sqrt{3} \cdot \sqrt{6} \cdot \sqrt{8}$

3 a) $\sqrt{32} : \sqrt{8}$ b) $\sqrt{98} : \sqrt{2}$ c) $\sqrt{180} : \sqrt{5}$ d) $\sqrt{52} : \sqrt{0,13}$
e) $\frac{\sqrt{3,6}}{\sqrt{10}}$ f) $\frac{\sqrt{1,25}}{\sqrt{0,05}}$ g) $\frac{\sqrt{0,36}}{\sqrt{0,04}}$ h) $\frac{\sqrt{6,48}}{\sqrt{0,02}}$

4 Berechne ohne Taschenrechner.

a) $\sqrt{\frac{4}{9}}$ b) $\sqrt{\frac{144}{9}}$ c) $\sqrt{3\frac{1}{16}}$ d) $\sqrt{\frac{0,49}{196}}$
e) $\sqrt{\frac{289}{36}}$ f) $\sqrt{10\frac{6}{25}}$ g) $\sqrt{5\frac{1}{16}}$ h) $\sqrt{\frac{0,04}{625}}$

5 a) $\sqrt{\frac{4}{3}} \cdot \sqrt{27}$ b) $\sqrt{5\frac{1}{3}} \cdot \sqrt{12}$ c) $\frac{\sqrt{17} \cdot \sqrt{3,5} \cdot \sqrt{7}}{\sqrt{8,5}}$ d) $\frac{\sqrt{10 \cdot 2,16}}{\sqrt{2,16} \cdot \sqrt{2,5}}$
e) $\sqrt{3} : \sqrt{\frac{3}{16}}$ f) $\sqrt{3} : \sqrt{\frac{16}{3}}$ g) $\sqrt{\frac{6}{35}} : \sqrt{\frac{10}{21}}$ h) $\sqrt{\frac{3}{8}} : \sqrt{\frac{8}{27}}$

6 Ziehe teilweise die Wurzel.

a) $\sqrt{24}$ b) $\sqrt{48}$ c) $\sqrt{50}$ d) $\sqrt{98}$
e) $\sqrt{125}$ f) $\sqrt{288}$ g) $\sqrt{2000}$ h) $\sqrt{4050}$

7 Es ist $\sqrt{257} \approx 16,03$ und $\sqrt{2570} \approx 50,70$. Bestimme ohne Taschenrechner Näherungswerte für

a) $\sqrt{25700}$,   b) $\sqrt{257000}$,   c) $\sqrt{0,257}$,   d) $\sqrt{0,0257}$.

8 Vereinfache die Terme durch Ausklammern.

a) $2\sqrt{5} - 3\sqrt{2} - \sqrt{5}$ b) $3\sqrt{10} + \sqrt{5} + \sqrt{10} + \sqrt{5}$
c) $\frac{2}{3}\sqrt{5} + \sqrt{6} + \frac{1}{3}\sqrt{5}$ d) $11 \cdot \sqrt{5} - 3 \cdot \sqrt{5}$
e) $\sqrt{7} \cdot 0,1 - \sqrt{7}$ f) $\frac{3}{5}\sqrt{2} - \frac{1}{2}\sqrt{2}$
g) $4\sqrt{5} - 3 + 6\sqrt{5}$ h) $3\sqrt{13} - \sqrt{6} + 5\sqrt{13} - 8\sqrt{6}$
i) $3\sqrt{5} + 4\sqrt{3} - 5\sqrt{5} + 10\sqrt{5} - \sqrt{3} + 8\sqrt{3}$

Lösungen auf den Seiten 226–233.

9 Vereinfache die Terme durch teilweises Wurzelziehen und Ausklammern.

a) $\sqrt{8} + \sqrt{2}$ b) $\sqrt{12} - \sqrt{3}$ c) $6\sqrt{48} - \sqrt{27}$ d) $4\sqrt{50} - \sqrt{98}$

e) $-\sqrt{20} - 3\sqrt{5}$ f) $\sqrt{20} - \sqrt{45}$ g) $\sqrt{242} - \sqrt{288}$ h) $4\sqrt{5} + \sqrt{125}$

i) $\sqrt{0{,}75} - \sqrt{0{,}03}$ j) $\sqrt{\frac{1}{2}} - \sqrt{\frac{9}{2}}$ k) $\sqrt{\frac{4}{3}} + 2\sqrt{\frac{1}{3}}$ l) $2\sqrt{0{,}05} + \sqrt{\frac{5}{9}}$

m) $\sqrt{32} + \sqrt{8} - \sqrt{20} + \sqrt{242} - \sqrt{162} - \sqrt{80} + \sqrt{320}$

10 Vereinfache so weit wie möglich.

a) $(\sqrt{8} + \sqrt{2}) \cdot \sqrt{2}$ b) $\sqrt{5}(\sqrt{125} - \sqrt{80})$ c) $(\sqrt{80} + \sqrt{20}) : \sqrt{5}$

d) $(\sqrt{108} - \sqrt{48}) : \sqrt{3}$ e) $2 \cdot \sqrt{3}(\sqrt{24} - \sqrt{32})$ f) $(\sqrt{28} - \sqrt{7}) : \sqrt{7}$

11 Forme so um, dass im Nenner keine Wurzel mehr auftritt, und vereinfache so weit wie möglich.

a) $\frac{1}{\sqrt{2}}$ b) $\frac{5}{\sqrt{7}}$ c) $\frac{\sqrt{5}}{\sqrt{3}}$ d) $\frac{2\sqrt{11}}{\sqrt{13}}$ e) $\frac{7}{5\sqrt{3}}$

f) $\frac{\sqrt{3}}{\sqrt{5}}$ g) $\frac{3}{2\sqrt{7}}$ h) $\frac{2\sqrt{11}}{3\sqrt{5}}$ i) $\frac{\sqrt{10}}{\sqrt{20}}$ j) $\frac{5\sqrt{5}}{\sqrt{\frac{1}{2}}}$

12 Welche der Quadratwurzeln sind ganzzahlige Vielfache von $\sqrt{2}$ ($\sqrt{3}$; $\sqrt{5}$)? Begründe deine Antwort.

$\sqrt{20}$; $\sqrt{50}$; $\sqrt{125}$; $\sqrt{162}$; $\sqrt{72}$; $\sqrt{147}$; $\sqrt{128}$; $\sqrt{242}$; $\sqrt{300}$; $\sqrt{405}$

13 Vereinfache, gib dann einen auf drei Nachkommastellen gerundeten Näherungswert an.

a) $2\sqrt{20} - \sqrt{45}$ b) $3\sqrt{48} + 5\sqrt{12}$ c) $\frac{2}{5}\sqrt{200} - 2\sqrt{8}$ d) $\frac{\sqrt{300} + \sqrt{192}}{\sqrt{27}}$

e) $\frac{3\sqrt{50} - 4\sqrt{75}}{5}$ f) $\frac{2\sqrt{12} - 8\sqrt{27}}{\sqrt{75}}$ g) $\frac{8\sqrt{200} + 2\sqrt{800}}{0{,}3}$ h) $\frac{-\sqrt{40} - 3\sqrt{90}}{\sqrt{2560}}$

Rechnen mit Näherungswerten

1 Bei allen angegebenen Werten handelt es sich um gerundete Näherungswerte. Berechne jeweils das kleinste und das größte mögliche Ergebnis.

a) 12,7 kg + 0,355 kg b) 124,45 m + 4,7 m c) 12,750 l + 0,250 l d) 28,5 t + 1,385 t

e) 2,45 m · 3,5 m f) 4,6 km · 1,075 km g) 12 m^2 · 1,75 m h) 5 cm^2 · 2,75 cm

2 Bei den Werten für a und b handelt es sich um gerundete Näherungswerte. Berechne jeweils für den Flächeninhalt sowie für den Umfang eines Rechtecks mit den Seiten a und b das kleinste und das größte mögliche Ergebnis.

a) a = 5,8 km; b = 1,598 km b) a = 4,8 m; b = 12,45 m

c) a = 17,2 m; b = 5,855 m d) a = 82,4 cm; b = 7,2 cm

3 Verschiedene Distanzmessgeräte geben für eine exakt 5 km lange Strecke folgende gemessene Werte an. Berechne jeweils den absoluten und den relativen Fehler.

a) 5,050 km b) 4973 m c) 5017 m d) 4999,4 m

e) 4,899 km f) 5266 m g) 5,088 km h) 4532 m

Lösungen auf den Seiten 226 – 233.

Funktionen

1 Auf dem Graphen einer Funktion liegen die folgenden Punkte. Kann es sich dabei um eine proportionale Zuordnung handeln? Begründe deine Antwort.
a) P(2 | −6,4); Q(−1 | 3,2) und R(5 | −16)
b) P(−4 | 5); Q(2 | −2,5) und R(3 | −1,2)
c) P(0,6 | −0,25); Q(6 | −2,5) und R(−2,4 | 1)

2 Vervollständige die zu einer proportionalen Zuordnung gehörende Wertetabelle im Heft und gib die Funktionsgleichung der entsprechenden Funktion an.

a)

x	−2	−1	0	1	2
f(x)	−1				

b)

x	−5	−3	2	4	10
f(x)	−3				

c)

x	−0,2	−0,1	0	1,4	248
f(x)	0,8				

3 Zeichne den Graphen der linearen Funktion.
a) $y = 1{,}5x + 0{,}5$
b) $y = \frac{3}{4}x - 2$
c) $y = 5 - 3x$
d) $y = -1{,}5x - 0{,}5$
e) $y = -\frac{4}{3}x + 2$
f) $y = -2 + 2x$
g) $y = -1{,}5x + 0{,}5$
h) $y = -\frac{2}{5}x + 3{,}5$
i) $y = 0{,}1 - 0{,}001x$

4 Zeichne den Graphen der Funktion f mit $y = 1{,}5x - 3$ und gib eine Funktion g an, deren Graph zum Graphen von f parallel ist und die y-Achse bei −2 schneidet.

5 Bestimme zwei Punkte des Graphen von f mit ganzzahligen Koordinaten und zeichne den Graphen.
a) f: $y = \frac{3}{2}x + 5$
b) f: $y = -1{,}2x + 6$
c) f: $y = \frac{2}{3}x - \frac{1}{3}$
d) f: $y = 2{,}4x - 1{,}2$
e) f: $y = \frac{3}{4}x - 1{,}75$
f) f: $y = \frac{3}{5}x + 0{,}6$

6 Die Punkte liegen auf dem Graphen einer linearen Funktion. Zeichne den Graphen. Lies dann die fehlenden Koordinaten am Graphen ab.
a) (3 | 0); (5 | 1); (4 | □); (0 | □); (1 | □); (−1 | □); (−2 | □); (7 | □)
b) (−3 | 11); (3 | −1); (−2 | □); (0 | □); (1 | □); (−1 | □); (2 | □); (4 | □)
c) (−1 | 4); (0 | 2,5); (1 | □); (3 | □); (4 | □); (2 | □); (−2 | □); (−3 | □)
d) (−4 | 2); (1 | 0,75); (0 | □); (4 | □); (6 | □); (2 | □); (−2 | □); (−1 | □)

7 Welche der linearen Funktionen haben zueinander parallele Graphen? Welche Graphen gehen durch denselben Punkt der y-Achse?
f_1: $y = \frac{3}{4}x + 2$
f_2: $y = 2{,}1x + 2$
f_3: $y = -0{,}75x + 1{,}5$
f_4: $y = -\frac{3}{4}x$
f_5: $y = 5$
f_6: $y = -2{,}1x + 5$
f_7: $y = 0$
f_8: $y = \frac{21}{10}x$

Lösungen auf den Seiten 226 – 233.

8 Die Geraden in Fig. 1 sind Graphen linearer Funktionen. Gib für jede Gerade einen Funktionsterm an.

9 Welche Geraden in einem Koordinatensystem sind keine Graphen linearer Funktionen?

10 Prüfe durch Rechnung, ob die Punkte auf dem Graphen von $y = -2x + 1$ liegen.

a) $P(5 \mid -9)$ b) $Q(-3 \mid 6)$

c) $R\left(\frac{3}{4} \middle| -\frac{1}{2}\right)$ d) $S(2{,}5 \mid -3{,}5)$

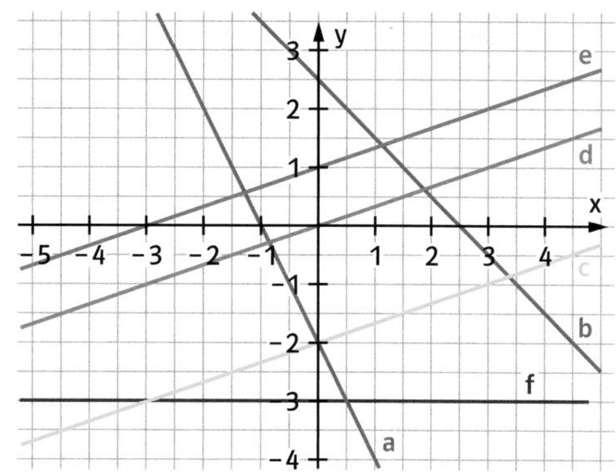

Fig. 1

11 Bestimme die Funktionsgleichung der linearen Funktion, deren Graph durch den Punkt P geht und die Steigung m hat.

a) $P(4 \mid 7)$, $m = -3$ b) $P(-2 \mid 5)$, $m = -\frac{1}{3}$ c) $P\left(\frac{1}{2} \middle| -\frac{3}{4}\right)$, $m = 2{,}1$

d) $P(2 \mid -5)$, $m = 2$ e) $P(3 \mid -1)$, $m = \frac{1}{10}$ f) $P\left(-\frac{7}{5} \middle| 3{,}2\right)$, $m = \frac{3}{4}$

12 Die Geraden in Fig. 2 sind Graphen linearer Funktionen. Bestimme die Funktionsgleichungen, indem du Punkte mit ganzzahligen Koordinaten bestimmst, die auf dem Graphen liegen.

13 Prüfe durch Rechnung, ob die Punkte auf einer Geraden liegen.

a) $P(1 \mid 2)$, $Q(3 \mid 5)$, $R(-3 \mid -4)$

b) $P(0{,}5 \mid 0{,}7)$, $Q(-1 \mid -0{,}5)$, $R(1 \mid 1{,}2)$

c) $P(0 \mid 0)$, $Q(-5 \mid 4)$, $R(2 \mid -1{,}6)$

d) $P(100 \mid -20)$, $Q(150 \mid -40)$, $R(-100 \mid 20)$

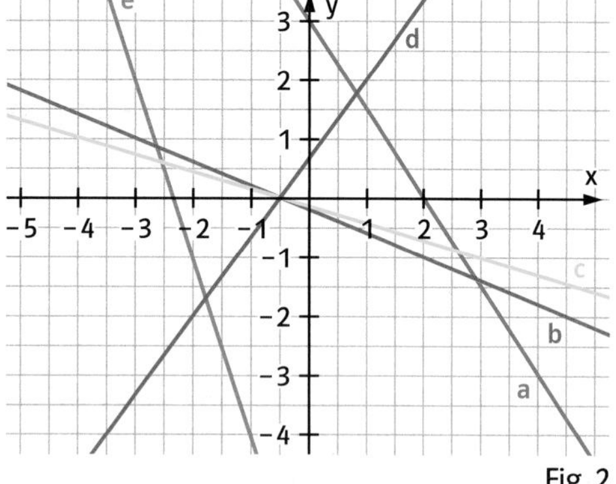

Fig. 2

Quadratische Funktionen

1 Zeichne mithilfe einer Wertetabelle den Graphen. Gib die Koordinaten des Scheitels an.

a) $y = x^2 + 2$ b) $y = x^2 - 2$ c) $y = x^2 + 4{,}5$ d) $y = x^2 - 7{,}8$

2 Gib die Koordinaten des Scheitels an. Zeichne den Graphen mithilfe einer Schablone.

a) $y = x^2 + 3{,}1$ b) $y = x^2 - 4{,}7$ c) $y = x^2 + 5{,}9$ d) $y = x^2 - 6{,}6$

3 Zeichne den Graphen. Gib die Koordinaten des Scheitels an.

a) $y = x^2 - 8{,}4$ b) $y = x^2 + 5{,}5$ c) $y = x^2 + 2{,}9$ d) $y = x^2 - 7{,}3$

4 S ist der Scheitel einer verschobenen Normalparabel. Bestimme die Funktionsgleichung.

a) $S(0 \mid 57)$ b) $S(0 \mid -5007)$ c) $S\left(0 \middle| 2\frac{7}{11}\right)$ d) $S(0 \mid -0{,}0134)$

e) $S(0 \mid -357)$ f) $S(0 \mid -9{,}72)$ g) $S\left(0 \middle| 17\frac{1}{17}\right)$ h) $S(0 \mid -10{,}05)$

Lösungen auf den Seiten 226–233.

5 P liegt auf dem Graphen von $y = x^2 - 2$. Bestimme die fehlende Koordinate.
a) P(0|□) b) P(−1|□) c) P(0,3|□) d) P(□|14) e) P(□|4,25)

6 Gib zuerst die Koordinaten des Scheitels an und zeichne dann den Graphen.
a) $y = (x - 3)^2$ b) $y = (x + 3)^2$ c) $y = (x - 8{,}5)^2$ d) $y = (x + 10{,}2)^2$

7 Gib zu diesen verschobenen Normalparabeln jeweils eine Funktionsgleichung an.

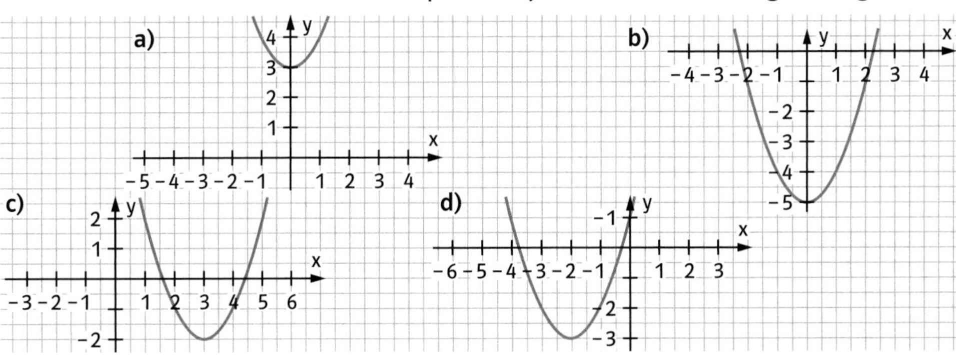

Fig. 1

8 Gib eine Gleichung der Funktion an, deren Graph eine verschobene Normalparabel mit dem Scheitel S ist.
a) S(−15|0) b) S(37|0) c) S(10,67|0) d) S(−2011|0)

9 Liegt der Punkt P(−3|3) auf der verschobenen Normalparabel mit dem Scheitel S? Begründe deine Antwort.
a) S(−3|3) b) S(5|−5) c) S(1|1) d) S(−1|−1)

10 Beschreibe, ohne zu zeichnen, die Parabel der Funktion.
a) $y = (x - 1)^2 + 3$ b) $y = (x + 7)^2 - 2$ c) $y = (x - 11)^2 - 59$
d) $y = 2(x - 8)^2 + 3$ e) $y = -5(x + 9)^2 - 6$ f) $y = 33(x - 91)^2 - 659$
g) $y = -1(x + 12)^2 - 42$ h) $y = -(x - 23)^2 + 54$ i) $y = -(x - 0{,}01)^2 + 3{,}29$

11 Gegeben sind die Geraden und Parabeln im Koordinatensystem. Gib jeweils die Funktionsgleichung an. Wähle dazu eindeutige geeignete Punkte.

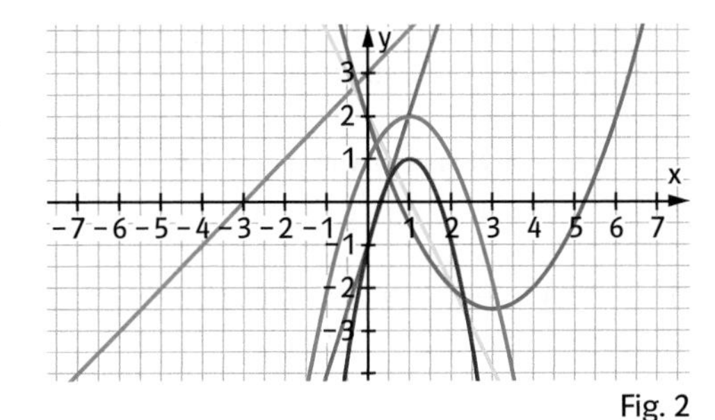

Fig. 2

Potenzfunktionen

1 P liegt auf dem Graphen der Funktion $y = -2x^5$. Bestimme die fehlende Koordinate.
a) P(2|□) b) P(−0,1|□) c) P(10|□) d) P(□|2)

2 Gib die Funktionsgleichung zu den Graphen vollständig an (Fig. 1).

a)

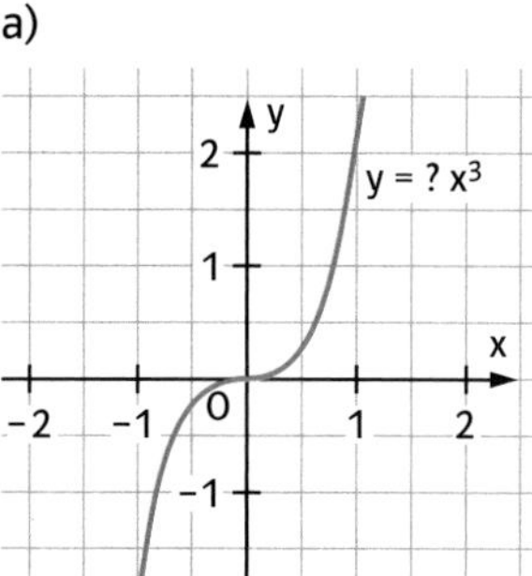

b)

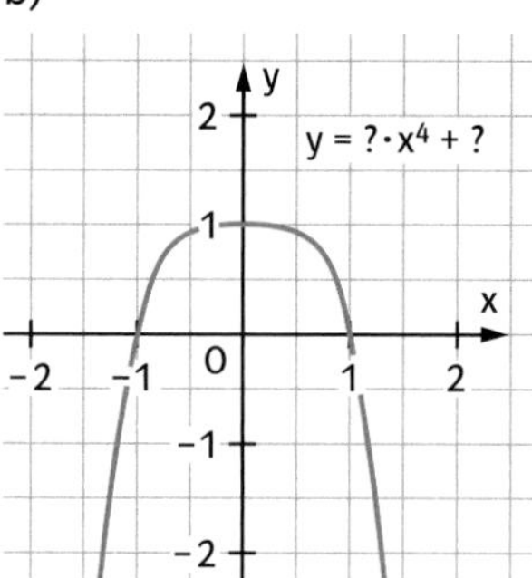

c)

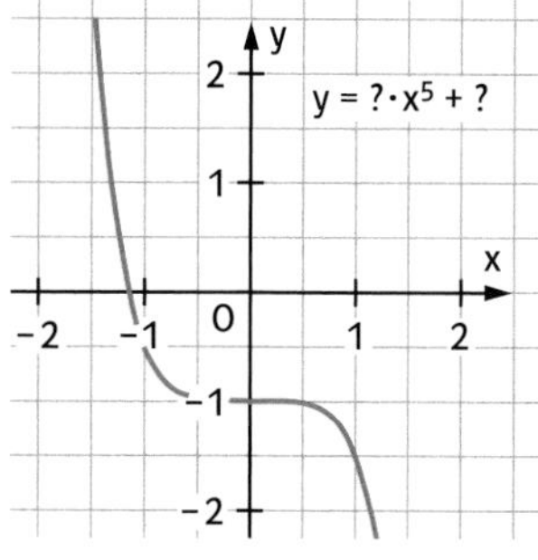

Fig. 1

3 Skizziere den Graphen der Funktion

a) $y = x^3 - 1$ b) $y = -0{,}5 \cdot x^3 + 2$ c) $y = -x^4$ d) $y = x^4 - 10$

Optimierungsaufgaben

1 Wie müssen die Seitenlängen eines Rechtecks mit dem Umfang 20 cm gewählt werden, damit sein Flächeninhalt möglichst groß ist?

2 Aus 50 m Zaun soll wie in Fig. 2 ein Tiergehege erstellt werden.
Wie müssen die Abmessungen x und y gewählt werden, damit die Fläche des gesamten Geheges möglichst groß wird? Wie groß sind in diesem Fall die Flächeninhalte der drei Abteilungen?

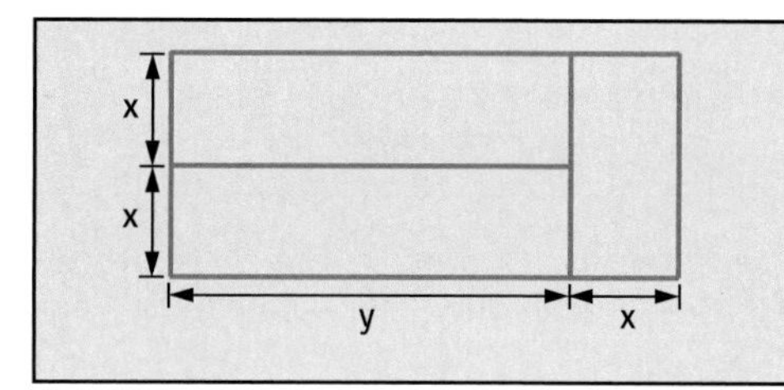

Fig. 2

3 Fig. 3 zeigt ein Rechteck, dessen untere linke Ecke auf dem Ursprung (0 | 0) und dessen obere rechte Ecke auf der Geraden der Funktion mit $y = -0{,}5x + 2$ liegt.
a) Allgemein kann man den rechten unteren Eckpunkt mit $P(x_0 | 0)$ bezeichnen. Hierbei gilt $0 < x_0 < 4$. Wie lauten dann die Koordinaten der drei anderen Eckpunkte?
b) Bestimme das x_0 aus Teilaufgabe a) so, dass der Flächeninhalt des Rechtecks möglichst groß wird.

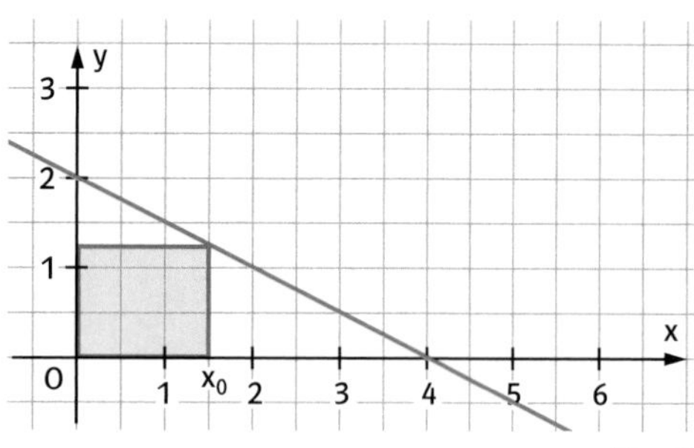

Fig. 3

Lösungen auf den Seiten 226 – 233.

Terme mit mehreren Variablen

1 Übertrage die Tabelle in dein Heft und fülle sie aus.

a)

x	y	2x	3y	2x + 3y − 12
0	−2			
1	2,5			
−2	−2			
2,5	−3			
$\frac{3}{2}$	$\frac{2}{3}$			
$-\frac{3}{4}$	$\frac{3}{4}$			

b)

u	v	3(u + v)	2uv	3(u + v) − 2uv
3	2			
2	3			
6	6			
−1,5	1,2			
$\frac{1}{3}$	$\frac{3}{4}$			
$-\frac{5}{6}$	$\frac{1}{2}$			

2 Übertrage die Tabelle in dein Heft und fülle sie aus.

x	y	3x − 7y	3(x − 7y)	3(3x − 7)y	(3x − y) · 7
−3	0,5				
−1,2	−4				
$\frac{1}{2}$	$\frac{1}{3}$				
$\frac{1}{3}$	$\frac{1}{2}$				
$\frac{5}{6}$	0				

Vereinfachen von Summen und Differenzen

1 Vereinfache die Terme.

a) $0{,}5y + 5{,}1z + 1{,}8y + z$
b) $2{,}3a + 4b + 7{,}7a + 0{,}4b + a$
c) $31z + 5{,}2x + 3{,}1z + 52x$
d) $2{,}1f + 4f + 5{,}5g + 5{,}1f$
e) $3{,}01r + 0{,}75s + 3t + 0{,}7r + s$
f) $0{,}02g + 4{,}5h + 0{,}7g + 7h$
g) $\frac{3}{7}a + \frac{4}{7}b + \frac{3}{4}a + \frac{1}{2}b$
h) $1\frac{1}{4}s + \frac{5}{6}t + \frac{3}{8}s + t + \frac{s}{2}$
i) $\frac{7}{8}x + \frac{5}{8}y + x + \frac{3}{4}x + 1\frac{1}{2}y$

2
a) $2uv + 5vw + 6uv + (-5)uw + (-2)vw$
b) $4xy + (-7)xz + 9xy + (-4)xz + 6yz + xy$
c) $5gh + (-5)gh + (-6)gk + 4gh + 9gk + hk$
d) $ab + 5bc + 4ab + 7ac + 8bc + 2ac + ab$
e) $5cd + (-8)gh + (-9)gh + 3cd + (-7)cd$
f) $8az + 7bz + 8ay + 7by + ay + 3bz + az$

3
a) $6{,}4x + (-2{,}1)y + 3x^2 + 0{,}8x + y + (-3)x^2$
b) $0{,}9w + (-0{,}77)v + 3vw + (-0{,}09)w + v$
c) $2{,}7ac + (-2{,}7)cd + 3a^2 + 2cd + (-7{,}2)ac$
d) $2{,}5 + 7r^2 + 4{,}4rs + (-0{,}3)r^2 + (-2{,}4)rs$
e) $\frac{3}{10}uv + \frac{3}{5}u^2 + \left(-\frac{1}{2}\right)v^2 + \frac{2}{5}uv + 1\frac{1}{2}u^2$
f) $(-3) + \frac{1}{3}ab + \frac{5}{6}ac + 1\frac{1}{2} + \frac{1}{2}ac + \left(-1\frac{1}{3}\right)ab$
g) $\frac{5}{12}xy + \left(-\frac{3}{4}\right)xz + \frac{1}{2}yz + \frac{7}{12}xz + \frac{3}{8} + \left(-\frac{1}{4}\right)xy$
h) $(-2)ef + \frac{2}{7}e^2 + \frac{3}{4}f^2 + \left(-\frac{5}{7}\right)ef + \frac{3}{4}f^2 + \frac{5}{7}$

4 Vereinheitliche zuerst.

a) $3ab + 2a + 6ba + ab \cdot 7 + b \cdot (-6) + (-2)a$
b) $3x^2 + 5x + x^2 \cdot (-5) + (-12) + 8 \cdot x + x^2$
c) $5u \cdot v + w \cdot 5u + 5 \cdot vw + (-3)uv + wv$
d) $z^2 + 3z^3 + 2 \cdot z + z \cdot z + 2z \cdot 2 + (-4) \cdot z^3$
e) $4 \cdot ac + dc + 7c \cdot d + (-3)c \cdot a + 6ac$
f) $r \cdot s + (-7)sr + s^2 + 6rs + (-3)s \cdot s + r \cdot 5s$
g) $3 \cdot p^2 + (-5) \cdot pq + q^2 \cdot 6 + 7p^2 + (-7)qp$
h) $3a^2 + 2a^3 + 3 \cdot 2 + 6a + (-2) \cdot a^2 + a^3 + 3$

Lösungen auf den Seiten 226 – 233.

5 a) $2{,}7ab + 3ab^2 + 1{,}5ba^2 + 0{,}3ba + b^2$
b) $5s^2t + (-3)s^2t^2 + 0{,}8s^2 + ts^2 + 2t^2s^2 + st^2$
c) $\frac{3}{5}x^3y + \frac{1}{4}y^3x + \frac{2}{3}xy + \frac{1}{2}xy^3 + \frac{1}{6}yx$
d) $2\frac{1}{4}rs^2 + \frac{1}{2}s^2r + \frac{3}{8}sr^2 + 1\frac{3}{4}rs^2 + \frac{5}{8}r^2s^2$
e) $2{,}5pq + \frac{3}{4}qp^3 + p^2q + \frac{1}{2}p^3q + 3pq^2$
f) $ef^2 + \frac{5}{6}e^2f^2 + 2ef + \frac{1}{3}f^2e + \frac{1}{2}fe^2 + f^2e^2$

6 Schreibe als Term und vereinfache.
a) Addiere zur Summe von $3a$ und $2a^2$ das Dreifache von a^2 und das Doppelte von a.
b) Addiere zum Vierfachen des Produktes aus u und v das Doppelte von u, das Dreifache von v und das Fünffache von uv.

7 Löse zuerst die Klammern auf.
a) $2b - (b - a)$
b) $5b - (2b + 3c)$
c) $3c + (-d + 4c)$
d) $7e - (4 + 3e) - 1{,}5$
e) $6{,}5e - (4f + 1{,}5e) + f$
f) $2f - (g - f + 3g + 2{,}5)$
g) $\frac{1}{2}p + \left(\frac{2}{3}q - \frac{p}{2} + q\right)$
h) $\frac{u}{2} - \frac{v}{2} - \left(\frac{u}{2} + \frac{v}{2}\right)$
i) $\frac{1}{3}y - \left(\frac{2}{5}x - \frac{2}{3}y + \frac{3}{5}x\right)$

8 a) $a^2 + a - (3a^2 + 5a)$
b) $a + b^2 - (3a + 5b^2)$
c) $a^2 + (b^2 - 4a^2 + 7b^2)$
d) $3{,}6p - (q^2 - 1{,}4p + q^2)$
e) $-(1{,}5u - v^2) + \left(\frac{1}{2}u + v^2\right)$
f) $2\frac{4}{5}x^2 - (3y^2 - 5{,}2x^2) + y^2$
g) $-(ab + 2cd) + (ac - 2ba)$
h) $2{,}3z - 2zx - (3{,}5xz - 2)$
i) $5uv - u^2 - (6 - uv) + u^2$

9 a) $7a + 6ab - (4ac + bc) - (8 - 5ac) + (8a - 3bc - 6ab) - 17 - (3bc - 7a)$
b) $8{,}5 + 6\frac{1}{2}x - \left(2x^2 + 4{,}5x + 3\frac{1}{2}\right) - (x - 0{,}8x^2) + (7y + 1\frac{1}{5}x^2 + 2) - 6y$
c) $2uv^2 - \left(\frac{1}{2}v^2u - u^2v^2 + \frac{3}{4}u^2v\right) + 2{,}5v^2u^2 - \left(\frac{1}{2} - u^2 - v^2\right) + \frac{1}{4}uv^2 - 2u^2v$

Vereinfachen von Termen mit Produkten

1 Vereinfache die Produkte.
a) $5x \cdot 6y$
b) $2u \cdot 3v \cdot 7w$
c) $8k \cdot 7m \cdot 9n$
d) $12a \cdot 3 \cdot 4b \cdot c$
e) $0{,}5p \cdot 3q \cdot 4r$
f) $4{,}5x \cdot 0{,}1y \cdot 6z$
g) $2 \cdot 3e \cdot (-5) \cdot f$
h) $(-a) \cdot 5b \cdot (-8) \cdot c$
i) $\frac{1}{2}x \cdot \frac{4}{7}y \cdot \frac{1}{3}z$
j) $\frac{7}{8}a \cdot \left(-\frac{4}{5}b\right) \cdot 15c$
k) $\left(-1\frac{3}{4}\right) \cdot 6s \cdot \frac{5}{7}t$
l) $\frac{4}{7}u \cdot 1{,}4v \cdot \frac{3}{4}$
m) $(-2a) \cdot (-b) \cdot (-7)$
n) $g \cdot (-5h) \cdot 3 \cdot (-k)$
o) $4x \cdot (-y) \cdot (-1)$
p) $(-2r) \cdot (-t) \cdot (-7s)$

2 a) $5a \cdot 7b \cdot 2a$
b) $3x \cdot 7xy$
c) $6 \cdot st \cdot 3t$
d) $4p \cdot 5q \cdot r \cdot 5q$
e) $1{,}5z \cdot 5 \cdot 4xz$
f) $7uv \cdot 3u \cdot 10 \cdot (-2)$
g) $9 \cdot (-0{,}5) \cdot a^2 \cdot 2b$
h) $3x^2 \cdot 2y \cdot 3 \cdot y$
i) $\frac{3}{5}e \cdot \frac{2}{3}f \cdot \frac{7}{8}f \cdot \frac{2}{5}e$
j) $\left(-\frac{4}{5}\right) \cdot 14s \cdot \frac{2}{7}st$
k) $\frac{4}{9}m \cdot 6n \cdot \left(-\frac{3}{8}m\right)$
l) $15ab \cdot (-4) \cdot \frac{2}{5}bc$
m) $(-ef) \cdot (-fg) \cdot (-e)$
n) $6x \cdot (-4yx) \cdot (-6z)$
o) $(-2s) \cdot 6t \cdot (-9st)$
p) $(-a^2) \cdot (-5b) \cdot b$

3 Vereinfache und fasse so weit wie möglich zusammen.
a) $3a \cdot 2b + 4ab$
b) $4c \cdot 3b - 3c \cdot 4b$
c) $1{,}5c \cdot 4d + 4{,}5d \cdot 2c$
d) $7{,}5d \cdot 4f + 2{,}5f \cdot 4d$
e) $\frac{2}{5} \cdot e \cdot \frac{5}{2} \cdot f + \frac{3}{2} \cdot f \cdot 2e$
f) $\left(-\frac{5}{3}\right)fg + \frac{2}{3}g \cdot (-3f)$
g) $8(-gh) \cdot 2\frac{1}{2} - (-3g) \cdot 1{,}5h$
h) $(-3{,}5)(-gh) - (-g)(-h)$
i) $\frac{3}{2} \cdot p \cdot 0{,}4q + (-4q)(-3{,}1p)$
j) $r \cdot (-2)(-15s) - (-8r) \cdot 1{,}5s$

Lösungen auf den Seiten 226–233.

4 a) $10a \cdot (b:2) + (5a:4) \cdot 6b$
b) $(12ab):4 - 6 \cdot \frac{b}{2} \cdot (a:3)$
c) $(7dc):(-2) + (4cd):8$
d) $(15de):(-10) - 4d \cdot (-2e)$
e) $\left(\frac{3}{2}v:2\right) \cdot u + \left(-\frac{3}{2}vu\right):3$
f) $(4uv):(5:8) - \left[uv:\left(-\frac{1}{2}\right)\right]$

5 a) $abc + a^2b - ab^2c + acb - aba + babc$
b) $b^2cd + bc^2d - bcd + bcbd - cbcd - cbd$
c) $ade + d^2ae - a^2e + dae - aea + dade$
d) $d^2ef + edf - def^2 + fede - deff$
e) $2efg + e^2g - fg^2e + 2ege - 3efg^2$
f) $4fg^2 - (2f^2gh + fgh^2) + 7gfhf + ghfh$

6 a) $5x^2yz^3 + 2xyz^3x + 3xyxz^3$
b) $a^2 \cdot a^3 + 2a \cdot a^4 - 3a^3 \cdot a^2$
c) $5r^5s^8 - 3r^8s^5 - 2r^2s^3s^5d)$
d) $4a^2b^3 \cdot 2ab^3 + a^5b^3 \cdot (-2)b^4$
e) $4x^3z \cdot y^2z^2 \cdot y + 5x^3z^2 \cdot yz \cdot y^2$
f) $5u^2 \cdot 2v^3 \cdot u^3 + 4u^3v \cdot 2u^2v^2 - 3u^5 \cdot 2v \cdot v^2$

7 a) $a^2 \cdot 2b \cdot 3a \cdot 5c + b \cdot 3ca^2 \cdot 4a - 2ca^3 \cdot 3b - b^2c^3 + 2abc \cdot 4c + 5b^2c^2 \cdot 3c - a^3bc$
b) $cu^2dv^2 + c^2uvd^2 + 3cd \cdot 4u^25v^2 - 2c^2 \cdot 1{,}5ud \cdot \frac{1}{3}vd + 1\frac{1}{2} \cdot cvd^2c \cdot 4u + 6u \cdot 3{,}5uv \cdot 2cd$
c) $(-p) \cdot 4q^4 \cdot (rs)^3 - p^2(-q^3) \cdot \frac{1}{3}r^3 \cdot (-3s)^3 + 4{,}2rqps \cdot \frac{2}{7}rq^3 \cdot 2s^3 + (-p)^2(-4)(qrs)^3$

Multiplizieren von Summen

1 Löse die Klammern auf.
a) $(a + b) \cdot 2$
b) $7 \cdot (c + d)$
c) $2{,}5 \cdot (e - f)$
d) $3 \cdot (p^2 + q)$
e) $\frac{1}{2} \cdot (r^2 + s^2)$
f) $(u - v^2):\left(-\frac{1}{2}\right)$
g) $(x + y) \cdot (-1)$
h) $(x - y) \cdot (-1)$
i) $(x^2 - y)(-2)$
j) $(xy - 1)(-4)$
k) $(-3{,}2)(5x + z)$
l) $\left(-\frac{3}{2}\right)(y - 9z) \cdot \left(-\frac{1}{3}\right)$
m) $(10x + 5y):5$
n) $(4x - 2y):(-2)$
o) $[2(21x^2 - 14z)]:(-3{,}5)$
p) $[(-3)(x^2 - y^2)]:1{,}5$

2 a) $(a + b) \cdot 2c$
b) $3c \cdot (a - b^2)$
c) $4x \cdot (a + 3b)$
d) $5{,}2u \cdot (u - v)$
e) $\left(3u - \frac{v}{2}\right) \cdot w$
f) $(2u - v)(-w)$
g) $[-(p - q)](-r)$
h) $[-(-p + q)](-r)$
i) $(-p) \cdot (-q - r)$
j) $[x(x - y)]:5$
k) $[x(2x + 3y)]:(-5)$
l) $(4x - z) \cdot (-3) \cdot y$

3 Löse die Klammern auf und vereinfache dann.
a) $3x + 4 \cdot (1 - x) - (x - 2)$
b) $3 \cdot (2r - s) - (4s - 1{,}5r) + 10r$
c) $2a - 6 \cdot (2b - 3a) + 4 \cdot (3b - 5a)$
d) $x - y(2 - x) + 2xy$
e) $(-x - y) \cdot z - 2z \cdot (-x + y)$
f) $-9x \cdot (-3y + 5z) + (-7y - 6z)5x$
g) $\frac{6x - 21}{3} + \frac{42 - 7x}{7} - 2 \cdot (3 - x)$
h) $4a - \frac{12b - 4}{8} - \frac{9b + 3a}{6}$
i) $\frac{3x + 6y}{2} - \frac{10{,}5x - 14y}{7} - \frac{-8y - 12x}{4}$
j) $\frac{9u - 12v}{3} + 4{,}5(2y - 7x) - \frac{12u - 48v}{6}$

4 Löse die Klammern auf. Fasse dann zusammen, wenn möglich.
a) $(u + v)(x + y)$
b) $(u - v)(x - y)$
c) $(p + q)(r - s)$
d) $(x + 2)(x + 3)$
e) $(y - 2)(y + 5)$
f) $(u + 4)(u - 9)$
g) $(b + 4)(b - 2{,}5)$
h) $(v - 6)\left(v + \frac{1}{2}\right)$
i) $\left(c - \frac{1}{3}\right)\left(c - \frac{1}{2}\right)$

5 a) $(3x + 1)(4x - 5)$
b) $(4 - 5y)(1 + 6y)$
c) $(4 - 3z)(8 - 7z)$
d) $(2a + 3b)(c + d)$
e) $(a + b)(3c - 4d)$
f) $(4a - 3b)(a + b)$
g) $(6a + 7b)(2a - 3b)$
h) $(9x - 5y)(7x - 6y)$
i) $(6x - y)(3x + 2y)$
j) $(-3y + z)(-5y - 6z)$
k) $(-x + 2y)(-2x - y)$
l) $\left(\frac{1}{4}b - \frac{1}{3}c\right)\left(\frac{2}{3}b - 6c\right)$

Lösungen auf den Seiten 226–233.

6 a) $(x+1)(x+3)-x^2$ b) $(x-1)(x-5)-10x$
c) $(x+2)(x-4)-x^2+2x+6$ d) $(3x-2)(x+1)-3x^2$
e) $(2x+1)(x-2)+x(x-3)-(x-1)x$ f) $(2z-3)(2+z)-(z-1)z$
g) $(a-4)(a+6)-a(a+1)-a(1-a)$ h) $3p(p+1)+2(p-1)(p+4)-5p^2-3p$
i) $(3a+4)(3a-1)+(2a-5)(8+4a)$ j) $(x+1)(6x+1)-3(3-x)(2x-1)$

Binomische Formeln

1 Berechne mithilfe der binomischen Formeln.
a) 31^2; 23^2; 53^2 b) 64^2; 72^2; 81^2 c) 29^2; 38^2; 59^2 d) 68^2; 77^2; 89^2
e) 101^2; 99^2 f) 1001^2; 998^2 g) 203^2; 196^2 h) 498^2; 505^2
i) $41 \cdot 39$; $69 \cdot 71$ j) $42 \cdot 38$; $57 \cdot 63$ k) $86 \cdot 94$; $198 \cdot 202$ l) $1020 \cdot 980$

2 Vereinfache mithilfe der binomischen Formeln.
a) $(x+y)^2$ b) $(r+s)^2$ c) $(z+a)^2$ d) $(h+p)^2$
e) $(u-v)^2$ f) $(g-f)^2$ g) $(w-t)^2$ h) $(b-x)^2$
i) $(b+c)\cdot(b-c)$ j) $(a-x)\cdot(a+x)$ k) $(q+s)\cdot(q-s)$ l) $(v-z)\cdot(v+z)$

3 a) $(a+1)^2$ b) $(x+3)^2$ c) $(5+y)^2$ d) $\left(\frac{1}{2}+z\right)^2$
e) $(a-4)^2$ f) $(4-a)^2$ g) $\left(u-\frac{1}{2}\right)^2$ h) $\left(\frac{1}{2}-v\right)^2$
i) $(r+3)\cdot(r-3)$ j) $(x-7)\cdot(x+7)$ k) $(5+y)\cdot(5-y)$ l) $\left(z+\frac{1}{2}\right)\cdot\left(z-\frac{1}{2}\right)$

4 a) $(2c+5)^2$ b) $(4+3r)^2$ c) $(5u+v)^2$ d) $(7x+8y)^2$
e) $(3f-6)^2$ f) $(9-4t)^2$ g) $(2w-a)^2$ h) $(5x-7z)^2$
i) $(9+5k)\cdot(9-5k)$ j) $(3p-7)\cdot(3p+7)$ k) $(8v+w)\cdot(8v-w)$ l) $(4x-6y)\cdot(4x+6y)$

5 a) $(2+8a)^2$ b) $(4a-5x)^2$ c) $(7-3z)^2$ d) $(4+3u)\cdot(4-3u)$
e) $(12-3x)^2$ f) $(81+z)^2$ g) $(1001-7c)^2$ h) $(92-5r)\cdot(92+5r)$
i) $(1{,}5a+4)^2$ j) $\left(\frac{1}{4}u-\frac{1}{3}v\right)^2$ k) $\left(0{,}8x-\frac{a}{2}\right)^2$ l) $\left(\frac{p}{5}+\frac{q}{4}\right)\cdot\left(\frac{p}{5}-\frac{q}{4}\right)$
m) $\left(\frac{3}{4}v+1{,}1w\right)^2$ n) $\left(\frac{3}{4}v-1{,}1w\right)^2$ o) $\left(1-\frac{x}{8}\right)^2$ p) $\left(\frac{2}{5}x-\frac{5}{2}y\right)\left(\frac{2}{5}x+\frac{5}{2}y\right)$

6 a) $(x^2+2)^2$ b) $(2-k^2)^2$ c) $(4a-b^2)^2$ d) $(9c^2-d)(9c^2+d)$
e) $(u^2+v^2)^2$ f) $(u^2-w^2)^2$ g) $\left(\frac{3}{4}f^2+\frac{1}{4}g^2\right)^2$ h) $\left(\frac{1}{3}p^2+q^2\right)\left(\frac{1}{3}p^2-q^2\right)$

7 Löse die Klammern auf und fasse dann zusammen.
a) $(a+b)^2-(a^2+b^2)$ b) $(u+v)^2+(u-v)^2$
c) $(p+q)^2-(p+q)^2$ d) $(x-y)^2-(x^2-y^2)$
e) $(r^2-s^2)(r^2+s^2)-(r^2-s^2)^2$ f) $(ax^2+y^2)(ax^2-y^2)+(ax^2+y^2)^2$
g) $(a+b)^2-(a-b)^2-4ab$ h) $(a-b)^2-(a+b)^2-4ab$

8 Löse die Klammern auf und fasse dann zusammen.
a) $(3x+7)^2-(3x-7)^2$ b) $(4a+5)^2-(4a-5)^2$
c) $(4x+9y)^2+(4x-9y)^2$ d) $(5x-8y)^2-(5x+8y)^2$
e) $(3x+5)^2-(5-3x)^2$ f) $(7x+9y)^2-(7x+9y)(7x-9y)$
g) $(8a-1)^2+(2a+1)(2a-1)$ h) $(8u^2-v^2)(8u^2+v^2)-(8u^2-v^2)^2$

Lösungen auf den Seiten 226–233.

Selbsttraining

Zerlegung von Summen als Produkte

1 Schreibe, falls möglich, als Produkt.

a) $6a + 6b$ b) $7u - 14v$ c) $18r^2 - 9s^2$ d) $16x^2 - 24y^2$
e) $ax - ay$ f) $by + 2y$ g) $by - y$ h) $by - b$
i) $x^2 - x$ j) $x - x^2$ k) $uv + u^2$ l) $v^2 - uv$
m) $2uv - v$ n) $6rt - 3rs$ o) $9r^2s - r$ p) $\frac{1}{2}rs + s^2t$
q) $25a^2 - 35abx$ r) $12x^2y - 4xy^2$ s) $20p^2q^3 - 10p^3q^2$ t) $48ab^3 + 36a^3b$

2 a) $4x - 6y - 8z$ b) $9a - 6b - 3c$ c) $1{,}2u - 1{,}6v - 2w$ d) $\frac{2}{3}x - \frac{4}{3}y + \frac{10}{3}z$
e) $ax - ay + az$ f) $pu^2 + pv^2 - pw^2$ g) $a^3 + a^2 - a$ h) $b^4 - b^3 - b^2$
i) $2ab + 2ac + 2bc$ j) $24xy - 12xy - 48xz$ k) $7xy - 14xs + 49ax$ l) $5uv - 10uw + 5uvw$

3 a) $a^2c - b^2c - a^2d + b^2d$ b) $4a^2r + 12a^2s - 3b^2r - 9b^2s$
c) $21p^2r^2 + 15p^2s^2 - 12p^2r^2 - 18q^2s^2$ d) $49a^3b^3 - 63ab + 63a^2b - 81b^3$
e) $18x^2 + 15xy^2 - 12x^2y - 21x^3$ f) $40s^5 - 65s^2 - 25s^3 + 40s^2$

4 Schreibe als Quadrat bzw. als Produkt. Benutze die binomischen Formeln.

a) $f^2 + 2fg + g^2$ b) $p^2 - 2pv + v^2$ c) $c^2 - d^2$
d) $x^2 - 2ax + a^2$ e) $x^2 - 4x + 4$ f) $9p^2 + 6p + 1$
g) $\frac{1}{4}a^2 + ab + b^2$ h) $16r^2 - 64$ i) $16x^2 + 24xy + 9y^2$
j) $25x^4 - 81y^2$ k) $u^2v^6 - 1$ l) $r^4 + 4r^2 + 4$
m) $u^2v^2 - 2ruv + r^2$ n) $25x^2 - 30xy + 9y^2$ o) $\frac{4}{9}x^2 + 9y^2 + 4xy$
p) $9u^2 - 49v^2$ q) $64x^2 - 80xy + 25y^2$ r) $0{,}04u^2 - 0{,}4u + 1$

5 Klammere zunächst einen Faktor aus, wende danach eine binomische Formel an.

a) $9x^2 - 9$ b) $5y^2 - 80$ c) $2z^2 - 32$
d) $7a^2 - 63b^2$ e) $5c^2 - 45d^2$ f) $x^2y - y^3$
g) $a^2b - 4b^3$ h) $z^3 - z$ i) $u^3 - 4u$
j) $50x^2 - 2y^2$ k) $a^3 + ab^2 - 2a^2b$ l) $18u - 12u^2 + 2u^3$
m) $32x^4 + 48x^2y + 18y^2$ n) $2x^2 - 12x + 18$ o) $25a^2 - 50a + 25$

Lösungen auf den Seiten 226–233.

Lösungen

Kapitel I, Bist du sicher, Seite 12

1
Dreiecke ABC und DEF sind zueinander kongruent.

2
a) Das blaue Dreieck ist kongruent zum roten Dreieck und das grüne Dreieck ist kongruent zum gelben Dreieck.
b) Unterteilt man eine Raute oder ein Quadrat entsprechend, so sind alle vier Dreiecke zueinander kongruent.
c)

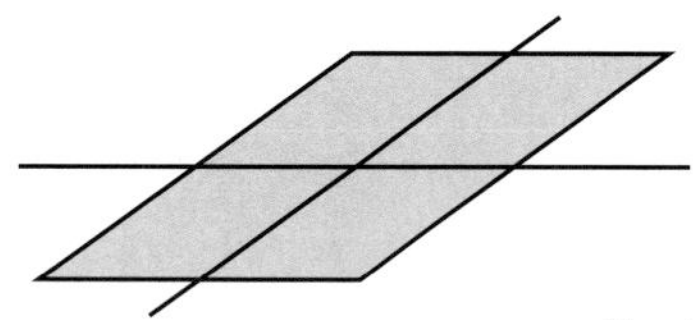

Fig. 1

3

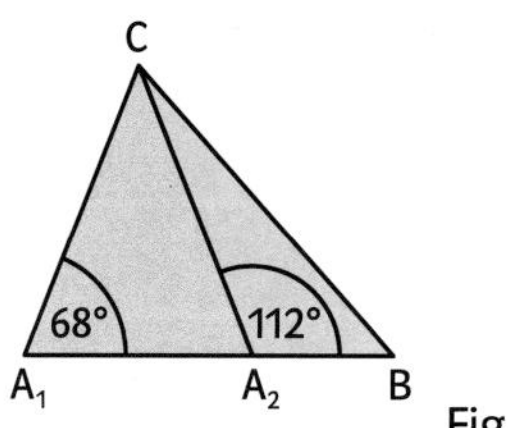

Fig. 4

Kapitel I, Bist du sicher, Seite 16

1
Die Dreiecke sind nach dem Kongruenzsatz wsw zueinander kongruent, weil sie in der Strecke $\overline{SU}$ und den beiden anliegenden Winkeln übereinstimmen.

2
a) Das Dreieck ist eindeutig konstruierbar nach dem Kongruenzsatz sss.

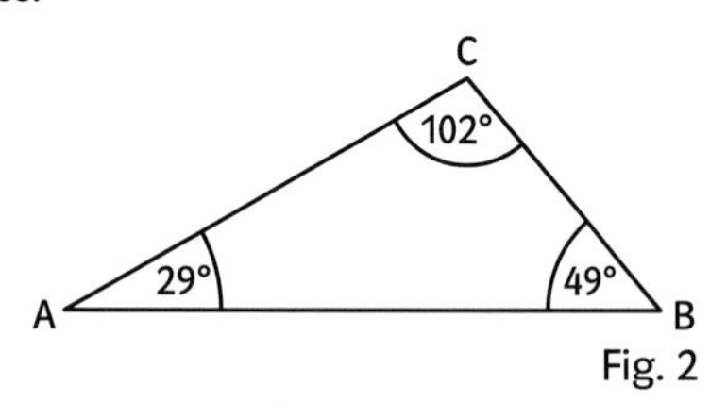

Fig. 2

b) Das Dreieck ist eindeutig konstruierbar nach dem Kongruenzsatz wsw. *Zur Konstruktion kann man α über die Winkelsumme im Dreieck berechnen.*

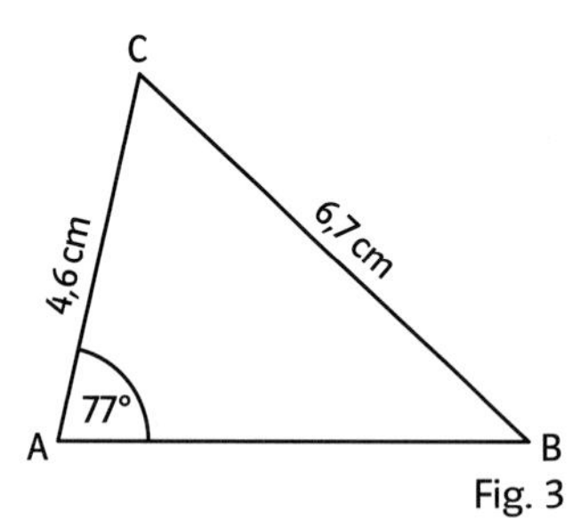

Fig. 3

Kapitel I, Bist du sicher, Seite 21

1
Die Gegenstände dürfen maximal 3,30 m lang sein.

2
Längs des 48. Breitengrads würde man eine Strecke von rund 26 800 km zurücklegen.

Kapitel I, Bist du sicher, Seite 25

1
a) Es gibt unendlich viele Lösungen.

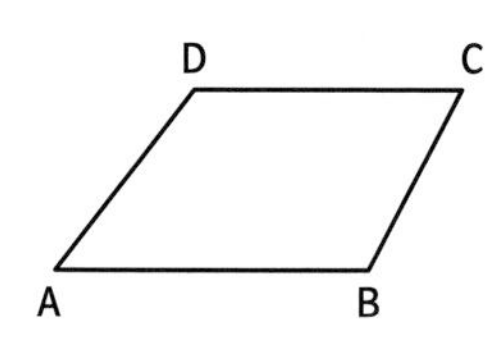

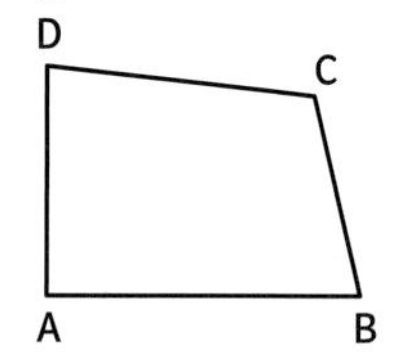

Fig. 5

b) und c)
Wählt man als zusätzliche Angabe die Länge der Diagonalen $\overline{AC}$, so ist die Konstruktion eindeutig, wenn die Länge der Diagonalen kleiner als 10,5 cm ist. Ist die Diagonale länger als 10,5 cm aber kürzer als 11 cm, so gibt es zwei Vierecke. Ab einer Länge von 11 cm ist es nicht mehr möglich das Viereck zu konstruieren.
Wählt man als zusätzliche Angabe den Winkel α, so ist die Konstruktion eindeutig für $\alpha < 101°$. Für größere Winkel α gibt es zwei Vierecke. Ab $\alpha = 122°$ kann man das Viereck nicht mehr konstruieren.

Kapitel 1, Training Runde I, Seite 37

1
a) Das Dreieck ist kongruent zum Ausgangsdreieck nach dem Kongruenzsatz wsw.
b) Das Dreieck ist kongruent zum Ausgangsdreieck nach dem Kongruenzsatz sws.
c) Das Dreieck ist nicht kongruent zum Ausgangsdreieck.
d) Der Kongruenzsatz Ssw kann nicht verwendet werden. Deshalb gibt es zwei Lösungsdreiecke. Eine dieser beiden Lösungen ist kongruent zum Ausgangsdreieck.

2

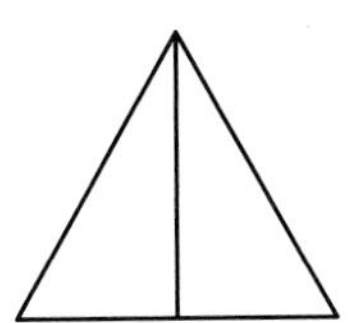
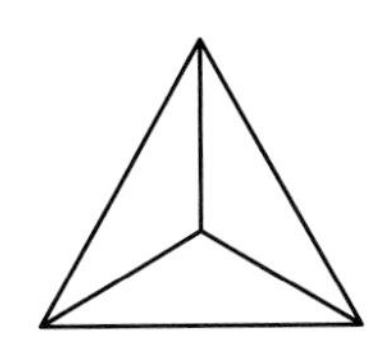
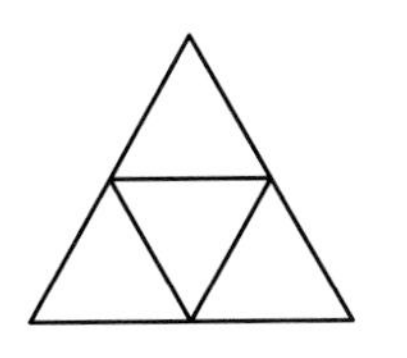

Fig. 1

3
Im Cocktailglas befinden sich ungefähr 30 cm³ (= 3 cl) Flüssigkeit.

4
a)

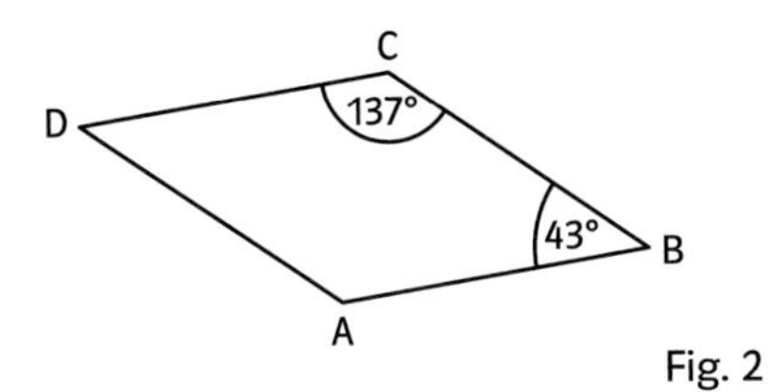

Fig. 2

b) Es gibt zwei Lösungen. Je nachdem, welche Diagonalen man als Symmetrieachse verwendet.

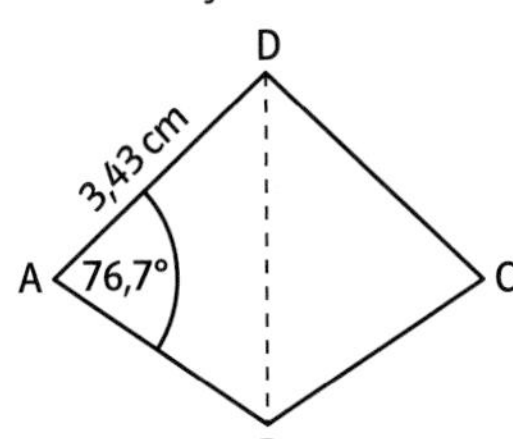

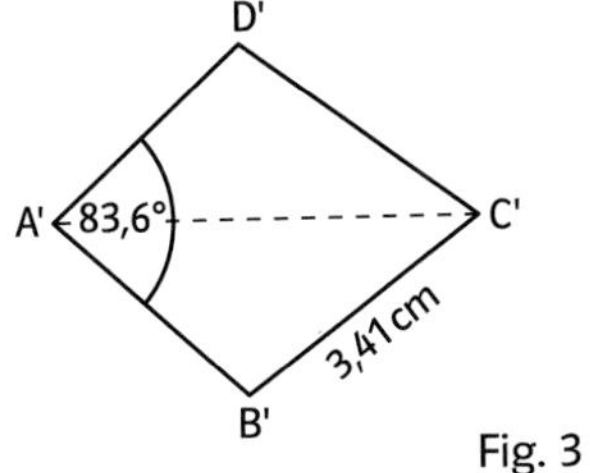

Fig. 3

c)

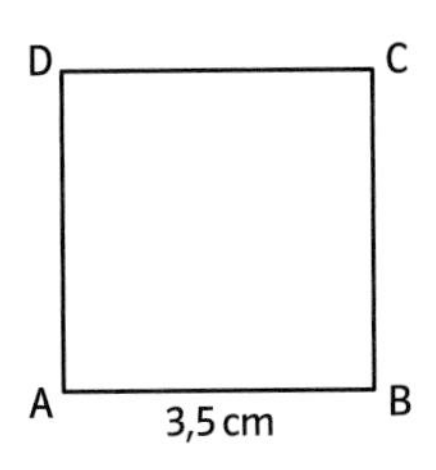

Fig. 4

5
Dachfläche in m²:
$4 \cdot \frac{1}{2} \cdot 5{,}20 \cdot 7{,}34 = 76{,}3$
Kosten in €:
$29{,}5 \cdot 76{,}3 = 2250{,}85$

Kapitel I, Training Runde 2, Seite 37

1
62°

2
a)

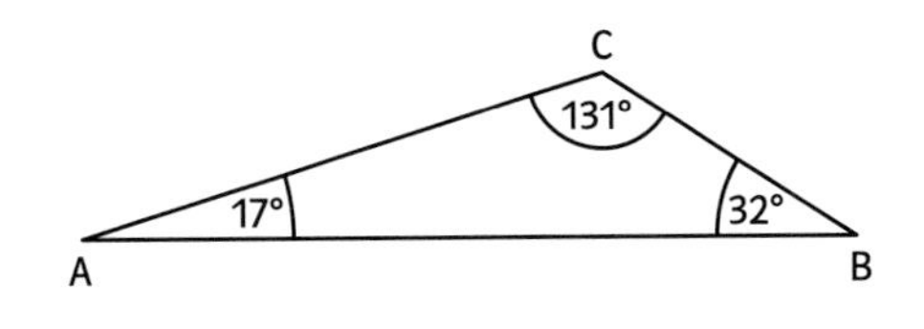

Fig. 5

b)

Fig. 6

c)

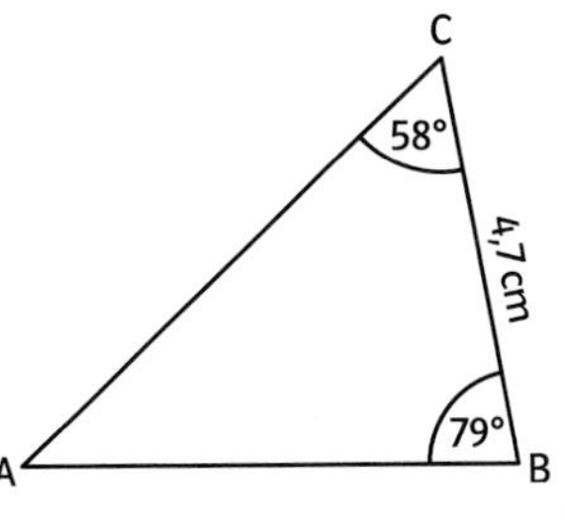

Fig. 7

d)

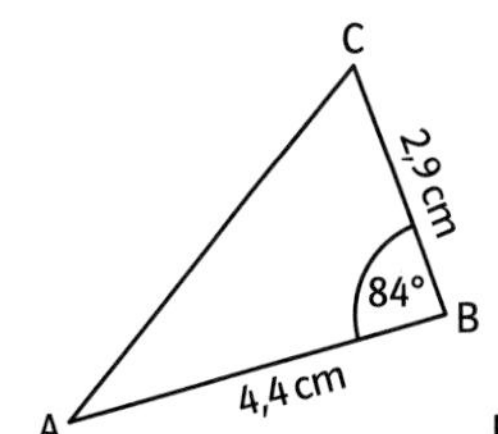

Fig. 8

3
Die Winkel bei M sind Scheitelwinkel, also gleich groß. Die Strecken $\overline{MP}$ und $\overline{MP'}$ sind gleich lang, weil sie Radien sind. Die Winkel bei P bzw. P′ sind laut Zeichnung beides rechte Winkel. Damit sind die beiden Dreiecke nach dem Kongruenzsatz wsw zueinander kongruent.

4
a) Die Aussage ist richtig. Wenn die Dreiecke in allen drei Winkeln übereinstimmen, kann man sie immer so wie in Fig. 9 dargestellt übereinander legen (eventuell ist eines der Dreiecke vorher zu wenden). Eine Situation wie in Fig. 9, wo sich die Dreiecke nicht überdecken, kann aber nicht auftreten, wenn die Dreiecke außerdem noch den gleichen Flächeninhalt haben.

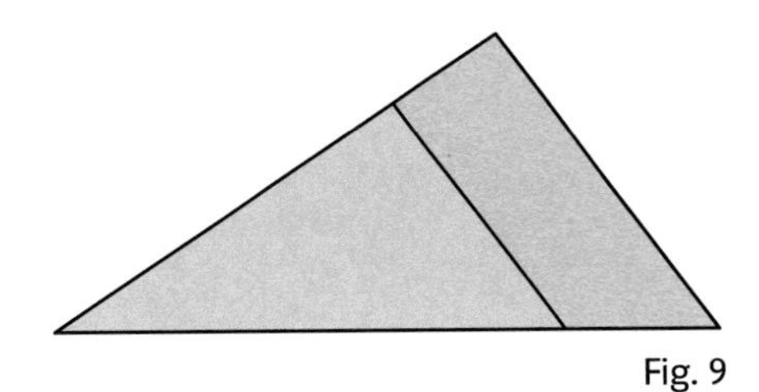

Fig. 9

b) Die Aussage ist richtig. Zwei nicht zueinander kongruente Dreiecke können nicht in allen Seitenlängen übereinstimmen, weil dies dem Kongruenzsatz sss widerpräche.

5

Nimmt man an, dass der Eiffelturm rund 300 m hoch ist, so erhält man für den ersten Standpunkt eine Eintfernung von 140 m zum Eiffelturm, für den zweiten Standpunkt ergeben sich 345 m Entfernung. Damit beträgt der Abstand etwa 205 m.

6

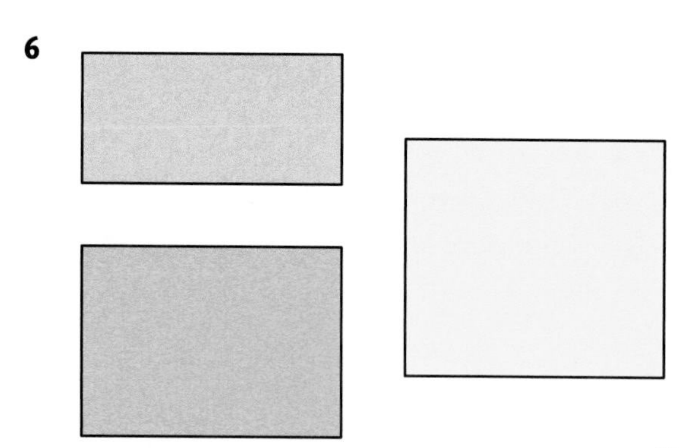

Fig. 1

Die drei Rechtecke stimmen sogar in vier Winkeln und zwei Seiten überein, sind aber nicht zueinander kongruent.

Kapitel II, Bist du sicher, Seite 46

1

Weil $3^2 = 9$ und $4^2 = 16$. Wäre x eine Zahl mit $x^2 = 11$, dann würde deshalb gelten $3 < x < 4$. Wäre x eine rationale Zahl, dann könnte man x als Bruch schreiben, also $x = \frac{a}{b}$ mit $b \neq 1$ und es würde gelten: $x^2 = \frac{a \cdot a}{b \cdot b}$ mit $b \cdot b \neq 1$. Also wäre $x^2 = 11$.

Es gibt deshalb keine rationale Zahl, die quadriert 11 ergibt. !

2

Alle Qudarate, deren Seitenlängen in Zentimeter mit einer rationalen Zahl größer als 20 angegeben werden.

Kapitel II, Bist du sicher, Seite 49

1

a) 9 b) 0,1 c) 1,7 d) 3

2

a) 3 und −3 b) 0,3 und −0,3
c) 0,03 und −0,03 d) 0,095 und −0,095 (gerundet)

Kapitel II, Bist du sicher, Seite 52

1

Die Diagonale ist auf Zentimeter gerundet 566 cm lang.

2

Valentin kommt zu dem Ergebnis 18 m².

Kapitel II, Bist du sicher, Seite 55

1

a) $-\sqrt{3} \approx -1{,}732$ b) 0
c) $\frac{1}{5}(\sqrt{15} - \sqrt{3}) \approx 0{,}428$ d) $\approx -2{,}6975$

Kapitel II, Training Runde 1, Seite 63

1

a) 1,732; −1,732 b) 4; −4
c) 15,811; −15,811 d) 26,926; −26,926
e) 316,228; −316,228

2

a) 1,305 003 000 500 003 000 005 000 0
b) Zu jedem Zeitpunkt kann man immer noch Stellen anfügen, deshalb hat die Zahl unendlich viele Stellen nach dem Komma. Da die Anzahl der Nullen zwischen den Ziffern 3 bzw. 5 immer größer wird, liegt auch keine Periode vor. Die Zahl ist also irrational.

3

a) Ja. Zum Beispiel die Zahl, die in der Aufgabe 2 beschrieben wird.
b) Nein. Jede Bruchzahl kann man in eine Dezimalzahl umwandeln; man kann hierzu den Zähler durch den Nenner dividieren.
c) Ja. Zum Beispiel die Zahl, die in der Aufgabe 2 beschrieben wird.

4

a) 1,8 b) 0,3 c) 110 d) 0,002

5

a) $-58\sqrt{13} \approx -209{,}12$ b) $11\sqrt{3} + 9\sqrt{5} \approx 39{,}18$

Kapitel II, Training Runde 2, Seite 63

1

a) z. B.: 1,5 b) z. B.: −3
c) z. B.: $-\frac{2}{3}$ d) 0
e) z. B.: $-\sqrt{2}$

2
Herr Meier muss ca. 5 % Ziersteine weniger einkaufen als Herr Müller.

3
Die Gesamtlänge der roten Striche beträgt ca. 21,31 dm.

4
Der Pfeil hat einen Flächeninhalt von ca. 11,99 m^2.

Kapitel III, Bist du sicher, Seite 70

1
Siehe Fig. 1.

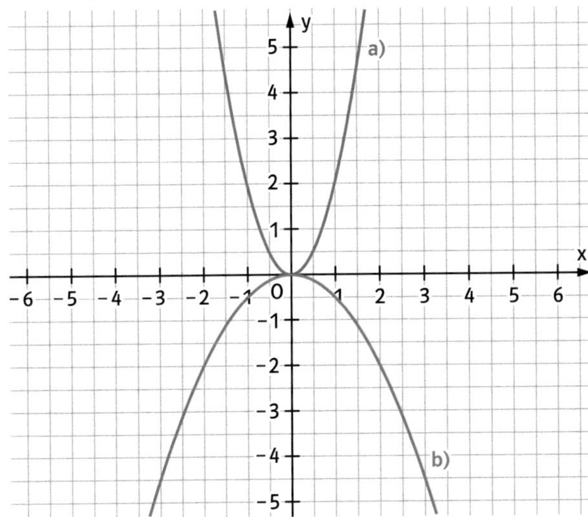

Fig. 1

2
a) P(2|8) b) R(10|−50) c) $A\left(1\middle|\frac{5}{2}\right)$ d) G(3|−36)
Als Lösungswort ergibt sich „Prag".

Kapitel III, Bist du sicher, Seite 74

1
a) Z. B. $y = -3x^4$ (Jede Potenzfunktion geraden Grades.)
b) Z. B. $y = 3x^3$ (Jede Potenzfunktion mit 3 als Faktor vor dem x.)
c) Z. B. $y = 5x^4$ (Jede Potenzfunktion mit gerader Hochzahl und positiven Faktor vor dem x.)
d) Z. B. $y = 3x^3$ (Jede Potenzfunktion dritten Grades.)

2
Ein Holzwürfel der Kantenlänge 3 cm würde etwa 24 g und ein Holzwürfel der Kantenlänge 1,5 m würde etwa 3 t wiegen.

Kapitel III, Bist du sicher, Seite 78

1
a) $y = x^2 + 3$ b) $y = (x - 2)^2$ c) $y = (x + 5)^2 - 1$

2
a) $y = 3x^2 - 3$ b) $y = 0{,}5(x - 3{,}5)^2$
c) $y = (x + 1{,}5)^2 - 1$ d) $y = -(x + 3)^2 + 3$

3
Graph siehe Fig. 2. Nullstellen:
a) $x = -1{,}5$ und $x = 1{,}5$ b) $x = 0{,}5$
c) $x = -3{,}5$ und $x = -1{,}5$ d) keine

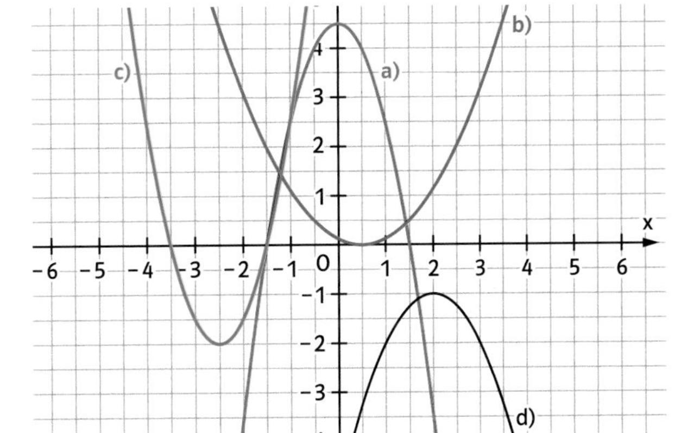

Fig. 2

Kapitel III, Training Runde 1, Seite 91

1
(Mögliche Lösungen)
a) $y = x^2 + 3$ und $y = -(x - 2)^2 - 1$
b) $y = (x - 2)^2$ und $y = -x^2$
c) $y = (x + 1)^2 - 3$ und $y = -x^2 + 3$

2
a) $y = x^2 + 5{,}7$ b) $y = (x - 2{,}5)^2 - 5$
c) $y = \left(x - \frac{5}{4}\right)^2 + 1{,}1$ d) $y = (x + 2{,}5)^2 - \frac{2}{5}$

3

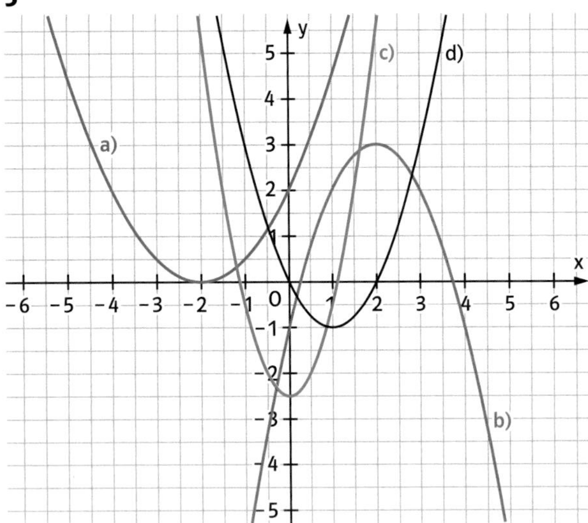

Fig. 1

4

a) $y = 6x^2$

b) Für eine Kantenlänge von 5 m beträgt die Oberfläche des Würfels $150\,m^2$.

5

Das eingezäunte Stück wird am größten, wenn es 30 m lang und 10 m breit ist.

Kapitel III, Training Runde 2, Seite 91

1

Vergleiche Rückblick.

2

a) $P(0|0)$ b) $P(0{,}3|-0{,}054)$ c) $P(1|-2)$ d) $P(-2|16)$

3

a) $y = (x+1)^2 - 4$ b) $y = (x-3)^2 - 1$

c) $y = 2(x-2)^2 - 3$ d) $y = -\frac{1}{2}x^2 + 2$

4

a) $S(1|1)$

b) $S(2|3)$

5

Graph siehe Figur rechts.
Die größte Höhe erreicht die Kugel mit 3,2 m nach 0,8 Sekunden.

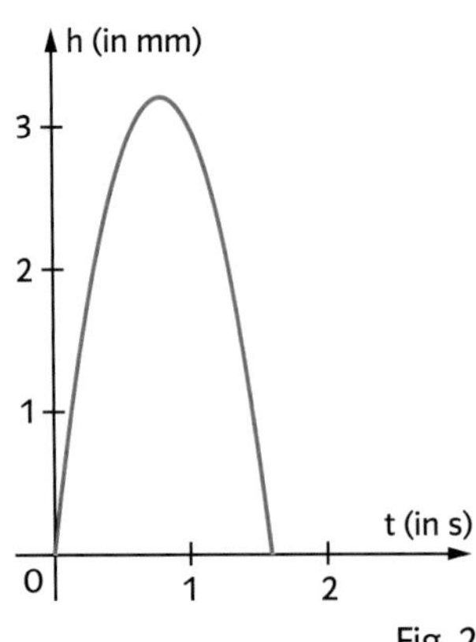

Fig. 2

Kapitel IV, Bist du sicher, Seite 97

1

a) $-2t - 2a;\ -12$ b) $-0{,}5s^2 + 6s;\ 5{,}5$

c) $r^2 - 4rs;\ -3$ d) $-5t + 6\sqrt{t};\ -8$

e) a; 2 f) $7x^2 - 2\sqrt{x} - 3x;\ 534$

2

$A = a \cdot b$, wobei a und b die beiden Seiten des Rechtecks beschreiben

Es folgt $b = \frac{A}{a}$. Da 16 ha umgerechnet $160\,000\,m^2$ sind, folgt $b = \frac{160\,000}{320} = 500$. Die Seite des Rechtecks ist 500 m lang.

Kapitel IV, Bist du sicher, Seite 100

1

Die Terme $(x+3)\cdot(x+2)$ und $2x + 3\cdot 2 + 3x + x^2$ beschreiben jeweils den Flächeninhalt des Rechtecks. Die Äquivalenz beider Terme kann man rechnerisch durch Ausmultiplizieren nachweisen:

$(x+3)\cdot(x+2) = x^2 + 2x + 3x + 3\cdot 2$.

2

a) $(a+3)(c+7) = ac + 3c + 7a + 21$

b) $(2x-5)(7+3x) = 14x + 6x^2 - 35 - 15x = 6x^2 - x - 35$

c) $(2x-y)(y-x) + y^2 = 2xy - 2x^2 - y^2 + xy + y^2 = 3xy - 2x^2$

d) $a^2 + (a + \sqrt{7}b)^2 = a^2 + (a + \sqrt{7}b)(a + \sqrt{7}b)$
$= a^2 + a^2 + \sqrt{7}ba + \sqrt{7}ba + 7b^2 = 2a^2 + 2\sqrt{7}ab + 7b^2$

3

a) $5a + a^2 = a(5+a)$; für $a = 0$ und $a = -5$ nimmt der Term den Wert 0 an.

b) $b\cdot 3 - b\cdot b + 5b = b(3 - b + 5) = b(8-b)$; für $b = 0$ und $b = 8$ nimmt der Term den Wert 0 an.

c) $x(5-x) + (5-x)\cdot 3 = (x+3)(5-x)$; für $x = -3$ und $x = 5$ nimmt der Term den Wert 0 an.

d) $\sqrt{3}\cdot x^2 - 3x = \sqrt{3}x\cdot(x - \sqrt{3})$; für $x = 0$ und $x = \sqrt{3}$ nimmt der Term den Wert 0 an.

Kapitel IV, Bist du sicher, Seite 107

1

a) $m = -2$ und $P(1|0{,}5)$

$y = -2x + c$

Durch Einsetzen erhält man die Gleichung $0{,}5 = -2\cdot 1 + c$, also $c = 2{,}5$. Insgesamt folgt $y = -2x + 2{,}5$.

b) $R(2|6)$ und $S(-1|-18)$

Durch Einsetzen in $y = mx + c$ erhält man die Gleichungen $6 = m\cdot 2 + c$ und $-18 = m\cdot(-1) + c$. Addieren von beiden Gleichungen ergibt $24 = 3m$; also $m = 8$ mit $6 = 8\cdot 2 + c$ folgt $c = -10$. Insgesamt folgt $y = 8x - 10$.

2

a) $a = 3{,}5$; $P(2|10{,}5)$ und $Q(-3|38)$

$y = 3{,}5x^2 + bx + c$

Durch Einsetzen in $y = ax^2 + bx + c$ erhält man die Gleichungen

$10{,}5 = 3{,}5 \cdot 4 + 2b + c$; also $-3{,}5 = 2b + c$ und

$38 = 3{,}5 \cdot 9 - 3b + c$; also $-6{,}5 = -3b + c$.

Subtrahieren von beiden Gleichungen ergibt $-10 = 5b$, also $b = -2$. Daraus ergibt sich $-3{,}5 = 2 \cdot (-2) + c$, also $c = 0{,}5$.

Insgesamt erhält man die Funktionsgleichung

$y = 3{,}5x^2 - 2x + 0{,}5$.

b) $R(4|0)$; $S(0|-8)$ und $T(-2|-36)$

Durch Einsetzen in $y = ax^2 + bx + c$ erhält man die Gleichungen

$-8 = 0 \cdot a + 0 \cdot b + c$; also $c = -8$

$0 = 4^2 \cdot a + 4b - 8$ und

$-36 = 4a - 2b - 8$

Durch Auflösen des LGS erhält man $a = -2$ und $b = 10$.

Insgesamt ergibt sich demnach die Funktionsgleichung

$y = -2x^2 + 10x - 8$.

3

a) Dem Graphen kann man die Punkte $P(-4|-2)$; $R(0|2)$ und $Q(1|-2)$ entnehmen. Durch Einsetzen in $y = ax^2 + bx + c$ ergeben sich die Gleichungen:

$2 = 0 \cdot a + 0 \cdot b + c$; also ist $c = 2$

$-2 = 16a - 4b + 2$

$-2 = a + b + 2$

Durch Auflösen des LGS erhält man $a = -1$ und $b = -3$.

Insgesamt ergibt sich demnach die Funktionsgleichung

$y = -x^2 - 3x + 2$.

b) Dem Graphen kann man die Punkte $P(1|1)$ und $R(3|-4)$ entnehmen. Durch Einsetzen in $y = mx + c$ ergeben sich die Gleichungen:

$1 = 1m + c$

$-4 = 3m + c$

Durch Auflösen des LGS erhält man $m = -\frac{5}{2}$ und $b = \frac{7}{2}$.

Insgesamt ergibt sich demnach die Funktionsgleichung

$y = -\frac{5}{2}x + \frac{7}{2}$.

Kapitel IV, Bist du sicher, Seite 112

1

a) Die Nullstellen der Funktion mit $y = 6x^2 + 6x - 36$ liegen etwa bei $x = -3$ und $x = 2$. Dies sind auch die Lösungen der Gleichung.

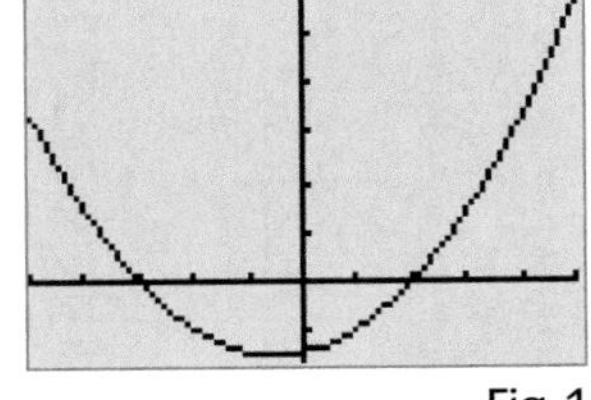

Fig. 1

b) Die Nullstelle der Funktion mit $y = 5x^2 - 10x + 5$ liegt etwa bei $x = 1$. Dies ist demnach auch die Lösung der Gleichung.

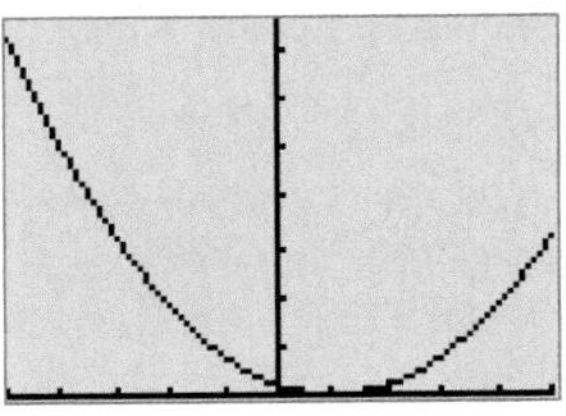

Fig. 2

c) Die Funktion mit $y = -\frac{3}{2}x^2 + 6x - 6$ hat keine Nullstellen. Der Graph liegt unterhalb der x-Achse. Dies ist auch die Lösung der Gleichung.

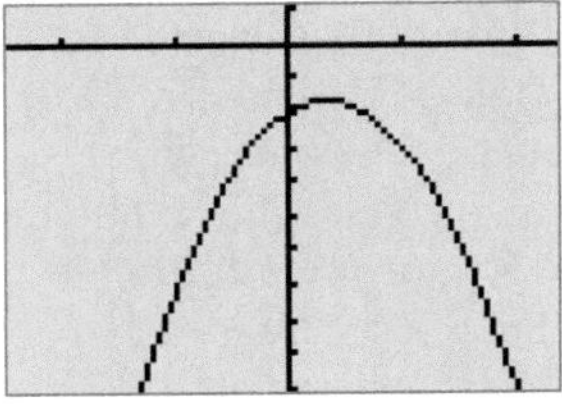

Fig. 3

d) Die Nullstelle der Funktion mit $y = x^2 - 9x - 19$ liegen etwa bei $x \approx -1{,}765$ und $x \approx 10{,}765$. Dies sind demnach auch die Lösungen der Gleichung. Durch die Rechnung erhält man noch genauere Lösungen.

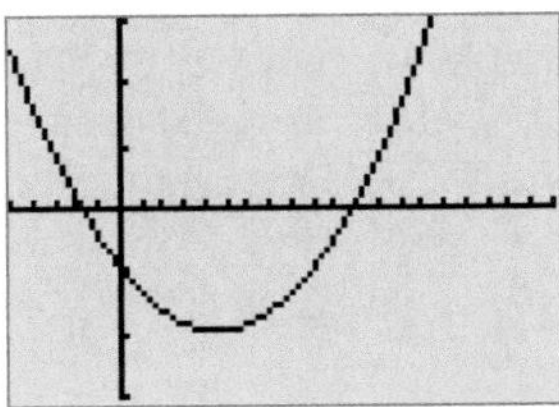

Fig. 4

2

a) $x^2 + 6x = 0$; $a = 1$; $b = 6$ und $c = 0$

$x_1 = \frac{-6 + \sqrt{36 - 4 \cdot 1 \cdot 0}}{2 \cdot 1} = \frac{-6 + 6}{2} = 0$ und

$x_2 = \frac{-6 - \sqrt{36 - 4 \cdot 1 \cdot 0}}{2 \cdot 1} = \frac{-6 - 6}{2} = -6$

Die Lösungen sind $x = 0$ und $x = -6$.

b) $9{,}5x^2 + 19x - 95 = 0$; $a = 9{,}5$; $b = 19$ und $c = -95$

$x_1 = \frac{-19 + \sqrt{19^2 - 4 \cdot 9{,}5 \cdot (-95)}}{2 \cdot 9{,}5} = \frac{-19 + 63}{19} \approx 2{,}3$ und

$x_2 = \frac{-19 - \sqrt{19^2 - 4 \cdot 9{,}5 \cdot (-95)}}{2 \cdot 9{,}5} = \frac{-19 - 63}{19} \approx -4{,}3$

Die Lösungen sind ca. $x = 2{,}3$ und $x = -4{,}3$.

c) $5x^2 - 3x + 6 = 0$; $a = 5$; $b = -3$ und $c = 6$

$x_1 = \frac{3 + \sqrt{9 - 4 \cdot 5 \cdot 6}}{2 \cdot 5} = \frac{3 + \sqrt{-111}}{10}$;

dieser Term ist nicht lösbar, da der Wurzelausdruck negativ ist. Die Gleichung hat keine Lösungen.

d) $3x^2 - 6x + 3 = 0$; $a = 3$; $b = -6$ und $c = 3$

$x_1 = \frac{6 + \sqrt{36 - 4 \cdot 3 \cdot 3}}{2 \cdot 3} = \frac{6 + \sqrt{0}}{6} = 1$;

Es gibt nur die Lösung $x = 1$, weil der Wurzelausdruck den Wert 0 annimmt.

Kapitel IV, Training Runde 1, Seite 125

1

a) $2x - x^2 + 10 - 5x = -x^2 - 3x + 10$
b) $x - (x^2 + 4x + 4) + 3x = x - x^2 - 4x - 4 + 3x = -x^2 - 4$
c) $12x - 36x^2 = 12x \cdot (1 - 3x)$
d) $3a - 12a^2 + 6a^2 = 3a - 6a^2 = 3a \cdot (1 - 2a)$

2

$P(0|-2)$; $Q(20|9)$ und $R(6|15{,}7)$
a) Durch Einsetzen in die Gleichung $y = ax^2 + bx + c$ erhält man die Gleichungen
$-2 = 0 \cdot a + 0 \cdot b + c$; also ist $c = -2$
$0{,}9 = 4a + 2b - 2$ und
$15{,}7 = 36a + 6b - 2$
Durch Auflösen des LGS erhält man $a = 0{,}375$ und $b = 0{,}7$. Insgesamt erhält man die Funktionsgleichung $y = 0{,}375x^2 + 0{,}7x - 2$.
b) Die Lösungen der Gleichung $0{,}375x^2 + 0{,}7x - 2 = 6{,}8$ liefern die Antwort. Es ergibt sich die Gleichung $0{,}375x^2 + 0{,}7x - 8{,}8 = 0$. Mithilfe der abc-Formeln erhält man

$$x_1 = \frac{-0{,}7 + \sqrt{0{,}49 + 13{,}2}}{2 \cdot 0{,}375} = \frac{-0{,}7 + 3{,}7}{0{,}75} = 4 \text{ und}$$

$$x_2 = \frac{-0{,}7 - \sqrt{0{,}49 + 13{,}2}}{2 \cdot 0{,}375} = \frac{-0{,}7 - 3{,}7}{0{,}75} = -5{,}\overline{86}$$

Die Funktion nimmt bei $x = -5{,}\overline{86}$ und $x = 4$ jeweils den Wert 6,8 an.

3

Sei z die gedachte Zahl. Dann gilt:
$z \cdot (z - 1) + 13 = 565$, also $z^2 - z - 552 = 0$.
Hier ist $a = 1$; $b = -1$ und $c = -552$.
Mithilfe der abc-Formeln erhält man

$$x_1 = \frac{1 + \sqrt{1 - 4 \cdot 1 \cdot (-552)}}{2 \cdot 1} = \frac{1 + 47}{2} = 24 \text{ und}$$

$$x_2 = \frac{1 - \sqrt{1 - 4 \cdot 1 \cdot (-552)}}{2 \cdot 1} = \frac{1 - 47}{2} = -23$$

Tanjas gedachte Zahl war entweder – 23 oder 24.

4

a) Der Term für die Breite der Fläche ergibt sich aus der Gleichung $l + (l - 4) + (b - 2) = 9$; also ist $b = 15 - 2l$. Der Term für die Fläche des Geheges ist $A = l \cdot b$. Durch Einsetzen des Terms für b ergibt sich $A = l \cdot (15 - 2l) = 15l - 2l^2$.
Diese Fläche soll nun mindestens $11\,m^2$ groß sein. Daraus ergibt sich die quadratische Gleichung $15l - 2l^2 = 11$; also $-2l^2 + 15l - 11 = 0$. Hier ist $a = -2$; $b = 15$ und $c = -11$.
Mithilfe der abc-Formel ergibt sich

$$x_1 = \frac{-15 + \sqrt{225 - 4 \cdot (-2) \cdot (-11)}}{2 \cdot (-2)} = \frac{-15 + 11{,}7047}{-4} \approx 0{,}82 \text{ und}$$

$$x_2 = \frac{-15 - \sqrt{225 - 4 \cdot (-2) \cdot (-11)}}{2 \cdot (-2)} = \frac{-15 - 11{,}7047}{-4} \approx 6{,}68$$

Die Länge des Geheges beträgt demnach ca. 6,68 m und die Breite 1,64 m ($b = 15 - 2 \cdot 6{,}68 = 1{,}64$). Die Länge 0,82 m ist nicht möglich, da die Länge des Geheges aufgrund der Wand mindestens 4 m betragen muss.

b) Zur Beantwortung dieser Frage wird der Graph der Funktion mit $y = -2l^2 + 15l$ gezeichnet.

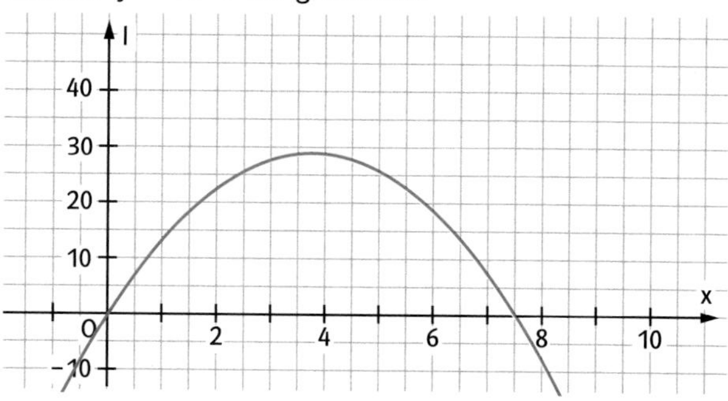

Fig. 1

Man erkennt, dass es mögliche Längen des Geheges gibt, bei denen der Flächeninhalt des Geheges größer als $11\,m^2$ ist. Bei einer Länge von 5 m ist der Flächeninhalt ca. $25\,m^2$ groß. Der maximale Flächeninhalt liegt bei einer Länge von 3,75 m.

Kapitel IV, Training Runde 2, Seite 125

1

Zeichnerische Lösungen:
a)

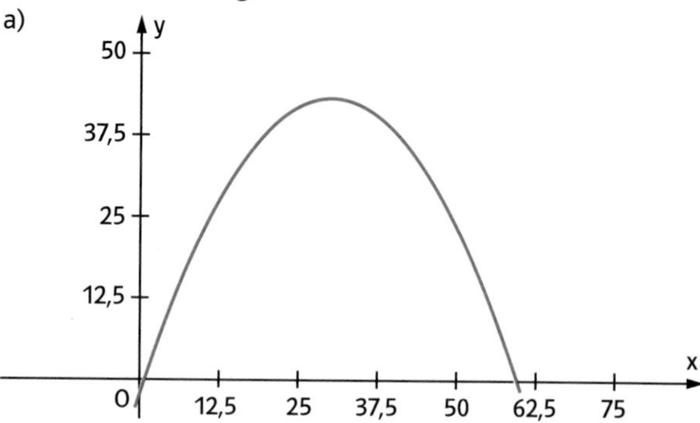

Fig. 2

Die Lösungen sind etwa $x_1 \approx 0{,}5$ und $x_2 \approx 60$.
b)

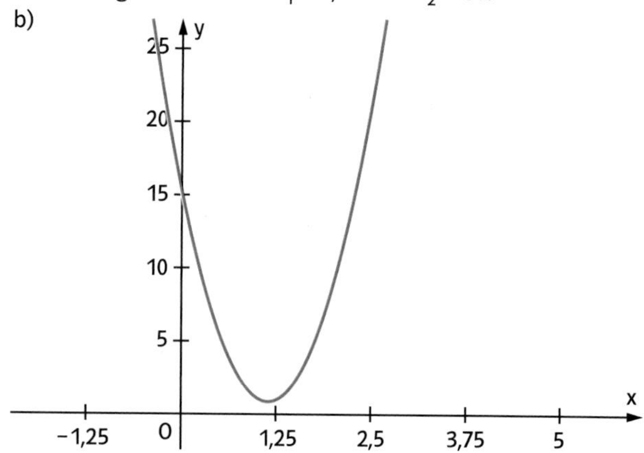

Fig. 3

Da der Graph oberhalb der x-Achse verläuft und keine Schnittpunkte mit ihr hat, kann die Gleichung keine Lösungen haben.

c)

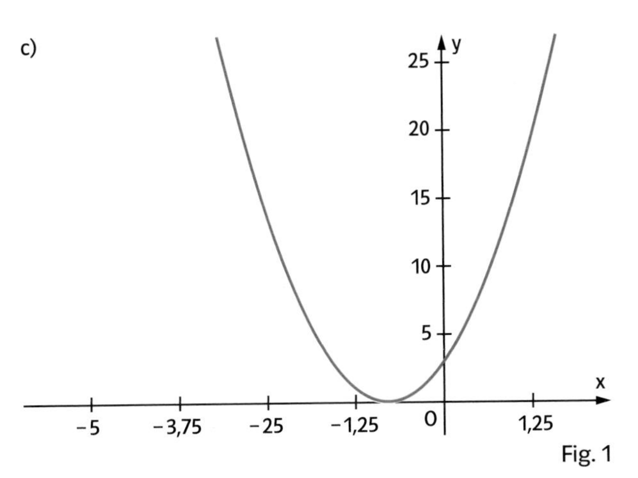

Fig. 1

Die Gleichung hat etwa die Lösung $x \approx -1$. Es gibt nur eine Lösung, weil der Graph die x-Achse nur berührt und nicht unterhalb der x-Achse verläuft.

Rechnerische Lösungen:
a) $-0{,}05x^2 + 3x - 2 = 0$; also $a = -0{,}05$; $b = 3$ und $c = -2$
Mithilfe der abc-Formel erhält man die Lösungen

$$x_1 = \frac{-3 + \sqrt{9 - 4 \cdot (-0{,}05) \cdot (-2)}}{2 \cdot (-0{,}05)} = \frac{-3 + \sqrt{8{,}6}}{-0{,}1} \approx 0{,}67 \text{ und}$$

$$x_2 = \frac{-3 - \sqrt{9 - 4 \cdot (-0{,}05) \cdot (-2)}}{2 \cdot (-0{,}05)} = \frac{-3 - \sqrt{8{,}6}}{-0{,}1} \approx 59{,}33.$$

Die Lösungen sind damit $x_1 \approx 0{,}67$ und $x_2 \approx 59{,}33$.
b) Die umgeformte quadratische Gleichung lautet:
$11x^2 - 25x + 15 = 0$. Also sind $a = 11$; $b = -25$ und $c = 15$.
Mithilfe der abc-Formeln erhält man

$$x_1 = \frac{25 + \sqrt{625 - 4 \cdot 11 \cdot 15}}{2 \cdot 11} = \frac{25 + \sqrt{-35}}{22}$$

Die Gleichung hat keine Lösung, weil man die Lösungsformel nicht ausrechnen kann, da man aus einer negativen Zahl keine Wurzel ziehen kann.
c) Die umgeformte Gleichung lautet: $3x^2 + 6x + 3 = 0$. Also sind $a = 3$; $b = 6$ und $c = 3$. Mithilfe der abc-Formel erhält man

$$x_1 = \frac{-6 + \sqrt{36 - 4 \cdot 3 \cdot 3}}{2 \cdot 3} = \frac{-6 + \sqrt{0}}{6} = -1.$$

Die Gleichung hat die eine Lösung $x = -1$.

2

Die Zahlen $x_1 = 2$ und $x_2 = -1$ sollen die Lösung einer quadratischen Gleichung sein. Damit ergibt sich der Term $(x - 2)(x + 1)$. Wenn man x_1 oder x_2 in diesen Term einsetzt, ergibt er den Wert 0. Damit ist hat die quadratische Gleichung $(x - 2)(x + 1) = 0$ die geforderten Lösungen. Auch die umgeformte Gleichung $x^2 - x - 2 = 0$ oder $x^2 = x + 2$ oder $2x^2 - 2x = 4$ erfüllen die Bedingungen.
Es gibt unendlich viele quadratische Gleichungen, weil man die Gleichung $(x - 2)(x + 1) = 0$ mit jeder reellen Zahl multiplizieren kann, wodurch sich die Lösungen der Gleichung nicht verändern. (Allgemein: $K = (x - 2)(x + 1) = 0$)

3

Aus den Angaben kann man folgende Punkte der Flugbahnen des Balles entnehmen. Dabei sei die Aufschlagslinie der Punkt (0 | 0): Man kennt die Punkte P(0 | 0,5); Q(6,4 | 2) und R(12,8 | 0,5). Den Punkt R erhält man, weil die Flugbahn des Balles über dem Netz den höchsten Punkt, also den Scheitel, besitzt.
Durch Einsetzen der Punkte in die allgemeine quadratische Gleichung $y = ax^2 + bx + c$ ergibt die Gleichungen
$0{,}5 = 0 \cdot a + 0 \cdot b + c$; also ist $c = 0{,}5$.
$2 = 6{,}4^2 \cdot a + 6{,}4b + 0{,}5$
$0{,}5 = 12{,}8^2 \cdot a + 12{,}8b + 0{,}5$
Durch Auflösen des LGS ergeben sich $a = -0{,}036\,621\,093\,75$ und $b = 0{,}468\,75$. Insgesamt erhält man die Funktionsgleichung $y = -0{,}036\,621\,093\,75x^2 + 0{,}468\,75x + 0{,}5$. Um zu prüfen, ob der Ball noch innerhalb des Feldes aufkommt, kann man entweder die Null-stellen der Funktion ermitteln oder prüfen, in welcher Höhe sich der Ball bei der Grundlinie befindet. Hier wird die zweite Lösungsidee gezeigt:
Der x-Wert der Grundlinie entspricht 18,285 (23,77 : 2 + 6,4).
$y(18{,}285) \approx -3{,}2$. Der Ball wäre bei der Grundlinie schon unterhalb des Bodens; also muss er schon vorher im Feld aufgekommen sein.

4

a) Sei h die Steighöhe und b die Auftrittsbreite.
Dann gilt $2h + b = 64$; wobei $h \leqq 15$ zusätzlich gelten soll.
b) Zur Berechnung von b erhält man die Formel $b = 64 - 2h$; also ergibt sich die folgende Tabelle:

h	5	6	7	8	9	10	11	12	13	14	15
b	54	52	50	48	46	44	42	40	38	36	34

Kapitel V, Bist du sicher, Seite 130

1

a) Die Definitionen beschreiben nicht die gleiche Sorte von Dreiecken.
(1) Es sind gleichschenklige Dreiecke, die nicht gleichseitig sind.
(2) Es sind gleichschenklige Dreiecke, die auch gleichseitig sein können.

2

Ein Viereck mit vier gleich langen Seiten heißt Raute.
Ein Viereck, das symmetrisch zu seinen Diagonalen ist, heißt Raute.
Ein Viereck, das zu einer Diagonalen symmetrisch ist, heißt Drachen.
Ein Viereck mit zwei Paaren gleich langer Seiten mit je einem gemeinsamen Eckpunkt heißt Drachen.

3

a) Eine Dezimalzahl, die ohne Komma und Vorzeichen geschrieben werden kann, ist eine natürliche Zahl.
b) Eine Dezimalzahl, die periodisch oder abbrechend ist, heißt rationale Zahl.
c) Eine Dezimalzahl, die nicht abbrechend ist und die keine Periode hat, heißt irrationale Zahl.
d) Eine Dezimalzahl mit dem Vorzeichen „–" heißt negative Zahl.

Kapitel V, Bist du sicher, Seite 134

1

Bsp. 1: Natürliche Zahlen, die Vielfache von zwei sind, heißen gerade Zahlen.
Bsp. 2: Natürliche Zahlen, die durch 5 teilbar sind, heißen Vielfache der Zahl 5.
Bsp. 3: Natürliche Zahlen, welche die Form n^2 haben, heißen Quadratzahlen.

2

a) Die Eigenschaft gilt für jedes rechtwinklige Dreieck.
b) Ein Drachen mit vier gleich langen Seiten ergibt eine Raute. Ein Drachen mit zueinander senkrechten Diagonalen ändert nichts.

3

Dreiecke, die in je zwei Seiten übereinstimmen, stimmen auch in je zwei Winkeln überein. Entsprechendes gilt für Dreiecke mit drei gleich großen Winkeln bzw. drei gleich langen Seiten.

Kapitel V, Bist du sicher, Seite 138

1

Voraussetzung: Ein Dreieck ist rechtwinklig
Behauptung: Das Dreieck ist nicht gleichseitig
Die Aussage ist richtig.
Beweis: Jedes gleichseitige Dreieck hat drei Winkel der Größe 60°. Dies ist im rechtwinkligen Dreieck nicht möglich.
b) Voraussetzung: In zwei Dreiecken gibt es zwei Seiten, die jeweils die gleiche Länge haben.
Behauptung: Die beiden Dreiecke haben zwei Winkel, die jeweils die gleiche Größe haben.
Die Aussage ist falsch.
Gegenbeispiel: In Fig. 1 liegen B und B′ auf dem Kreis um C mit dem Radius 2 cm. Deshalb erfüllen die Dreiecke ABC und AB′C die Voraussetzung. Aber die beiden Dreiecke haben unterschiedliche Winkel.

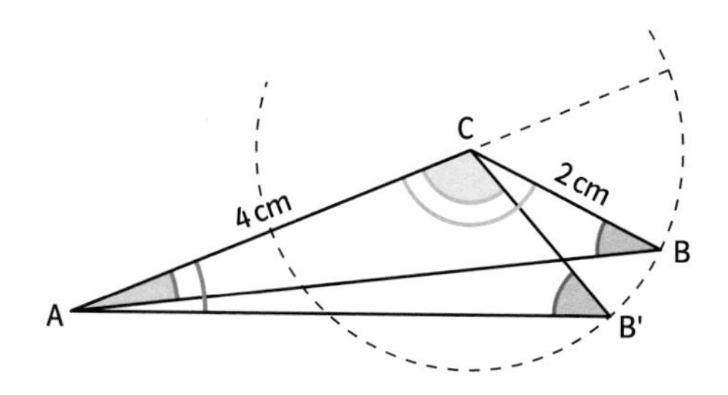

Fig. 1

2

a) Wenn ein Dreieck zwei gleich lange Seiten und einen Winkel von 60° hat, dann ist es gleichseitig.
Die Aussage ist richtig.
Beweis:
Das Dreieck ist gleichseitig. Wenn der 60°-Winkel kein Basiswinkel ist, ergänzen sich die Basiswinkel zu 120°. Dann misst jeder Basiswinkel auch 60°. Wenn der 60°-Winkel ein Basiswinkel ist, dann misst der andere Basiswinkel auch 60°. Dann misst auch der dritte Winkel 60°. Das Dreieck hat also drei gleich große Winkel. Dann ist es auch gleichseitig.
b) Wenn man vier aufeinanderfolgende natürliche Zahlen addiert, dann ist ihre Summe durch vier teilbar.
Die Aussage ist falsch.
Gegenbeispiel: $1 + 2 + 3 + 4 = 10$.

Kapitel V, Bist du sicher, Seite 141

1

a) Voraussetzung: Ein Viereck ist symmetrisch zur Mittelsenkrechten einer Seite.
Behauptung: Die Diagonalen sind gleich lang.
Beweis:

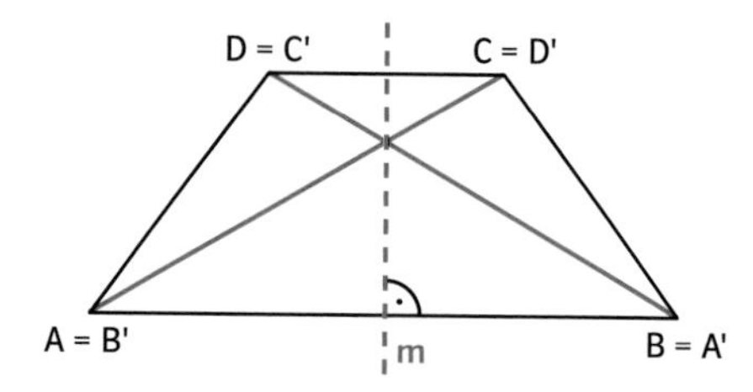

Fig. 2

In Fig. 2 ist m die entsprechende Mittelsenkrechte zur Seite $\overline{AB}$ im Viereck ABCD. Da das Viereck symmetrisch zu m ist, wird die Diagonale $\overline{AC}$ abgebildet auf die Diagonale $\overline{BD}$. Deshalb sind die Diagonalen gleich lang.
b) Die Aufgabe ist offen. Mögliche Sätze:
Wenn ein Viereck symmetrisch zur Mittelsenkrechten einer Seite ist, dann …
… hat das Viereck zwei Paare von Winkeln mit der gleichen Größe.

... schneiden sich die Diagonalen des Vierecks in einem Punkt auf der Mittelsenkrechten.
... sind zwei Seiten des Vierecks parallel.
... ist das Viereck ein gleichschenkliges Trapez.
Die Beweise werden entsprechend Teilaufgabe a) mit den Eigenschaften symmetrischer Figuren geführt.

2

a) Wenn man drei gerade natürliche Zahlen und eine ungerade natürliche Zahl addiert, dann ist die Summe ungerade.
Beweis: Wenn man gerade Zahlen addiert, dann ist ihre Summe stets gerade. Addiert man zu einer geraden Zahl eine ungerade Zahl, dann ist das Ergebnis ungerade.
b) Wenn man vier ungerade natürliche Zahlen addiert, dann ist ihre Summe eine gerade Zahl.
Beweis: Die Summe von je zwei ungeraden Zahlen ist stets eine gerade Zahl und die Summe von geraden Zahlen ist stets gerade. Deshalb ist auch die Summe von vier ungeraden Zahlen stets gerade.

Kapitel V, Training Runde 1, Seite 155

1

a) Die Definition verwendet den Begriff Kreis (= kreisrunde Linie) als Eigenschaft zur Beschreibung von Kreisen.
b) Ein Winkel, dessen Größe zwischen 0° und 90° liegt, heißt spitzer Winkel.

2

a) Ein Rechteck mit gleich langen Seiten heißt Quadrat.
b) Ein Drachen mit gleich langen Seiten nennt man Raute.

3

Es gilt $\alpha = 90° - \beta$.

4

a) In jedem Viereck ist die Summe der Winkel 360°.
Beweis: Eine Diagonale teilt ein Viereck in zwei Dreiecke mit einer Winkelsumme von je 180° auf. Die Winkel des Vierecks setzen sich aus den Winkeln der beiden Dreiecke zusammen. Das ergibt 360°.
b) Satz: Im regelmäßigen Achteck misst jeder Winkel in einem Eckpunkt 135°.
Beweis: Jedes regelmäßige Achteck kann in 8 kongruente gleichschenklige Dreiecke unterteilt werden. Der Winkel im Mittelpunkt misst $360° : 8 = 45°$. Im Achteck ergeben die Basiswinkel zweier Dreiecke einen Winkel im Eckpunkt des Achtecks. Seine Größe ist dann 135°.

5

Satz 1: Wenn bei einem Viereck mit Umkreis eine Diagonale durch den Mittelpunkt des Umkreises geht, dann hat das Viereck mindestens zwei rechte Winkel.
Beweis zu Satz 1: In Fig. 1 liegen die Punkte B und D auf dem Thaleskreis über der Strecke AC.

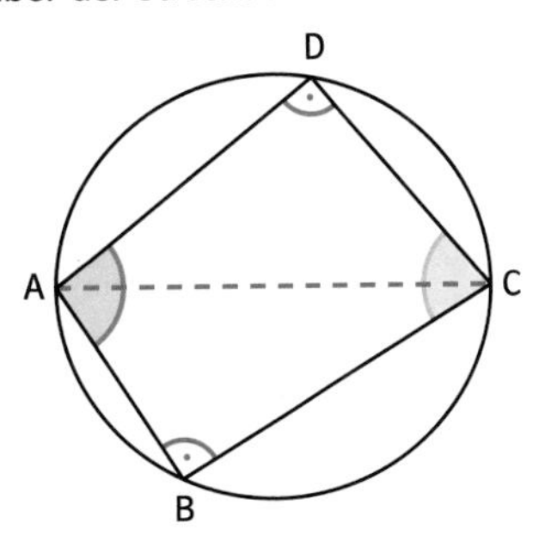

Fig. 1

Satz 2: Wenn bei einem Viereck mit Umkreis eine Diagonale durch den Mittelpunkt des Umkreises geht, dann ergänzen sich gegenüberliegende Winkel zu 180°.
Beweis zu Satz 2: Nach Satz 1 hat das Viereck zwei sich gegenüberliegende rechte Winkel. Wegen der Winkelsumme im Viereck ergänzen sich die beiden anderen gegenüberliegenden Winkel auch zu 180°.

Kapitel V, Training Runde 2, Seite 155

1

Skizze: Fig. 2

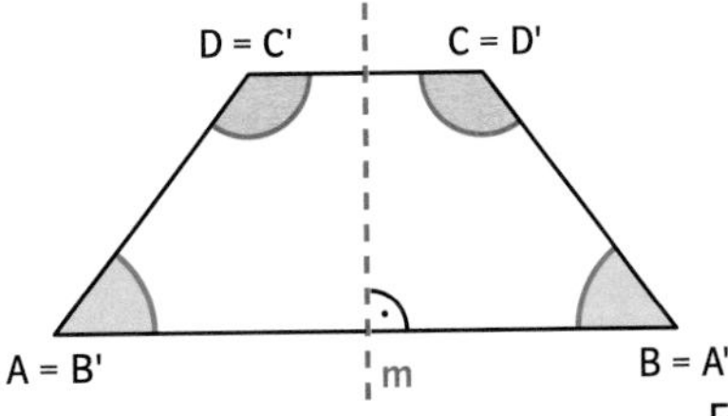

Fig. 2

Voraussetzung: Ein Viereck ist symmetrisch zur Mittelsenkrechten einer Seite.
Behauptung: Gegenüberliegende Winkel ergänzen sich zu 180°.
Beweis: In Fig. 2 ist das Viereck achsensymmetrisch zur Mittelsenkrechten der Seite $\overline{AB}$. Deshalb haben die Winkel in den Eckpunkten A und B sowie C und D jeweils die gleiche Größe. Nach der Winkelsumme im Viereck ergänzen sich dann gegenüberliegende Winkel bei A und C sowie B und D zu 180° (360° : 2).

2

Vermutung: In Fig. 1 teilt jede Gerade durch den Schnittpunkt der Diagonalen das Rechteck in zwei kongruente Vierecke.

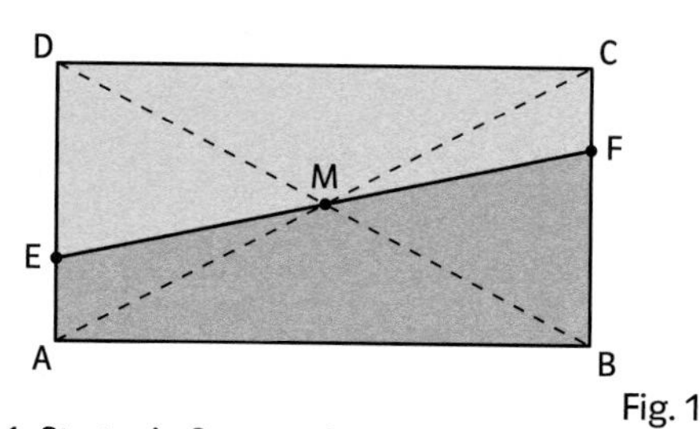

Fig. 1

Beweis 1: Strategie Symmetrie
Das Rechteck ABCD ist punktsymmetrisch zum Schnittpunkt M seiner Diagonalen. Bei der Punktspiegelung am M wird die Figur ABFE abgebildet auf die kongruente Figur CFED.
Beweis 2: Strategie kongruente Figuren
Die Strecken $\overline{AD}$ und $\overline{BC}$ sind parallel. Deshalb haben die Wechselwinkel ∢ AEF und ∢ CFE sowie ∢ FED und ∢ EFB jeweils die gleiche Größe. Die beiden Teilfiguren ABFE und CFED stimmen deshalb in vier Winkeln und der gemeinsamen Strecke $\overline{EF}$ überein. Deshalb sind sie konguent.

3

a) Die Aussage ist falsch. Eine Raute hat ebenfalls zwei Symmetrieachsen.
b) Die Aussage ist richtig.
Beweis: Wenn ein Dreieck einen Winkel von 60° und 30° hat, misst der dritte Winkel 90°. In Fig. 2 ist ein solches Dreieck an der Seite $\overline{AB}$ (mit den Winkeln 30° und 90°) gespiegelt. Dabei ergibt sich das gleichseitige Dreick AC′C. Die Gerade $\overline{AB}$ ist die Mittelsenkrechte der Strecke CC′. Deshalb ist $\overline{AC}$ doppelt so lang wie $\overline{BC}$.

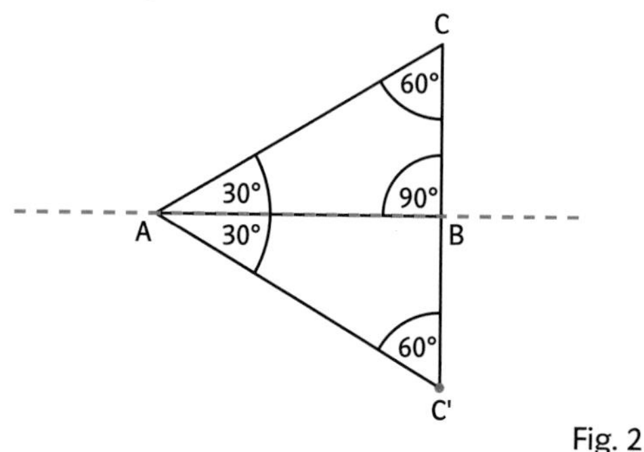

Fig. 2

c) Die Aussage ist richtig.
Beweisidee: man spiegelt das Dreieck an der Seite, an der der rechte Winkel anliegt. Dann ergibt sich als Gesamtfigur stets ein gleichseitiges Dreieck. Daraus folgt direkt die Behauptung.

In Fig. 3 sind die beiden möglichen Fälle behandelt. Das Ergebnis hängt nicht von den gewählten Seitenlängen 2 cm und 4 cm ab.

Fall 1

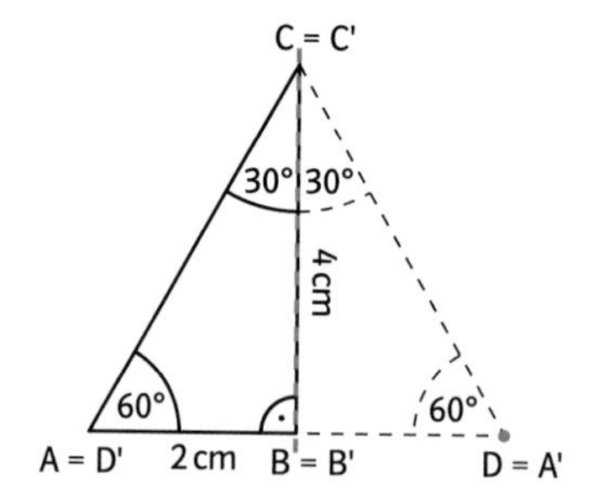

Fall 2

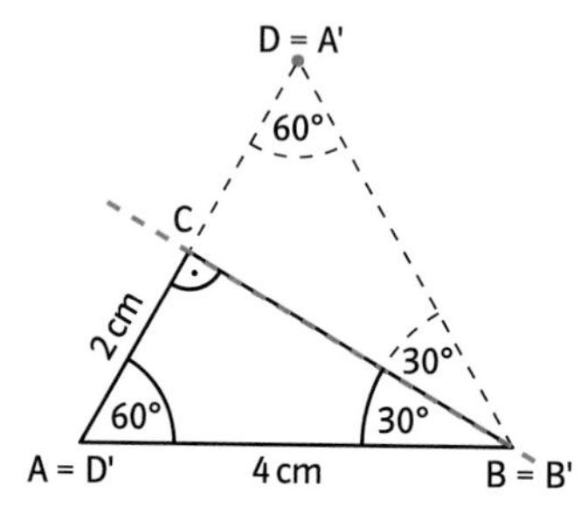

Fig. 3

4

a) Satz: Addiert man sieben aufeinander folgende natürliche Zahlen, dann ist die Summe teilbar durch 7.
Beweis: Die Summe der sieben Zahlen kann wie folgt geschrieben werden:
$n + (n + 1) + (n + 2) + (n + 3) + (n + 4) + (n + 5) + (n + 6)$
$= 7n + (1 + 2 + 3 + 4 + 5 + 6) = 7n + 21 = 7(n + 3)$.
Der letzte Term zeigt, dass die Summe ein Vielfaches der Zahl 7 ist.
b) Satz: Das Produkt zweier ungerader Zahlen ist ungerade.
Beweis: Das Produkt kann wie folgt geschrieben werden:
$(2n + 1)(2k + 1) = 4nk + 2n + 2k + 1 = 2(2nk + n + k) + 1$.
Der letzte Term hat die Form einer ungeraden Zahl.
c) Satz: Das Produkt einer geraden mit einer ungeraden Zahl ist gerade.
Beweis: Das Produkt kann wie folgt geschrieben werden:
$(2n)(2k + 1) = 4nk + 2n = 2(2nk + n)$.
Der letzte Term hat die Form einer geraden Zahl.
d) Satz: Für jede natürliche Zahl kann die Summe der Zahlen $3 + 6 + 9 + 12 + 15 + \ldots + 3n$ berechnet werden durch den Term $3 \cdot \frac{n(n+1)}{2}$.
Beweis: Mit dem Distributivgesetz und der Formel $(1 + 2 + 3 + 4 + 5 + \ldots + n) = \frac{n(n+1)}{2}$ (vgl. S. 146, Aufgabe 9) gilt die Umformung
$3 + 6 + 9 + 12 + 15 + \ldots + 3n$
$= 3(1 + 2 + 3 + 4 + 5 + \ldots + n)$
$= 3 \cdot \frac{n(n+1)}{2}$.

Kapitel VI, Bist du sicher, Seite 161

1

a) TTT, TTF, TFT, FTT, TFF, FTF, FFT, FFF

b)

Ergebnis	TTT	TTF	TFT	FTT	TFF	FTF	FFT	FFF
Wahrscheinlichkeit	0,027	0,063	0,063	0,063	0,147	0,147	0,147	0,343

c) 0,189 (genau zwei Mal); 0,216 (mindestens zwei Mal)

d) $1 - 0{,}343 = 0{,}657$

Kapitel VI, Bist du sicher, Seite 164

1

a) $\frac{1}{12} \cdot \frac{1}{12} \cdot \frac{1}{12} = \frac{1}{1728} \approx 0{,}06\,\%$

b) $\left(\frac{1}{4}\right)^4 = \frac{1}{256} \approx 0{,}39\,\%$

c) $1 - \left(\frac{11}{12}\right)^8 \approx 50{,}1\,\%$

d) 6 mögliche Pfade mit zwei Zwölfen ergeben die Wahrscheinlichkeit

$6 \cdot \frac{1}{12} \cdot \frac{1}{12} \cdot \frac{11}{12} \cdot \frac{11}{12} \approx 3{,}5\,\%.$

Kapitel VI, Training Runde 1, Seite 179

1

a) $1 - \frac{1}{4} = \frac{3}{4}$

b) $\frac{4}{52} + \frac{12}{52} = \frac{16}{52} \approx 30{,}8\,\%$

(Die Herz-Dame darf nur einmal gezählt werden)

2

a) $\frac{5}{12} \cdot \frac{4}{11} \cdot \frac{3}{10} \cdot \frac{2}{9} = \frac{1}{99} = 1{,}01\,\%$

b) $1 - \frac{9}{12} \cdot \frac{8}{11} \cdot \frac{7}{10} \cdot \frac{6}{9} = \frac{41}{55} = 74{,}55\,\%$

3

a) $\frac{1}{5}$

b) $1 - \left(\frac{4}{5}\right)^{10} = 89{,}3\,\%$

4

$\frac{4}{6} \cdot \frac{3}{5} \cdot \frac{2}{4} \cdot \frac{1}{3} = \frac{1}{15}$

Kapitel VI, Training Runde 2, Seite 179

1

a)

Ergebnis	rot	gelb	blau
Wahrscheinlichkeit	$\frac{6}{12}$	$\frac{4}{12}$	$\frac{2}{12}$

b) $\frac{8}{12}$

2

a) $1 - 0{,}6^4 = 87{,}04\,\%$

b) $0{,}4 \cdot 0{,}4 \cdot 0{,}6 \cdot 0{,}4 = 3{,}84\,\%$

3

a) $1 - 0{,}8^6 = 73{,}8\,\%$

b) $0{,}8^6 + 6 \cdot 0{,}8^5 \cdot 0{,}2 = 65{,}5\,\%$

4

$0{,}8^5 \cdot 0{,}2 = 6{,}6\,\%$

Selbsttraining – Lösungen

Selbsttraining Kapitel I

Dreiecke konstruieren

1 Die Konstruktion ist möglich für die Teilaufgaben a), b), c), d) und e).
Die Teilaufgaben f) und g) haben keine Lösung.

2 Alle Teilaufgaben sind eindeutig lösbar.

3 a)

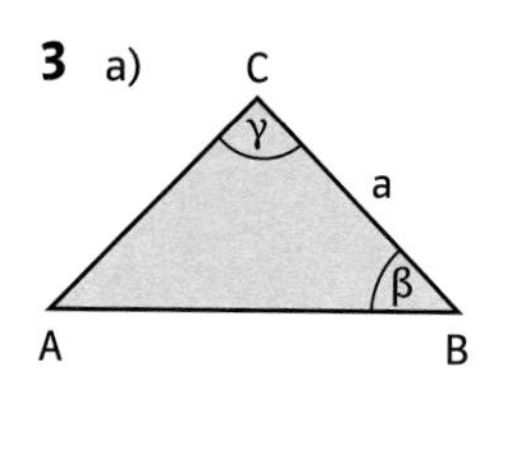

b)

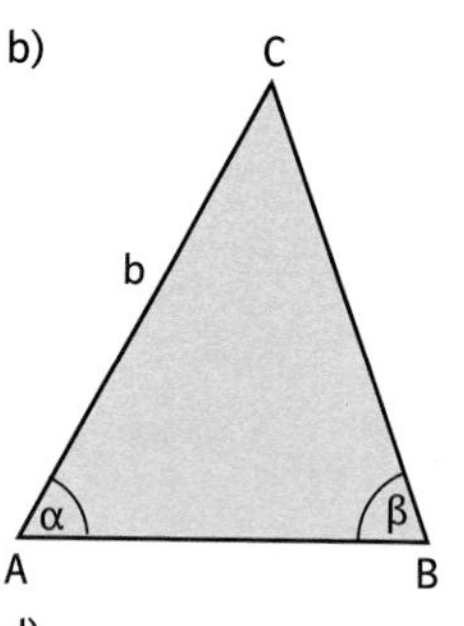

c)

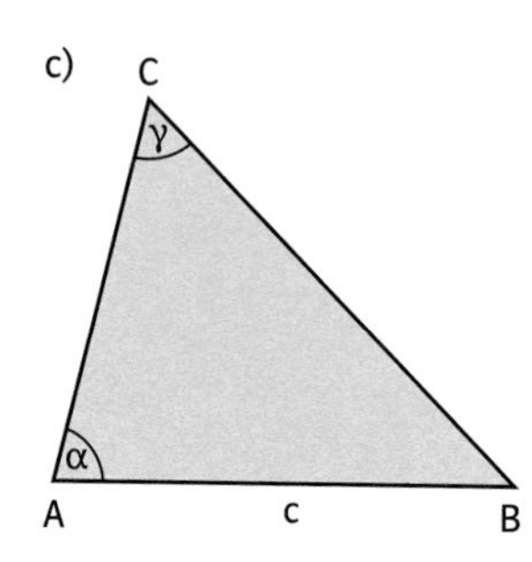

d)

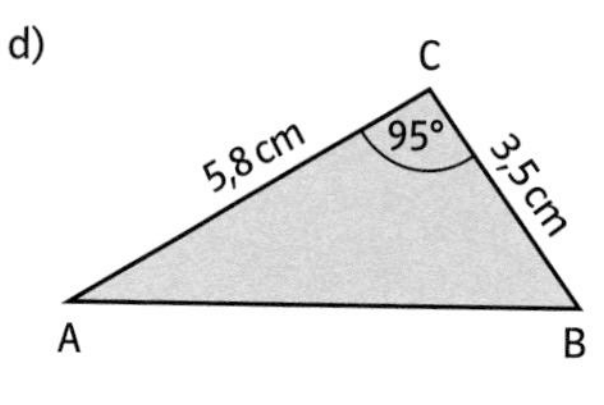

(Figuren verkleinert)

4 a) b) c) d)

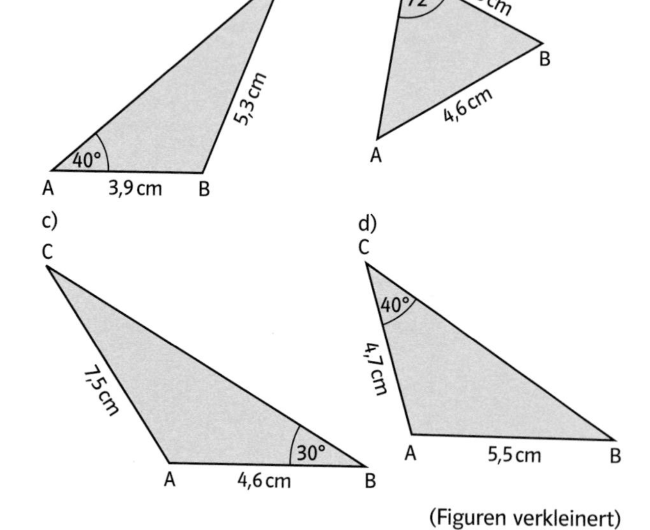

(Figuren verkleinert)

Kongruenzsätze anwenden

1 a) kongruent
b) kongruent
c) nicht kongruent

2 a) kongruent
b) nicht kongruent, die Winkel unterscheiden sich
c) Nein, denn α ist nicht der eingeschlossene Winkel.
d) Nein, denn β ist nicht der eingeschlossene Winkel.

3

Dreieck	Seite	Seite	Winkel
ABC	$\overline{AB}$ = 4,3 cm	**$\overline{BC}$ = 5,7 cm**	β = 40°
A'B'C'	**$\overline{B'C'}$ = 4,3 cm**	$\overline{A'C'}$ = 5,7 cm	γ' = 40°
A''B''C''	$\overline{A''B''}$ = 5,7 cm	$\overline{A''C''}$ = 4,3 cm	**α'' = 40°**

4 a) kongruent (β' = 180° – α' – γ' = 65°)
b) kongruent
c) nein
d) kongruent

5

Dreieck	Seite	Winkel	Winkel
ABC	$\overline{AB}$ = 4,3 cm	α = **60°**	β = 40°
A'B'C'	$\overline{B'C'}$ = 4,3 cm	β' = 60°	γ' = **40°**
A''B''C''	$\overline{A''B''}$ = 4,3 cm	a'' = **60°**	γ'' = 80°

6 a) kongruent
b) Nein, α liegt der kleineren Seite gegenüber.
c) Nein, α liegt der kleineren Seite gegenüber.

7 Die Dreiecke (1) und (5) sind nach dem Kongruenzsatz sws zueinander kongruent.
Die Dreiecke (3) und (4) sind nach dem Kongruenzsatz wsw zueinander kongruent.

Selbsttraining Kapitel II

Quadratwurzeln

1 a) 13 b) 130 c) 1,3 d) $\frac{1}{13}$ e) $\frac{13}{12}$

2 a) 14,14 (14,142 14) b) 0,98 (0,979 80)
c) 4,09 (4,092 68) d) 0,08 (0,083 67)
e) 10,00 (10,002 50)

3 a) 12 b) 0,1 c) 0,675 = $\frac{27}{40}$ d) 0,48
e) 54 f) 6 g) 0,75 h) 13,2
i) 16 j) 0,04 k) $\frac{1}{25}$ l) 4

4 a) zwischen 7 und 8 b) zwischen 15 und 16
c) zwischen 26 und 27 d) zwischen 31 und 32
e) zwischen 38 und 39

5 Individuelle Lösung; z. B.: a) 5 b) 1,5 c) 2,5

6 a) $x = \pm 7$ b) $x = 0$ c) $x = \pm 1{,}2$
d) $x = \pm\sqrt{2}$ e) keine Lösung

7 a) 5 cm b) 0,4 dm c) 1,2 m

8 Die blaue Strecke hat die Maßzahl $\sqrt{2}$; die grüne Strecke hat die Maßzahl $\sqrt{2} \cdot \sqrt{2} = 2$; $\overline{AB}$ hat die Maßzahl $2\sqrt{2} = \sqrt{8} \approx 2{,}8284$.

Rationale und irrationale Zahlen

1 a) $1{,}\overline{8}$; $1{,}897366\ldots$; $1{,}\overline{8}$; $1{,}9$
$1{,}\overline{8} < 1{,}897\ldots < 1{,}9$
b) $0{,}45$; $0{,}\overline{4}$; $0{,}\overline{4}$; $0{,}4$; $0{,}447213\ldots$
$0{,}4 < 0{,}\overline{4} < 0{,}447\ldots < 0{,}45$

2 a) $\sqrt{2} < 1{,}41\overline{42}$ b) $\sqrt{3} < 1{,}7323322333222\ldots$
c) $\sqrt{8} > \frac{31}{11}$

3 a) $2{,}42$; $2{,}4\overline{2}$; $2{,}\overline{42}$
b) $-1{,}\overline{732}$; $-1{,}7\overline{32}$; $-1{,}73\overline{2}$; $-1{,}732$

4 a) $1{,}\overline{6}$ b) $0{,}\overline{571428}$ c) $0{,}8\overline{3}$ d) $5{,}\overline{72}$
e) $2{,}41\overline{6}$ f) $0{,}\overline{190476}$ g) $0{,}4\overline{3}$ h) $0{,}06\overline{2}$

5 a) $\frac{7}{9}$ b) $\frac{11}{9}$ c) $\frac{67}{9}$ d) $\frac{34}{99}$
e) $\frac{168}{99}$ f) $\frac{28}{9}$ g) $\frac{185}{999}$ h) $\frac{9}{9} = 1$

6 a) $1{,}21\overline{6}$ rational
b) $4{,}63633633363333\ldots$ irrational
c) $0{,}3\overline{557}$ rational
d) $0{,}5055055505555\ldots$ irrational
e) $2{,}728\overline{72}$ rational
f) $3{,}210121011210111210\ldots$ irrational

7 Irrationale Produkte: a); c)

Rechnen mit Wurzeln

1 a) 1 b) 3 c) 6 d) $\frac{8}{3}$

2 a) 6 b) 9 c) 18 d) 14
e) 5 f) 25 g) 7 h) 12
i) 1,8 j) 30 k) 24 l) 12

3 a) 2 b) 7 c) 6 d) 20
e) 0,6 f) 5 g) 3 h) 18

4 a) $\frac{2}{3}$ b) $\frac{12}{3} = 4$ c) $\frac{7}{4}$ d) $\frac{0{,}7}{14} = \frac{1}{20}$
e) $\frac{17}{6}$ f) $\frac{16}{5}$ g) $\frac{9}{4}$ h) $\frac{0{,}2}{25} = 0{,}008$

5 a) 6 b) 8 c) 7 d) 2
e) 4 f) $\frac{3}{4}$ g) $\frac{3}{5}$ h) $\frac{9}{8}$

6 a) $\sqrt{24} = \sqrt{6 \cdot 4} = 2\sqrt{6}$ b) $\sqrt{3 \cdot 16} = 4\sqrt{3}$
c) $\sqrt{2 \cdot 25} = 5\sqrt{2}$ d) $7\sqrt{2}$
e) $\sqrt{5 \cdot 25} = 5\sqrt{5}$ f) $12\sqrt{2}$
g) $20\sqrt{5}$ h) $45\sqrt{2}$

7 a) 160,3 b) 507 c) 0,507 d) 0,1603

8 a) $2\sqrt{5} - \sqrt{5} - 3\sqrt{2} = (2-1)\sqrt{5} - 3\sqrt{2} = \sqrt{5} - 3\sqrt{2}$
b) $(3+1)\sqrt{10} + 2\sqrt{5} = 4\sqrt{10} + 2\sqrt{5}$
c) $\left(\frac{2}{3} + \frac{1}{3}\right)\sqrt{5} + \sqrt{6} = \sqrt{5} + \sqrt{6}$
d) $(11-3)\sqrt{5} = 8\sqrt{5}$
e) $(0{,}1 - 1)\sqrt{7} = -0{,}9\sqrt{7}$
f) $\left(\frac{3}{5} - \frac{1}{2}\right)\sqrt{2} = \frac{1}{10}\sqrt{2}$
g) $(4+6)\sqrt{5} - 3 = 10\sqrt{5} - 3$
h) $(3+5)\sqrt{13} - (8+1)\sqrt{6} = 8\sqrt{13} - 9\sqrt{6}$
i) $(3 - 5 + 10)\sqrt{5} + (4 - 1 + 8)\sqrt{3} = 8\sqrt{5} + 11\sqrt{3}$

9 a) $\sqrt{2 \cdot 4} + \sqrt{2} = 2\sqrt{2} + \sqrt{2} = 3\sqrt{2}$
b) $\sqrt{12} - \sqrt{3} = \sqrt{3 \cdot 4} - \sqrt{3} = 2\sqrt{3} - \sqrt{3} = \sqrt{3}$
c) $6\sqrt{3 \cdot 16} - \sqrt{3 \cdot 9} = 24\sqrt{3} - 3\sqrt{3} = 21\sqrt{3}$
d) $4\sqrt{2 \cdot 25} - \sqrt{2 \cdot 49} = 20\sqrt{2} - 7\sqrt{2} = 13\sqrt{2}$
e) $-\sqrt{5 \cdot 4} - 3\sqrt{5} = -5\sqrt{5}$
f) $\sqrt{5 \cdot 4} - \sqrt{5 \cdot 9} = 2\sqrt{5} - 3\sqrt{5} = -\sqrt{5}$
g) $\sqrt{2 \cdot 11^2} - \sqrt{2 \cdot 12^2} = 11\sqrt{2} - 12\sqrt{2} = -\sqrt{2}$
h) $9\sqrt{5}$
i) $\sqrt{3 \cdot 0{,}25} - \sqrt{3 \cdot 0{,}01} = 0{,}5\sqrt{3} - 0{,}1\sqrt{3} = 0{,}4\sqrt{3}$
j) $-2\sqrt{\frac{1}{2}}$
k) $4\sqrt{\frac{1}{3}}$
l) $2\sqrt{5 \cdot 0{,}01} + \frac{1}{3}\sqrt{5} = 0{,}2\sqrt{5} + \frac{1}{3}\sqrt{5} = \frac{8}{15}\sqrt{5}$
m) $\sqrt{16 \cdot 2} + \sqrt{2 \cdot 4} - \sqrt{4 \cdot 5} + \sqrt{2 \cdot 11^2} - \sqrt{2 \cdot 9^2} - \sqrt{5 \cdot 4^2}$
$+ \sqrt{5 \cdot 64} = 4\sqrt{2} + 2\sqrt{2} - 2\sqrt{5} + 11\sqrt{2} - 9\sqrt{2} - 4\sqrt{5} + 8\sqrt{5}$
$= (4 + 2 + 11 - 9)\sqrt{2} + (-2 - 4 + 8)\sqrt{5} = 8\sqrt{2} + 2\sqrt{5}$

10 a) $(\sqrt{8} + \sqrt{2})\sqrt{2} = \sqrt{16} + \sqrt{4} = 4 + 2 = 6$
b) $\sqrt{5}(\sqrt{125} - \sqrt{80}) = \sqrt{625} - \sqrt{400} = 25 - 20 = 5$
c) $(\sqrt{80} + \sqrt{20}) : \sqrt{5} = \sqrt{\frac{80}{5}} + \sqrt{\frac{20}{5}} = \sqrt{16} + \sqrt{4} = 4 + 2 = 6$
d) $(\sqrt{108} - \sqrt{48}) : \sqrt{3} = \sqrt{36} - \sqrt{16} = 6 - 4 = 2$
e) $2 \cdot \sqrt{3}(\sqrt{24} - \sqrt{32}) = \sqrt{288} - \sqrt{384} = 12\sqrt{2} - 8\sqrt{6}$
f) $(\sqrt{28} - \sqrt{7}) : \sqrt{7} = \sqrt{4} - \sqrt{1} = 2 - 1 = 1$

11 a) $\frac{1}{\sqrt{2}} \cdot \frac{\sqrt{2}}{\sqrt{2}} = \frac{\sqrt{2}}{2}$

b) $\frac{5}{\sqrt{7}} \cdot \frac{\sqrt{7}}{\sqrt{7}} = \frac{5\sqrt{7}}{7}$

c) $\frac{\sqrt{5}}{\sqrt{3}} \cdot \frac{\sqrt{3}}{\sqrt{3}} = \frac{\sqrt{15}}{3}$

d) $\frac{2\sqrt{11}}{\sqrt{13}} \cdot \frac{\sqrt{13}}{\sqrt{13}} = \frac{2\sqrt{143}}{13}$

e) $\frac{7}{5\sqrt{3}} \cdot \frac{\sqrt{3}}{\sqrt{3}} = \frac{7\sqrt{3}}{15}$

f) $\frac{\sqrt{3}}{\sqrt{5}} \cdot \frac{\sqrt{5}}{\sqrt{5}} = \frac{\sqrt{15}}{5}$

g) $\frac{3}{2\sqrt{7}} \cdot \frac{\sqrt{7}}{\sqrt{7}} = \frac{3\sqrt{7}}{14}$

h) $\frac{2\sqrt{11}}{3\sqrt{5}} \cdot \frac{\sqrt{5}}{\sqrt{5}} = \frac{2\sqrt{55}}{15}$

i) $\frac{\sqrt{10}}{\sqrt{20}} \cdot \frac{\sqrt{20}}{\sqrt{20}} = \frac{\sqrt{200}}{20} = \frac{10\sqrt{2}}{20} = \frac{\sqrt{2}}{2}$

j) $\frac{5\sqrt{5}}{\sqrt{\frac{1}{2}}} = \frac{5\sqrt{5}}{\frac{1}{\sqrt{2}}} = 5\sqrt{5} \cdot \sqrt{2} = 5\sqrt{10}$

12 $\sqrt{20} = 2 \cdot \sqrt{5}$ $\sqrt{50} = 5 \cdot \sqrt{2}$ $\sqrt{125} = 5 \cdot \sqrt{5}$
$\sqrt{162} = 9 \cdot \sqrt{2}$ $\sqrt{72} = 6 \cdot \sqrt{2}$ $\sqrt{147} = 7 \cdot \sqrt{3}$
$\sqrt{128} = 8 \cdot \sqrt{2}$ $\sqrt{242} = 11 \cdot \sqrt{2}$ $\sqrt{300} = 10 \cdot \sqrt{3}$
$\sqrt{405} = 9 \cdot \sqrt{5}$

13 a) $2\sqrt{4 \cdot 5} - \sqrt{9 \cdot 5} = 4\sqrt{5} - 3\sqrt{5} = \sqrt{5} \approx 2{,}236$

b) $3\sqrt{3 \cdot 16} + 5\sqrt{4 \cdot 3} = 12\sqrt{3} + 10\sqrt{3} = 22\sqrt{3} \approx 38{,}105$

c) $\frac{2}{5}\sqrt{2 \cdot 100} - 2\sqrt{2 \cdot 4} = 4\sqrt{2} - 4\sqrt{2} = 0$

d) $\frac{\sqrt{3 \cdot 100} + \sqrt{3 \cdot 64}}{\sqrt{3 \cdot 9}} = \frac{10\sqrt{3} + 8\sqrt{3}}{3\sqrt{3}} = 6$

e) $\frac{3\sqrt{2 \cdot 25} - 4\sqrt{3 \cdot 25}}{5} = 3\sqrt{2} - 4\sqrt{3} \approx -2{,}686$

f) $\frac{2\sqrt{3 \cdot 4} - 8\sqrt{3 \cdot 9}}{\sqrt{3 \cdot 25}} = \frac{4\sqrt{3} - 24\sqrt{3}}{5\sqrt{3}} = -4$

g) $\frac{8\sqrt{2 \cdot 100} + 2\sqrt{2 \cdot 400}}{0{,}3} = \frac{80\sqrt{2} + 40\sqrt{2}}{0{,}3} = \frac{120\sqrt{2}}{0{,}3} \approx 565{,}685$

h) $\frac{-\sqrt{40} - 3\sqrt{90}}{\sqrt{2560}} = \frac{-2\sqrt{10} - 3 \cdot 3\sqrt{10}}{16\sqrt{10}} = \frac{-2-9}{16} = -\frac{11}{16} \approx -0{,}688$

Rechnen mit Näherungswerten

1 a) kleinstes Ergebnis: 12,65 kg + 0,3545 kg = 13,0045 kg
größtes Ergebnis: 12,75 kg + 0,3555 kg = 13,1055 kg
b) kleinstes Ergebnis: 124,445 m + 4,65 m = 129,095 m
größtes Ergebnis: 124,455 m + 4,75 m = 129,205 m
c) kleinstes Ergebnis: 12,7495 l + 0,2495 l = 12,999 l
größtes Ergebnis: 12,7505 l + 0,2505 l = 13,001 l
d) kleinstes Ergebnis: 28,45 t + 1,3845 t = 29,8345 t
größtes Ergebnis: 28,55 t + 1,3855 t = 29,9355 t
e) kleinstes Ergebnis: 2,445 m · 3,45 m = 8,435 25 m^2
größtes Ergebnis: 2,455 m · 3,55 m = 8,715 25 m^2
f) kleinstes Ergebnis: 4,55 km · 1,0745 km = 4,888 975 km^2
größtes Ergebnis: 4,65 km · 1,0755 km = 5,001 075 km^2
g) kleinstes Ergebnis: 11,5 m · 1,745 m = 20,0675 m^2
größtes Ergebnis: 12,5 m · 1,755 m = 21,9375 m^2
h) kleinstes Ergebnis: 4,5 cm · 2,745 cm = 12,3525 cm^2
größtes Ergebnis: 5,5 cm · 2,755 cm = 15,1525 cm^2

2 a) kleinster Flächeninhalt: 5,75 km · 1,5975 km = 9,185 625 km^2
größter Flächeninhalt: 5,85 km · 1,5985 km = 9,351 225 km^2
kleinster Umfang: 2 · (5,75 km + 1,5975 km) = 14,695 km
größter Umfang: 2 · (5,85 km + 1,5985 km) = 14,897 km
b) kleinster Flächeninhalt: 4,75 m · 12,445 m = 59,113 75 m^2
größter Flächeninhalt: 4,85 m · 12,455 m = 60,406 75 m^2
kleinster Umfang: 2 · (4,75 m + 12,445 m) = 34,39 m
größter Umfang: 2 · (4,85 m + 12,455 m) = 34,61 m
c) kleinster Flächeninhalt: 17,15 m · 5,8545 m = 100,404 675 m^2
größter Flächeninhalt: 17,25 m · 5,8555 m = 101,007 375 m^2
kleinster Umfang: 2 · (17,15 m + 5,8545 m) = 46,009 m
größter Umfang: 2 · (17,25 m + 5,8555 m) = 46,211 m
d) kleinster Flächeninhalt: 82,35 cm · 7,15 cm = 588,8025 cm^2
größter Flächeninhalt: 82,45 cm · 7,25 cm = 597,7625 cm^2
kleinster Umfang: 2 · (82,35 cm + 7,15 cm) = 179 cm
größter Umfang: 2 · (82,45 cm + 7,25 cm) = 179,4 cm

3 a) absoluter Fehler: 5,050 km − 5 km = 0,05 km
relativer Fehler: 0,05 km : 5 km = 1 %
b) absoluter Fehler: 5000 m − 4973 m = 27 m
relativer Fehler: 27 m : 5000 m = 0,54 %
c) absoluter Fehler: 5017 m − 5000 m = 17 m
relativer Fehler: 17 m : 5000 m = 0,34 %
d) absoluter Fehler: 5000 m − 4999,4 m = 0,6 m
relativer Fehler: 0,6 m : 5000 m = 0,012 %
e) absoluter Fehler: 5 km − 4,899 km = 0,101 km
relativer Fehler: 0,101 km : 5 km = 2,02 %
f) absoluter Fehler: 5266 m − 5000 m = 266 m
relativer Fehler: 266 m : 5000 m = 5,32 %
g) absoluter Fehler: 5,088 km − 5 km = 0,088 km
relativer Fehler: 0,088 km : 5 km = 1,76 %
h) absoluter Fehler: 5000 m − 4532 m = 468 m
relativer Fehler: 468 m : 5000 m = 9,36 %

Selbsttraining Kapitel III

Funktionen

1 a) ja; $\frac{-6{,}4}{2} = \frac{3{,}2}{-1} = \frac{-16}{5} = -3{,}2$

b) nein; $\frac{5}{-4} = \frac{-2{,}5}{2} \neq \frac{-1{,}2}{3}$

c) ja; $\frac{-25}{60} = \frac{-25}{60} = \frac{10}{-24} = -0{,}41\overline{6}$

2

a)

x	−2	−1	0	1	2
$y = \frac{1}{2}x$	−1	−0,5	0	0,5	1

b)

x	−5	−3	2	4	10
$y = \frac{3}{5}x$	−3	$-\frac{9}{5}$	$\frac{6}{5}$	$\frac{12}{5}$	6

c)

x	−0,2	−0,1	0	1,4	248
y = −4x	0,8	0,4	0	−5,6	−992

3

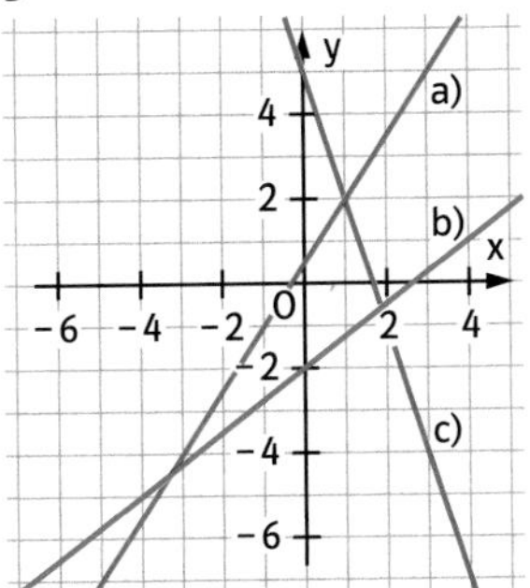

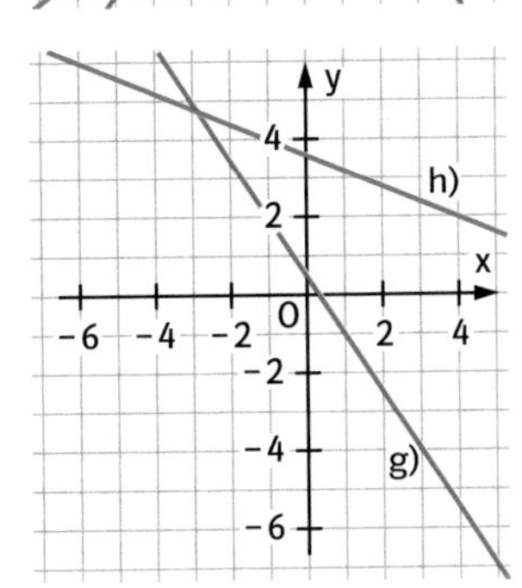

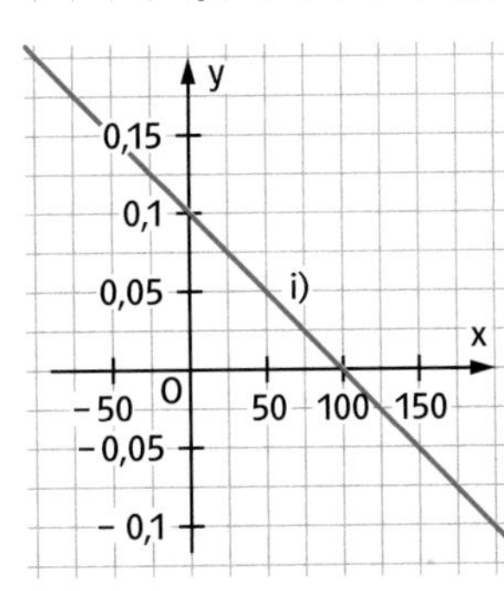

Zu i): Da der Graph sehr flach verläuft, verwendet man z. B. auf der x-Achse 100 als 1 Einheit und auf der y-Achse 0,5 als 1 Einheit.

4

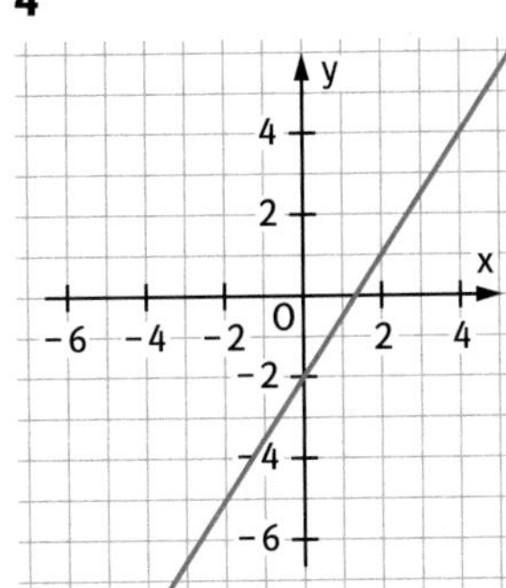

g ist die Funktion mit $y = 1{,}5x - 2$.

5 a) $A_1(2|8)$ $A_2(0|5)$ b) $B_1(5|0)$ $B_2(0|6)$ c) $C_1(2|1)$ $C_2(-1|-1)$
d) $D_1(-2|-6)$ $D_2(3|6)$ e) $E_1(1|-1)$ $E_2(5|2)$ f) $F_1(-1|0)$ $F_2(4|3)$

6 a) $(3|0)$; $(5|1)$; $(4|0{,}5)$; $(0|-1{,}5)$; $(1|-1)$; $(-1|-2)$; $(-2|-2{,}5)$; $(7|2)$
b) $(-3|11)$; $(3|-1)$; $(-2|9)$; $(0|5)$; $(1|3)$; $(-1|7)$; $(2|1)$; $(4|-3)$
c) $(-1|4)$; $(0|2{,}5)$; $(1|1)$; $(3|-2)$; $(4|-3{,}5)$; $(2|-0{,}5)$; $(-2|5{,}5)$; $(-3|7)$
d) $(-4|2)$; $(1|0{,}75)$; $(0|1)$; $(4|0)$; $(6|-0{,}5)$; $(2|0{,}5)$; $(-2|1{,}5)$; $(-1|1{,}25)$

7 Die Graphen von f_3 und f_4; f_2 und f_8 sowie f_5 und f_7 verlaufen parallel; die Graphen von f_1 und f_2; f_5 und f_6; f_4, f_7 und f_8 gehen jeweils durch dieselben Punkte der y-Achse.

8 a) $y = -2x - 2$ b) $y = -x + 2{,}5$ c) $y = \frac{1}{3}x - 2$
d) $y = \frac{1}{3}x$ e) $y = \frac{1}{3}x + 1$ f) $y = -3$

9 Alle Parallelen zur y-Achse

10 P und R liegen auf dem Graphen.

11 a) $y = -3x + 19$ b) $y = -\frac{1}{3}x + 4\frac{1}{3}$ c) $y = 2{,}1x - 1{,}8$
d) $y = 2x - 9$ e) $y = \frac{1}{10}x + \frac{13}{10}$ f) $y = \frac{3}{4}x + 4\frac{1}{4}$

12 a) $A_1 = (4|-3)$; $A_2 = (2|0)$; $f(x) = -\frac{3}{2}x + 3$
b) $B_1 = (-3|1)$; $B_2 = (2|-1)$; $f(x) = -\frac{2}{5}x - \frac{1}{5}$
c) $C_1 = (-4|1)$; $C_2 = (3|-1)$; $f(x) = -\frac{2}{7}x - \frac{1}{7}$
d) $D_1 = (1|2)$; $D_2 = (-2|-2)$; $f(x) = \frac{4}{3}x + \frac{2}{3}$
e) $E_1 = (-3|2)$; $E_2 = (-2|-1)$; $f(x) = -3x - 7$

13 a) ja b) nein c) ja d) nein

Quadratische Funktionen

1 a) $S = S(0|2)$

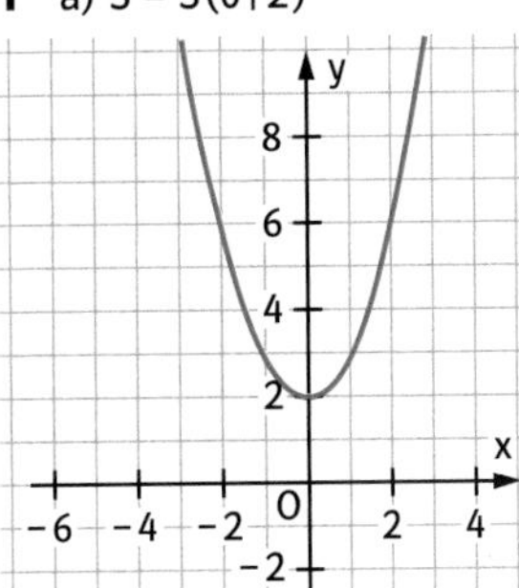

b) $S = S(0|-2)$

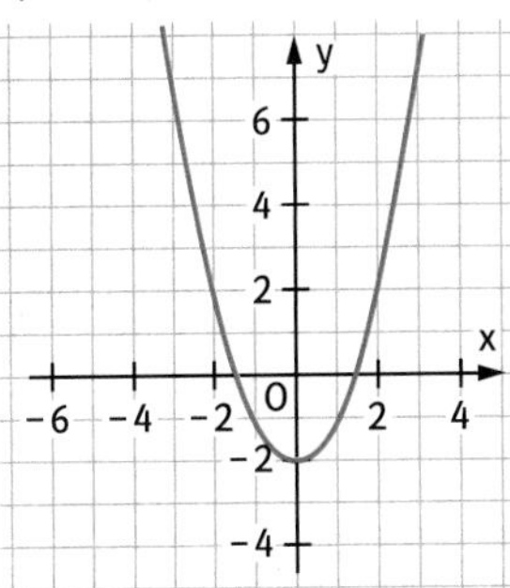

c) $S = S(0|4{,}5)$

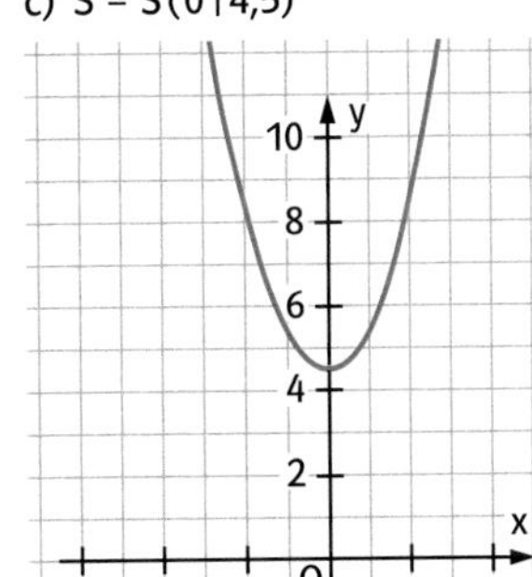

d) $S = S(0|-7{,}8)$

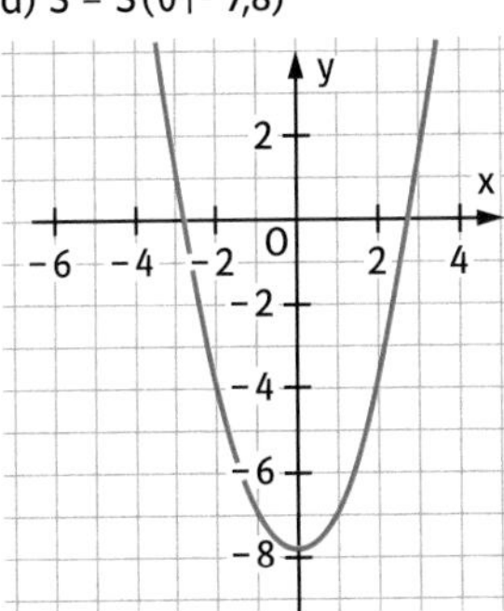

2 a) $S = S(0\,|\,3{,}1)$

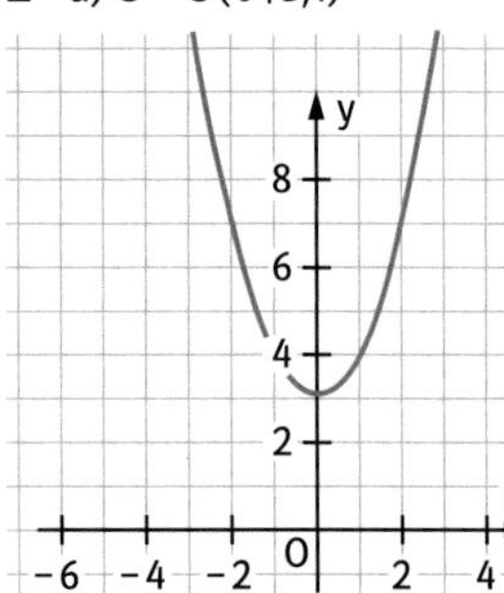

b) $S = S(0\,|\,-4{,}7)$

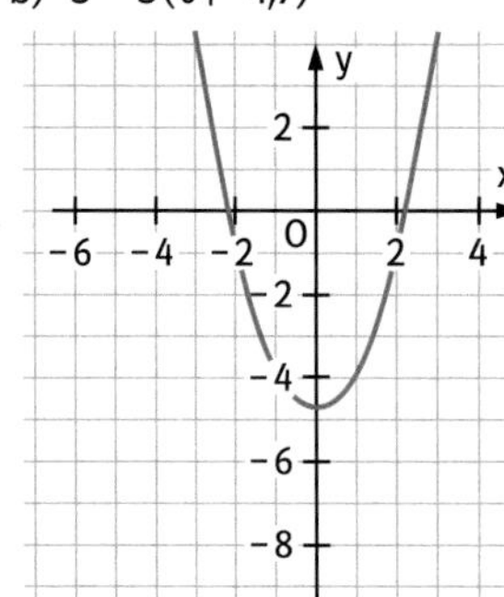

c) $S = S(0\,|\,5{,}9)$

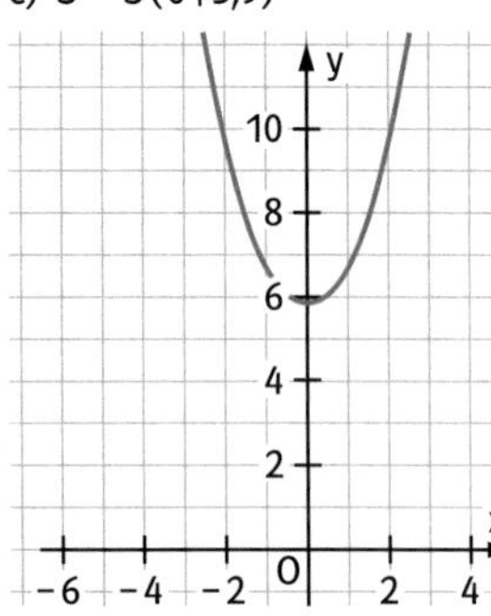

d) $S = S(0\,|\,-6{,}6)$

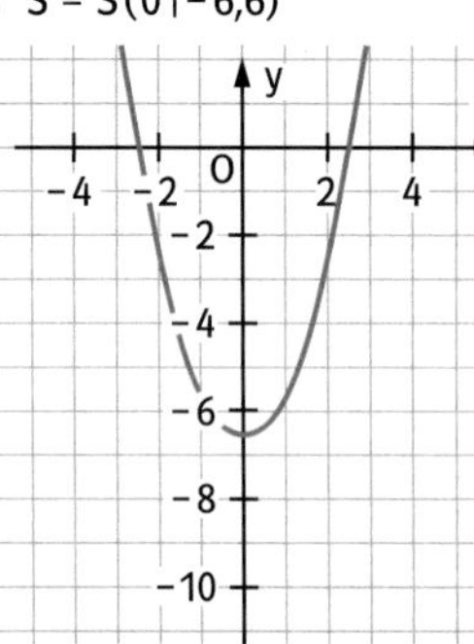

3 a) $S = S(0\,|\,-8{,}4)$

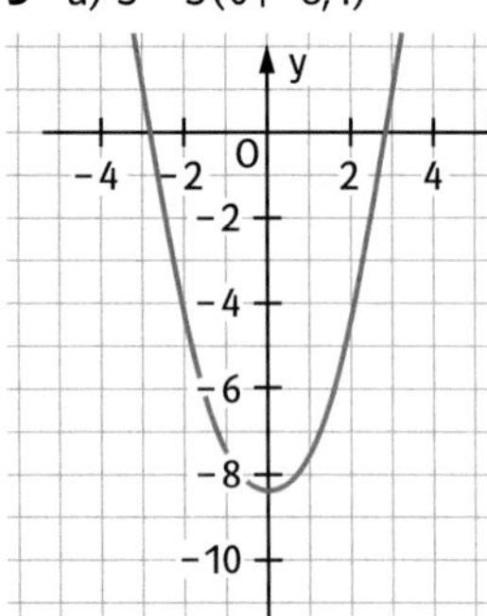

b) $S = S(0\,|\,5{,}5)$

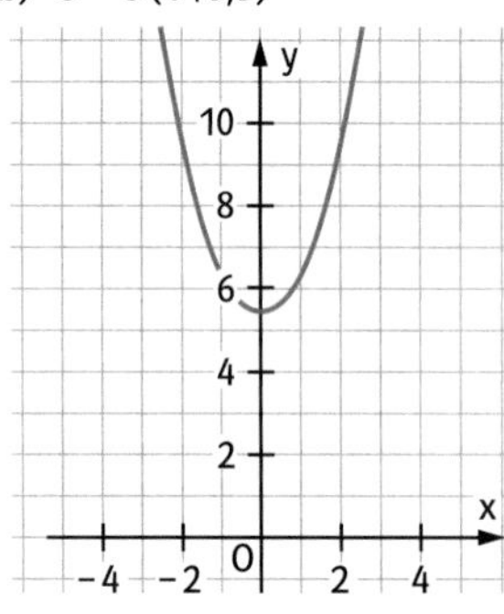

c) $S = S(0\,|\,2{,}9)$

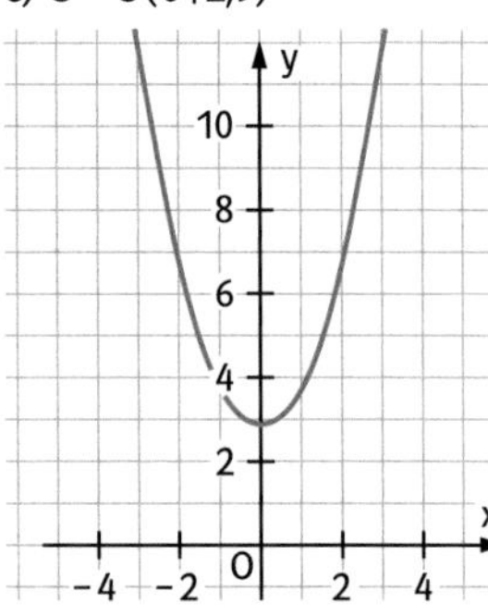

d) $S = S(0\,|\,-7{,}3)$

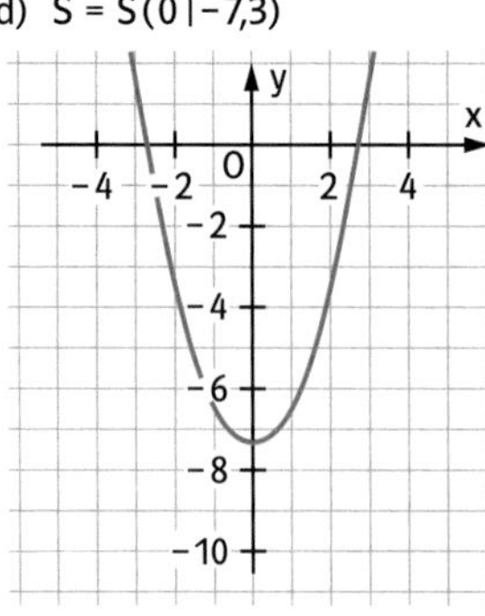

4 a) $y = x^2 + 57$ b) $y = x^2 - 5007$ c) $y = x^2 + 2\frac{7}{11}$
d) $y = x^2 - 0{,}0134$ e) $y = x^2 - 357$ f) $y = x^2 - 9{,}72$
g) $y = x^2 + 17\frac{1}{17}$ h) $y = x^2 - 10{,}05$

5 a) $P(0\,|\,-2)$ b) $P(-1\,|\,-1)$ c) $P(0{,}3\,|\,-1{,}91)$
d) $P(4\,|\,14)$ e) $P(2{,}5\,|\,4{,}25)$

6 a) $S = S(3\,|\,0)$ b) $S = S(-3\,|\,0)$
c) $S = S(8{,}5\,|\,0)$ d) $S = S(-10{,}2\,|\,0)$
Die Graphen sind verschobene Normalparabeln mit Scheitelpunkt S.

7 a) $y = x^2 + 3$ b) $y = x^2 - 5$
c) $y = (x - 3)^2 - 2$ d) $y = (x + 2)^2 - 3$

8 a) $y = (x + 15)^2$ b) $y = (x - 37)^2$
c) $y = (x - 10{,}67)^2$ d) $y = (x + 2011)^2$

9 a) S liegt auf dem Graphen, denn P und S sind identisch.
b) Die Funktionsgleichung lautet $y = (x - 5)^2 - 5$. S liegt nicht auf dem Graphen, denn $(-3 - 5)^2 - 5 = 59 \neq 3$.
c) Die Funktionsgleichung lautet $y = (x - 1)^2 + 1$. S liegt nicht auf dem Graphen, denn $(-3 - 1)^2 + 1 = 17 \neq 3$.
d) Die Funktionsgleichung lautet $y = (x + 1)^2 - 1$. S liegt auf dem Graphen, denn $(-3 + 1)^2 - 1 = 3$.

10 a) Der Graph der Funktion $y = (x - 1)^2 + 3$ ist eine verschobene Normalparabel mit Scheitelpunkt $S(1\,|\,3)$.
b) Der Graph der Funktion $y = (x + 7)^2 - 2$ ist eine verschobene Normalparabel mit Scheitelpunkt $S(-7\,|\,-2)$.
c) Der Graph der Funktion $y = (x - 11)^2 - 59$ ist eine verschobene Normalparabel mit Scheitelpunkt $S(11\,|\,-59)$.
d) Der Graph der Funktion $y = 2(x - 8)^2 + 3$ ist enger als eine verschobene Normalparabel und hat den Scheitelpunkt $S(8\,|\,3)$.
e) Der Graph der Funktion $y = -5(x + 9)^2 - 6$ ist enger als eine verschobene Normalparabel, ist nach unten geöffnet und hat den Scheitelpunkt $S(-9\,|\,-6)$.
f) Der Graph der Funktion $y = 33(x - 91)^2 - 659$ ist enger als eine verschobene Normalparabel und hat den Scheitelpunkt $S(91\,|\,-659)$.
g) Der Graph der Funktion $y = -1(x + 12)^2 - 42$ ist eine verschobene, nach unten geöffnete Normalparabel mit Scheitelpunkt $S(-12\,|\,-42)$.
h) Der Graph der Funktion $y = -(x - 23)^2 + 54$ ist eine verschobene, nach unten geöffnete Normalparabel mit Scheitelpunkt $S(23\,|\,54)$.
i) Der Graph der Funktion $y = -(x - 0{,}01)^2 + 3{,}29$ ist eine verschobene, nach unten geöffnete Normalparabel mit Scheitelpunkt $S(0{,}01\,|\,3{,}29)$.

11 $y = -2x^2 + 4x - 1$ (schwarz)
$y = 0{,}5x^2 - 3x + 2$ (blau)
$y = -1x^2 + 2x + 1$ (grün)
$y = 3x - 1$ (rot)
$y = -2x + 2$ (gelb)
$y = 1x + 3$ (orange)

Potenzfunktionen

1 a) P(2 | −64) b) P(−0,1 | 0,000 02)
c) P(10 | −200 000) d) P(−1 | 2)

2 a) $y = 2x^3$ b) $y = -x^4 + 1$ c) $y = -0{,}5x^5 - 1$

3 Skizziere den Graphen der Funktion
a)

b)

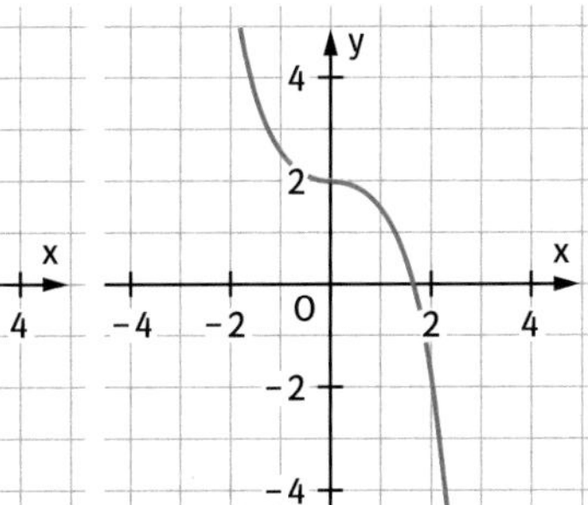

c)

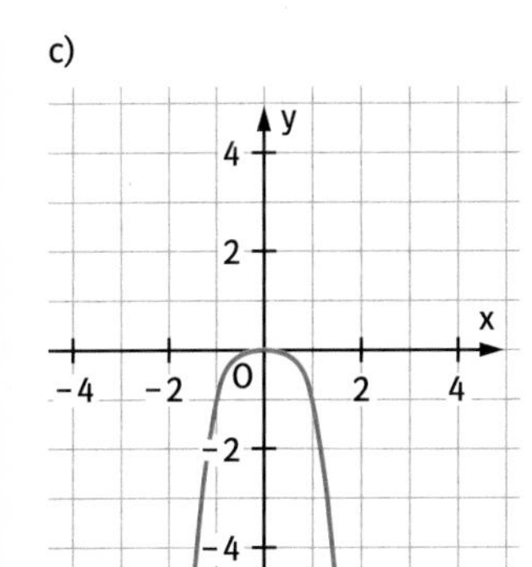

d)

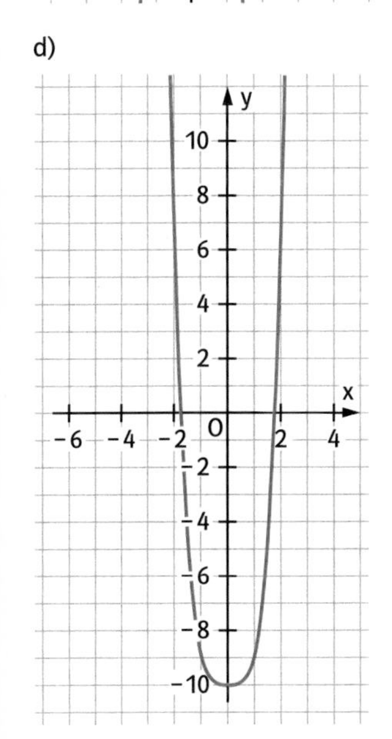

Optimierungsaufgaben

1 Damit der Flächeninhalt des Rechtecks möglichst groß wird, müssten die Seitenlängen jeweils 5 cm betragen, das Rechteck wäre also ein Quadrat.

2 Für $x = 5\,\text{m}$ und $y = \frac{10}{3}\,\text{m} \approx 3{,}33\,\text{m}$ wird die Fläche des gesamten Geheges mit etwa $83{,}33\,\text{m}^2$ am größten.
Die Flächeninhalte der drei Abteilungen betragen zweimal etwa $16{,}67\,\text{m}^2$ und einmal $50\,\text{m}^2$.

3 a) $Q(x_0 \mid -0{,}5x_0 + 2)$, $R(0 \mid -0{,}5x_0 + 2)$ und $O(0 \mid 0)$
b) Der Flächeninhalt ist für $x_0 = 2$ mit $F = 2$ am größten.

Selbsttraining Kapitel IV

Terme mit mehreren Variablen

1 a)

x	y	2x	3y	2x + 3y − 12
0	−2	0	−6	−18
1	2,5	2	7,5	−2,5
−2	−2	−4	−6	−22
2,5	−3	5	−9	−16
1,5	$\frac{2}{3}$	3	2	−7
−0,75	0,75	−1,5	2,25	−11,25

b)

u	v	3(u + v)	2uv	3(u + v) − 2uv
3	2	15	12	3
2	3	15	12	3
6	6	36	72	−36
−1,5	1,2	−0,9	−3,6	2,7
$\frac{1}{3}$	0,75	3,25	0,5	2,75
$-\frac{5}{6}$	0,5	−1	$-\frac{5}{6}$	$-\frac{1}{6}$

2

x	y	3x − 7y	3(x − 7y)	3(3x − 7)y	(3x − y) · 7
−3	0,5	−12,5	−19,5	−24	−66,5
−1,2	−4	24,4	80,4	127,2	2,8
0,5	$\frac{1}{3}$	$-\frac{5}{6}$	−5,5	−5,5	$8\frac{1}{6}$
$\frac{1}{3}$	0,5	−2,5	−9,5	−9	3,5
$\frac{5}{6}$	0	2,5	2,5	0	17,5

Vereinfachen von Summen und Differenzen

1 a) $2{,}3y + 6{,}1z$ b) $11a + 4{,}4b$ c) $57{,}2x + 34{,}1z$
d) $11{,}2f + 5{,}5g$ e) $3{,}71r + 1{,}75s + 3t$ f) $0{,}72g + 11{,}5h$
g) $1\frac{5}{28}a + 1\frac{1}{14}b$ h) $2{,}125s + 1\frac{5}{6}t$ i) $2{,}625x + 2{,}125y$

2 a) $8uv + 3vw - 5uw$ b) $14xy - 11xz + 6yz$
c) $4gh + 3gk + hk$ d) $6ab + 9ac + 13bc$
e) $cd - 17gh$ f) $9ay + 9az + 7by + 10bz$

3 a) $7{,}2x + (-1{,}1)y$ b) $0{,}23v + 0{,}81w + 3vw$
c) $3a^2 + (-4{,}5)ac + (-0{,}7)cd$ d) $6{,}7r^2 + 2rs + 2{,}5$
e) $2{,}1u^2 + (-0{,}5)v^2 + 0{,}7uv$ f) $(-1)ab + 1\frac{1}{3}ac + (-1{,}5)$
g) $\frac{1}{6}xy + \left(-\frac{1}{6}\right)xz + 0{,}5yz + 0{,}375$
h) $\frac{2}{7}e^2 + 1{,}5f^2 + \left(-2\frac{5}{7}\right)ef + \frac{5}{7}$

4 a) $16ab + (-6)b$ b) $(-1)x^2 + 13x + (-12)$
c) $2uv + 5uw + 6vw$ d) $(-1)z^3 + 2z^2 + 6z$
e) $7ac + 8cd$ f) $(-2)s^2 + 5rs$
g) $10p^2 + 6q^2 + (-12)pq$ h) $3a^3 + a^2 + 6a + 9$

5 a) $1{,}5a^2b + b^2 + 3b^2a + 3ab$
b) $(-1)s^2t^2 + 6s^2t + 0{,}8s^2 + t^2s$
c) $0{,}6x^3y + 0{,}75y^3x + \frac{5}{6}xy$
d) $\frac{5}{8}s^2r^2 + 4{,}5s^2r + \frac{3}{8}r^2s$
e) $1{,}25p^3q + p^2q + 3q^2p + 2{,}5pq$
f) $1\frac{5}{6}e^2f^2 + 0{,}5e^2f + 1\frac{1}{3}f^2e + 2ef$

6 a) $5(a^2 + a)$ b) $2u + 9uv + 3v$

7 a) $b + a$ b) $3b - 3c$ c) $7c - d$
d) $4e - 5{,}5$ e) $5e - 3f$ f) $3f - 4g - 2{,}5$
g) $1\frac{2}{3}q$ h) $-v$ i) $-x + y$

8 a) $-2a^2 - 4a$ b) $-4b^2 - 2a$ c) $-3a^2 + 8b^2$
d) $5p - 2q^2$ e) $-u + 2v^2$ f) $8x^2 - 2y^2$
g) $-3ab + ac - 2cd$ h) $2{,}3z - 5{,}5zx + 2$ i) $6uv - 6$

9 a) $22a + ac - 7bc - 25$ b) $x + y + 7$
c) $3{,}5u^2v^2 - 2{,}75u^2v + 1{,}75v^2u + u^2 + v^2 - 0{,}5$

Vereinfachen von Termen mit Produkten

1 a) $30xy$ b) $42uvw$ c) $504kmn$ d) $144abc$
e) $6pqr$ f) $2{,}7xyz$ g) $-30ef$ h) $40abc$
i) $\frac{2}{21}xyz$ j) $-10{,}5abc$ k) $-7{,}5st$ l) $0{,}6uv$
m) $-14ab$ n) $15ghk$ o) $4xy$ p) $-14rst$

2 a) $70a^2b$ b) $21x^2y$ c) $18st^2$ d) $100pq^2r$
e) $30xz^2$ f) $-420u^2v$ g) $-9a^2b$ h) $18x^2y^2$
i) $\frac{7}{50}e^2f^2$ j) $-3{,}2s^2t$ k) $-m^2n$ l) $-24ab^2c$
m) $-e^2f^2g$ n) $144x^2yz$ o) $108s^2t^2$ p) $5a^2b^2$

3 a) $10ab$ b) 0 c) $15cd$ d) $40df$ e) $4ef$
f) $-3\frac{2}{3}fg$ g) $-15{,}5gh$ h) $2{,}5gh$ i) $13pq$ j) $42rs$

4 a) $12{,}5ab$ b) $2ab$ c) $-3cd$
d) $6{,}5de$ e) $0{,}25uv$ f) $8{,}4uv$

5 a) $2abc$ b) $2b^2cd - 2bcd$
c) $-2a^2e + 2d^2ae + 2ade$ d) $d^2ef + de^2f - 2def^2 + edf$
e) $3e^2g - 4efg^2 + 2efg$ f) $5f^2gh + 4fg^2$

6 a) $10x^2yz^3$ b) 0 c) $r^2s^3(5r^3s^5 - 3r^6s^2 - 2s^5)$
d) $8a^3b^6 - 2a^5b^7$ e) $9x^3y^3z^3$ f) $12u^5v^3$

7 a) $35a^3bc + 14b^2c^3 + 8abc^2$
b) $6c^2d^2uv + 61cdu^2v^2 + 42cdu^2v$
c) $-13p^2q^3r^3s^3 - 4pq^4r^3s^3 + 2{,}4pq^4r^2s^4$

Multiplizieren von Summen

1 a) $2a + 2b$ b) $7c + 7d$ c) $2{,}5e - 2{,}5f$ d) $3p^2 + 3q$
e) $0{,}5r^2 + 0{,}5s^2$ f) $-2u + 2v^2$ g) $-x - y$ h) $-x + y$
i) $-2x^2 + 2y$ j) $-4xy + 4$ k) $-16x - 3{,}2z$ l) $-\frac{y}{2} + 4{,}5z$
m) $2x + y$ n) $-2x + y$ o) $-12x^2 + 8z$ p) $2x^2 - 2y^2$

2 a) $2ac + 2bc$ b) $3ac - 3b^2c$ c) $4ax + 12bx$
d) $5{,}2u^2 - 5{,}2uv$ e) $3uw - 0{,}5vw$ f) $-2uw + vw$
g) $pr - qr$ h) $-pr + qr$ i) $pq + pr$
j) $0{,}2x^2 - 0{,}2xy$ k) $-0{,}4x^2 - 0{,}6xy$ l) $-12xy + 3yz$

3 a) $-2x + 6$ b) $17{,}5r - 7s$ c) 0
d) $x - 2y + 3xy$ e) $xz - 3yz$ f) $-8xy - 75xz$
g) $3x - 7$ h) $3{,}5a - 3b + 0{,}5$ i) $3x + 7y$
j) $u + 4v - 31{,}5x + 9y$

4 a) $ux + uy + vx + vy$ b) $ux - uy - vx + vy$
c) $pr - ps + qr - qs$ d) $x^2 + 5x + 6$
e) $y^2 + 3y - 10$ f) $u^2 - 5u - 36$
g) $b^2 + 1{,}5b - 10$ h) $v^2 - 5{,}5v - 3$
i) $c^2 - \frac{5}{6}c + \frac{1}{6}$

5 a) $12x^2 - 11x - 5$ b) $-30y^2 + 19y + 4$
c) $21z^2 - 52z + 32$ d) $2ac + 2ad + 3bc + 3bd$
e) $3ac - 4ad + 3bc - 4bd$ f) $4a^2 + ab - 3b^2$
g) $12a^2 - 4ab - 21b^2$ h) $63x^2 - 89xy + 30y^2$
i) $18x^2 + 9xy - 2y^2$ j) $15y^2 + 13yz - 6z^2$
k) $2x^2 - 3xy - 2y^2$ l) $\frac{1}{6}b^2 - 1\frac{13}{18}bc + 2c^2$

6 a) $4x + 3$ b) $x^2 - 16x + 5$ c) -2
d) $x - 2$ e) $2x^2 - 5x - 2$ f) $z^2 + 2z - 6$
g) $a^2 - 24$ h) $6p - 8$ i) $17a^2 + 5a - 44$
j) $12x^2 - 14x + 10$

Binomische Formeln

1 a) 961; 529; 2809 b) 4096; 5184; 6561
c) 841; 1444; 3481 d) 4624; 5929; 7921
e) 10 201; 9801 f) 1 002 001; 996 004
g) 41 209; 38 416 h) 248 004; 255 025
i) 1599; 4899 j) 1596; 3591
k) 8084; 39 996 l) 999 600

2 a) $x^2 + 2xy + y^2$ b) $r^2 + 2rs + s^2$ c) $z^2 + 2az + a^2$
d) $h^2 + 2hp + p^2$ e) $u^2 - 2uv + v^2$ f) $g^2 - 2gf + f^2$
g) $w^2 - 2wt + t^2$ h) $b^2 - 2bx + x^2$ i) $b^2 - c^2$
j) $a^2 - x^2$ k) $q^2 - s^2$ l) $v^2 - z^2$

3 a) $a^2 + 2a + 1$ b) $x^2 + 6x + 9$ c) $y^2 + 10y + 25$
d) $z^2 + z + 0{,}25$ e) $a^2 - 8a + 16$ f) $a^2 - 8a + 16$
g) $u^2 - u + 0{,}25$ h) $v^2 - v + 0{,}25$ i) $r^2 - 9$
j) $x^2 - 49$ k) $25 - y^2$ l) $z^2 - 0{,}25$

4 a) $4c^2 + 20c + 25$ b) $16 + 24r + 9r^2$
c) $25u^2 + 10uv + v^2$ d) $49x^2 + 112xy + 64y^2$
e) $9f^2 - 36f + 36$ f) $81 - 72t + 16t^2$
g) $4w^2 - 4aw + a^2$ h) $25x^2 - 70xz + 49z^2$
i) $81 - 25k^2$ j) $9p^2 - 49$
k) $64v^2 - w^2$ l) $16x^2 - 36y^2$

5 a) $64a^2 + 32a + 4$ b) $16a^2 - 40ax + 25x^2$
c) $9z^2 - 42z + 49$ d) $16 - 9u^2$
e) $9x^2 - 72x + 144$ f) $z^2 + 162z + 6561$
g) $49c^2 - 14014c + 1002001$ h) $8464 - 25r^2$
i) $2{,}25a^2 + 12a + 16$ j) $\frac{1}{16}u^2 - \frac{1}{6}uv + \frac{1}{9}v^2$
k) $0{,}64x^2 - 0{,}8ax + \frac{a^2}{4}$ l) $\frac{p^2}{25} + \frac{q^2}{16}$
m) $\frac{9}{16}v^2 + 1{,}65vw + 1{,}21w^2$ n) $\frac{9}{16}v^2 - 1{,}65vw + 1{,}21w^2$
o) $\frac{x^2}{64} - 0{,}25x + 1$ p) $0{,}16x^2 - 6{,}25y^2$

6 a) $x^4 + 4x^2 + 4$ b) $k^4 - 4k^2 + 4$
c) $16a^2 - 8ab^2 + b^4$ d) $81c^4 - d^2$
e) $u^4 + 2u^2v^2 + v^4$ f) $u^4 - 2u^2w^2 + w^4$
g) $\frac{9}{16}f^4 + \frac{3}{8}f^2g^2 + \frac{1}{16}g^4$ h) $\frac{1}{9}p^4 - q^4$

7 a) $2ab$ b) $2u^2 + 2v^2$ c) 0
d) $-2xy + 2y^2$ e) $2r^2s^2 - 2s^4$ f) $2a^2x^4 + 2ax^2y^2$
g) 0 h) $-8ab$

8 a) $84x$ b) $80a$ c) $32x^2 + 162y^2$
d) $-160xy$ e) $60x$ f) $162y^2 + 126xy$
g) $68a^2 - 16a$ h) $16u^2v^2 - 2v^4$

Zerlegung von Summen als Produkte

1 a) $6(a + b)$ b) $7(u - 2v)$ c) $9(2r^2 + s^2)$
d) $8(2x^2 - 3y^2)$ e) $a(x + y)$ f) $y(b + 2)$
g) $y(b - 1)$ h) $b(y - 1)$ i) $x(x - 1)$
j) $x(1 - x)$ k) $u(v + u)$ l) $v(v - u)$
m) $v(2u - 1)$ n) $3r(2t - s)$ o) $r(9rs - 1)$
p) $s(0{,}5r + st)$ q) $5a(5a - 7bx)$ r) $4xy(3x - y)$
s) $10p^2q^2(2q - p)$ t) $12ab(4b^2 + 3a^2)$

2 a) $2(2x - 3y - 4z)$ b) $3(3a - 2b - c)$
c) $0{,}4(3u - 4v - 5w)$ d) $\frac{2}{3}(x - 2y + 5z)$
e) $a(x - y + z)$ f) $p(u^2 + v^2 - w^2)$
g) $a(a^2 + a - 1)$ h) $b^2(b^2 - b - 1)$
i) $2(ab + ac + bc)$ j) $12x(y - 4z)$
k) $7x(y - 2s + 7a)$ l) $5u(v - 2w + vw)$

3 a) $(c - d)(a^2 - b^2)$ b) $(4a^2 - 3b^2)(r + 3s)$
c) $9p^2r^2 + 3s^2(5p^2 - 6q^2)$
d) $7a^2b(7ab^2 + 9) - 9b(7a + 9b^2)$
e) $3x(6x - 7x^2 - 4xy + 5y^2)$ f) $5s^2(8s^3 - 5s - 5)$

4 a) $(f + g)^2$ b) $(p - v)^2$
c) $(c + d)(c - d)$ d) $(x - a)^2$
e) $(x - 2)^2$ f) $(3p + 1)^2$
g) $(0{,}5a + b)^2$ h) $(4r + 8)(4r - 8)$
i) $(4x + 3y)^2$ j) $(5x^2 + 9y)(5x^2 - 9y)$
k) $(uv^3 + 1)(uv^3 - 1)$ l) $(r^2 + 2)^2$
m) $(uv - r)^2$ n) $(5x - 3y)^2$
o) $\left(\frac{2}{3}x + 3y\right)^2$ p) $(3u + 7v)(3u - 7v)$
q) $(8x - 5y)^2$ r) $(0{,}2u - 1)^2$

5 a) $9(x - 1)(x + 1)$ b) $5(y + 4)(y - 4)$
c) $2(z + 4)(z - 4)$ d) $7(a + 3b)(a - 3b)$
e) $5(c + 3d)(c - 3d)$ f) $y(x + y)(x - y)$
g) $b(a - 2b)(a + 2b)$ h) $z(z + 1)(z - 1)$
i) $u(u + 2)(u - 2)$ j) $2(5x + y)(5x - y)$
k) $a(a - b)^2$ l) $2u(u - 3)^2$
m) $2(4x^2 + 3y)^2$ n) $2(x - 3)^2$
o) $25(a - 1)^2$

Register

Q

R

S

T

U

V

W

Z

Bildquellen

8.1: Getty Images (Altrendo), München – **8.2:** Getty Images (Photonica), München – **9.1:** Artothek / ©VG Bild-Kunst, Bonn 2005 – **9.2:** ©2005 The M.C. Escher Company – Holland. All rights reserved. www.escher.com – **10.1:** Getty Images (Stone), München – **10.2:** STABILO International GmbH, Heroldsberg – **11.1:** Volkswagen AG, Wolfsburg – **11.2:** ullstein bild (Herrmann), Berlin – **11.3:** Mitsubishi Motors Deutschland GmbH, Trebur – **12.1:** ©2005 The M.C. Escher Company – Holland. All rights reserved. www.escher.com – **12.2:** AKG / ©VG Bild-Kunst, Bonn 2005 – **12.3:** ©2005 The M.C. Escher Company – Holland. All rights reserved. www.escher.com – **12.4:** ©2005 The M.C. Escher Company – Holland. All rights reserved. www.escher.com – **17.1:** Arnulf Betzold GmbH, Ellwangen – **17.2:** www.learn-line.nrw.de – **20.1:** Thomas Balls-Thies, Bielefeld – **21.1:** Getty Images (Photographer`s Choice), München – **21.2:** Mauritius Witzgall), Mittenwald – **27.1:** Avenue Images GmbH (Image Source), Hamburg – **27.2:** archivberlin (J. Henkelmann), Berlin – **31.1:** Mauritius (Siepmann), Mittenwald – **32.1:** Gianni Dagli Orti / Corbis, Düsseldorf – **33.1:** AKG, Berlin – **34.1:** FOCUS (SPL), Hamburg – **34.4:** Getty Images (PhotoDisc), München – **38.1:** Avenue Images GmbH (image 100), Hamburg – **39.1:** ddp (mecom/Lohnes), Berlin – **48.1:** Jon Feingersh / Corbis, Düsseldorf – **58.1:** Getty Images (PhotoDisc), Hamburg – **60.1:** Corbis, Düsseldorf – **61.1:** jugend und musik, Rastatt – **61.2:** Keystone, Hamburg – **64.1:** Getty Images (Stone), München – **64.2:** Getty Images (Science Faction), München – **64.3:** Getty Images (Image Bank), München – **64.4:** Visum (Fotofinder), Hamburg – **65.1:** Fotofinder (MPI), Berlin – **66.1:** Schwaneberger Verlag GmbH, Unterschleißheim – **74.1:** Corbis (Sidney/zefa), Düsseldorf – **79.1:** Picture-Alliance (AFP), Frankfurt – **80.1:** Getty Images (Stone), München – **81.1:** Mauritius, Mittenwald – **81.2:** Corbis (Bettmann), Düsseldorf – **82.1:** Corbis (Spichtinger/zefa), Düsseldorf – **92.1:** Getty Images (Image Bank), München – **92.2:** Corbis (masterfile/zefa), Düsseldorf – **92.3:** Mauritius (Bryan Reinhart), Mittenwald – **92.4:** Getty Images (Stone+), München – **96.1:** Picture-Alliance (dpa/Thomas Frey), Frankfurt – **97.1:** Getty Images (Image Bank), München – **98.1:** ©VG Bild-Kunst, Bonn 2005 – **101.1:** Werner Otto (Fotofinder), Oberhausen – **107.1:** Corbis (Tom & Dee Ann McCart), Düsseldorf – **108.3:** Corel Corporation, Unterschleissheim – **109.1:** Motor-Presse International, Stuttgart – **113.1:** DigitalVision, Maintal-Dörnigheim – **115.1:** www.deinallgaeu.de – **115.3:** www.deinallgaeu.de – **115.4:** www.bernd-nebel.de – **117.1:** MEV, Augsburg – **118.1:** Avenue Images GmbH (Brand X Pictures), Hamburg – **119.1:** Lexikon der Mathematik, Spektrum, Akademischer Verlag – **120.1:** Avenue Images GmbH (Digital Vision), Hamburg – **123.1:** Pixtal, New York NY – **126.1:** Getty Images (Taxi), München – **126.2:** Avenue Images GmbH (Thinkstock), Hamburg – **126.3:** Getty Images (Image Bank), München – **128.1:** Getty Images (Photographer's Choice), München – **128.2:** Avenue Images GmbH (Digital Vision), Hamburg – **128.3:** Getty Images (Taxi), München – **128.4:** Getty Images (Altrendo), München – **128.5:** Getty Images (Photographer's Choice), München – **128.6:** Getty Images (Stone), München – **128.7:** Okapia (Fred Bruemmer/P. Arn), Frankfurt – **128.8:** Getty Images (Taxi), München – **130.1:** Avenue Images GmbH (PhotoDisc), Hamburg – **130.2:** Getty Images (Stone), München – **130.3:** Avenue Images GmbH (Digital Vision), Hamburg – **145.1:** Deutsches Museum, München – **152.1:** Getty Images (Bridgeman), München – **152.2:** AKG, Berlin – **152.3:** Stadtwerke Coswig Anhalt – **153.1:** Schwaneberger Verlag GmbH, Unterschleißheim – **153.2:** Interfoto, München – **156.1:** Avenue Images GmbH (PhotoDisc), Hamburg – **156.2:** Getty Images (photonica), München – **156.3:** Fotofinder (buchcover.com), Berlin – **157.1:** Avenue Images GmbH (Stock Disc), Hamburg – **157.2:** Alamy Images RM (Coulam), Abingdon, Oxon – **157.3:** Humboldt-Universität zu Berlin, Berlin – **165.1:** Getty Images (Bongarts), Hamburg – **167.1:** Getty Images (Taxi), München – **168.1:** Pixtal, New York NY – **171.1:** Getty Images (Taxi), München – **174.1:** Fotosearch RF, Waukesha, WI – **176.1:** www.marilynvossavant.com – **179.1:** MEV, Augsburg – **180.1:** Picture-Alliance (dpa/Fischer), Frankfurt – **183.1:** Bildarchiv Monheim GmbH (Fotofinder), Meerbusch – **183.2:** Panther Media GmbH, München – **184.2:** STOCK4B (Fotofinder), München – **186.1:** Getty Images (Photonica), München – **186.2:** MEV, Augsburg – **188.1:** Corbis (JESSICA RINALDI/Reuters), Düsseldorf – **189.1:** Corbis (Viviane Moos), Düsseldorf – **190.1:** Audi, Ingolstadt – **191.1:** Volkswagen AG, Wolfsburg – **193.1:** Wilfried Herget, Dietmar Scholz: Die etwas andere Aufgabe, Mathematik-Aufgaben Sek. I, Aus der Zeitung, Verlag: Kallmeyerische Verlagsbuchhandlung GmbH, Seelze – **194.1:** Picture-Alliance (Kasper), Frankfurt – **197.1:** MEV, Augsburg

Alle übrigen Fotos stammen aus dem Archiv des Ernst Klett Verlages, Stuttgart.

Textquellen

127: Alles hat seinen Grund. Aus: Ian Stewart: Die Zahlen der Natur. Übersetzung: Brigitte Post – **189:** Der Placebo-Effekt. Natur und Kosmos, März 2005 – **191:** Toulouse. Nach: Focus Money, 18.01.2005.

Nicht in allen Fällen war es uns möglich, den Rechteinhaber ausfindig zu machen.
Berechtigte Ansprüche werden selbstverständlich im Rahmen der üblichen Vereinbarungen abgegolten.